C0-AYQ-397

Blaschek-Hahn / Sepp (Hg.)

—

Heinrich Rombach

Orbis Phaenomenologicus

Herausgegeben von
Kah Kyung Cho (Buffalo), Yoshihiro Nitta (Tokyo) und Hans Rainer Sepp (Prag)

Perspektiven. Neue Folge 2

Editionsgremium

Eberhard Avé-Lallemant (München), Rudolf Bernet (Leuven), Ivan Blecha (Olomouc), Alexei G. Chernyakov (St. Petersburg), Ion Copoeru (Cluj-Napoca), Renato Cristin (Trieste), Natalie Depraz (Paris), Wolfhart Henckmann (München), Dean Komel (Ljubljana), Nam-In Lee (Seoul), Junichi Murata (Tokyo), Thomas Nenon (Memphis), Liangkang Ni (Guangzhou), Harry P. Reeder (Arlington), Rosemary Rizo-Patrón de Lerner (Lima), Krishna Roy (Calcutta), Javier San Martín (Madrid), Toru Tani (Kyoto), Helmuth Vetter (Wien), Meinolf Wewel (Freiburg i. Br.), Ichiro Yamaguchi (Tokyo)

Beirat

Zaeshick Choi (Kangnung, Korea), Jean-François Courtine (Paris), Lester Embree (Boca Raton), Dagfinn Follesdal (Oslo/Stanford), Klaus Held (Wuppertal), Elmar Holenstein (Yokohama), Jean-Luc Marion (Paris), Wolfe Mays (Manchester), J. N. Mohanty (Philadelphia), Ernst Wolfgang Orth (Trier), Bernhard Waldenfels (Bochum), Roberto Walton (Buenos Aires), Donn Welton (Stony Brook)

Sekretariat

Hans Rainer Sepp
SIF – Středoevropský institut pro filosofii /
Mitteleuropäisches Institut für Philosophie
Fakultät für Humanwissenschaften
Karls-Universität Prag

Heinrich Rombach

Strukturontologie – Bildphilosophie – Hermetik

Herausgegeben von
Helga Blaschek-Hahn
Hans Rainer Sepp

Königshausen & Neumann

Die Drucklegung dieses Bandes wurde ermöglicht durch die

Fritz Thyssen Stiftung
FÜR WISSENSCHAFTSFÖRDERUNG

Gestaltung des Einbands unter Verwendung eines Gemäldes von
Ion Pana, Malmö / www.ionpana.se

Bibliografische Information der Deutschen Bibliothek

Die Deutsche Bibliothek verzeichnet diese Publikation in der Deutschen
Nationalbibliografie; detaillierte bibliografische Daten sind im Internet
über <http://dnb.ddb.de> abrufbar.

© Verlag Königshausen & Neumann GmbH, Würzburg 2010
Gedruckt auf säurefreiem, alterungsbeständigem Papier
Umschlag: skh-softics / coverart
Bindung: Verlagsbuchbinderei Keller GmbH, Kleinlüder
Alle Rechte vorbehalten
Dieses Werk, einschließlich aller seiner Teile, ist urheberrechtlich geschützt.
Jede Verwertung außerhalb der engen Grenzen des Urheberrechtsgesetzes ist
ohne Zustimmung des Verlages unzulässig und strafbar. Das gilt insbesondere
für Vervielfältigungen, Übersetzungen, Mikroverfilmungen und die Einspeicherung
und Verarbeitung in elektronischen Systemen.
Printed in Germany
ISBN 978-3-8260-4055-9
www.koenigshausen-neumann.de
www.buchhandel.de
www.buchkatalog.de

Inhalt

Inhalt

„Mein Weg ist nicht *mein* Weg"

Einführung in Heinrich Rombachs Phänomenologie des Konkreativen

Helga Blaschek-Hahn und Hans Rainer Sepp

Heinrich Rombach zählt zu den wenigen, die im Deutschland der Nachkriegszeit zu einer eigenständigen phänomenologischen Position gefunden haben. Geboren 1923, studierte Rombach an der Universität Freiburg im Breisgau anfangs Physik, Chemie und Mathematik und nur im Nebenfach Philosophie, bevor er Philosophie als Hauptfach vorzog und dazu Psychologie, Pädagogik, Geschichte und Kunstgeschichte belegte. Während seiner Assistentenzeit am Philosophischen Seminar II der Freiburger Universität bereitete er im Fach Philosophie, zunächst bei Heidegger, dann bei Max Müller, Eugen Fink und Wilhelm Szilasi, seine Promotion vor, die er 1952 mit der Arbeit *Über Ursprung und Wesen der Frage* (Rombach 1952) abschloss. Der mit der Arbeit „Wahrheit und Endlichkeit. Versuch einer Deutung des Grundproblems der Philosophie des 17. und 18. Jahrhunderts" ebenfalls an der Universität Freiburg durchgeführten Habilitation folgte 1964 der Ruf auf den Lehrstuhl für Philosophie I der Universität Würzburg, den Rombach bis zu seiner Emeritierung im Jahr 1990 inne hatte.[1] 2004 verstarb Heinrich Rombach.

Rombach selbst charakterisiert seine phänomenologisch-philosophische Position dreifach als *Strukturontologie*, *Bildphilosophie* und *Hermetik*.[2] „Alle drei haben miteinander zu tun, hängen aber nicht zusammen. Sie gehen auf verschiedene Traditionen zurück und arbeiten mit unterschiedlichen Methoden, tragen aber zu einer gemeinsamen Sache bei." (Rombach 1989, 2)

Die *Strukturontologie* knüpft an frühe Motive eines Strukturdenkens an, deren europäischen Anfänge Rombach, nach frühen Anklängen in der Vorsokratik, in der Umbruchzeit des europäischen Mittelalters zur Neuzeit, in der deutschen Mystik und bei Nikolaus von Kues, lokalisiert, und orientiert sich phänomenologisch an Heideggers Fundamentalontologie. Anders als diese befreit sie jedoch

---

[1] Weitere biographische Angaben finden sich in der der Festschrift für Rombach beigegebenen „Biographischen Notiz" (Stenger u. Röhrig 1995, 627 f.); dort auch ein Verzeichnis der Schriften Rombachs.

[2] Unterscheidet man die Struktur*phänomenologie* von der Struktur*ontologie*, lassen sich vier Hauptrichtungen des Rombachschen Denkens unterscheiden (vgl. dazu den Überblick über Rombachs Werk, unten S. 239 ff.).

Phänomenalität zum einen von ihrer Fixierung auf nur daseinsmäßiges Sein und befragt sie zum anderen hinsichtlich ihrer *Genese*. Somit geht Strukturontologie methodisch als *Geneseologie* vor, welche die Selbstartikulation einer Struktur als deren Genese, in der sich eine Umbruchsphase, eine ‚Epoche' in ihrer Geschichtlichkeit, manifestiert, zu erfassen sucht. *Struktur* bezeichnet hierbei einen „Grundvorgang", für den es eigentlich „keinen Namen" gibt und der besagt, „daß sich eine neue *gemeinsame* Struktur für Natur *und* Mensch *zugleich* entwickelt hat, und daß sich erst aus dieser Struktur bestimmte Naturformen und bestimmte Daseinsformen ergaben" (Rombach 1991, 6; vgl. auch Rombach 2002).

Die phänomenologische Erforschung solcher Struktur kann strenggenommen nicht mehr als Ontologie im üblichen Sinn verstanden werden. Sie arbeitet an der Erhellung menschlichen Daseins in seiner gleichursprünglichen Individual- und Sozialgestalt und bringt dabei „Grund-," oder „Tiefenphänomene" zur Erscheinung, wie sie bereits Eugen Fink herausgestellt hatte. Phänomene wie Arbeit, Spiel, Glaube, die Ich-Du- und Ich-Es-Struktur betreffen die Individualität menschlichen Daseins als solche,[3] während „Megastrukturen" oder „Höhenphänomene" – etwa das Entstehen blütentragender Pflanzen oder der Übergang zur Stufe des Ackerbaus und der Viehzucht – die Hervorbildung ‚epochaler' bzw. geschichtlich-sozialer Ganzheiten bezeichnen. Strukturphänomenologische Tiefenanalyse vermag darüber hinaus auch zu zeigen, dass Strukturen oftmals in Verdecktheit oder Verkehrtheit gelebt werden und daher einer lebenspraktischen Revision bedürfen. Die Aufdeckung solcher Verhältnisse ist daher nicht nur ein theoretisches Verfahren, sondern insofern auch ein praktisches, als es das rechte Gelebtwerdenkönnen von Strukturen vorentwirft. Tiefenphänomenologie wird so zur *Phänopraxie*.

In den siebziger Jahren wandte sich Rombach der *Bildphilosophie* zu. Mit dem genuinen Verfahren einer Bildanalyse suchte er das non-verbale Potential überlieferten Wissens, die „Grundphilosophie" unterschiedlicher Kulturen und Epochen, aufzudecken. Zur gleichen Zeit etwa begann er die *Hermetik* zu entwickeln: Diese geht der „konkreativen" Genese nach, in der Mensch und Natur sich zu einer elementaren geschichtlichen ‚Welt' schöpferisch konkretisieren, und sucht zu diesem je in sich verschlossenen, da sprachlichem Verstehen vorausliegenden „Selbsterhellungsgeschehen" vor aller Hermeneutik Zugänge zu bahnen. Der im Kontext der Hermetik geprägte Ausdruck der *Konkreativität* benennt nun expressis jenen „Grundvorgang" der Strukturbildung, in dem ein jegliches Strukturgeschehen sich entfaltet: Er besagt, dass der Mensch der Wirklichkeit nicht gegenübersteht, „sondern mit ihr eine unmittelbare und unzerteilbare Einheit" bildet, die „sich je neu und je anders in unvorwegnehmbarer Weise gestaltet und als Gestaltfindung der gemeinsame Geist von Mensch und Wirklichkeit ist" – als ihr „gemeinsames Produkt", d. h. als „die Wirklichkeit selbst in ihrer schöpferischen Selbstübersteigung, als welche sie weder ein ‚ich' noch ein

---

[3] Bereits Eugen Fink hatte in *Grundphänomene des menschlichen Daseins* fünf solcher „Grundphänomene" herausgestellt (vgl. Fink 1979).

‚es', sondern eben jenes Eine ist, das sich unzerteilt in Vielem und in Verschiedenstem tut" (Rombach 1983, 171; vgl. auch 1994a, II.1 sowie 1994b).

Die „gemeinsame Sache", zu der Strukturontologie, Bildphilosophie und Hermetik beitragen, ist somit der phänomenologische Ausweis der Genese von Strukturen in ihrer jeweiligen Zeitlichkeit: Die Strukturontologie analysiert diese Genese in ihren Tiefen- und Höhenstrukturen; die Bildphilosophie erschließt auf breiter Basis Material für diese Analyse, und die Hermetik liefert den Schlüssel, um den Prozessen der Selbststrukturierung geschichtlicher Ganzheiten beizuwohnen. Die Strukturweisen von Höhen- und Tiefenstrukturen zusammenzudenken sowie die Ansätze von Strukturontologie, Bildphilosophie und Hermetik bezüglich einer „Aufhebung der Sonderstellung des Menschen im Kosmos" aufeinander zu beziehen, unternahm Rombach in seiner Strukturanthropologie (vgl. Rombach 1987).

Rombach bekennt sich zur Tradition der Freiburger Phänomenologie, die vor allem mit den Namen Husserl, Heidegger und Eugen Fink verknüpft ist. Zudem finden sich in seinem Werk auch Spuren, die auf Anregungen durch Phänomenologen anderer Richtungen hindeuten wie etwa Max Scheler. Zentrale Probleme der frühen Phänomenologie blieben so im Denken Rombachs lebendig und entsprechende Forschungsrichtungen erfuhren ihre kreative Umbildung. Darüber hinaus trat Rombach in eine kritisch-konstruktive Auseinandersetzung mit weiteren Phänomenologen ein wie etwa mit Jean-Paul Sartre (Rombach 1993, 331-339), Maurice Merleau-Ponty (vgl. Rombach 1980, 113-122) oder Alfred Schütz (1994a, 223-229). Bezeichnend dabei ist, dass Positionen der Phänomenologie nicht, wie gemeinhin, lediglich herangezogen werden, um sich von ihnen abzugrenzen; vielmehr verweist ein grundlegender Zug in Rombachs Denken auf das Bestreben, Sachfelder der eigenen Position im Vergleich zu überlieferten Standpunkten zu weiten, so dass letztere, ohne abgewiesen zu werden, in ihnen einen Ort erlangen. Darin zeigt sich zudem, dass ein philosophisches Grundproblem von Rombachs Denken das Verhältnis von Vielfalt und Einheit betrifft – ein Problem, das Rombach im Kontext seines Strukturdenkens neu zu fassen sucht und auch auf die Pluralität realer und möglicher Denkansätze bezieht.

Damit stimmt zusammen, dass in Rombachs Werk konsequent der Versuch unternommen wird, vertraute Grenzen in Frage zu stellen und herkömmliche Sachfelder auszuweiten. So wird die neuzeitliche Vorrangstellung des Subjekts oder des menschlichen Daseins überschritten, jedoch nicht, um einem anderen den Vorrang zu erteilen. „Das Strukturgeschehen selbst ist ja weder daseinsmäßig noch nichtdaseinsmäßig bestimmt" (Rombach 1991, 10). Nicht nur entfalten sich Mensch und Natur bzw. Übernatur konkreativ, auch der Hervorgang der Natur besitzt seine jeweilige ‚geschichtliche' Form (vgl. ebd.), so dass auch der Begriff der Geschichte geweitet und die überlieferte Dichotomie von Natur und Geschichte obsolet wird. Sofern jede Struktur sich konkreativ im Verbund mit der vorgegebenen Wirklichkeit hervorbildet, werden Strukturierungsprozesse mit dem „ganzen Leben" geleistet, d. h. der von Rombach verwendete Lebensbegriff übersteigt hergebrachte Differenzierungen wie solche zwischen Sein und

Bewusstsein, Natur und Freiheit, Realität und Erkennen (vgl. Rombach 1989, 3). Da Mensch und Natur sowie Natur selbst im jeweiligen Bezug zur Gesamtwirklichkeit als in wechselseitigen Prozessen strukturbildender Selbsterhellung eingebunden gedacht werden, ist sämtliches Strukturierungsgeschehen be-deutend: „Alles Sein, nicht nur der Mensch, ist ‚auslegend'." (Ebd. 2) Da es sich aber um ein jeweiliges Ausgelegtsein handelt, besteht hier für die Universalität einer einzigen auslegungsbereiten Vernunft kein Ansatzpunkt. Gerade dies aber ermöglicht den Zugang zu einer Vielzahl von Grundphänomenen. Über den Ansatz der Hermetik, die den universalen Anspruch des Hermeneutischen als zu eng zurücknimmt, wird Verstehen erst eigentlich umfassend: Weil es den hermetischen Charakter von Selbsterhellungsprozessen ernst nimmt, vermag es solches aufzuschließen, was sich in sich verschlossen hat. Dies ermöglicht nicht nur den Zugang zum Eigen-Sein von Megastrukturen. Auch Grundphänomene können auf diese Weise in sich selbst erfasst werden, und Rombach setzt der Verabsolutierung je eines Phänomens oder einiger weniger Phänomene deren offene Vielzahl entgegen. Auch all solches Erfassen vollzieht sich konkreativ: Im Erfassen von Strukturen verwandeln sich diese und der Erfassende mit. Ein ‚reines Phänomen' gibt es nicht; es wäre ein Stillstand aller Entwicklung, Ende der Welt.

Daraus resultiert eine doppelschichtige Ausweitung des Philosophiebegriffs: Indem Rombach zum einen eine offene Pluralität von Grundphänomenen denkt, die zumeist jeweils in Verabsolutierung den Grund einer Philosophie bilden können (dass etwa die Grundlage des Wirklichen Arbeit sei oder Logik, Lust oder Leiden), konstituiert er einen Raum, in dem die ursprüngliche, in der Freilegung eines Grundphänomens enthaltene Erfahrung bewahrt, ihre Überspanntheit aber zurückgenommen und so ein Gespräch über Erfahrungsgründe allererst möglich wird.[4] Nur in dieser Wahrung der hermetischen Alterität bestehender Philosophien vermag der dem Strukturdenken inhärente neue Begriff von Philosophie alle Sachgründe faktischer Philosophien zu integrieren, ohne deren Heterogenität verrechnend über einen Kamm zu scheren. Zum anderen erfolgt eine Ausweitung des Philosophiebegriffs auch in Bezug auf Megastrukturen: Rombachs Philosophiebegriff umfasst gleichermaßen die vor- wie außereuropäischen „Grundphilosophien" unterschiedlicher Kulturen und Epochen.[5] Konsequenterweise wird, anders als bei Heidegger und noch bei Fink, ontologische Grunderfahrung nicht allein an den „Grundworten" großer Denker festgemacht; die Entgrenzung erfolgt hier ebenso hinsichtlich non-verbaler Vermittlungsstrukturen

---

[4] Rombach spricht von „elementaren Erfahrungs- und Erlebnisweisen", deren „Verzerrungen, Überlagerungen und Verwerfungen" aufzuzeigen Aufgabe einer „kritischen Phänomenologie" sei (Rombach 1975, 24 f.). Schon Max Scheler, mit dem Rombach auch in der Ablehnung einer eingeborenen und unwandelbaren Vernunft einig ist, hatte auf solche „metaphysischen Täuschungen" hingewiesen (vgl. Scheler 1957, 409; 1976, 199).

[5] Hierin hat Rombach deutlich Scheler zu seinem Vorläufer. Schon für Scheler beruhten Weltanschauungen und Philosopheme auf irreduzible metaphysische Erfahrungen. In einem „Weltalter des Ausgleichs" müsse es darum gehen, Erfahrungsgründe solcher Art wechselseitig zu vermitteln (vgl. Scheler 1976, 145-170). Zum interkulturellen Ansatz bei Rombach s. Seubert 2005.

wie im Blick auf Strukturierungsprozesse alltäglichen Verhaltens. Solch „tätige" oder „geschehende Philosophie" nimmt die individuelle und die in geschichtlicher Koexistenz gewonnene Selbsterfahrung in ein „in sich stimmiges Gestaltungsgeschehen" zusammen (Rombach 1991, 9).

Analoges gilt vom Phänomenologiebegriff Rombachs. „Phänomenologie besagt nichts anderes als Sehen einer Struktur, und zwar so, daß diese Struktur sich selber sieht." (Rombach 1991, 12) ‚Phänomenologisch' ist schon der Selbstbezug in aller Selbsterhellung, und Strukturen sind ‚Phänomene', da sie ein solches Sehenlassen implizieren, das zugleich um sich selber weiß: „Erfaßtwerden ist *das* Schauen", das Strukturen „schon in sich selber sind"; Phänomene sind „Schauen *und* Geschautes" in eins (ebd.). Diese frühe Reflexivität in dieser Selbstreferentialität ist der Grund, auf dem ausdrücklich-thematische, philosophische Phänomenologie Fuß fassen kann.

Damit wird deutlich, dass es für Rombach weder nur einen einzigen konkret bestimmten noch einen allgemein-übergreifenden Phänomenologiebegriff gibt. Phänomenologie ist ein „Reflexionsbegriff im Dienste einer wechselseitigen Erhellung unterschiedlicher und eigenständiger Betrachtungsweisen", welche selbst nicht Spezifikationen aus einem Gemeinsamen ‚Phänomenologie überhaupt' sind (Rombach 1975, 21). Sofern Erhellung je auf andere Weise sich vollzieht und ‚Phänomen' somit einen je eigenen Sinn besitzt (ebd.), bestimmt sich Phänomenologie „aus jeder dieser Erhellungsweisen bis in alle ihre wesentlichen Bestimmungsstücke hinein je neu" (ebd. 22). Daraus resultiert für Rombach nicht nur eine „Methodentoleranz für verschiedene Phänomenologien" (ebd.), sondern die Aufforderung, auch „spontan entstandene Phänomenologien [...] in eine neue, verbindende und vergleichende Reflexion" einzubeziehen (ebd. 23). „Unterschiedliche phänomenologische Ansätze und Methoden" erhalten auf diese Weise „nebeneinander Geltung" (ebd.), so dass ‚Phänomenologie' angesichts solcher „Vielzahl von methodisch je anders gelagerten, ihre Anweisungen aus ihrem Thema (aus ‚der Sache selbst') gewinnenden Phänomenologien" ein „Fächer, kein Fach" ist (ebd. 30).

Produktive Auseinandersetzung mit Rombachs Denken besteht heute vor allem darin, sein Konzept einer strukturalen Phänomenauslegung in konkreter weiterführender phänomenologischer Arbeit umzusetzen, es in dieser Umsetzung zu bewähren zu suchen, es aber auch dort zu korrigieren und zu ergänzen, wo es nötig erscheint. Parallel dazu ist gefordert, Rombachs Ansatz mit anderen zeitgenössischen philosophischen Strömungen resp. solchen der weltweiten Phänomenologischen Bewegung zu konfrontieren, sozusagen das Gespräch, das Rombach selbst aufgenommen hat, inner-, aber auch außerphänomenologisch zu vertiefen.[6] Vieles an Rombachs Strukturdenken erinnert an strukturalistische oder autopoietische Versuche.[7] Doch auch hier gilt, dass Rombachs Strukturon-

---

[6] Vgl. die Arbeit von Christoph Schmitt, der Rombachs Ansatz mit denen von Merleau-Ponty und Lyotard kontrastiert (Schmitt 2002).

[7] Siehe den Vergleich, den A. Schinkel zwischen Strukturphänomenologie und Systemtheorie vorgenommen hat (Schinkel 2006).

tologie nicht durch restriktive Theoriedefinitionen gebunden ist, sich weder an sozialwissenschaftliche Positionen anlehnt wie im Fall strukturalistischer Konzepte noch an mehrheitlich naturwissenschaftliche wie bei autopoietischen Entwürfen. Gleichwohl bleibt es Aufgabe, Rombachs Strukturdenken zu diesen geistesgeschichtlichen Parallelen in Beziehung zu setzen. Dabei könnte Rombachs eigene Position ein deutlicheres Profil gewinnen, insbesondere wenn sie auch mit Richtungen des Poststrukturalismus in ein Gespräch einträte. Sofern phänomenologische Forschung von Anbeginn mit den Problemen von Einheit und Vielheit, Universalismus und Relativismus, ja überhaupt mit Problemen von Differenz und Grenzziehung gerungen hat, wird im Ausgang von einem innerphänomenologischen Dialog eine Grundlage auch für das interdisziplinäre und interkulturelle Gespräch gewonnen werden. Heinrich Rombach hat früh schon diesem Ziel entschieden vorgearbeitet, und sein besonderes Verdienst ist es, dies von einem Standort aus unternommen zu haben, der in sich selbst immer schon offen für andere Orte war: „Mein Weg ist nicht ‚mein' Weg" hat Rombach einmal gesagt (Rombach 1996, 35).

*

Die Beiträge des vorliegenden Bandes basieren auf einem internationalen Kolloquium, das am *Center for Phenomenological Research* in Prag veranstaltet wurde. Das Kolloquium hatte zum Ziel, erstmals eine kritische Bestandsaufnahme von Rombachs vielverzweigtem Oeuvre vorzunehmen. Im Anschluss daran wurden die in seinem Rahmen vorgestellten Forschungsansätze unter Berücksichtigung der Diskussionsergebnisse ausgearbeitet und einem Gesamtkonzept eingepasst, das alle wesentlichen Facetten von Rombachs Philosophieren behandelt. Der vorliegende Band ist somit nicht nur ein Spiegel aktueller Rombach-Forschung, sondern zugleich ein Handbuch, das über die Zusammenhänge Rombachschen Denkens umfassend informiert.

Der Band wird von einem Text Rombachs eingeleitet, den dieser eigens für das Prager Kolloquium verfasst hatte und in dem er selbst ein Resümee seiner philosophisch-phänomenologischen Bemühungen zieht. Der Beitrag von Georg Stenger behandelt das phänomenologische Grundthema der Welt und schlägt darin einen Bogen von Husserl und Heidegger bis hin zu Rombachs strukturphänomenologischer Behandlung dieses Themas. Diese Rückbindung an die Hauptvertreter der Freiburger Phänomenologie erhellt die Verankerung von Rombachs denkerischem Ort wie auch die von ihm vorgenommene Umbildung dieser Tradition. Ivan Blecha, Karl Ludwig Kemen und Gudrun Morasch behandeln die Hauptansätze von Rombachs Denken: Strukturontologie, Bildphilosophie und Hermetik. Die Arbeiten von Thomas Franz und Eckard Wolz-Gottwald befassen sich mit zwei weiteren Grundbereichen von Rombachs Philosophie: der Anthropologie und Sozialphilosophie sowie der Philosophie des Lebens. Die Studie von Angel E. Garrido-Maturano widmet sich den Problemdimensionen der Zeit, während Axel Horn den Phänomenbereich des Spiels wählt, um an ihm Rombachs strukturontologisches Vorgehen zu profilieren. Die Beiträge von Helga Blaschek-Hahn und Kiyoshi Sakai suchen am Beispiel von Jan

Patocka und Kitaro Nishida Rombachs phänomenologische Position in der internationalen Phänomenologischen Bewegung zu verorten. Die den Forschungsteil des Bandes beschließenden Beiträge von Niels Weidtmann und Ryosuke Ohashi geben Ausblick auf die Chancen eines interkulturellen Gesprächs, wie es im Anschluss an Rombachs Strukturphänomenologie geführt werden könnte. Im Dokumentationsteil des Bandes gibt Helga Blaschek-Hahn einen Überblick über den Aufbau von Rombachs Werk und ordnet ihm die wichtigsten Publikationen Rombachs zu.

Die Herausgeber danken der Fritz Thyssen Stiftung für die Förderung des Kolloquiums in Prag sowie für den großzügig bemessenen Zuschuss zu den Druckkosten; beides hat diesen Band erst möglich gemacht. Allen Autorinnen und Autoren gilt unser Dank für ihre vorbehaltlose Bereitschaft zur Mitarbeit.

Literatur

Fink, E. (1979): *Grundphänomene des menschlichen Daseins*, Freiburg/München.

Rombach, H. (1952): „Über Ursprung und Wesen der Frage", in: *Symposion. Jahrbuch für Philosophie* 3, 135-236; 2. Aufl. 1988.
- (1975): „Phänomenologie heute", in: E. W. Orth (Hg.): *Phänomenologie heute. Grundlagen- und Methodenprobleme* (*Phänomenologische Forschungen*, Bd. 1), Freiburg/München, 11-30.
- (1980): *Phänomenologie des gegenwärtigen Bewußtseins*, Freiburg/München.
- (1983): *Welt und Gegenwelt. Umdenken über die Wirklichkeit: Die philosophische Hermetik*, Basel.
- (1987): *Strukturanthropologie. „Der menschliche Mensch"*, Freiburg/München; 2. Aufl. 1993.
- [1989]: „Versuch einer Selbstdarstellung" [Prospekt der Verlage Karl Alber und Herder, o. J.
- (1991): „Das Tao der Phänomenologie", in: *Philosophisches Jahrbuch* 98, 1-17.
- (1993): *Strukturanthropologie. „Der menschliche Mensch"*, 2., durchgesehene Aufl. Freiburg/München.
- (1994a): *Phänomenologie des sozialen Lebens. Grundzüge einer Phänomenologischen Soziologie*, Freiburg/München.
- (1994b): *Der Ursprung. Philosophie der Konkreativität von Mensch und Natur*, Freiburg i. Br.
- (1996): „Die Geschichte als philosophisches Grundgeschehen. Was erzwang meinen Weg in die wirkliche Philosophie?", in: Chr. u. M. Hauskeller (Hg.): „*...was die Welt im Innersten zusammenhält": 34 Wege zur Philosophie*, Hamburg, 32-35.
- (2002): *Die Welt als lebendige Struktur. Probleme und Lösungen der Strukturontologie*, Freiburg i. Br.

Scheler, M. (1957): *Schriften aus dem Nachlaß*. Bd. I: *Zur Ethik und Erkenntnislehre* (*Gesammelte Werke*, Bd. 10), hg. v. Maria Scheler, Bern.
- (1976): *Späte Schriften* (*Gesammelte Werke*, Bd. 9), hg. v. M. S. Frings, Bern/München.

Schinkel, A. (2006): „Autopoiesis vs. Autogenese. Systemtheorie und Strukturphänomenologie im Vergleich", in: J. Brejdak, R. Esterbauer, S. Rinofner-Kreidl u. H. R. Sepp

(Hg.): *Phänomenologie und Systemtheorie* (*Orbis Phaenomenologicus Perspektiven N. F.*, Bd. 8), Würzburg.

Schmitt, Chr. (2002): *Wahrnehmung und Erkenntnis. Zugänge zur sittlichen Subjektivität in der neueren Phänomenologie. Rombach, Merleau-Ponty, Lyotard*, Frankfurt et al.

Seubert, H. (2005): *Interkulturelle Phänomenologie bei Heinrich Rombach*, Nordhausen.

Stenger, G. u. M. Röhrig (Hg.) (1995): *Philosophie der Struktur. „Fahrzeug" der Zukunft? Festschrift für Heinrich Rombach*, Freiburg/München.

Forschungen

Der dynamische Strukturgedanke als Weltformel[1]
Notizen für Prag

Heinrich Rombach

Die Bedeutung der Strukturontologie für das Denken der Gegenwart scheint mir vor allem dadurch charakterisiert zu sein, dass der dynamische Strukturgedanke vielleicht zum ersten Mal eine Weltformel an die Hand gibt, die in der Tat für alle Dimensionen und Regionen gilt und in jeglicher wissenschaftlicher Problematik fruchtbar werden kann. Dies wird besonders dadurch deutlich, dass sich alles als Struktur fassen lässt und zwar nicht nur alle Formen und Gestalten des Seienden, sondern auch die Welt als Ganzes. Die Wurzel für diese Allgültigkeit liegt darin, dass das dynamische Strukturphänomen die höchste Seinsform darstellt, die wir kennen und die darum alle anderen Seinsformen unter sich befasst bzw. aus sich entlässt.

Nach der klassischen europäischen Philosophie, wie sie vor allem von den Griechen zugrunde gelegt worden ist, ist die Substanz das Grundphänomen,[1] von dem her alles andere erklärbar wird. Dieses Grundphänomen wurde als Grunderfahrung der neolithischen Kultur, d. h. der Bauernkultur, die die Grundlage aller Hochkulturen der Menschheitsgeschichte ist, entdeckt. Sie besagt, dass etwas dasselbe bleibt, auch wenn es seine Erscheinungsformen ändert, also z. B. als Samenkorn, Fruchtpflanze, Erntekorn Grundsubstanz für das Hauptnahrungsmittel von Mensch und Tier ist, wie z. B. Weizen, der eben mit der gleichen Berechtigung so als Pflanze genannt wird wie als Ernteertrag und wiederum als Aussaatsubstanz für weitere Ernten. Weizen bleibt Weizen in welchem Wachstums- oder Verarbeitungszustand er sich auch befindet. Alle seine Zustände sind nur Erscheinungsweisen, in denen sich die Grundsubstanz durchhält.

Dasselbe ereignet sich auch bei Tieren. Ein Rind bleibt Rind, ob als Kalb, Jungtier, Muttertier oder Nahrungsmittel, und darum ist die Substanz das Blei-

---

[1] *Anmerkung der Herausgeber (AdH):* Rombach gibt im folgenden einen kurzen Abriss seiner philosophiegeschichtlichen Konzeption, nach der die drei Grundontologien Substanz, System und Struktur die Denkgeschichte des Abendlandes konstituieren; diese Konzeption wurde vom Autor mehrmals ausführlich erörtert, am umfassendsten in dem zweibändigen, seiner Habilitationsschrift entwachsenen Werk *Substanz, System, Struktur* (Rombach 1965/1966). – Zum Stichwort ‚neolithische Kultur‘ findet sich Näheres im Aufsatz „Das Tao der Phänomenologie“ (Rombach 1991b).

bende, die Erscheinungen sind nur der Wechsel, und das Bleibende ist zugleich das Prägende, der Grundbestand, von dem her sich alle Eigenschaften und Möglichkeiten ergeben und bestimmen lassen. Von hier aus ist dann auch das Bleiben die Grundform von Sein, und alle Veränderung setzt Bleiben voraus, aber Bleiben setzt nicht unbedingt Veränderung voraus. So entsteht der Begriff „Sein", der Bleiben und Tragen meint und zugleich Stehenbleiben besagt.

So ist es also der Substanzbegriff, der die Voraussetzung des Seinsbegriffs ist, welcher wiederum die Grundlage für alles weitere Verstehen wurde. Und so ist auch der Substanzbegriff eine Weltformel, aber nur eine solche, die anderes ausschließt und darum Zusatzkonzeptionen notwendig macht. So die Konzeption Werden und Zeit und die Konzeption Geist oder Leben. Die Substanz „lebt" nur, wenn ihr über das Sein und Bleiben hinaus ein Werdeprinzip eingegeben wird, zuletzt der Geist, der als das Bestimmende und Vorwegnehmende und über alles letztlich Verfügende zu verstehen ist. Geist schafft Leben. Leben beseelt die Substanzen und macht sie fähig, über das Sein hinaus Bleiben zu stiften und zu zeugen. Wo es Zusammenhänge gibt, gehen sie als Formen des Bestimmens auf bleibende Prinzipien zurück und sind darum selbst nur höhere Formen des Seins.

Diese Zusammenordnung von Sein, Bleiben und Geist bleibt auch in der Systemontologie erhalten, insofern das System die Grundform des Seins und Bleibens ist, woran gemessen Werden und Entwicklung nur innerhalb eines Systems und gemäß seiner bleibenden Gesetze gedacht werden kann. Sowohl in der ontologischen Grundform der Substanz wie in der des Systems bleibt das Grundmodell von Sein und Werden erhalten, wobei das Sein das Werden trägt und ermöglicht. Will man Werdephänomene verstehen, so muss man zu Sein zusätzliche Prinzipien und Kräfte annehmen, so dass sowohl der Substanzgedanke wie der Systemgedanke nicht „eigentlich" als Weltformel betrachtet werden können, weil sie beide nicht vermögen, alles allein aus sich hervorgehen zu lassen, sondern Zusatzkonzeptionen benötigen.

Anders der dynamische Strukturgedanke, der von einem Grundmodell[2] ausgeht, zu dem die Genese von Selbstheit, Zusammenhang, Entwicklung, Werden und Vergehen, Geist, Tod und Leben gehört. Der Grundvorgang ist Selbststrukturation, aus der sich ebensowohl Einheit wie Differenz ergeben, denn nur dort, wo sich eine Differenziertheit von Momenten zu einer Einheit und Ganzheit strukturieren kann, kann etwas als Struktur „Bestand" haben, wobei zu diesem Bestand vor allem ein Werden im Sinne von Meliorisation gehört, welche als Hebung sich aus sich selbst heraus steigern muss und in gelingender Steigerung ihr Einheitsprinzip insofern als „Geist" erlebt, als es in ihr als das Führende und Wesentliche erscheint. Wo etwas ist, muss es sich strukturieren und aus dieser Selbststrukturation den Geist erzeugen, unter dem es sich als Werden und Entfalten versteht.

---

[2] *AdH:* Der Strukturgedanke wurde systematisch vorgestellt in: *Strukturontologie. Eine Phänomenologie der Freiheit* (Rombach 1971).

Solcher Geist ist aber immer nur konkret geborener Geist, denn nur dort, wo sich die Strukturation im Gelingen findet, entsteht er und erhebt er sich.

Dieser Geist wurde in der Tradition in einfacheren Fällen als „Seele" erfasst, was natürlich nicht verdinglicht werden darf, sondern ein Moment im Geschehensprozess der Selbststrukturation bleibt.

Solche Selbstgeburt geschieht auf allen Stufen der möglichen Strukturation, wodurch der Geist in der unterschiedlichsten Gestalt erscheinen kann, also auch so, dass er im Erfahrungsbereich des Menschen nicht mehr aufscheint. Dem gemäß werden langfristige Geistgeburten als bloßes Sein erfahren und somit missverstanden. So etwa auch das Weltganze, das die übergreifende Struktur aller Einzelstrukturen bedeutet, aber eine so langsame Selbstgeburt hat, dass hier der Geist nur als Grundform des Zusammengehörens erscheint, also etwa als Gravitation. Gravitation ist die Form der Selbstkonzentration und Einheitsbildung, die viele andere untergreift, aber dennoch nicht den Charakter von Geist verrät, da sie immer mit dem Phänomen Licht zusammengeht. Die Einheit ist nicht nur faktisch da, sie erlebt sich auch, erfährt sich, und zwar als die Grundmöglichkeit von Erfahren überhaupt, als Erscheinen und damit als Licht. Dabei muss man freilich als Licht nicht nur die von uns erfassbare Bandbreite von Frequenz nehmen, sondern alle Dimensionen und Möglichkeiten von Strahlung.

In diesem Sinne ist der menschliche Geist nur ein Abkömmling des kosmischen Geistphänomens, das mit einem bestimmten Feld der Gravitations- und Konzentrationskräfte und ebenso mit einem bestimmten Feld der Frequenz und Wellenlänge verbunden ist. Der menschliche Geist stammt aus dem kosmischen Grundphänomen und geht auch wieder in dieses zurück, was freilich nur dann halbwegs richtig angedacht ist, wenn man das Gesamtwerden als die Zusammengehörigkeit aller einzelnen Werdemöglichkeiten versteht, somit also als „Ewigkeit" denkt.

In dieser Konzeption hat auch der Gottesgedanke[3] eine mögliche Stellung, wenn freilich keine verdinglichte und keine irgendwie über das Ganze hinausgestellte, sondern eben als eine Form des gelingenden Strukturvorgangs im Ganzen, von dem jeder einzelne Strukturvorgang abhängt und ein Abbild ist. Gott steht nicht „über" dem Ganzen, sondern er lebt in ihm und erwirkt sich aus dem konkreten Weltgeschehen über viele Einzelstrukturen und Einzelwelten und deren Einzelzeiten und Epochen hinweg. Vollkommenheit kommt diesem Geschehen im Ganzen zu, nicht etwa einem einzelnen übergeordneten Moment innerhalb seiner.

Dazu gehört auch immer und überall Gelingen und Misslingen, Werden und Vergehen, Leben und Tod, ja Sein und Nichts. Das „Nichts" ist innerhalb des Strukturprozesses die Bedingung der Selbstgeburt, wie auch die bleibende Bedingung eines jeglichen Gelingens, da dieses immer einen Gegensatz voraussetzt, in

---

[3] *AdH:* Zum Gottesgedanken vergleiche man z. B. den Aufsatz „Der Glaube an Gott und das wissenschaftliche Denken" in: *Wer ist das eigentlich – Gott?* (Rombach 1969).

Bezug auf den es sich als Selbststrukturation verstehen, erfahren und setzen muss.

In diesem Prozess ist alles enthalten, wobei es freilich immer lebendig genommen werden muss, d. h. immer in seiner grundlegenden dynamischen Bezogenheit auf alle Momente und Motive des Gesamtgeschehens. Von daher ergeben sich manche Korrekturen der klassischen Metaphysik, aber auch viele neue Sichtweisen und Erklärungen für alte Menschheitsfragen, die jetzt in einer konkreten und lebendigeren Weise aufgefasst werden können.

Es ergibt sich freilich auch eine andere Gesamteinstellung des Menschen zum Ganzen, nämlich zunächst einmal so, dass er sich als Abkömmling des Ganzen verstehen darf, der sich in seiner eigenen Ganzheit als ebenbürtig nehmen und der sich, wenn er sich in dieser Weise ins Ganze zurückstellt und vom Ganzen her nimmt, auch in seiner endlichen Existenz als ein Unendliches verstehen darf. Der religiöse Bezug wird hierdurch konkret und stark, wirklich universal und allbeziehend, und er realisiert sich nicht erst nach dem Tode, sondern schon im Leben und als dieses in den höchsten Bedeutungen.

Ferner entsteht ein Brüderlichkeitsbewusstsein zwischen Mensch und Tier, Mensch und Pflanze, Mensch und Welt, Mensch und Gott, das überhaupt erst den vollen Gehalt des Lebens enthält und gibt. In dieser Allenthaltendheit und ontologischen Fraternität liegt dies, dass die Strukturontologie das eigentliche „grüne" Denken ist, das sich nicht nur auf bestimmte Einzelphänomene und Einzelregionen bezieht, sondern das Ganze meint und durchwirkt.

Nun zur Hermetik[4]

Ähnlich wie die Strukturontologie versteht sich auch die Philosophische Hermetik als eine neue Form des Bewusstseins, das sich für bisher wenig geachtete, aber hoch wichtige Lebensphänomene geeignet erweist. Es besagt, dass jede Strukturation als „Welt" verstanden werden muss, und dies vor allem darum, weil der Strukturvorgang sich immer nach Innen- und Außenstruktur differenziert. Jede Strukturation bildet auch das gesamte Umfeld der Wirklichkeit zu einer geschlossenen Struktur um und versteht diese als ihre „Welt", die sie zugleich umgibt, schützt und bedroht. Jeder Außenstruktur entspricht eine Innenstruktur, jeder Innenstruktur eine Außenstruktur, denn der Spannungsbezug von Innen und Außen ist der treibende Motor des Strukturprozesses selbst. Ändert sich die Außenstruktur, muss sich auch die Innenstruktur ändern und umgekehrt. In die-

---

[4] *AdH:* Rombachs Philosophische Hermetik ist grundlegend dargestellt in: *Welt und Gegenwelt. Umdenken über die Wirklichkeit* (Rombach 1983). Dazu vergleiche man auch die einschlägigen Abschnitte in: *Der kommende Gott* (Rombach 1991a, z. B. Abschnitte 6, 7, 10, 17, 18 sowie 20-22) und in *Drachenkampf* (Rombach 1996, besonders Kapitel II, Abschnitt 9 und Kapitel IV, Abschnitt 4).

sem Sinne hat jedes Tier sein Innenleben, das es innerhalb einer ihm gegebenen Umwelt tätigt.

Da sich Innen- und Außenwelt entsprechen und bestätigen, fühlt sich jedes Lebewesen im Recht, in der Wahrheit, im Leben. Von daher hat alles Lebendige seinen Egoismus, der nicht nur ontisch, sondern ontologisch ist, also nicht nur Selbstversorgung, sondern auch Selbstbestätigung und damit die höchste Form des Selbsterlebens bedeutet. Jede Welt wird als Höchstform von Welt erlebt, und darin liegt ihre Hermetik. Sie schließt sich ab gegen andere Welten, da sie aus dem eigenen Selbsterleben heraus nicht „andere" oder gar „höhere" Welten und Lebenskonzeptionen zu denken oder zu erleben vermag. Zufolge dieser Hermetik kämpft jedes Lebewesen um sich und für sich und ermöglicht durch dieses Kampfgeschehen den Strukturprozess höherer Strukturganzheiten und schließlich der Welt als Wirklichkeitsganzheit überhaupt.

Die Philosophische Hermetik besagt, dass sich jede Struktur als Höchstform von Leben, als einzig und vollberechtigt erlebt und damit um sich selbst kümmern darf, wozu freilich immer auch gehört, dass das jeweilige Lebewesen sich auch um seine Umwelt kümmert und diese in der Weise besorgt, die eben durch seine Art und Eigenart bedingt und bestimmt ist. Zu allen Lebewesen gehört immer ein „Ich", zu diesem die ihm eigene „Welt" und zu dieser wieder die dazugehörige Unendlichkeit, Ewigkeit, Wahrheit, Bestimmung usw. Der Mensch hat nicht mehr Unendlichkeit als jedes Tier und jede Pflanze, er hat nicht mehr Welt oder Gott als all dieses auch. Der Selbstgenuss der Dinge in ihrem eigenen Ewigkeitsberechtigtsein erscheint an den Dingen als Blühen, als Leben, als Freude. Insofern ist die Freude weiter und tiefer als das Sein und als jede andere Eigenschaft, etwa als jede Vernunft. Darum nennt Schiller die Freude die „Tochter als Elysium", die gegen die Vernunft als „Sohn des Himmels" gedacht worden ist. Von daher gesehen ist die Strukturontologie ein Eudaimonismus, eine Freude- und Lustphilosophie.

Man muss nur sehen, dass diese Hermetik nicht nur beim Lebendigen, sondern bei allem „Seienden" greift, denn auch die materiellen Welten haben ihre Gravitation, ihr Licht, ihre Selbstmehrung und ihr Gelingen und realisieren darin dasselbe Maß an Vollkommenheit, das bisher nur einzelnen Seienden und zuletzt nur einem verdinglichten, substanziellen Wesen, einem Gott zuerkannt wurde. Das Denken der Menschen drängt jedoch über diese Beschränkungen hinaus und sucht eine Weltinterpretation, wie sie etwa von der Strukturontologie angeboten wird.

Die Philosophische Hermetik erklärt auch die Vorgänge der Kommunikation des Menschen, vor allem die Möglichkeiten der Selbstverfehlung dieser Kommunikation, wie sie in allen Phänomenen der Feindschaft, der Auseinandersetzung und des Überherrschungsstrebens geschieht.

Die Philosophische Hermetik hängt mit der Strukturontologie zusammen,5 da sie nur mit Hilfe des Modells der Selbststrukturation zu verstehen ist. Andererseits braucht man die Hermetik nicht, um in den Strukturgedanken hineinzukommen. Man kann aber sehr gut in beiden Ansätzen der Philosophie, Strukturontologie sowohl wie Hermetik, denken und leben, ohne in jedem Fall ihre Zusammengehörigkeit zu begreifen.

Vor allem sind es die Phänomene der Religion und der Kunst, die durch die Philosophische Hermetik besser aufgeschlossen werden. Man versteht deren Universalität, deren Welthaltigkeit, deren Geltungsmacht und deren innere Gefährdungen, die ja wohl auch die Grundform der Selbstgefährdung im Verlaufe der Menschheitsgeschichte gewesen sind. Religionen kommen zufolge ihrer Hermetik in Streit miteinander, und dieser Streit entzündet wiederum den politischen und individuellen Streit der Menschen untereinander und gegeneinander.

Dem gemäß kann man natürlich auch mit der Philosophischen Hermetik die Lösungsmöglichkeiten finden und zeigen, d. h. den „Frieden alles Friedens" (Hölderlin)6 aufdecken, der alle Religionen miteinander verbunden sein lässt, ohne ihre Unterschiede aufzuheben oder aufzuweichen. Damit trifft man die Grundaufgabe der Menschheitsgegenwart, da diese diesen Frieden mit sich selbst finden und herstellen muss, was zugleich eine Bestätigung wie auch eine Relativierung aller Religionen und Weltanschauungen beinhaltet. Diese Aufklärung, die ich als die „zweite Aufklärung" beschrieben habe,7 steht uns noch bevor. Ohne die philosophische Hermetik ist im Friedensgedanken und im Friedensgeschehen nicht weiterzukommen. Nur mit ihr wird das Zugleich von absolutem Geltungsanspruch einer einzelnen Religion und Weltanschauung und bloß relativer Geltung innerhalb des Ganzen aller Weltkonzeptionen bestehen und dieses erfasst werden können. Der Friede, der nur auf dem Prinzip der Toleranz und der Relativität besteht, trifft die Wahrheit der Dinge nicht und kann darum auch keinen Bestand haben. Er wirkt sich vielmehr selbst wieder als ein Antrieb zur Verfeindung der Menschen aus und hat darum im Gefolge seiner Verbreitung nur neue und größere Schwierigkeiten der Völker mit einander. Hier fehlt der entscheidende und wirklich lösende Gedanke, den nur die Philosophische Hermetik bieten kann.

---

5 *AdH:* Dies gilt freilich auch für Rombachs anthropologische Konzeption, die vor allem in seiner *Strukturanthropologie* (Rombach 1987) entwickelt wurde.

6 *AdH:* Eine umfassende Interpretation dieses Hölderlin-Wortes gibt der Beitrag „Der Frieden alles Friedens. Hölderlins Universaltheologie" (Rombach 1985).

7 *AdH:* Man vergleiche dazu die Ausführungen des Autors in *Drachenkampf* (Rombach 1996, 132-140).

Noch ein Wort zur Bildphilosophie[8]

Die Bildphilosophie eröffnet eine Dimension von Bedeutungen, die bisher weitgehend unbeachtet und ungenutzt geblieben sind. Sie besagt, dass Grundformen wie z. B. Kreis oder Gerade Grundbedeutungen haben, die von den Menschen sehr stark empfunden, aber nie wirklich zu Wort gebracht worden sind. Sie besagen im Falle unseres Beispiels „Enthalten" oder „Scheiden" oder Ähnliches, was immer die Bedeutung einer Grundkategorie hat, mit Hilfe derer man sich in der Mannigfaltigkeit der Erscheinungen orientieren kann. Diese Grundbedeutungen werden z. B. in den Symbolen erfasst, die bei vielen Gelegenheiten verwendet und angewendet werden können, eben weil sie grundlegend mit dem Leben und seiner Erfahrungsweise verbunden sind. So hat etwa der Kreis eine Grundbedeutung, die in allen Kulturen lebendig ist, wenn sie auch unterschiedlich verbalisiert und eingesetzt wird. Von hier aus ergibt sich, dass alle Figuren und Formen einen Bildcharakter, d. h. eine Grundbedeutung enthalten, die wieder in ihrer Mannigfaltigkeit zu einem großen Zusammenhang gehört, der so etwas wie eine elementare Philosophie darstellt. Entsprechend haben die Grundbilder einer Kultur einen Zusammenhang, der die „Grundphilosophie" dieser Kultur wiedergibt. Die Grundphilosophien haben jeweils eine Hermetik, die sie gegen Anderes zugleich abschließt und fruchtbar macht. So stellt z. B. das Fahren eine Grundfigur dar, die sich zu einer bestimmten Zeit für die Menschheit an bestimmten Orten erschlossen hat und die die dort betroffenen Kulturen zu einem charakteristischen Lebensverständnis und damit zu einer bestimmten geschichtlichen Bedeutung kommen ließ. Ebenso ist das Sitzen, und zwar das Sitzen auf einem Stuhl, eine Figur, die nur in bestimmten Kulturen entwickelt worden ist und die eine Grunderfahrung und Grundaussage über die Wirklichkeit beinhaltet, die sehr aufschlussreich für die Geschichte und das Selbstverständnis der jeweiligen Kultur ist. Es gibt eine Grundphilosophie des Stuhles, die noch nicht geschrieben worden, die aber von größter Wichtigkeit für die Selbstgestaltung bestimmter Kulturen geworden ist. Sie besagt z. B. „Besitzen" und „Besitz" als ein Grunderfordernis innerhalb der Menschenwelt.

Die Bildphilosophie versucht nun, die Grundbedeutungen in dieser ihrer Zusammengehörigkeit und Aufschließendheit zu erfassen und zu beschreiben und dies sowohl für die speziellen Bilder einer Kultur wie für die Grundbilder

---

[8] AdH: Zur Bildphilosophie vgl. man folgende Publikationen des Autors: *Leben des Geistes* (Rombach 1977), *Sein und Nichts*, (Rombach 1981) sowie diesbezüglich einschlägige Abschnitte in *Der kommende Gott* (Rombach 1991a, z. B. Abschnitte 1 und 2, Abschnitt 4, im Abschnitt 7 S. 45, im Abschnitt 11 S. 76, Abschnitt 13, im Abschnitt 15 S. 105 sowie Abschnitt 19), *Der Ursprung* (Rombach 1994b, z. B. Kapitel I, Abschnitt 2; Kapitel III, Abschnitte 5 und 6; Kapitel IV, Abschnitte 2 und 3 sowie Kapitel VI, Abschnitt 3 mit der Doppelseite 160/161 sowie Kapitel VI, Abschnitt 7) und *Drachenkampf* (Rombach 1996, besonders Kapitel I, Abschnitt 3, Kapitel II im ganzen, Kapitel III, Abschnitt 3 und 5).

der Menschheit im Ganzen. Die Philosophische Hermetik kann nur dann mit Erfolg und Ergebnis betrieben werden, wenn sie mit der Methode der Bildphilosophie arbeitet, da die verbale und terminologische Philosophie nur in einem Teil der Menschheit herrschend geworden ist. Alle nichtschriftlichen Kulturen können nur bildphilosophisch erschlossen werden, und in diesem Sinne hat man kürzlich das Lastentragen auf dem Kopf, das für afrikanische Kulturen sehr charakteristisch ist, als einen Schlüssel zum grundlegenden Lebensverständnis dieser Kulturen verwandt.

In diesem Sinne ist noch viel Aufklärungsarbeit für die Philosophie gegeben, wenn man sie überhaupt für das bessere Verständnis der Menschen untereinander verwenden will. Es ist schade, dass die Bildphilosophie nur zufällig und nur in beiläufigen Einzelfällen zur Anwendung gekommen ist und noch nicht die zusammenhängende und wissenschaftliche Bearbeitung erfahren hat, die notwendig wäre, wenn die grundlegenden Wesensbestände der Menschheitskulturen gehoben, gereinigt und zum fruchtbaren Austausch gebracht werden sollen.

Die ,Teile' meiner Philosophie können in einer Dreizahl betrachtet werden, wie ich das wiederholt getan habe: Strukturontologie, Philosophische Hermetik, Bildphilosophie. Sie können aber auch in der Vierzahl bzw. im Verhältnis von zweimal zwei gesehen werden.[9] Man muss nur beachten, dass sich die Philosophische Hermetik und die Bildphilosophie anders und entschiedener voneinander unterscheiden als, auf der anderen Seite, die Strukturontologie und die Strukturphänomenologie. Hermetik und Bildphilosophie gehören durchaus zusammen, aber sie hängen nicht als wechselseitige Bedingungen aneinander. Man kann die Probleme der Hermetik ohne Einsatz der strukturanalytischen Methode bearbeiten und ebenso auch die Probleme der Bildphilosophie ohne die Probleme der Hermetik. Man kann allerdings die Fundamentalgeschichte und die Grundphilosophien der Kulturen nicht ohne die Bildphilosophie betreiben, denn nur diese reicht in die Tiefen hinunter, in denen sich die Kulturen gestalten und bewegen. Dass ich die 'Teile' so stark unterscheide, hat seinen Grund darin, dass sie nur unter Berücksichtigung ihrer verschiedenen Traditionen voll zur Erfassung kommen können. So brauche ich Cusanus für die Strukturontologie, aber nicht für die Bildphilosophie und für die Fundamentalgeschichte. Ich brauche Meister Eckard für die Hermetik, aber nicht für die Strukturphänomenologie, ich brauche Schelling für die Strukturontologie, aber nicht für die Bildphilosophie usw.

Auch kommt es mir darauf an, anhand der Hermetik die apollinischen Einschränkung der europäischen Philosophie zu zeigen. Nur wenn man den Unter-

---

[9] *AdH:* Im Typoskript folgte ursprünglich die Anmerkung: „Wie das von Frau Blaschek vorgeschlagen wird. Dieser Vorschlag ist durchaus möglich, sinnvoll und empfehlenswert." – Zu der hiermit angesprochenen Einteilung von Rombachs Philosophie „in der Vierzahl" vgl. man den systematischen Werk-Überblick im dokumentarischen Teil des vorliegenden Bandes.

schied von Hermetik und Hermeneutik[10] erfasst hat, ist man an den Rand des europäischen Denkens gekommen bzw. durch diesen hindurchgebrochen. Diesen Durchbruch muss Europa jetzt endlich leisten, und nur von ihm her lässt sich ein interkulturelles Denken wie es die künftige Menschheit braucht, wirklich gewinnen.

Die Soziogenese und ihre Gefahren

Es ist ein Vorteil, dass man vom Strukturgedanken aus auch die Soziogenese[11] erfassen kann. Sie besagt, dass menschliche Gemeinschaften in derselben Weise Strukturen sind wie alle anderen Strukturen und dass sie darum eine Genese haben, die nach ihren eigenen Gesetzen erfolgt und nicht gebremst oder ausgelöscht werden kann. Die Soziogenese von Volksgemeinschaften[12] erbringt einen geschichtlichen Zusammenhang, der das Volk mit Gelingenserlebnissen erfüllt und ihm einen besonderen Platz unter den Völkern einräumt. Daraus entstehen gewöhnlich starke Spannungen im Verhältnis zu Nachbarn und anderen Völkern, die auch der Grund der Kriege und Völkerauseinandersetzungen sind. Erst mit dem Strukturgedanken kann man diese Prozesse als gleichsam naturgegeben erfassen und sie in ihrem positiven Sinn erkennen und von daher sinnvoll behandeln. Überall auf der Erde erleben wir jetzt dieses „Erwachen der Völker" und die daraus stammenden neuen Feindschaften und Bruderkriege. Sie haben aber einen sinnvollen Grund und können von diesem her positiv gewendet werden. Darin liegt z. B. die Rettung für den Kontinent Afrika, der jetzt durch Soziogenese die Nationalismen erlebt, die Europa in den letzten zwei Jahrhunderten erlebt und durchlitten hat. In Europa ist die positive Wendung in vollem Gange, und ehemalige Erbfeinde erleben sich jetzt als Freunde. So wird es auch im Nahen Osten und in Afrika sein, nur dass es eben dort noch eine Weile dauert und dass man dort allen Grund hat, die Ereignisse struktural neu zu sehen und neu zu bewältigen, also nicht etwa nur politisch zu behandeln, sondern strukturgenetisch und mitschöpferisch.

Also hier ein wichtiger Punkt für den produktiven Einsatz des Strukturgedankens.

---

[10] *AdH:* Der vom Autor verfochtene Antagonismus zwischen der philosophischen Hermetik und philosophischer Hermeneutik kommt besonders in Rombachs Kontroverse mit Hans-Georg Gadamer zum Ausdruck; sie wird teilweise dokumentiert und am konkreten literarischen Beispiel exemplifiziert in: *Der kommende Gott* (Rombach 1991a, Abschnitte 11, 12, 15, 16 sowie *Anhang*).

[11] *AdH:* Eine umfassende Analyse der Soziogenese gibt die *Phänomenologie des sozialen Lebens. Grundzüge einer Phänomenologischen Soziologie* (Rombach 1994a).

[12] *AdH:* Die Soziogenese von Volksgemeinschaften ist Hauptthema der vorerst letzten Publikation Rombachs in Buchform (Rombach 1996).

Literatur

Rombach, H. (1965/1966): *Substanz, System, Struktur. Die Ontologie des Funktionalismus und der philosophische Hintergrund der modernen Wissenschaft*, 2 Bde., Freiburg/München.
– (1969): „Der Glaube an Gott und das wissenschaftliche Denken" in: H. J. Schultz (Hg.): *Wer ist das eigentlich – Gott?*, München, 192-208
– (1971): *Strukturontologie. Eine Phänomenologie der Freiheit*, Freiburg/München.
– (1977): *Leben des Geistes. Ein Buch der Bilder zur Fundamentalgeschichte der Menschheit*, Freiburg/Basel/Wien.
– (1981, zus. m. K. Tsujimura u. R. Ohashi): *Sein und Nichts. Grundbilder westlichen und östlichen Denkens*, Freiburg/Basel/Wien.
– (1983): *Welt und Gegenwelt. Umdenken über die Wirklichkeit: Die philosophische Hermetik*, Basel.
– (1985): „Der Frieden alles Friedens. Hölderlins Universaltheologie", in: J. J. Petuchowski, H. Rombach u. W. Strolz: *Gott alles in allem. Religiöse Perspektiven künftigen Menschseins*, Freiburg i. Br., 41-75.
– (1987): *Strukturanthropologie. „Der menschliche Mensch"*, Freiburg/Mün-chen.
– (1991a): *Der kommende Gott. Hermetik - eine neue Weltsicht*, Freiburg i. Br.
– (1991b): „Das Tao der Phänomenologie", in: Philosophisches Jahrbuch 98, 1-17.
– (1994a): *Phänomenologie des sozialen Lebens. Grundzüge einer Phänomenologischen Soziologie*, Freiburg/München.
– (1994b): *Der Ursprung. Philosophie der Konkreativität von Mensch und Natur*, Freiburg.
– (1996): *Drachenkampf*, Freiburg i. Br..

Das Phänomen ‚Welt' –
von Husserl zu Rombach

Georg Stenger

I. Zur Vorgeschichte und zur Geschichtlichkeit der Phänomenologie
(Problemaufriss)

Wenn vom Phänomen ‚Welt' die Rede ist, so ist damit zugleich die Tradition der Phänomenologie aufgerufen. Wie jede Tradition so hat auch die Phänomenologie ihre Vorgeschichte, ihre Vorläufer und ihr Herkommen. Nun, diese Geschichte ist mindestens so vielstrahlig und vielschichtig wie die einzelnen phänomenologisch grundierten Konzeptionen, wie sie insonderheit für das 20. Jahrhundert bedeutsam wurden. Die Phänomenologie ist selber schon plural verfasst, weshalb es auch richtiger wäre, von Phänomenologie*n* zu sprechen. Diesen Plural hat sie immer begrüßt, gewiss manchmal auch mehr ertragen, aber er bekundet sich doch in ihrer Grundeinstellung als „Arbeits- und Forschungsphilosophie".

Die These meiner Überlegungen besteht nun darin, dass mit dem Phänomen der Welt ein entscheidendes Grundanliegen nicht nur der phänomenologischen Forschungen, sondern der gesamten philosophischen Traditionen auftritt, das die philosophischen Bestrebungen nach wie vor, und, wie ich zu zeigen versuche, in verstärktem Maße in Atem hält.

Die Vorgeschichte dieses Phänomens, die parallel zur Vorgeschichte der Phänomenologie verläuft, führt mitten hinein in unsere Fragestellung. Drei große Schritte oder Schübe könnte man hier ausmachen, wovon der erste von den Griechen bis zu Hegel reicht, der zweite die nachhegelischen Philosophien bis zu Beginn des 20. Jahrhunderts kennzeichnet und der dritte schließlich die sich selber so bezeichnende „Phänomenologie", beginnend mit Husserl, benennt. Gewiss, es gibt da Überlappungen und Überschneidungen, aber diese Einteilung profiliert und fokussiert unsere Fragestellung.

1. Mit der „Entdeckung" der Vernunft durch die Griechen war zugleich die Welt als Welt entdeckt. Das heißt, das chaotische Durcheinander aller Dinge wird „in Ordnung gebracht", was eben durch die Arbeit der Vernunft geschieht, die qua Vernunft alles so zusammenführt, dass es als „Einheit", als „Ordnung" auftritt. Vernunft heißt Einheitsstiftung, und die auf Einheit rückgeführte Vielheit heißt Welt. „Logos" und „Kosmos" sind korrelative Grundbegriffe, keiner könnte ohne den anderen bestehen. Aber, dieses Zusammenführen der Vernunft,

ihr conceptus, besteht nun darin, dass es die Dinge auf ihr Wesen und ihre Wesenheiten zurückführt, die gerade nicht zur Erscheinung kommen. Der Kosmos Platons ist ein Ideen- und Wesenskosmos, der sich mit Aristoteles und im weiteren Verlauf bis ins Hochmittelalter hinein als „Substanz" wiederfindet, jenem ersten Begriff, von dem alles ausgeht und in den alles zurückläuft. Alles, was erscheint, kann nur als „Eigenschaft" einer zugrunde liegenden Substanz erscheinen. „Substanzontologie" oder „Substanzenontologie" gilt hier als das fundierende Grundkonzept. Die „Welt" taucht auf als Ordnungsgestalt von Wesenheiten.[1]

Das Denken der Neuzeit revolutioniert das Denken dahingehend, dass jetzt nichts mehr in seinem Wesen vorausgesetzt und einfach hingenommen wird, sondern alles auf die Selbstbegründung von Vernunft und Verstand gestellt wird. Die großen Systeme treten auf, überhaupt das „Systemdenken", das sowohl die Leistungen der Vernunft als auch die Welt als ganze jeweils erklären kann. Descartes, Spinoza, Leibniz, Kant, Fichte, Schelling, Hegel, die Welt antwortete immer als ganze auf das Ganze der Vernunft. Die „Wesenswissenschaft" wird „Weltwissenschaft", Welt zunächst als quantifizierbare Größe, wie sie zum Grundaxiom der Naturwissenschaften avancierte. Es war bekanntermaßen Kant, der hier für die folgenreiche Unterscheidung sorgte, dass „Welt" einmal als Notwendigkeitszusammenhang, als System, zum anderen aber als Freiheitsbegriff, als „regulative Idee", auftritt. „Kant", so E. Fink, „bedeutet den Gipfel des metaphysischen Weltdenkens. [...] Kant denkt zum ersten Male ausdrücklich die Welt als den *allbefangenden Horizont des Seienden und seiner Auslegung.* Das Seiende hat über alle ihm eigenen Bestimmungen hinaus den grundsätzlichen Charakter von Binnenweltlichem." (Fink 1990, 185) Zugleich aber mahnt Fink kritisch an, dass Kant „mit der Subjektivierung [...] alle Schwierigkeiten los [wird], aber auch die schwierige Sache selbst. Das All des Seienden ist nur noch eine ‚regulative Idee'. [...] Welt als die Dimension des Seienden betrifft nur Erscheinungen, nicht Dinge an sich." (Ebd.) Konnte Kant durch seine „Selbstkritiken der Vernunft" den Endlichkeitsaspekt gewinnen, so scheint dieser mit Hegel wiederum preisgegeben zu sein, wenn dieser die Selbstbegründung der Vernunft aus ihrer geschichtlichen Stufenfolge heraus entwickelt, wodurch die Vernunft erst zur Vernunft kommt, so dass Erscheinung und Wesen, Phänomen und Begriff, Welt und Logik in eins zusammenschlagen. Mit Hegel gewinnt die Menschheit das Selbstbewusstsein ihrer selbst, Freiheit bleibt nicht länger Postulat, sondern wird Realität. Wie auch immer man den Gang des neuzeitlichen Denkens im einzelnen bewerten und gewichten mag, er erweist sich als ein Ganggeschehen, wo jeder Schritt den vorherigen nicht nur begründet, sondern darin die noch ungeklärten offenen Stellen markiert, die dem anvisierten Ziel der Selbstbegründung der Ver-

---

[1] Eine Nähe von Husserls „eidetischer Reduktion" und dem, was er „Wesensschau" nennt, zu Platons Ideenschau ist unschwer auszumachen. Auch Scheler macht in seinem „Wertekosmos" und seinem „Wesensbegriff" direkte Anleihen bei diesen Denkstrukturen.

nunft und der Freiheit der Welt näher kommen. Dass es bis heute Anhänger und Schüler dieser großen Denker gibt – man muss entweder Kantianer oder Hegelianer sein, wer beides sein will, muss dafür gute Gründe angeben können –, zeigt nur, wie die Philosophie selber an diesem Begründungsgang hängt, ja mit dieser geradezu identisch zu sein scheint (vgl. Henrich 1983). Die Philosophie kommt hier eigentlich schon an ein erstes Ende, hat sie doch die Begründung ihrer selbst geleistet. Philosophie als ein in sich stimmiges System, mit dem jeweils alles erklärt und vor allem auf den Begriff gebracht werden kann.

2. Nun ist die Philosophie ja nicht bei Hegel stehen geblieben, gleichwohl hat sie in ihrem ganzen Zuschnitt ein anderes Gesicht bekommen. Ein *„System der Philosophie"* scheint seit Hegel obsolet. Was dann? *„Nach* Hegel gibt es kein *System* der Philosophie mehr, kann es keines mehr geben [auch wenn bis heute Versuche in dieser Richtung ungebrochen unternommen werden – G. S.]. Alle *großen* Philosophen des 19. und 20. Jahrhunderts weisen den Systemcharakter ausdrücklich zurück. Sie gehen von etwas ganz anderem aus, von *Grundphänomenen* des menschlichen Daseins, die sich jeweils als eine *Tiefenstruktur* enthüllen lassen, in die der Mensch eingelassen ist." (Rombach 1988, 168) Heinrich Rombach, von dem dieses Zitat stammt, machte wohl als erster auf diesen fulminanten Umbruch der Denkgeschichte aufmerksam,[2] was wiederum damit zusammenhängt, dass er die *ontologischen* Grenzen und Selbstbehinderungen des Systemdenkens erfasste. Vor allem aber wird mit der Entdeckung der Grundphänomene deutlich, dass mit diesen jener Boden überhaupt erst erstellt wird, auf dem dann dies und jenes gesagt, getan, begründet und argumentiert werden, überhaupt zur Erscheinung kommen kann.[3] Jedes Grundphänomen eröffnet einen eigenen Raum, von dem her alles verstanden werden kann und seine Erklärung findet, jedes Grundphänomen hat in einem exemten Sinn „Weltcharakter". (Vgl. zum folgenden Rombach 1988, 167-181.) Seit Marx kann vom Grundphänomen der „Arbeit" und der Produktionsverhältnisse her alles verstanden werden. Der Mensch versteht sich ganz und gar aus der „Welt der Arbeit", so dass auch alles andere von daher zu verstehen ist und auch verstanden wird. Religions- und Glaubensfragen, Fragen der Kunst, Literatur und Philosophie bleiben rückge-

---

[2] Merleau-Ponty scheint diese Eigentümlichkeit auch schon irgendwie geahnt zu haben, er hat sie aber noch nicht als diesen grundsätzlichen Einschnitt der Denkstruktur und Denkkultur gesehen (vgl. Merleau-Ponty 1966, 4, passim).

[3] Schon E. Fink hatte auf das „Grundphänomen" hingewiesen, auch auf den damit erstellten unhintergehbaren Geltungsboden. Er hat auch auf die Verflechtungsformen und das Zusammengehören der Grundphänomene hingewiesen, aber eben nicht den philosophisch zunächst notwendigen Ausschließlichkeitscharakter gesehen. Daran mag auch hängen, dass er seine Grundphänomene – es sind ja bekanntlich fünf an der Zahl – mehr oder weniger frei entwickelte, wobei das „Spiel" herausragt, insofern der Zusammenhang der Grundphänomene aus ihrem Zusammenspiel verstanden wird. Die Einsicht darin, dass jede große Philosophie nach Hegel die Ausarbeitung eines Grundphänomens darstellt, konnte Fink noch nicht haben, zumal der Erweis seiner Grundphänomene einer anderen Fragestellung galt (vgl. Fink 1979).

bunden an die Grundsituation der Arbeits- und Arbeiterwelt und werden von daher interpretiert. Die Gesellschaft als ganze wird zum Spiegelbild der Produktionsverhältnisse. Aber es gibt noch andere Grundphänomene: Freud entdeckt die Grundstruktur der „Libido", worin gesehen wird, dass alles auf Fragen der Lust bzw. des Lustgewinns und der damit einhergehenden Sublimierungsmechanismen zurückgeführt werden kann. Die gesamte Triebstruktur legt in der Tat eine ganze „Triebwelt" offen, wovon aus alles erklärt und verstanden werden kann. Ebenso Nietzsche, für den alles unter der Maßgabe des „schöpferischen Prozesses" erst zu dem wird, was es im Grunde ist. Einer Lust, die nicht schöpferisch ist, lohnt es nicht, sie leidet an ihrer eigenen Décadence. Ebenso stellen sich der Glaube und die Moral als Formen der Décadence heraus, weil sie sich nicht auf den schöpferischen Prozess ihrer selbst freigeben. Es wären weiterhin Kierkegaard zu nennen, der als Usurpator des Grundphänomens des „Glaubens" betrachtet werden kann. Whorf und Wittgenstein elaborieren das Grundphänomen der „Sprache", und noch der sog. „linguistic turn", der sich ja als dezidierte Vernunftkritik im Sinne einer Subjekt- und Bewusstseinstheorie versteht, partizipiert an dieser Eröffnung. Die „Dialogphilosophie" (Buber, Rosenzweig u. a.) eröffnet noch vor aller Hermeneutik die unhintergehbare Ich-Du-Konstellation, bei Levinas wird „der Andere" zum Grundphänomen, es entsteht eine neue Ethik als „erster Wissenschaft", bei Merleau-Ponty erhält „der Leib" Qualitäten eines Grundphänomens, vermöchte doch die Welt ohne ihn niemals „zur Welt zu kommen". B. Waldenfels zeigt, wie „das Fremde" in seinem ganzen Anspruch und seiner uneinholbaren Asymmetrie zu einer bisher nicht gesehenen Bedingung der Möglichkeit von Erkenntnis und Erfahrung avanciert. – Bei den drei zuletzt Genannten stimmt die Zuordnung nicht genau, da sie zum einen durch die Schule der Phänomenologie gegangen sind und zum anderen deren Doppelaspekt von Subjekt – *und* Objektforschung, Vernunft- *und* Weltforschung aufgenommen haben, sei es zustimmend oder ablehnend.

Man könnte die Reihe weiter fortsetzen. Jedes Mal, das heißt mit jedem Grundphänomen, zeigt sich, dass von hier aus alles verstanden werden kann. Jedes Grundphänomen erweist sich als eine eigenständige Ontologie und Phänomenologie, als eigenständige Erkenntnis- und Erfahrungsweise, eben als „eine ganze Welt". Dabei ist durchaus zweitrangig, ob und inwieweit sich die einzelnen Philosophien selber als „Phänomenologien" oder gar als „Grund-Phänomenologien" gesehen haben oder sehen würden, entscheidend ist jeweils die Eröffnung dessen, was ein „Grundphänomen" ist und was dadurch an Tiefenstrukturen und -dimensionen gezeigt werden kann. Nun stehen die Grundphänomene nicht nebeneinander – es müsste ein ihnen übergeordneter Raum vorausgesetzt sein –, es zeigt sich vielmehr, dass von jedem Grundphänomen aus jedes andere mit interpretiert wird und auch interpretierbar ist, aber eben unter der jeweils eigenen Maßgabe. Von jedem Grundphänomen sieht das jeweils andere nicht nur anders aus, es erscheint auch jeweils nur als ein bestimmtes Phänomen oder gar nur als Epiphänomen. Dies führt dazu, dass sich die Grundphänomene gewissermaßen gegenseitig unterminieren und heruntersprechen. So werden bestimmte Grundmuster offenkundig, die ein Grundphänomen ausmachen, was sich etwa auch daran zeigt, dass ihnen allen ein Diagnose- und Therapieaspekt gemeinsam ist. Das heißt, dass mit der Eröffnung des Spannungsfeldes von Phänomen und Grundphänomen zugleich ersichtlich wird, dass und inwieweit die Phänomene in ihrer Gegebenheit und Erscheinungsweise an der Oberfläche gar nicht das zu zeigen vermögen, was sie prätendieren. Phänomene können, und sie sind es zumeist, abgeleitet, nachrangig, vermischt, ja verbogen oder gar korrupt sein. *Darüber* nun kann nur das jeweilige zugrunde liegende Grundphänomen befinden, genauer gesagt, das jeweilige sich gegenseitig erhellende Zusammenspiel von Phänomen und Grundphänomen erstellt dieses Kriterium. Gemeinsam ist den Grundphänomenen auch ihr Absetzungs- und Entlarvungsstil, insofern ihnen ein nicht hintergehbarer Geltungsboden zu eignen scheint. Damit hängt wiederum zusammen, dass auf dem Boden der Grundphänomene die Philosophie aufhört, sich allein als Denkoperation zu verstehen und sich anschickt, für die Praxis der Lebensvollzüge unmittelbar relevant zu werden.

Ein grundsätzliches Problem aber hat sich soeben schon angekündigt: Da jeder nur von seinem Grundphänomen aus die Bewusstseins- und Weltstrukturen erfassen kann – Grundphänomen heißt Bodengebung überhaupt –, sieht er nicht, dass es noch andere Grundphänomene gibt, die die gleiche Berechtigung haben. So kann es nicht ausbleiben, dass die ausgearbeiteten Grundphänomene als inkommensurable und sich selbst verabsolutierende Philosophien auftreten, weshalb sie mehr oder weniger deutlich in Weltanschauungen übergehen und unter Ideologieverdacht fallen. Die Eröffnung der Tiefenstrukturen und Grundphänomene, die ja in der Tat das philosophische Geschäft in unmittelbare Nähe zur gelebten Realität führte und der Philosophie das zurückzugeben versprach, was sie seit Sokrates wollte, nämlich Selbstklärung und -erhellung des Lebens selber zu sein, schien aufgrund des Ausschließlichkeitscharakters der einzelnen Philosophien der Grundphänomene mit dem Verlust philosophischer Prinzipienfragen und Allgemeingültigkeit erkauft. Philosophie geriet und gerät noch tendenziell in den Verdacht, eine versteckte Form von Weltanschauung zu sein. Anders gesagt: Wer den Schritt zu den Tiefenstrukturen und den Grundphänomenen nicht mitmacht, also die konkrete Arbeit eines jeden Grundphänomens nicht erfasst, die darin besteht, jeweils neu darüber zu befinden, was Subjekt, Objekt, Verstand, Vernunft, Begriff, Realität usw. bedeuten, der kann gar nicht anders, als, am klassischen Vernunft- und Subjektbegriff festhaltend, die Dimension der Grundphänomene als bloße „Weltanschauungsfragen" zu disqualifizieren.

3. Die „Phänomenologie" nun – und damit komme ich zum dritten Schritt –, greift in jene Aporie ein, wie sie sich mit der scheinbaren Unvereinbarkeit von Selbstbegründung der Vernunft und „Selbstbegründung" und Selbstgestaltung der Grundphänomene darstellt.[4] Anders gesagt: Vernunft und Welt (Phänomen),

---

[4] Natürlich entspricht diese Einschätzung nicht der Selbsteinschätzung etwa eines Husserl hinsichtlich seiner phänomenologischen Forschungen, aber ich will hier ja auch

Bewusstsein und Gegebenheit haben sich in ihrer gegenseitigen korrelativen Bedingungsstruktur zu erfassen, denn erst darin erfahren sie sich in ihrem Konstitutionsgeschehen. So besteht eines der Hauptanliegen von Husserl wohl darin, zum einen die Philosophie wieder auf ihre angestammten Bahnen zurückzuführen, wo sie sich jenseits einer Differenz von Wissenschaft und Philosophie auf ihre Selbstbegründungsfragen und ihre Selbstkritik der Vernunft hin verpflichtet sieht und wo zum anderen den philosophischen Bestrebungen klar wird, dass sie sich nicht mehr unabhängig von Welt und Realität werden bewegen können, so dass beide Seiten erst aneinander und auseinander hervorgehen. Jeder Objekttypus hat seinen ihm korrelierenden Subjekttypus und umgekehrt. Die Vernunft erscheint, und nur als erscheinende ist sie auch Vernunft – Phänomeno-logie. So erhält die Philosophie durch die Phänomenologie ein Methodenbewusstsein der Vernunft selber, Phänomenologie wird zur Forschung an den *konstitutiven* Grundfragen von Apriori und Aposteriori. Erkenntnis und Erfahrung bedingen sich nicht nur gegenseitig, es wird sich zeigen, dass sie (künftig) auseinander hervorgehen. „Selbstgegebenheit" tritt an die Stelle dessen, was bislang die Theoreme von Subjekt-Objekt, Verstandesbegriffe und „Gegebenheit" innehatten. Was bisher Geltungsfragen waren, die argumentativ zu *beweisen* waren, wird jetzt zu einer Frage der „Evidenz", die sich *zeigen* muss. Phänomenologie, so könnte man sagen, ist das Sichzeigen der Vernunft, ihre konkret durchgeführte Selbsterhellung, ihre Selbstaufklärung und auch Selbststeigerung.[5] So unterliegt auch die Phänomenologie selber einer inneren Phänomenologie, die sich kritisch übersteigt, und so waren die Entdeckungen der Grundphänomene in der Sache vielleicht schon weiter als alle Selbstreflexion philosophischer Theorien, allerdings mit dem großen Mangel behaftet, dass sie kein methodisches Bewusstsein, geschweige denn ein Bewusstsein ihrer selbst als „Grundphänomenologien" hatten.

II. Das Phänomen ‚Welt'

Im folgenden möchte ich zeigen, wie Welt *als* Phänomen entsteht, wie es zum Phänomen *wird*, wie es in steigendem Maße den Charakter eines „Grundphänomens" annimmt und wie schließlich die Grundphänomene selber befähigt werden, in ein gemeinsames Gespräch einzutreten. Der Überstieg des Phänomens der Welt zum Grundphänomen, was zugleich dessen Grundlegung bedeutet,

---

den Gang der Phänomenologie von einem größeren geschichtlichen Aspekt her verstehen, worin bestimmte Einschätzungen selber erst via Geschichtlichkeit ihre Aussage gewinnen.

[5] Husserl sieht im transzendentalphänomenologischen Projekt nicht weniger als die „geheime Sehnsucht der ganzen neuzeitlichen Philosophie" zum Tragen kommen und auch erreicht. Insonderheit die „Pariser Vorträge" (Hua I, 1-39) und der Einleitungsteil der *Krisis*-Schrift (Hua VI, 1-17) sprechen diesen Grundgedanken aus, der im übrigen die gesamten Schriften Husserls, jedenfalls ab dem Übergang in die transzendentalphänomenologische Periode, wie ein roter Faden durchzieht.

führt zur Pluralität von Grundphänomenen, die auf eine „Pluralität der Welten" zuläuft. Ein solches „Gespräch der Welten" ist vermutlich das schwierigste Problem der Gegenwart, sowohl hinsichtlich seiner philosophischen Implikationen – es geht dabei ja um einen Bereich, der *jenseits* von Universalismus und Relativismus, *jenseits* von Einheit und Vielheit ansetzt –, als auch in Hinsicht seiner lebenspraktischen und menschheitlichen Grundbedeutung – die Menschheit ist nach wie vor zerrissen in die Kämpfe ihrer gegenseitigen Absolutheitsansprüche. Hier hätte eine Phänomenologie der Interkulturalität anzusetzen.

Ich möchte diesen Gang anhand dreier philosophischer Konzeptionen nachzeichnen, die zum einen aufeinander aufbauen, die aber doch jede wiederum eine völlig eigenständige, in sich stimmige Philosophie und eben auch Phänomenologie darstellen. Mit jeder Konzeption wird die Phänomenologie im Ganzen revolutioniert, aber gute Phänomenologie bestand immer im Durchstoß bisher in Geltung befindlicher Denkformationen. Es geht um den Dreischritt Husserl-Heidegger-Rombach, natürlich auf unser Thema des Weltphänomens hin angelegt. Gewiss wird man Namen wie Fink, Merleau-Ponty oder auch Patočka und noch andere vermissen, aber dies würde zum einen den Rahmen dieses Artikels sprengen, zum anderen glaube ich, dass sich diese genannten Phänomenologen sozusagen in Zwischenfeldern der drei anderen aufhalten, ohne allerdings darin auch schon adäquat aufgenommen zu sein. Nur, zwischen Husserl, Heidegger und Rombach gibt es klare Unterscheidungen und auch Schritte, die die phänomenologischen Forschungen im ganzen, nicht nur in Einzel- und Detailfragen, weitergebracht haben und weiterbringen. Mit Rücksicht auf die jeweilige Konzeption, verbunden mit unserer Fragestellung, scheint mir ein Vorgehen sinnvoll, das jeden der drei Schritte noch einmal in jeweils zwei Abschnitte unterteilt.

1. Husserl

1.1. Transzendentale Phänomenologie

Husserl übernimmt in seiner transzendentalen Phänomenologie[6] im Grunde die Errungenschaften der neuzeitlichen Philosophie, allerdings mit der entscheidenden Blickwendung, dass er das, was dort verstandesmäßig, bewusstseinstheoretisch und begrifflich vorausgesetzt wird, in sein inneres Konstitutionsgeschehen bringt. Er zeigt nicht nur die Leistungen des Bewusstseins, er zeigt dem voraus, *wie* das Bewusstsein zum Bewusstsein kommt. Dazu gehören aber zwei Seiten, das Ego *und* der Gegenstand, die Vernunft *und* die Welt, und zwar in ihrer ge-

---

[6] Erst die *transzendentale* Phänomenologie vermag das Staffelholz der philosophischen Tradition zu übernehmen und weiterzuführen, da sie ansonsten in ein vorkantisches, d. h. unkritisches Bewusstsein zurückfallen würde. Es ließe sich zeigen, dass schon Husserls vor-transzendentale Forschungen direkt auf das Tor transzendentaler Begründungsfragen zusteuern, wenn ihm das auch damals noch nicht klar war.

genseitigen Konstitutionsarbeit. Das Apriori der Verstandesbegriffe und An-
schauungsformen, wie wir es seit Kant zugrunde legen, wird in das dieses be-
gründende „Korrelationsapriori" überführt. Dies hat Konsequenzen, deren Ausarbeitung sich die gesamte Husserlsche Phänomenologie widmet.

„*Die Grundeigenschaft der Bewußtseinsweisen, in denen ich als Ich lebe, ist die
sogenannte Intentionalität*, ist jeweiliges Bewußthaben von etwas." (Hua I, 13)
Bewusstsein heißt immer „Bewusstsein-von-etwas", das heißt, dass alles Erfassen
erst durch das Bezogensein auf das Erfasste zum Erfassenden wird. Dieses Bezogensein geschieht aber keineswegs nachträglich, sondern ist die Weise, wie Bewusstsein und Bewussthaben geschieht. Bewusstsein heißt eigentlich „Intentionalität als solche", von der her der jeweilige Subjekt- wie der dazugehörige Objekttypus zur Erscheinung kommen. „Zum cogito selbst gehört ein ihm immanenter ‚Blick-auf' das Objekt, der andererseits aus dem ‚Ich' hervorquillt, das also nie fehlen kann. Dieser Ichblick auf etwas ist, je nach dem Akte, in der Wahrnehmung wahrnehmender, in der Fiktion fingierender, im Gefallen gefallender,
im Wollen wollender Blick-auf usw. Das sagt also, daß dieses zum *Wesen* des cogito, des Aktes als solchen gehörige im Blick, im geistigen Auge Haben, nicht
selbst wieder ein eigener Akt ist und insbesondere nicht mit einem Wahrnehmen
(in einem noch so weiten Sinne) verwechselt werden darf und mit allen anderen,
den Wahrnehmungen verwandten Aktarten. Es ist zu beachten, daß *intentionales*
Objekt eines Bewußtseins (so genommen, wie es dessen volles Korrelat ist) keineswegs dasselbe sagt wie *erfaßtes* Objekt." (Hua III, 1 65 f.) Diese Schlüsselstel-
le aus den *Ideen I* ist zugleich der Schlüssel zur Phänomenologie im Husserlschen Sinne. Er zeigt, dass alle Trennung von Subjekt und Objekt eine nachträgliche ist, so dass jene scheinbar beunruhigende Frage, wie denn ein Bewusstseins-
leben das Vordraußen der Realität jemals (adäquat) erfassen könne, dadurch auflöst, dass in der Frage nach dem Vordraußen dieses selber ja schon mitgesetzt
und apperzipiert ist. „*Transzendenz ist ein immanenter, innerhalb des ego sich kon-
stituierender Seinscharakter.* Jeder erdenkliche Sinn, jedes erdenkliche Sein, ob es
immanent oder transzendent heißt, fällt in den Bereich der transzendentalen
Subjektivität." (Hua I, 32) Um dieses Grundgeschehen des „reinen Ego", wie
Husserl die Leistungen der transzendentalen Subjektivität auch nennt, methodisch näher fassen zu können, bedarf es eines „Epoché Übens", bedarf es der
„phänomenologischen Reduktion". Diese klammert die sogenannte Realität ein,
sieht also ab vom Gegebensein der Dinge, um aber dafür die *Gegebenheitsweise*,
den *Gebungssinn* von etwas zu erhalten. Und dieser Gebungssinn gilt jeweilig, er
eröffnet erst die jeweilige *Region*, innerhalb derer die jeweilige Sache nicht nur
erscheint, sondern in diesem Erscheinen der Sinn des Erscheinens allererst klar
wird. Ein markantes Beispiel: J. Beuys hatte eine Kinderbadewanne als Kunstob-
jekt ausgestellt, die von der Reinigungsfirma nicht als solches erkannt und somit
als Reinigungsobjekt interpretiert wurde. Hier fehlte, um es so zu sagen, der Horizont für Kunst, ein bestimmter Horizont, wodurch erst dem „Ding" Badewanne ein spezifischer Sinn gegeben wird. Pointiert gesagt: Etwas, hier die Badewanne, ist nur gegeben *innerhalb* der *jeweiligen* Region, weshalb dieses auch nur in

dieser Region, diesem Horizont wahrgenommen und verstanden werden kann. „Kunst" und „Stadtverwaltung" (Gebäudereinigung) sind zwei unterschiedliche Gebungssinne, worin ein mögliches „etwas" auf sein *als* etwas" zurückgeführt wird. So kann es sein, wie in diesem Fall, dass noch weitere Gebungssinne hinzukommen, die aus dem „Ding" Badewanne ein vielschichtiges „Phänomen" Badewanne machen. Der Gebungssinn des „Rechts" hatte hier nicht nur zu vermitteln (Rechtsstreit zwischen Künstler und Stadt), er machte auch den Sinn unterschiedlicher Gebungssinne offenkundig. Das „Phänomen" meint also die Gegebenheitsweise, den Gebungssinn und die Seinsregion von „etwas", das man gewöhnlich mit „Ding" oder „Gegenstand" assoziiert. So entsprichen jeder Gegebenheitsweise, jeder „Seinsregion" ein jeweiliges Sinnverständnis und ein jeweiliger Sinnentwurf. Die Konstitutionsforschung ist so vor allem *Sinn*forschung. Der Sinn, genauer der *Sinnhorizont* gibt die Dinge, und zwar in ihrer Gegebenheitsweise. Jeder Horizont steht dabei wiederum in einem weiteren Verweisungszusammenhang von Horizontstrukturen, die alle für die Sinngebung verantwortlich zeichnen. Wichtig zu sehen ist, dass all diese methodischen Grundzüge wie Intentionalität, Konstitution, Reduktion, Horizont usw. nicht etwa Bausteine sind, die aufeinander aufbauen, sondern einen einzigen Strukturzusammenhang bilden, der das Phänomen erst als *Phänomen* hervortreten lässt. Phänomen meint eigentlich Horizontphänomen, das heißt Sinnkonstitution. Aber niemals kann etwas in vollgültiger Weise erfasst werden, da dessen Gebungshorizonte selber nie abgeschlossen sind. Jede Phänomenanalyse könnte immer auch noch weiter geführt werden, ganz entsprechend der Betrachtung oder Interpretation eines Kunstwerks, das in seiner inneren Unendlichkeit bewahrt bleiben will, gerade im Sinne seiner jeweiligen Konturierung und Interpretationsmöglichkeiten. Der Verweisungszusammenhang, man könnte auch sagen, das „transzendentale Und-so-Weiter" läuft auf „Welt" als Universalhorizont hinaus.[7] Dieser ist „das Ganze", das nicht erst erreicht wird, sondern das immer schon gleichsam im Hintergrund mitanwesend ist. So kommt auch schon die Welt in diesem Sinne in einer bestimmten Weise zur Gegebenheit, allerdings nur in einer bestimmten Perspektive, einer bestimmten Abschattung, usw. Ja dies, dass etwas in meisten Teilen entzogen ist, ist genau die Prägnanz und Profilation seines Gegebenseins. Anders ausgedrückt: Jede Dingwahrnehmung ist so zugleich auch Weltwahrnehmung. Ein Ergebnis, das Husserl ja am transzendentalen Gedanken so faszinierte, und das er phänomenologisch aufweisen wollte.[8]

---

[7] „Daß die Welt ein Zusammenhang von Sinnverweisungen ist, hat erst die Phänomenologie unseres Jahrhunderts erkannt und zum Thema philosophischer Analysen gemacht." (Held 1995, 109)

[8] Man erinnere: Schon Kant machte in seiner „transzendentalen Reflexion" den Schritt vom Dingbegriff (Dingwissen) zum Weltbegriff (Weltwissen), wobei er allerdings auf einer unüberbrückbaren Differenz zwischen System*wahrheit* und *Erscheinungs*welt beharrte und von ihm aus gesehen auch beharren musste.

Was haben wir bislang mit Husserl gewonnen? Nun, alles Gegebene erweist sich als eingebettet in eine jeweilige Gegebenheitsweise, *die* Wirklichkeit öffnet und differenziert sich in regional bestimmte Wirklichkeitstypiken, denen eine jeweilige Subjekt-Objekt-Korrelation entspricht, und, aus dem „Realum" wird das „Phänomen". Das ist nicht wenig, zeigt doch das Phänomen der Realität erst ihre Konstitutionsweisen und -bedingungen. Zudem, und darauf war ja unser Augenmerk gerichtet, zeigt sich nichts weniger als dies, dass „Welt" nicht ein Phänomenzug unter vielen ist und gleichsam beiher noch auftaucht, sondern das eigentliche Grundanliegen der Regional-, der Horizont- und der Sinnforschung ist. Ja es wird klar, dass die Vernunft selber nicht nur Forschungssubjekt, sondern vor allem Forschungsobjekt ist, das heißt, dass sie sich aus der konkreten Arbeit von Ding-, Horizont- und Weltwahrnehmung heraus so erfährt, dass sie allererst als darin konstituierte ersteht. Phänomenologie – das ist in der Tat die zur Erscheinung kommende Vernunft.[9] Dies besagt näherhin, dass Husserls Phänomenanalysen – sie mögen sich auf Phänomene der „Aktualität" im Sinne einer „Achtsamkeit auf" oder der „Inaktualität" oder auch auf die Bereiche der „Passiven Synthesis" beziehen – stets eine Leistung des transzendentalen Egos und darin *intentional* gebunden bleiben. Husserl bleibt der klassischen Bewusstseinsphilosophie verbunden, er bleibt ihr aber auch verhaftet. Intentionalität fungiert so als die innere Konstitutionsstruktur des Bewusstseins und damit der Bewusstseinsphänomene. Die Phänomene werden von der Erfassungs- und Wahrnehmungstypik aus angegangen und erscheinen daher notwendig im Modus der *Gegenständlichkeit*. Gleichwohl öffnet sich erst mit Husserl das gesamte innere Feld der transzendentalen Subjektivität, die sich in „regionale Ontologien" auffächert. Mit ihm kann gezeigt werden, dass dem jeweiligen Subjekttypus eine jeweilige Objektverfasstheit entspricht, dass jede Erfassungsweise an eine bestimmte Horizontstruktur gebunden ist, die alles Erscheinen erst so erscheinen lässt, wie es erscheint. Sein Erscheinen ist sozusagen Sinnbestätigung der Horizontstruktur.

Wollte man phänomenologisch noch genauer herangehen, so wäre zu zeigen, dass die Horizontstrukturen in ihrem Verweisungscharakter ja auf ein unendliches, in sich offenes und über sich hinausweisendes Ganzes verweisen, was bedeutet, dass schon in jeder Einzelwahrnehmung die ganze Wahrnehmungswelt mitgesetzt ist. Gerade dadurch, dass sie „appräsentisch" mitanwesend ist, kann das Einzelding erscheinen, exakt so, wie es erscheint. Dieser transzendentale Grundzug bekundet sich nach außen hin so, dass alles Wahrgenommene stets als „innerhalb der Welt" wahrgenommen wird. Dieses „innerhalb" oder „in" entspricht gerade nicht einer gefühlsmäßigen oder solipsistischen Geste, sondern ist

---

[9] Eine gewisse Verwandtschaft mit Hegel scheint sich hier bemerkbar zu machen, allein der Unterschied zwischen Hegel und der phänomenologischen Forschung besteht in der dimensionalen Differenz zwischen „Begriff" und „Phänomen", d. h. zwischen Vernunft als in ihren Grundlagen vorausgesetzter auf der einen und darin erst zu erforschender auf der anderen Seite.

ein entscheidender transzendentaler Geltungsmodus; aber eben nicht mehr als Idee oder Gegenstand gesetzt, sondern als phänomenkonstitutives Moment (vgl. Rombach 1980, 60 ff.).

1.2. Lebenswelt

Mit der „Lebenswelt" wird das Weltphänomen unmittelbar thematisch. Bekanntlich taucht sie ja als kritische Instanz gegenüber der Grundkrise der europäischen Wissenschaften auf, indem sie zum einen ein alltägliches, vorwissenschaftliches Feld unmittelbarer Anschauung und Erfahrung reklamiert, zum zweiten aber die Wissenschaften auf ihre vergessenen, in sich selber abgelagerten Sinnschichten („Sedimentierungen") aufmerksam macht und schließlich als ihr Ziel jenen „Welthorizont" anvisiert, der dem Menschen seine Sinnfolien und Sinnstiftungen wieder zurückgibt bzw. überhaupt erst öffnet. In allen Fällen wird wie oben schon gesehen der Erfolg daran hängen, inwieweit der subjekt-relative Aspekt aller Welterfahrung, also deren gegenseitige Konstitutionsbedingungen, Berücksichtigung finden. Genau in deren Preisgabe und dem daraus folgenden Objektivitätsglauben der Wissenschaften liegt ja bekanntlich der eigentliche Krisenherd der Wissenschaften, und man darf ergänzend hinzufügen, auch der Philosophie. Das heißt, man erkennt das transzendentale Grundprinzip nicht mehr als methodisch bestimmend an. Ihre Sinnstiftungsinstanz scheint verloren. Die Thematisierung der Lebenswelt könnte daher eine Lösung aus dieser Krisis sein, insofern sie den Universalhorizont sowohl für die Wissenschaften als auch für die alltägliche Erfahrung abgibt.

Verwiesen sei noch, ohne hier allerdings näher darauf eingehen zu können, auf die innere Differenzierung der Lebenswelt. So unterteilt sie sich ja in „Sonderwelten" (Berufswelt, Familienwelt, technische Welt usw.), wie auch in das Konstitutionsgeschehen von Heim- und Fremdwelt, worin der Weltbegriff beispielsweise im Modus der Vertrautheit und eines Bekanntheitsstils auftaucht. „Welt" erscheint hier sozusagen direkter, wenn sie als eigene oder auch fremde Kulturwelt angesprochen wird (signifikante Beispiele wie die Sprache oder die alltäglichen Umgangsformen zeigen dies nachhaltig); sie meldet sich unmittelbar als ganze.[10]

Es bleibt festzuhalten: Intentionalität gibt die Grundfolie ab, wovon her Subjekt und Objekt ihre Zuweisung erfahren. Die Intentionalität ist eigentlich die Grundlage der Husserlschen Phänomenologie, und deren jeweilige Konstitutionsarbeit kann beschrieben werden. Diese Beschreibung heißt Phänomenanalyse, sie ist Sinngebung und Sinnstiftung der jeweiligen Erfassungsweise und der damit korrelierenden Gegebenheitsweise. Phänomenologie ist hier *Deskription*,

---

[10] Vgl. v. a. Husserl (Hua XV); hierzu: Held (1991, 305-337), Lohmar (1997, 189-205). Eine andere Lesart, in der eine vorgängige Verschränkung, eine „Zwischenwelt" von Heim- und Fremdwelt, angesetzt wird, bietet Waldenfels (1993, 53-65).

gewissermaßen Selbstbeschreibung transzendentaler Urstiftungen, die immer schon erfolgt sind und die in ihrem Wesen nur freigelegt werden müssen. Das hätte auch für die Lebensweltfrage zu gelten, wo es um die Freilegung abgelagerter Sinnschichten geht, so dass der Phänomenologe zum Archäologen der transzendentalen Subjektivität avanciert. Phänomenologie ist *Freilegung* verborgener Sinnschichten und dadurch überhaupt erst die Erfassung, dass Vernunft und Welt auf Sinn hin angelegt sind.

Aber, so bleibt festzuhalten, die „Lebenswelt" - und in ihr wird das „Weltphänomen" greifbar – bleibt ebenfalls ein „Bewusstseinsphänomen", ein Horizontphänomen, „Welt" erweist sich als vom Methodenbegriff des Horizontes her bestimmt. Der Modus der „Gegenständlichkeit" bleibt das sine qua non der transzendentalen Phänomenologie.

2. Heidegger

2.1. Ontologische Phänomenologie

Heidegger nimmt die Sinnkonstitutionsfrage Husserls auf, indem er allerdings den von Husserl noch nicht zu sehenden metaphysischen Restbestand anmahnt. Die Gegenständlichkeit als solche und damit die Intentionalität – worin besteht deren Sinn*verständnis*, genauer, deren *Seins*sinn? Sie beanspruchen nicht, wie sich zeigen wird, einen letzten Voraussetzungs- und Begründungsboden, den ihnen Husserl noch zuerkannte. In Frage stehen also sowohl das Herkommen des Ego als auch der Gegenständlichkeit, sozusagen ihr ontologischer Status. Heideggers epochemachender Schritt besteht nun bekanntlich darin, das „In-der-Welt-sein" als Fundament der „Intentionalität" anzusetzen.[11] Das heißt eben nicht, dass das Dasein immer schon in der Welt ist, sondern dass das „Zur-Welt-sein" genau die innere Ausspannung des Daseins selber ist, sein „vor sich Bringen", sein „sich Erbringen", das rein transzendentalphilosophisch gesehen noch begriffsreflexiv gebunden bleibt.[12] Das Sich ist aber weder vorausgesetzt (Ich), noch hat es ein

---

[11] Vgl. Heidegger (GA 24, 299 ff.; GA 2; GA 17). Schon alle frühen Vorlesungen Heideggers der Freiburger wie der Marburger Zeit visieren diesen Schritt über die transzendentale Phänomenologie hinaus an (vgl. GA 56/57; GA 58).

[12] Von hier aus gesehen würde auch das phänomenologische Leibkonzept von Merleau-Ponty noch unter die transzendentalreflexive Schiene fallen, insofern dort der Leib wahrgenommener, zugleich aber auch wahrnehmender Leib ist, der sich als das „Zur-Welt-sein" versteht. Merleau-Ponty setzt noch eine vorgängige Differenz von Leib und Welt an. (Vgl. Merleau-Ponty 1966) Dem späteren Merleau-Ponty, vor allem in „Das Auge und der Geist" (Merleau-Ponty 1984) sowie in „Das Sichtbare und das Unsichtbare" (Merleau-Ponty 1986), stellt sich dieser Sachverhalt weitaus komplexer dar, so dass umgekehrt Heidegger mit Merleau-Ponty kritisch in Augenschein genommen werden kann. Insonderheit am Phänomen des „Fleisches" („chair"), das mit dem Verflechtungstheorem des „Chiasmus" eine eigenständige ontologische Verfasstheit aufzeigt, wird dies deutlich.

Worauf-zu (Objekt), sondern es kommt sich als sein inneres Auseinandertreten überhaupt erst entgegen, so dass es sein „ist" allererst „*zu sein*" hat. Die in der Intentionalität gezeigte Distanznahme erweist sich jetzt als ein „offenes Entgegen", *als* welches sich das Dasein entgegenkommt. Dasein legt sich als es selber „in sich" auseinander, Dasein *ist* „Auslegung", Selbstauslegung des „Sinns von *Sein*". Darin sind sowohl der Erfassungssinn („Selbsterfassung" wird „Selbsterschließung"; „Ichpol" wird zum „Mitenthülltsein" [GA 24, 225]) als auch der Gegenstandssinn („Vorhandenheit" wird zur „Zuhandenheit", „Dinge" werden ursprünglicher aus dem „Verweisungszusammenhang" und der „Bewandtnisganzheit" verstanden, werden gleichsam zu „Bahnungen" [SuZ, § 14-18, 28-32, 69]) so aufgenommen, dass sie zu Strukturzügen dieser Selbstauslegung des Daseins werden. Was Heidegger in der frühen Vorlesung von 1919/1920 noch ganz vorsichtig als Kritik am Husserlschen Intentionalitätsbegriff formuliert: „Geht man vom Verstehen selbst aus, so kommt man gerade zur Forderung des 'Mitmachens' der persönlichen Lebenserfahrung mit größter Lebendigkeit und Innerlichkeit" (GA 58, 254), wird sich alsbald als der entscheidende Grundzug seines Denkens erweisen: In allem Begreifen und Verstehen ist das Dasein immer schon in einer Grundbewegung angetroffen, als welche sich im Umgang und besorgenden Verstehen mit den Dingen tut.

Das Dasein erfährt sich aus dem „offenen Entgegen", in das es hinaussteht und das von dem „Worumwillen", dem „umwillen seiner selbst" her, seinen je eigenen Entwurf zu leisten hat, der wiederum an die Geworfenheit zurückgebunden ist. Im „Vorlaufen in den je eigenen Tod", der „Stimmung", der „Arbeit", dem „Mitsein", in all diesen Phänomen- und Strukturzügen tritt das „In-der-Welt-sein" jeweils als ganzes auf. Die erfassten Dinge werden ursprünglicher als Ding*zusammenhang* und weiter als Zeug*zusammenhang* gesehen, in dem das Tätigsein und der Umgang mit den Dingen als eine „Bewandtnisganzheit" begegnet, aus der heraus alles seine Bedeutung erfährt. „Das Bezugsganze dieses Bedeutens nennen wir die *Bedeutsamkeit*." (SuZ, 87) All dies öffnet gewissermaßen – im Grunde ist er ja immer schon da – den Weltcharakter, oder wie Heidegger sagt, die „*Weltlichkeit* der Welt" (ebd. 86). Dieser Weltlichkeit der Welt (später heißt es: „Das Welten der Welt") entspricht das Selbstsein des Selbst. Mit dem Terminus „Ganzseinkönnen" versucht Heidegger diese Phänomenstruktur zu fassen. Man muss das In-der-Welt-sein im Grunde verbal hören, es meint - wenn man das so sagen könnte - ein „*Selbsten*". Genau darein ist es aber gestellt, das heißt, es hat dies „zu sein". „Seins*vollzug*" und „Aufgabe" zugleich. Das Dasein ist zugleich sein eigener Abgrund – es hat keinen "Grund" mehr unter sich, sowohl faktisch als begründungstheoretisch – und sein eigenes Über-sich-Hinaus, seine Transzendenz. Beide zusammen bilden die eigentümliche „Existenzialität" des Daseins (die „Entschlossenheit des Daseins" entspricht der „Entdecktheit der Welt"). Was auch immer begegnet, es ist schon interpretiert, das heißt ausgelegt aus diesem Gesamtzusammenhang heraus. Alles erfährt seine Bedeutsamkeit aus der „Welt", die wiederum das Aufgespanntsein und Seinsverständnis des Daseins selber ist. Hierin wäre, im Unterschied zum „apophantischen Als", dessen

Grundstruktur auch noch Husserl bedient, der Sinn des „hermeneutischen Als" zu sehen.[13]

Ich will kurz die Konsequenzen in bezug auf Husserl zusammenfassen: An die Stelle der Reduktion, die noch ganz mentalistisch bleibt, indem sie von der Realität absieht, tritt gerade das Hineingehen in diese Realität, dergestalt, dass das je konkrete Dasein sich allererst aus dieser entgegenkommend erfährt. Es geht um die Selbstauslegung der Faktizität selber, und genau das ist mit „Ontologie", so der Übertitel der Vorlesung vom Sommersemester 1923 (GA 63), gemeint: Es geht um den *Sinn* von *Sein*, nicht mehr nur um den Sinn von Bewusstseinshorizonten. Und dieser Sinn besteht in der *existenzialen* Grundverfasstheit des Daseins, weshalb alle Kategorialbestimmungen zu Existenzialbestimmungen werden. Aus der „Transzendenz *in* der Immanenz des Bewußtseins" (Husserl) wird das „Transzendieren des Daseins" *selber*. So gründet die Intentionalität *in* der Transzendenz des Daseins, das heißt: allem Ichpol geht dessen Seinsart und dessen Seinsverständnis voraus, zur Intentionalität gehört schon die „Miterschlossenheit des Selbst" (vgl. GA 24, 219-251). Im Grunde schreibt Heidegger die gesamte Ontologie, insofern sie „Dingontologie" geblieben ist, um, das heißt, er legt sie eine Dimension tiefer, wovon her klar wird, wie es überhaupt zum Dingverstehen kommt. Da diese Beschreibungsebene die Selbstauslegung des Daseins ist, werden alle Existenzialbestimmungen zu Phänomenzügen des Daseins als des „In-der-Welt-seins". „Phänomenologie ist Zugangsart zu dem und die ausweisende Bestimmungsart dessen, was Thema der Ontologie werden soll. *Ontologie ist nur als Phänomenologie möglich.* Der phänomenologische Begriff von Phänomen meint als das Sichzeigende das Sein des Seienden, seinen Sinn, seine Modifikationen und Derivate." (SuZ, 35) Aus dem „Erscheinen" (Husserl) wird ein „sich von sich selber her Zeigen", ein Offenbarwerden von Seiendem, aus der Subjekt-Objekt-Konstellation wird jene von Selbst und Welt, aus dem „Erkennen von" die „Sorge um" usw.

Aus dem bisher Gesagten erhellt auch die Differenz von Sein und Seiendem, was Heidegger auch die „ontologische Differenz" nennt. Alle Defizienzphänomene („Verfallen", „Langeweile", „Man", „Ich" etc.), ja im Grunde alle Begriffe der Tradition gehören mit in die Daseinsanalyse, dergestalt, dass wir uns „zunächst und zumeist" ja auf diesen Verständnisebenen befinden, weshalb wir sie gewöhnlich auch nicht als abgeleitete aufnehmen. Aber sie sind von elementarer Bedeutung, da ja das Dasein ansonsten gar nicht zu seiner alles tragenden „Entschlossenheit" durchbrechen könnte. Die „ontologische Differenz", gerne zi-

---

[13] Man könnte, ja man müsste in diesem Zusammenhang von einem Missverständnis Gadamers sprechen, der aus der Existenzialität des Daseins und seinem Seinsverständnis, also aus der „Hermeneutik des Daseins", eine „Hermeneutik des Verstehens" gemacht hat, welche die entscheidenden Heideggerschen Implikationen nicht mehr berücksichtigt. Gadamer blendet die Frage nach dem „Sinn von Sein" auf den „Sinn von Horizont" zurück. Gemäß Gadamer kann man „verstehen", ohne dieses „zu sein", nach Heidegger geht allem Verstehen ein „Seinsverständnis" voraus (s. hierzu Kouba 1996, 185-196).

tiert, aber, wie mir scheint, nur selten adäquat aufgenommen, hat eigentlich eine zweifache Bewandtnis: zum einen benennt sie „Heidegger intern" die Differenz von Sein und Seiendem, zum anderen markiert sie damit die Differenz des neuen Ontologieverständnisses Heideggers zu jenem Ontologiebegriff der philosophischen Tradition bis heute, die ja eigentlich stets vom Sein als Seiendem ausgeht. Der allenthalben in Mode gekommene Ontologismusvorwurf fällt in Bezug auf Heidegger stets auf den Vorwerfenden zurück. Heideggers Phänomenologie ist *aufdeckend*, nicht mehr nur *deskribierend*, wodurch die Phänomene in ein inneres Kritikgeschehen ihrer selbst gelangen. So stellt sich jedes Phänomen als „eigentlich" und „uneigentlich", als „ursprünglich" und „abgeleitet" dar. Die Phänomenologie und damit die Phänomene werden über sich selbst belehrt. Im übrigen ja auch jeder Mensch, denn das entschlossene Ergreifen des Daseins ist zugleich eine Umkehr und Umwendung des gesamten Lebensverständnisses. Es geht um ein „Sein-können", nicht um ein bloßes Dahinleben. Möglichkeit als die höhere Wirklichkeit.

„Ontologische Phänomenologie" beschreibt also nicht eine Welt, sondern versteht sich als Selbstauslegung des Daseins selber, worin zum Ausdruck kommt, dass es „Welt" immer nur „je-meinig" geben kann. „Die Welt ist nicht vorhanden, sondern sie existiert, d. h., sie hat die Seinsart des Daseins" (GA 24, 237), wie Heidegger sagt, und er meint damit, dass Welt ein Geschehen ist, als welches Dasein existiert. Eine vorhandene oder vorgestellte Welt im Sinne eines Seienden im ganzen erweist sich von hier aus als Derivat.[14]

2.2. Seinsgeschichte

Ich kann hier nicht den gesamten Umfang dieses Ansatzes darstellen, will aber die relevanten Punkte der Konzeption der Seinsgeschichte hinsichtlich des „Weltphänomens" anführen. Entscheidend ist hier, dass das „Weltphänomen" nicht mehr an die Jemeinigkeit des Daseins gebunden ist, sondern, wenn man so will, in die „epochalen Grundgestalten" abgewandert ist. Dies führt zu der Konsequenz, dass der gesamte frühere Ansatz auf einen neuen Boden gestellt wird.

---

[14] Die Abhandlung „Vom Wesen des Grundes" aus dem Jahr 1929 gilt, so könnte man sagen, allein dem Versuch, dem allem Grund und aller Begründung vorausliegenden „Phänomen der Welt" nachzugehen. Heidegger sucht dort zu zeigen, worauf „Begründung" als dem Theorem des „Grundgebenkönnens" (*logon didonai*) beruht und dass diese mögliche „Letzt-begründung" selber unterfangen wird von jenem Weltbegriff, wie ihn Heidegger exponiert. Pointiert gesagt: Alle „Begründung" (im klassischen Sinn) hat schon ein Verständnis von Grund und Seiendem vorausgesetzt, das sich vom ‚Weltphänomen' her als abgeleitet erweist (vgl. GA 9, insbes. 135-160) Gegen die bis heute sich durchhaltenden Missverständnisse und Unterminierungen dieses Gedankens vgl. ebd. Fußn. 59. *Hierin* liegt die eigentliche Kritik des Heideggerschen Denkens an aller Bewusstseins- und Subjektphilosophie, dass sie mit ungeklärten Voraussetzungen und Setzungen operiert, also einer „Metaphysik" anheim fällt, die sie gerade überwinden wollte.

Der aktivistische Grundzug (Entschlossenheit, Entwurf, Destruktion der Geschichte der Ontologie) wird von einem weitaus zurückhaltenderen abgelöst (Gelassenheit, Ereignis, Andenken). Wie ist das möglich? Wo bleibt die Referenz? Verliert sich Heidegger in ein neues Dunkel, eine neue Metaphysik, indem jetzt das „Sein selber" Subjekt von Mensch und Geschichte werden soll? All diese Fragen, so meine ich, missverstehen das Anliegen Heideggers, indem sie das Ganze substanzialistisch und verdinglicht auffassen. Heideggers Neuansatz steht durchaus in Entsprechung zu seinem früheren Denken, nur dass jetzt die „Offenheit" einen weit größeren Ausgriff hat und das einzelne Dasein von der jeweiligen epochalen Grundgestalt her verstanden wird. Dadurch erst vermag sich der Mensch als geschichtliches Wesen zu übernehmen, insofern dieses nicht mehr nur in sein je eigenes Dasein, sondern in seine geschichtliche Bestimmung hinein ek-sistiert. Nicht mehr das Dasein ist grundlegend, sondern die jeweilige „Lichtung des Seins", die den offenen Raum erstellt, wohinein und wovon her das Dasein sich versteht und worein es gehalten ist.[15] Jede Epoche ist durch ein „Grundwort" (idea, energeia, actualitas, Monade, Subjektivität, Wille, etc.) gekennzeichnet, das gewissermaßen den Ursprungspunkt bildet, wovon her die jeweilige Epoche zur Darstellung und Auslegung gebracht wird bzw. werden kann. Das Grundwort der Seinsgeschichte aber ist vermutlich das „Ereignis", das nicht nur an die Stelle des Seins tritt, sondern „Zeit und Sein" als jeweilige Momente aus sich entlässt, die das „Offene reichen" und das „Anwesen schicken". Bemerkenswert ist hier der Grundzug eines in sich dynamischen Geschehens, das die einzelnen Aspekte als auseinander hervorgehend sieht. Nun, auch wenn hier, entgegen anderen Texten, das Wort „Welt" nicht eigens Berücksichtigung findet, so ist das „Phänomen" doch beständig anwesend, ja vermutlich das gemeinte. „Welt", das meint eben die Selbstentfaltung, das Hervorgehen aus sich, wie Heidegger dies mit dem „Grundwort ‚A-letheia'" am Ende benennt. Es meint das in sich Hinausstehende, ganz in Entsprechung zu jenem Weltbegriff in *Sein und Zeit*, nur eben epochal gestaltet und aufgehend.[16] Allerdings, auch ein fehlendes Wort sagt etwas, und ich meine, dass Heidegger jenen konkreten Vollzugssinn des In-der-Welt-seins, der ja ein reiches Arsenal an Phänomenzügen anbietet, wodurch erst die Welt zur Welt wird, in der Konzeption der Seinsgeschichte tatsächlich nicht mehr zur Verfügung hat. Kein Wunder, es müsste ja doch für jede Epoche ein entsprechendes „Sein und Zeit" geschrieben werden. So beschränkt sich Heidegger auf das formal-strukturelle Zusammengehören der Phänomenzüge, er verliert aber dadurch die Möglichkeit, den jeweiligen Welttypus, das jeweilige Weltphänomen, aufgehen und „von sich her zeigen zu lassen".[17]

---

[15] Ich beziehe mich vornehmlich auf Heidegger, *Zeit und Sein* (1976). Vgl. auch Heideggers „Brief über den Humanismus" (GA 9).

[16] Näheres hierzu, vor allem hinsichtlich des Schritts vom „Sein" zum „Ereignis", in Stenger 2001a.

[17] Man hat sich oft über Heideggers sprachliche Wendungen mokiert und sie zuweilen auch einer Tautologie geziehen. Wendungen wie „die Welt weltet" oder „die Sprache

Was wird durch Heidegger deutlich? „Welt" bekommt geschichtliche Dimension, und dies ist in der Tat etwas anderes als geschichtliche Horizonte (vgl. Dilthey, Husserl, Gadamer). Um Horizonte haben und thematisieren zu können, bin ich immer schon in ein epochales Grundgeschehen („Ereignen") eingelassen, dem ich nur entsprechen, das ich aber niemals einholen kann. Heidegger macht auf ein vorgängiges „In-der-Welt-sein" aufmerksam, das epochal geprägt und grundiert ist. So hat das Sein nicht nur Geschichte, es *ist* selber schon durch und durch *geschichtlich*. Analog zur ontologischen Differenz tut sich eine *geschichtliche Differenz* auf, d. h., dasjenige, was zuvor auf dem Boden der Ideen- und Bewusstseinsgeschichte statt hatte, muss nun auf jenem der „Seinsgeschichte" noch einmal und in neuer Weise interpretiert werden. Wenn nun aber „das Sein" durch seine eigene Geschichtlichkeit ausgezeichnet ist, so müsste auch die innere Konsequenz dieser Seinsgeschichte ersichtlich werden. Die „Grundworte" als die *grundlegenden* Ausgangspunkte des Verstehens hätten sich in ihrer geschichtlichen Konsequenz zu erweisen; man hätte näherhin nach den Übergängen und dem Zusammenhang der Grundworte zu fragen. Unklar bleibt auch das Verhältnis von Lichtungs- und Verbergungsgeschichte. Wie hängen beide zusammen? Bleibt das Sichverbergende (Sein, Ereignis, „Es") selber ungeschichtlich, und wie sollte dies zu denken sein, ohne die grundsätzliche Geschichtlichkeit (des Seins und des Denkens) wieder rückgängig zu machen? Des weiteren: Wie kommt es denn zu so etwas wie den Grundworten? Sind sie vielleicht selber schon Abstraktionen und „uneigentliche" Repräsentationen von Grunderfahrungen, die, da in Wort und Begriff gefasst, ihres Ereignis- und Geschehenscharakters wieder verlustig zu gehen drohen? Wie könnten diese Grunderfahrungen und „Grundphilosophien", die als sie selber zwar nicht erscheinen, die aber gleichwohl das jeweilige epochale Grundverständnis tragen, näherhin zur Darstellung gebracht werden, ohne – und das ist entscheidend – auf die Ebene von (Re)-präsentations- und Darstellungsfunktion zurückzuleiten?[18]

Gleichwohl, wie bei Husserl (Zusammenhang von transzendentaler Phänomenologie und Lebenswelt), so scheint auch bei Heidegger (Zusammenhang von Fundamentalontologie und Seinsgeschichte) die Grundstruktur des Denkens sich nicht verändert zu haben, auch wenn er eine stärkere Wendung vornimmt als

---

spricht" fallen allerdings nur dann unter einen solchen Verdacht, setzt man die Sprachlogik als prädikative, repräsentative oder konstative an. Versteht man indes Sprache aus ihrem vorprädikativen und nicht vergegenständlichenden Vollzugssinn, so mag man ihren Ereignischarakter ersehen, in dem sich nichts anderes als „Welt" entfaltet.

[18] Hier wird das Desiderat der „Fundamentalgeschichte" sowie der „Bildphilosophie" offenkundig, wie sie Rombach entwickelt hat (Rombach 1977; 1991; 1996). Das dort angepeilte Bildverständnis stellt den Versuch dar, jene grundphilosophischen Ereignisse aufzuhellen, die bei Heidegger noch zu den erratischen Blöcken der Grundworte geronnen waren. ‚Bild' in diesem Sinne setzt demnach auf einer Ebene an, die unter metaphysischen, repräsentationstheoretischen, metaphern- und symboltheoretischen sowie kunsttheoretischen und ästhetiktheoretischen Gesichtspunkten gerade nicht zu fassen sind.

Husserl. Die Welteröffnung ist nicht mehr „Aufgabe", sondern geschieht eher als „Gabe", die der Mensch empfängt. Trotz allem bleibt auch hier eine Differenz zwischen epochaler Schickung und konkretem Dasein, zwischen, wenn man so will, „Sender" und „Empfänger", und die Frage bleibt, woher denn beide kommen?

3. Rombach

3.1. Strukturale Phänomenologie

Spätestens mit Heidegger wird deutlich, dass Ontologie und Phänomenologie zwei Seiten ein und derselben Sache sind. Das heißt, dass alles Erscheinen und Sichzeigen immer auch die zugrunde liegende Grundtypik zeigt, ob es sich um „Gegenständlichkeit" oder um „Seinsweise" handelt, ob es einen „Ego"-bezug oder einen „Selbst"-bezug hat. Die Phänomene bekommen, wie uns das Phänomen der Welt gezeigt hat, ein anderes Gesicht; sie zeigen und besagen anderes, je nachdem, ob sie unter Horizont- oder Weltgesichtspunkten betrachtet werden. Eigentlich hat erst Heidegger das *Phänomen* 'Welt' entdeckt, und Husserl war auf dem Weg dorthin. „Welt" will entdeckt und enthüllt werden, sie liegt niemals offen zur Deskription vor.

Bei Rombach nun wird das Verhältnis von Ontologie und Phänomenologie so eng, dass es eigentlich gar kein Verhältnis mehr ist, wird doch erst am Aufzeigen der Phänomene die jeweilige ontologische Grundstruktur klar. Strukturales Denken arbeitet phänomenologisch im exemten Sinne, das heißt, dass es, darin ganz mit seinen Vorgängern übereinstimmend, auf „Evidenz" gestellt ist. Diese hat darin ihre Bewandtnis, dass sie sich *zeigen* muss; sie muss sich *er*weisen. Sie kann niemals *be*wiesen werden, da aller Beweis das zu Beweisende schon vorausgesetzt hat (vgl. Stenger 1996, 84-106). Ein erster entscheidender Punkt betrifft die „ontologische Identität", die gegen Heideggers „ontologische Differenz" abgesetzt wird. Das heißt, dass sowohl das Seiende als auch das Sein dahingehend überschritten werden, dass nichts mehr als ein wie auch immer Bestehendes festgehalten wird. Jedes Einzelne ist mit dem Ganzen identisch, und zwar so, dass es ein „Exponent des Ganzen" ist. Das heißt, dass auch das Ganze keinen Bestand für sich hat, weder als Allgemeines noch als die Summe seiner Teile noch als ein „Mehr" seiner Summe, sondern dass es immer nur als Einzelnes das Ganze ist. Das Moment und das Ganze sind „ontologisch" identisch. Dies ist, viel zu kurz gesagt, der Grundgedanke der ontologischen Strukturverfassung, wie er sich zunächst als Relationalität und Funktionalität bekundet. Diesen Gedanken findet Rombach bei Cusanus im Modell des „Organismus" noch am ehesten getroffen.[19] Er lautet, kurz gesagt, wie folgt: In der Hand, so der Cusaner, ist alles

---

[19] Cusanus wird denn auch als einer der entscheidenden Vordenker des strukturontologischen Denkens gesehen (s. Rombach [2]1981/1, 140-239; 1971, 25-43).

Hand, so wie im Auge alles Auge ist. Das heißt, dass das Ganze des Organismus *in* jedem Organ „ist", und zwar auf die Weise des jeweiligen Organs. Es gibt den Organismus nicht noch einmal jenseits seiner Einzelmomente, sondern immer nur *in* einem jeden. Dieses *ontologische* Grundverhältnis von Einzelnem und Ganzem vermag erst zu zeigen, inwiefern das Ganze *lebt*. Was bei den Altvorderen noch mit dem „Einhauchen der Seele" bewerkstelligt werden musste, erweist sich jetzt als ontologische Grundkonstellation. In diesem Sinne wird auch die Differenz zum „System" offenkundig, insofern dieses, entgegen seiner eigentlichen Intention, doch noch eine Differenz zwischen Teil und Ganzem annimmt, was auf substanzialistische Restbestände verweist. Das System reduziert sozusagen den Organismus auf einen funktionierenden Mechanismus, was durchaus geht, was sich aber als ontologische Unschärfe herausstellt, indem Substanz- und Funktionskategorien miteinander vermischt werden.[20] Die Hand ist also nicht ein Teil des Körpers, sondern eine bestimmte Gesamtinterpretation des Körpers, in welcher dieser voll und ganz präsent ist. Die Hand gehört nicht deshalb zum menschlichen Körper, weil er ein Teil dieses Körpers ist, sondern weil präzise *in* ihr der menschliche Körper erst als dieser in Erscheinung tritt. Es gibt unter diesen ontologischen Prämissen den menschlichen Körper nur, weil es die Hand gibt und die Hand gibt es nur, weil es diesen Körper gibt. Als ontologisches Grundverhältnis trägt sich diese Struktur überall durch, ja diese mit sich identische Konstellation (Identität von Moment und Ganzem) ist das, was Rombach überhaupt erst „Struktur" nennt, und zwar im Sinne der „Strukturverfassung".[21] Dadurch nun, dass strukturaI gesehen „nichts" ist, in dem Sinne, dass nichts einen Bestand oder Stand in sich hätte, steht alles in einem in sich gegliederten Gesamtgefüge, das beständig in Bewegung ist. Nein, das Gefüge, die Struktur selber macht, dass alles sich immer schon bewegt, organisch etwa gesprochen in sich umläuft. Nun, der Organismus war ein erstes Modell, das für das Phänomen der Welt aber nicht hinreichend ist.

Strukturai gesehen gibt es die Welt weder, noch bin ich die Welt. Zunächst ist „Welt" gar kein Thema, zunächst befinde ich mich in einer konkreten Situation, über deren nähere Umstände ich sprechen und Auskunft geben kann, über meine Welt oder die Welt im ganzen kann ich das kaum. Gleichwohl ist diese auch schon mit da, aber eben vermittelt durch die Situation. Entscheidend ist eben dieses Vermittlungsgeschehen zwischen Situation und Welt, ganz in Entsprechung zur oben gesehenen Konstellation von Moment und Ganzem. Das Ganze gibt es immer nur konkret, und genau dafür sorgt die Situation. So bin ich

---

[20] Zur *ontologischen* Differenz von Struktur und System vgl. Rombach 1971, 163-220.

[21] Die „Strukturontologie" versteht sich als eine „Ontologie des Werdens", ein Denken des Prozesses und Geschehens, weshalb die „Strukturverfassung" auch nur eine erste Ebene dieser ontologischen Konstellation beschreibt. Auf die „Strukturverfassung" folgen so die „Strukturdynamik", auf diese die „Strukturgenese" als der eigentliche Hauptpunkt dieses Ansatzes und schließlich die „Strukturkombinatorik" (Rombach 1971; 1994a).

je das „in-Situation-sein", ja ich befinde mich immer schon in einer Vielzahl von Situationen, die selber wiederum ineinander gebaut und geschachtelt sind. Ein ganzes Situationsgeflecht, das sich hier auftut, das nach innen wie nach außen sich wiederum in Situationen ausgliedert.[22] Ich stehe nicht der Situation gegenüber, noch bin ich diese, sondern ich komme mir aus dieser entgegen. Genauer gesagt kommt die Situation auf mich zu, sie betrifft mich, geht mich an, realiter und konkret. Aber das „Mich" ist selbst wiederum ein situatives Antwortgeschehen auf das Heranrücken der Situation von außen. Dass ich nicht über sie verfügen kann, bedeutet nur, dass ich überhaupt erst durch ihren Angang, durch ein vielgliedriges und vieldimensioniertes Antwortgeschehen konstituiert werde. Die Situation gestaltet mich, ruft in mir mein „mich" gleichsam heraus (betrifft „mich"), und als dieses Getroffensein antworten meine Innensituationen auf das Betroffenwerden durch die Außensituationen. „Die Situation *ist* nur im *Anrücken*. [...] Der Angang verläuft [aber] nicht kontinuierlich. Er findet irgendwo eine Stelle des Umschlags, dort wo die Situationen, die betreffen, in die Situationen, die getroffen werden, übergehen. Der Bewegungscharakter schlägt um. Die Situationen im Außen sind im Angehen; sie gehen nicht an ein nacktes Ich heran, sondern betreffen es in einer Bestimmtheit, die ihm aus den gewesenen Situationen erwächst. So ruft der Angang Gewesenes zurück: *Revokation;* so wie das Gewesene den Menschen für bestimmte Angänge bloßstellt: *Provokation.* Provokation und Revokation machen das Betreffen aus. Die Situationskokarde als ganze ist in Bewegung." (Rombach 1987, 156)[23] Das „Ich" wird also jedes Mal als so etwas wie die Umschlagstelle konstituiert, die aber nie ihren festen Platz hat, sondern wie alle Situationen untereinander selber auch in sich beweglich ist. Manchmal ist „meine" bestimmende Situation meine Leibsituation, die mich angeht, wobei unter „Leib" einmal die körperliche Reinigungsfrage, oder ein Sichwohlfühlen, bis hin zu einem Schmerzempfinden und Mitleiden angesichts kriegerischer Auseinandersetzungen verstanden werden kann. Das Geschehen im Kosovo trifft mich leibhaft, und wen es nicht leibhaft trifft, den betrifft es nicht wirklich. Der Individualleib erfährt sich eingelagert in einen Sozialleib, wodurch wiederum sprachspezifische, kulturelle und auch religiöse Felder angesprochen und aufgerufen werden, die einen angehen und betreffbar machen. Das Ganze ist ein einziges simultanes Geschehen, das über Innen- und Außensituationen in eine jeweils konkrete Situation hineinvermittelt wird. Aber dies steht stets in einem strukturalen Aufbau- und Bewegungsverhältnis, worin jede Einzelsituation mit der Situation der Gesamtwelt auf eine je bestimmte Weise vermittelt ist. „Die

---

[22] „Alles Begegnen ist Treffen, Treffen ist Auftreffen von Situation auf Situation. Das geeignete Bild dafür ist die Situationskokarde, die zeigt, wie Situation auf Situation bezogen ist und nur dadurch eine Situation ist, weil sie auf Situation bezogen ist. Eine Situation allein ist keine Situation." (Rombach 1987a, 152) In der *Strukturanthropologie* (1987a) gibt Rombach eine detailreiche Analyse des Grundphänomens des Situation (ebd. 133-345).

[23] Hier kündigen sich auch Grundzüge einer Zeitphänomenologie an.

Welt" – das meint hier in sich gegliederte und bewegte Situationenimplikation – *besteht* nicht, sie *geht* uns *an*, und in diesem uns Angehen erzeugt sie eine Dynamik, die uns nicht nur feststellt, sondern die ständig an uns arbeitet, die uns konstituiert. Dieses (ontologische) Dynamisierungsgeschehen, welches das eigentliche Grundgeschehen von Welt- und Selbsterfahrung ist, lässt jeden in seine Welt hinein aufgehen, oder besser gesagt: Das Aufgehen dieses Geschehens ist der „Aufgang von Welt". Noch einmal anders: Die Welt *ist* nur *im Kommen*, jeweils, und darin oder daraus wird jeder geboren. Nicht der Mensch bewegt die Situation und die Welt, sondern diese *bewegen* ihn. Die Subjektivität ergibt sich, genauer sie geht hervor aus der situativen Bewegtheit, als welche die Welt kommt und aufgeht.[24] Das über die Situationen vermittelte Geschehen *ist* das Aufgehen von Welt.[25] Man muss das Sprengende des Gedankens, der Phänomenstruktur, sehen: Die Dynamik ist das ontologisch Grundlegende, und dies zeigt sich jeweils konkret und von der Sache her, das heißt „im Phänomen". Die gesamten Grundbefindlichkeiten des Daseins (Angst, Langeweile, Stimmung, Freude, Trauer, Mut, Glück etc.) erweisen sich etwa als phänomenologisch ausweisbare Situationskonstellationen von Nah- und Fernsituationen, Innen- und Außensituationen in ihrer jeweiligen Weise des Anrückens, ihres Kommens und Gehens. Im Unterschied dazu versteht Heidegger Situation mehr als Hintergrundfolie, in dem dies und jenes geschehen kann, er extrapoliert beispielsweise Angst als *die* Grundstimmung des Daseins, weshalb die gesamte Selbstauslegung und Selbsterfahrung des Daseins unter dem Zeichen dieses Angsthabenkönnens und Schuldigseinkönnens steht. Dagegen kann mit Rombach gezeigt werden, dass es Welt nicht nur je-weilig gibt, sondern dass diese erst in ihr „Weltsein" hinein aufgeht und dass genau darin die Arbeit einer jeden Welt an ihrer Welthaftigkeit besteht. Erst daraus *erfährt sich* Welt, konkret und mit jedem Schritt, erst daraus *erfährt* jeder sein eigenes „In-der-Welt-sein". In diesem Sinne gibt es eine „Welt Goethes", wie es eine „Welt Picassos" gibt, ebenso wie eine „Welt der Arbeit" oder eine „Welt des Spiels". Heidegger wirft die Welt gewissermaßen noch *über* das Geschehen („Weltüberwurf" heißt es in „Vom Wesen des Grundes" [GA 9, 156 f.]), anstatt sie *mit* und *aus* dem Geschehen selber hervorgehen zu lassen. (vgl. Rombach 1991, 94) Aus der „ontologischen Identität" wird genauerhin eine „on-

---

[24] Man komme nun nicht mit dem Einwand, es hätte hier eine Verlagerung von der Subjekt- auf die Objektseite stattgefunden. Das gesamte Anliegen zielt ja gerade darauf, *vor* einer solchen Unterscheidung das gemeinsame, auseinander hervorgehende Konstitutionsgeschehen von ,Ich' und ,Welt' zu erweisen.

[25] Noch am ehesten verwandt scheint mir hier die Konzeption des „Von-der-Welther" von K. Nishida zu sein. Allerdings fehlte Nishida die phänomenologische Schulung, weshalb sich sein Anliegen nur in einem dialektischen Vermittlungsgedanken von Allgemeinem und Besonderem, einem „kontinuierlich-diskontinuierlichen" Geschehen darstellen lässt. Dadurch wird ihm allerdings das „Welteröffnende" und „Aufgängliche" genommen (Nishida 1990, 1999). Zu diesem Fragenkomplex um Nishida vgl. Ohashi 1990, 11-29, 49-53; 1995; 1996, 19-30; Weinmayr 1989, 39-62, Elberfeld 1999, Stenger 1998a, 37-47.

tologische Idemität", was eben besagen will, dass Situation, Welt und Ich im wahrsten Sinne des Wortes *auseinander hervorgehen.* „Die Konsequenz der Situationen ist die Situation der Situation. Die Konsequenz bin ich selbst. Das Ich springt aus der Situation als das Erlebnis der Konsequenz der Situationen hervor. Dies ist die Nachgängigkeit des Ich, das sich *aus* der Situation empfängt, d. h. ein Konstitut, nicht ein Konstituens der Situation ist. Ich bin: die Situation." (Rombach 1987, 161)[26] Ebenso, so könnte man hinzufügen, wie ich das „In-der-Welt-sein" bin, aber eine je konkrete und gestaltete, situativ vermittelte Welt, *als* die ich aufgehe, nicht *in* der ich aufgehe. Der Aufgang der Welt kommt aus ihrem dynamischen Angang, der wiederum zeigt, dass „Welt" das ist, was aus sich selber hervorgeht. Das „Selbst" geht selber aus sich hervor, und darin liegt ja der schon bei Kant angezielte Sinn der Welt, in ihrer Autonomie und Selbstklärung. Nur dass sie dort als „transzendentale Idee" verharrt, die mit Rombach in ein ganz konkretes, phänomenologisches Geschehen überführt wird. „Welt" gestaltet sich selber, geht als ihre jeweils eigene Selbstgestaltung hervor, Freiheit ist nicht, auch nicht als gedachte, sie entsteht und geht hervor, und nur deshalb können wir uns überhaupt als Freiheitswesen erleben und empfinden. Die Analyse des Grundphänomens der Situation, auf die ich mich ausschnittweise bezogen habe, läuft im Grunde auf eine „Phänomenologie der Welt" hinaus (vgl. Rombach 1987, 428).[27]

Es gehören hierher natürlich noch weitere Aspekte. Geschichte, Religion und Natur wären solche weitere Grundsituationen, aus denen wir uns entgegenkommen, die aber auch schon selber eine Welt, ja Welten aus sich erstehen lassen. Es ist hier um Tiefendimensionen und -schichten unseres Daseins zu tun,

---

[26] Daher rührt auch die Empfindungslage eines jeden Ich, dass seinem Ichbewusstsein immer ein eigentümliches Erlebnisfeld vorhergeht, das es „reflektieren" kann im Sinne des „Rückbezugs", das es aber nie als das antrifft, was es als Erlebnis war. Diese „paradoxe" Lage, von der oben insonderheit im Zusammenhang mit Merleau-Ponty die Rede war, stellt sich gleichwohl nur dann als Paradox dar, wenn im Vorhinein das Reflexions-Ich als Ausgangspol akzeptiert ist. Genau diese Annahme zeigt sich unter strukturphänomenologischer Hinsicht als Spiegelung eines abgeleiteten, gewissermaßen „nachträglichen" Phänomens. Das Ich erfährt sich dem Phänomen gegenüber, dem es entstammt, immer als nachträglich und ist diesem daher wohl auch nachtragend. Es hält seinem eigenen Erlebnis gewissermaßen sein Immer-schon-zu-spät-Kommen vor.

[27] Rombach hat für dieses dynamische Geschehen schon früh den Topos der „Autogenese" geprägt. (Rombach 1971, 221-298) Er könnte im Unterschied zur „Autopoiesis", die systemtheoretisch und kausalistisch rückgekoppelt ist, als der Grundbegriff des strukturphänomenologischen Denkens gelten. Im Konzept der Autopoiesis bleibt der Freiheitsaspekt unterminiert, insofern es dort um deterministische und mechanistische Prinzipien geht, in denen die Systeme zwar in ihrer Selbstreferentialität, nicht aber – was sie auf „Struktur" hin öffnen würde – in ihrem Freiheitsgeschehen (Autogenese) betrachtet werden, worin Aufgang und Untergang, Leben und Tod, um nur diese zu nennen, konstitutive Grundzüge sind. (Systemtheoretische) „Selbsterhaltung" und (strukturtheoretischer) „Selbsthervorgang" markieren eine dimensionale Differenz.

die sämtlich an dem Geschehen dieser Selbstkonstitution mitarbeiten. Dies wäre gegen Heideggers Diktum (vgl. GA 29/30, 265 ff., 285 ff.) einzuwenden, wonach nur der Mensch Welt hat, genauer „weltbildend" [sic!] sei, im Unterschied zur „Weltarmut" des Tieres und gar zur „Weltlosigkeit" des Steines. Dabei hätte Heidegger schon in seinem Studium bei Moses lernen können, dass der Stein nicht nur welthaft ist, sondern geradezu eine Welt entstehen und aufgehen lässt (vgl. Assmann 1988, 87-114; 1998), vom Felsen Petrus einmal ganz abgesehen. Dass auch der Stein Welt hat und dies nicht nur mythologisch und religiös rückgebunden ist, zeigt das Gesamtgeschehen des Erdzeitalters, das ja eine gewaltige „Welt", ganz in unserem Sinne, aus sich hervorgebracht hat. Dass die Berge und Gebirge selber auch schon „Welten" sind, wie die „Welt der Alpen", die „Welt des Himalaya" zeigen, wo „Welten aus Stein" zugleich klimatische, kulturelle und lebensweltliche Bedeutung haben, mag nur angedeutet sein. Auch für einen Kristallogen öffnet der Stein eine ganze Welt und dem „Steintherapeuten" ergeht es nicht anders, wenn er im Amethyst Energieströme als Lebensquellen für Stein und Mensch entdeckt.[28]

Ich fasse zusammen: Geht Husserl das Phänomen im Modus seines *Erscheinenkönnens* an, so verlagert sich bei Heidegger das Phänomenverständnis auf ein *Sichzeigen* im Sinne des „von sich selber her sehen lassen". Rombach geht es schließlich um das Aufzeigen des *Selbsthervorgangs* der Phänomene, mit der Konsequenz, dass sich die Phänomenologie selber als ein konkretes Mitarbeiten am Geschehen der Wirklichkeit versteht.[29] Phänomenologie überschreitet gewis-

---

[28] Heidegger setzt seinen „Weltbegriff" noch zu sehr aus der Spannung zum „Dingbegriff" an, der ja unmittelbar mit der Seiendheit des Seienden verknüpft ist. Gerade weil er die Welt als Voraussetzung für die Seiendheit des Dinges, und damit deren ontologischen Unterschied herausstellte, bleibt sein Weltbegriff im Einzugsbereich der Dinghaftigkeit des Dinges stecken. Dies wiederum hängt damit zusammen, dass er an der „Als-Struktur" des Seienden festhält, also „Welt" doch noch als transzendentale Hintergrundfolie, sprich *als* „gedachte" akzeptiert. Jedenfalls scheint dies für den Heidegger im Umfeld von *Sein und Zeit* noch zuzutreffen, zu der die hier zitierte Vorlesung aus dem Wintersemester 1929/1930 (GA 29/30) zählt.

[29] Hier sei auf drei programmatische Aufsätze von Rombach hingewiesen, welche seine Gesamtkonzeption von unterschiedlichen Angängen her widerspiegeln. Rombach selber geht von drei Ansätzen aus – Strukturontologie resp. Strukturphänomenologie – Bildphilosophie resp. Fundamentalgeschichte – Hermetik resp. Weltenpluralität (vgl. Blaschek-Hahn in diesem Band) –, die zwar vieles miteinander zu tun haben, die sich aber doch an entscheidenden Punkten nicht ineinander überführen lassen (vgl. Röhrig 1995, 457-480). In „Philosophische Zeitkritik heute" (1985, 1-16) wird der geschichtliche Gang des Strukturdenkens unter Berücksichtigung fundamentalgeschichtlicher Analysen bis an den Punkt gegenwärtiger Zeitfragen geführt. In „Die sechs Schritte vom Einen zum Nicht-andern" (1987b, 225-245) gilt das Interesse dem Aufweis der Geschichte und Geschichtlichkeit des ontologischen Denkens, von klassischer Metaphysik bis zur Strukturontologie. In „Tao der Phänomenologie" (1991b, 1-17) wird der phänomenologische Grundzug der Philosophie freigelegt, wodurch „Höhen- und Tiefenstrukturen" zum Vorschein kommen, die jeglichem klassischen Reflexionsbegriff entzogen bleiben müssen.

sermaßen ihren Logos dahingehend, dass sie die grundlegende Praxis des Logos herausarbeitet. Phänomenologie, so Rombach, wird „Phänopraxie". (Rombach 1980,16-22, passim) Man müsste noch hinzufügen, dass das Hervorgehen als ein ständiges Korrektur- und Rekonstitutionsgeschehen zu verstehen ist (Rombach 1971, 80-88; 1994a, 65-86), so dass die Unterscheidung bei Heidegger von eigentlichem und abgeleitetem Phänomen in die Gangkonsequenz der Genese hineingenommen wird und als „Meliorisation" zum Tragen kommt. Die Phänomene haben ihr eigenes Leben, haben eine innere Kritizität, die sie ausarbeiten und die sie beständig übersteigen lässt. Ihrem kritischen Inzitament korrespondiert daher die Historizität ihrer selbst. Die Phänomenologie avanciert zu einer „kritischen und historischen Phänomenologie" (Rombach 1980; 1987; 1994b 280 ff.).

3.2. Das hermetische Weltphänomen

Der Grundgedanke, man müsste genauer sagen, die Grunderfahrung der „philosophischen Hermetik" geht direkt auf das Problem der „Welt" zu (Rombach 1983; 1991). Das heißt zunächst, dass hier Phänomenbereiche thematisiert werden, die nicht erst in langen Ausdifferenzierungen und Analysen erreicht werden, sondern unmittelbar und doch als ganze auftreten. Alles kann, und ist es auch, eine Welt sein, und gerade dann, wenn sie als solche auftritt, ist sie weder zu fassen noch zu begreifen noch zu verstehen. Anders gesagt: Es gibt für die hermetische Welt kein „von außen", da alles von außen die Welt als Welt nur so aufnehmen kann, dass sie diese herunterverstehen muss: aus der Welt wird der Horizont.[30] „Welt" gibt es, um mit Rilke zu sprechen, nur „aus Innen", sie ist nur *von innen her* erfahrbar, in dem Sinne aber, dass dieses erfahrende Sehen im Grunde das Auge dieser Welt in sich trägt. Das ist das eigentümliche „hermaion", von dem Rombach spricht, das darin besteht, dass etwas nicht nur von mir Besitz ergreift, sondern dem zuvor mich so aufnimmt, dass es in mir, genauer durch mich lebt und zum Austrag kommt. Zu einem solchen Phänomen kann man sich nicht hinarbeiten, man kann und sollte es schon versuchen, aber das Entscheidende, dass hier etwas völlig Neues, Unvordenkliches einbricht, der „hermetische Schlag", dies steht in keinerlei Verfügung. Die Welt als ganze schlägt sozusagen zu,[31] sie nimmt gefangen, raubt, führt weg, entführt und verführt. Sie ge-

---

[30] Zur „Hermetik-Hermeneutik-Diskussion" s. Rombach 1991a, 17-20, 67-109, 148-160; vgl. auch Stenger. 1997b, 255-316. Dort versuche ich das Verhältnis zwischen Hermetik und Hermeneutik nicht so sehr aus der Absetzung, sondern aus einem gegenseitig fruchtbareren Gespräch heraus zu verstehen.

[31] Siehe beispielsweise Zeus; überhaupt zeigt die griechische Götterwelt, dass ein Gott eine jeweils geronnene Gestalt einer ganzen Welt zur Darstellung bringt. So stehen sich mit Poseidon und Athene gewissermaßen zwei griechische Welten gegenüber, und mit Athene geht das ältere griechische Selbstverständnis als Meereskultur, in Poseidon

schieht als „raptus". Dies kann sie nur, weil darin in der Tat eine Ganzheit als solche auftritt, der mit nichts zu begegnen ist, auch nicht mit dem gesunden Menschenverstand oder mit Reflexion. Ein einziges Wort schon genügt, um eine Welt aufgehen oder aber auch zusammenbrechen zu lassen.

Nun, wie schon der Strukturgedanke so hat auch die hermetische Erfahrung viel mit der künstlerischen Erfahrung zu tun. Das heißt soviel, dass der Künstler nicht *vor* seinem Werk steht, gar eine Idee umsetzt oder das Kunstwerk macht, sondern dass er so in den Prozess, man spricht auch vom „Schaffensprozess", hineinfindet, dass er und zugleich das Werk selber aus diesem Prozess hervorgehen. Das Geschehen selber ist hier das schaffende Prinzip, allerdings nicht als übergeordnetes, sondern als ein gemeinsames aus sich heraus und über sich hinaus führendes, an dem alles so mitarbeitet, dass es allererst daraus hervorgeht. Was da geschieht, wird dann ganz richtig als Geschenk, als Überschenkung erfahren, als ein geglücktes Ereignis, das ich, Picasso oder wer, zwar auch bin, das aber doch weit mehr ist als Picasso. „Picasso", das ist auch eine hermetische Welt jenseits von Picasso. Aber diese Welt hat so eingeschlagen, dass alles Tun seither dem Versuch gilt, diese auszuarbeiten. Man kann sie nicht sagen oder über sie sprechen wollen, alles Sprechen spricht das Gemeinte herunter, da sie sich in ihrem Eröffnungsgeschehen zugleich auch verschließt. Ein wichtiger Index für hermetische Welterfahrung ist dieses Sichverschließen, das sozusagen um die Unmöglichkeit des Darüberbefindens weiß. Es sagt etwas, dass der Künstler nicht gerne über seine Sachen spricht, weil dies das Ganze entehrt, auseinander nimmt, d. h. verstehen möchte. Künstler, künstlerisch Schaffende sind tendenzielle Hermetiker. Aber auch schon die sogenannten Philosophen waren und sind dies. Alle, jedenfalls die Großen, hatten ihr Eröffnungserlebnis, und ihre ganze Philosophie galt dem Versuch, dieses auszuarbeiten, was dann allerdings meist nicht gelang, ja gar nicht gelingen konnte. Schon Parmenides wusste um die alles hebende Kraft, die auch der Gedanke braucht, ja die den Gedanken überhaupt erst zum Denken bringt: „Denn dasselbe ist Erkennen (Denken) und Sein." (Frag. 3) Hier sprang Denken als Denken auf, als Denken des Seins im Sinne des genitivus objectivus wie des genitivus subjectivus, und so hat er dem Logosteil einen Mythosteil vorgeschoben. Wer aber hat jemals erkannt, dass die Erfahrung des Mythosteils die eigentliche „Denkerfahrung" von Parmenides ist und der Logosteil gewissermaßen das Ergebnis nur festhält (vgl. Rombach 1991, 40 f.)? Man könnte alle Philosophien einmal darauf hin angehen, und man wird überrascht sein, wie es geradezu von hermaions wimmelt, deren Ausarbeitung dann aber oftmals auf die andere Seite des Apollinischen als dem über Ideen und Horizonte gehenden Erklärungsprinzip gewandert ist. Aber dies gehört zum hermetischen Gesetz hinzu.

Die Beispiele machen schon deutlich, dass die Hermetik sich gar nicht mehr an einen klassischen Philosophiebegriff bindet, obwohl sie gerade dessen Ur-

---

personifiziert, gewissermaßen an Land, womit eben eine neue griechische Welt, verbunden mit einem neuen Selbstverständnis, anhebt (vgl. Rombach 1985, 1-16, hier 5).

sprung zu sein beansprucht. So gewinnen für sie auch andere Bereiche, wie etwa die Kunst, die Religion, die Natur usw., so sehr an Bedeutung, dass sie in *philosophischer* Hinsicht ins Rampenlicht treten. Dort tauchen die hermetischen Grundzüge sozusagen authentischer auf als anderswo. So nimmt denjenigen, der in eine Welt einbricht, diese Welt mit, sie trägt ihn, so dass beide über sich hinausgetragen werden. Es geschieht „Abhebung", die Welt, so sagt man, atmet einen Geist. Und so ist die hermetische Welt vielleicht an nichts deutlicher zu erfahren, als dass sie einen „Geist hat", was anthropologisch im Phänomen der „Begeisterung" nur sein Widerspiel hat. Der Geist, das haben die Religionen ganz richtig gesehen, ist dasjenige, das *verwandelt,* aber nicht als eine über mich kommende Kraft (Verdinglichungstendenz), sondern als ein Geschehen, das aus sich selber hervorgeht und so über sich hinausführt, dass dieses „Über hinaus" gleichsam die Führung übernimmt. Damit aber all dies „geschehen" kann, braucht es konstitutiv den Schutzraum, das nach innen hin Gekehrtsein, das Sichverbergen und Abschließen.[32]

Die spannendste Frage ist allerdings die nach der Pluralität der *Welten,* da in dieser darüber entschieden wird, wie die einzelnen Welterfahrungen diese ihre Besonderheit und Einzigkeit bewahren und doch zugleich und darüber hinaus in eine Kommunikation mit jeweils anderen Welten eintreten können. Hieran hängt sehr viel, vom Individualbereich bis hin zu Fragen, wie sie im Umfeld der interkulturellen Debatten auftreten. Das Problem der Welten im Plural besteht, kurz gesagt, darin, dass eine jede Welt die andere gar nicht als Welt erfassen kann, notwendig nicht, ist doch ihr Weltblick ein universaler, weshalb alles andere von da her gesehen und aufgenommen wird. In jeder Welt sieht die andere anders aus. Es kann daher auch kein Vergleichen etc. geben, da jeglicher Maßstab hierfür jeweils von einer Welt aus ergeht. Wie vermag man dieser Paradoxie sinnvoll zu begegnen? Ich will nur mehr einen, vielleicht den entscheidenden Grundzug ansprechen, der auf diese „Hermetik der Welten" eine Antwort zu geben versucht, die *„Kon-kreativität"* (Rombach 1994a, 25 f., 133 f.; 1994b, 153-161; 1996, 117 ff.; 1987, 127 ff,; 1983, 146-150). Der konkreative Gesichtspunkt meint zunächst, dass man so aufeinander zugeht, dass darin das jeweils Welthafte auf seinen Aufgang hin angesprochen wird. Dies bedeutet, dass der jeweils mitgebrachte Geltungsboden selber zur Disposition steht, was nicht weniger heißt, als dass *auch* dieser in einer solchen Begegnung *aus* dieser Begegnung und *aus* diesem Geschehen mit hervorgeht. Im konkreativen Geschehen werden die Bedingungen

---

[32] Spätestens mit diesen Grundzügen sieht sich die Hermeneutik auf den Plan gerufen, da sie die sich verbergenden Phänomene nur als Tendenzen verstehen kann, etwas verbergen zu wollen oder zu müssen. Gerade die „Verstehenswut" der Hermeneutik kann nicht verstehen, wie man etwas nicht verstehen können soll. Und so kann sie auch nicht sehen, dass es „Phänomene des Verborgenen" gibt, die eine reichhaltige „Phänomenologie des Hermetischen" anzubieten hat. So stellt sich für die Hermetik diese innere Verborgenheit gerade als ein Grundzug der Phänomene dar, die ihre freie und aufgängliche Entfaltung erst möglich macht.

des Geschehens mit diesem Geschehen allererst hervorgebracht. So ist das Augenmerk darauf gerichtet, den anderen nicht nur in seiner Welt zu erfassen, sondern darüber hinaus oder dem zuvor ihn geradezu in seine Welt hineinzuhelfen und hineinzusehen. In der Begegnung erst wird jeder Seite klar, welche „Welt" sie im Grunde ist oder sein könnte. Gerade gelingende Begegnungen zeichnen sich darin aus, dass mit ihnen immer auch eine Welt oder gar Welten *aufgehen*, die über das bisherige und jeweils mitgebrachte Verständnis weit hinausführen.[33] Konflikte und Streitigkeiten, auch misslingende Konstellationen dürfen hier keineswegs übergangen werden, aber die einstmalige Konfrontation - und sie ist ja näher, und das heißt auf ihre Grundlagen hin besehen, nur der Ausdruck des Ausschließlichkeits- und Absolutheitscharakters einer Welt - bricht um in Achtung und Schätzung, ja Hochschätzung füreinander. Es entsteht eine neue gemeinsame Welt, an der beide nicht erst teilnehmen, sondern aus der beide hervorgehen. Genau darin, dass in einer Begegnung beide Seiten so aufeinander zugehen, dass sie die Bedingungen ihrer Möglichkeit als aus diesem Geschehen zu gestaltende und hervorgehende erfahren, was sie wiederum über alles Mitgebrachte und jemals Mitzubringende weit hinausführt, liegt der kon-kreative Grundcharakter. Rombach sieht in diesem *konkreativen* Moment den entscheidenden Grundzug allen Geschehens, insofern darin *vor* aller Subjektleistung und Objektverfasstheit, *vor* einer Vorgeordnetheit seitens des Menschen wie seitens der Wirklichkeit angesetzt wird. Beide Seiten verstehen sich vielmehr erst aus einem Antwortgeschehen, aus dem sie hervorgehen und das sie deshalb auch „sind". Alle Distanznahme, alle Subjektität und Objektverfasstheit, jegliche Vernunft – Welt - Konstellation erweisen sich als eine nachträgliche Möglichkeit dieses konkreativen Geschehens. Was beim „frühen Rombach" noch unter „Freiheit" verhandelt wurde (Rombach 1971), hat zunehmend dem „konkreativen Geschehen" Platz gemacht (Rombach 1994a). Dadurch kommt der genetische Ansatz noch stärker hinsichtlich seines *Konstitutionsgeschehens* und *Hervorgangs*geschehens zum Vorschein.

Nun, dieser konkreativen Struktur wächst ein Universalcharakter zu, der sich auf verschiedenste Weise bekundet. Schon in der alltäglichsten und einfachsten Begegnung zeigt sich dies, jedenfalls als ihre grundlegende Intention, und führt bis hin zu Ereignissen wie etwa in der ostasiatischen „Kunst des Kôans", worin das hermetische Phänomen eigens zum Thema wird. Anhand der Begegnung zweier Zenmeister beschreibt K. Nishitani, wie der unüberbrückbare Konflikt zweier absoluter Welten in die höhere Form seiner selbst, einer veritablen und real-konkreten Weltenbegegnung umzuspringen vermag. Der Todernst des „unendlichen Schreckens" bricht sich im „großen Lachen" Bahn (Nishitani 1990, 258-274). Aber auch schon die diversen Begegnungen von Mensch und Natur machen auf die fundamentale Bedeutung des konkreativen Grundphänomens

---

[33] Im Individualbereich kennt man dies unter dem „Phänomen der Liebe", aber es ist natürlich auch in allen anderen Bereichen ein entscheidender Grundzug, vor allem auch hinsichtlich interkultureller Weltenbegegnung.

aufmerksam. So gehört zur Entstehung der Bauernkultur konstitutiv der Fund, wie aus Gras Weizen gewonnen, sprich gezüchtet werden kann. Es muss etwas ‚gefunden' werden, das zuvor weder bekannt noch irgendwie vorhanden noch auch in irgendeiner Weise als Ziel oder ähnliches gesucht oder entworfen war, das aber dennoch so in den neuen Fund und seiner Ausarbeitung Eingang findet, dass es *als* deren Bedingungen allererst *aus* diesem Geschehen mit hervorgeht. Die Natur ist nicht einfach eine zu bearbeitende Ressource, im Gegenteil, sie antwortet auf bestimmte Anfragen seitens des Menschen, so wie dieser wiederum entsprechende Angebote der Natur beantwortet. Ihr Zusammenkommen hat *beide* jeweils über sich hinausgeführt, sowohl hinsichtlich der Fruchtbarkeit und Vielfalt der Natur als auch hinsichtlich des Menschen und seiner Kultur. Kultur und Natur stehen sich keineswegs gegenüber, sie arbeiten sich allererst auseinander hervor, und genau dadurch erhalten sie erst ihre jeweils bestimmte Selbstinterpretation von Natur und Kultur. Natürlich gehören noch weitere „Findungen" zur Etablierung der Bauernkultur, wie etwa die Entdeckung der Keramik, wodurch erst „Kochen" möglich wurde, was wiederum die Natur als Ernährungsgrundlage und Energielieferant in einer völlig neuen Weise aufschloss. Das Sesshaftwerden, dem ebenfalls neue Funde folgen sollten, versteht sich wiederum als eine bestimmte Antwort auf diese Ereignisse (vgl. Rombach 1977, 77-98; 1994b, 187 ff.; 1996, 119 ff.). Jedes Mal etablierte sich *als* dieses Geschehen eine neue Dimension von Menschsein *und* Natursein, von Kultur und Natur.

Es kann aber auch so sein, dass beide Seiten so sich begegnen, dass sie tiefer in sich zurückfinden, so dass sie dadurch erst ihre Welt als *ihre* Welt erfahren. Gerade durch die Konfrontation und Herausforderung durch eine andere Welt wird einem die eigene klarer und deutlicher. Nicht nur dies, man stößt auf Zusammenhänge, die einem bislang verborgen geblieben waren, die aber in ihrem weiteren Zusammenhang diese „eigene" Welt weiten und auf tiefere Schichten hin öffnen. Ein markantes Beispiel stellen hier die Begegnungen zwischen Frankreich und Deutschland dar. Die Zeit der einstmaligen Todfeindschaft liegt noch gar nicht so lange zurück, und doch hat sich über die deutsch-französischen Beziehungen schon beinahe eine solche der Freundschaft entwickelt, die sich wiederum als konstitutiv für ein künftiges „europäisches Bewusstsein" erweisen soll. Das Maß dieser „Entwicklung" geht, neben den flankierenden politischen Institutionen und Organisationen, unmittelbar mit der angesprochenen gegenseitigen Welteneröffnung einher. Welten-konstitutiv gesehen wird es dabei nicht auf gegenseitige Assimilation ankommen, die sich ihrer gemeinsamen Grundlagen versichert, es wird vielmehr darauf ankommen, die durch die Gesprächsbegegnungen evozierten Weltencharaktere zu stärken und zu unterstützen. Die Differenz als ‚Weltendifferenz' ist nicht zu überbrücken. Dies aber ist kein Manko, sondern eine notwendige Bedingung der Erfassung der Welten als Welten, von denen eine jede ihre eigene innere Unendlichkeit, ja Abgründigkeit hat, in die keiner in toto hineinschauen kann, nicht einmal derjenige, der eine Welt sein eigen nennt. Auch das sogenannte „Eigene" einer Welt bleibt sich letztlich entzogen, fremd und unergründlich.

Nicht nur in kultureller und gesellschaftlicher, auch in politischer Hinsicht könnte daher die philosophische Hermetik für einen Frieden der Völker und Staaten stehen, da hier jeder in seiner Eigenheit und Besonderheit nicht nur nicht belassen, sondern in diese sogar hineingefördert wird. Genau diese Besonderung aber steht nicht gegen das Allgemeine oder Ganze, im Gegenteil, dieses tut sich kund als der gemeinsame ‚Geist', von dem her die einzelnen Welten als Welten getragen werden und worin sie sich aus dem gemeinsamen Gespräch heraus *als* Welten erfahren.[34]

Ich will hier abbrechen. Das hermetische Grundphänomen ist nicht nur unergründbar, es ist auch unergründlich. Diese „innere Unendlichkeit" aber, die sowohl Abgründigkeit wie Unendlichkeit meint, die alle und alles trägt, so dass jeder und jedes sich als das Einzige und Besondere nehmen darf, ohne dies dem anderen streitig zu machen, ist vielleicht das innerste Wort der Hermetik. Auch die Hermetik ist ein Phänomen und hat eine eigene Phänomenologie, die allerdings weder transzendentalphilosophisch noch seinsontologisch noch hermeneutisch erfasst und beschrieben werden kann. Die Hermetik hat ihre eigene Hermetik, und sie hat darin ihre Besonderheit, dass sie nur „hermetisch" zugänglich ist. Genau dies aber macht die Hermetik zur Hermetik, dass sie sich jeder Zugänglichkeit entzieht, es sei denn, man bricht in sie ein, was zugleich hieße, dass damit eine neue und unvordenkliche Welt aufgeht. Das hermetische Phänomen weist vor allem darauf hin, dass sich in allem eine ‚Welt' verbirgt, die zwar nie im ganzen erfasst werden kann, die aber gleichwohl aufgehen und sich entfalten kann.

III. Zusammenführung und Ausblick

Nicht nur das Phänomen der Welt hat Erweiterungen und Vertiefungen, ja Verwandlungen vollzogen, es wurde auch klar, dass auf jeder Stufe neue und andere Phänomene hinzukommen. Dies hängt an der Zugangsweise selber. Husserl konnte Phänomene allein im Modus ihrer *Gegebenheitsweise*, der „*Gegenständlichkeit*", erfassen. Phänomene sind „*Bewusstseinsphänomene*". Heidegger sprengt die Intentionalität und damit die Gegenständlichkeit der Phänomenstruktur. Phänomene sind nicht mehr nur Horizonte, sondern *Seinsweisen*, die nicht erst zum Erscheinen bringen, sondern sich von *sich selber her zeigen*. Phänomene wie Angst, Langeweile, Sorge, Grundstimmungen usw. haben darin ihr Bewenden, dass sie als solche den Weltcharakter allen Geschehens aufblenden. Sie verweigern sich jeglicher gegenständlichen Erfassung, weshalb sie auch für Husserl nicht als phänomenkonstitutiv auftauchen können. Rombach wiederum zeigt durch den Grundansatz der *strukturalen Dynamik* und *Genese*, dass der Weltcha-

---

[34] In der philosophischen Tradition lässt sich dieser Aspekt besonders gut an der Differenz zwischen Kants „Zum Ewigen Frieden" und Hölderlins „Friedensfeier" aufzeigen (vgl. Stenger 1997a, 289-315, hier 300-308).

rakter der Phänomene einen *Aufgang* und eben auch einen *Untergang* hat, ein an jeder Stelle und auf jeder Stufe konkret vermitteltes Geschehen, wo alles, eben auch der Mensch, erst aus der jeweiligen Phänomenkonstellation hervorgeht. So werden auch Phänomene der *Tiefenstrukturen* greifbar, die zuvor einer „anonymen Schicht" zugeordnet werden mussten oder aber noch gar nicht ins Blickfeld gerückt waren. Überhaupt wird deutlich, dass die Phänomene eine Selbststeigungstendenz haben, die sie bis zum *Grundphänomen* führen können, wo ja der eigentliche Weltcharakter erst auftritt. Das heißt, „Welt" überschreitet ihre Grenzen als bloß „vorgestellter", „intentional erfasster", „gedachter" und auch als „verstandener", indem sie als *gelebte und lebendige Welt* „zur Erfahrung kommt". Rombachs Phänomenanalysen führen stets diese, so könnte man sagen, innere Phänomenologie der Phänomene vor Augen, ob es sich um das Grundphänomen der „Wahrnehmung" (Rombach 1980, 171-281), der „Situation" und „Handlung" (Rombach 1987, 133-375) oder der „Sozialität" und „Gemeinschaft" (Rombach 1994b, 31-198) handelt. Schon die *Strukturontologie* (1971) weist sich als eine „Phänomenologie der Freiheit" aus, worin Freiheit zum entscheidenden Grundphänomen avanciert. Entscheidend im Zusammenhang der Weltenpluralität ist schließlich, dass hier deutlich gemacht werden kann, wie Welten miteinander in ein gemeinsames Gespräch treten können, gerade indem der Konfrontation und Konfliktsituation nicht ausgewichen wird, sondern indem diese als konstitutive Größen in das Gesprächsgeschehen so Eingang finden, dass sie sich in „konkreativer" Weise begegnen (lernen). Dies betrifft nicht allein die Kulturwelten, sondern immer auch das jeweilige Gespräch zwischen Natur und Kultur.[35] Gerade in Hinsicht der letzten beiden Aspekte wird die Differenz zwischen Husserl und Heidegger auf der einen und Rombach auf der anderen Seite schlagend. Das Eingebundenbleiben der beiden ersteren in den abendländisch-europäischen Denkhorizont verwehrt diesen, andere Philosophien in anderen Kulturwelten als möglich oder sinnvoll zu erachten. Dies hängt aber genau an der methodisch-systematischen Fragestellung, *wie* Vernunft und Welt in ihrem Zueinander jeweils gesehen werden. Erst durch den genetischen und konkreativen Ansatz wird es möglich, Vernunft und Welt als ein gemeinsames Hervorgangsgeschehen zu verstehen, was wiederum zu dem weiteren Schritt des Theorems einer „Pluralität der Welten" zu führen vermag. Ebenso erscheint das Verhältnis von Mensch und Natur in einem neuen Licht. Der Mensch steht der Natur nicht mehr gegenüber, wie dies klassische Kultur-Natur-Theoreme vermeinen, gewinnt er sich doch erst aus dem konkreativen Gespräch mit der Natur, worin und woraus beide sich überhaupt erst erfahren. Die Partnerschaft zwischen Mensch und Natur tritt an die Stelle der Herrschaft des Menschen über die Natur.[36]

---

[35] Eine „Hermetik der Naturwelten" meldet sich hier als Desiderat.

[36] Diese Herrschaft hat philosophische und theologische Hintergründe, und sie kulminiert in dem, was man „technisches Bewusstsein" nennt. Dass dieses wiederum abendländisch-westlich grundiert ist, macht auf ein Naturverständnis aufmerksam, das bei allen

Unter topologischen Kriterien könnte man die drei Konzeptionen auch wie folgt unterscheiden:[37] Husserl zeigt das „Phänomen *im* Menschen", Heidegger das „Phänomen *als* Mensch", Rombach den „Menschen *im* Phänomen". Begründungstheoretisch und -kritisch (in Bezug auf den Transzendenz- und Realitätsbegriff) formuliert hieße dies bei Husserl „Transzendenz *in* der Immanenz des Bewusstseinslebens", bei Heidegger „Transzendenz (Existenzialität) *des* Daseins", bei Rombach „Transzendenz wird dynamisches und welthaftes Geschehen". In grundbegrifflicher Situierung böte sich an: „Intentionalität" (Husserl), „In-der-Welt-sein" (Heidegger), „Idemität" (Rombach). Oder: „Bewusstsein" als „Bewusst-sein von etwas", Grundstruktur: „Ich – Gegenständlichkeit" (Husserl). „Dasein" als „zu-sein"; Grundstruktur: „Selbst – Vollzugsinn, Seinsweise" (Heidegger). „Struktur" als „Hervorgang seiner selbst"; Grundstruktur: „vonselbst, reines Geschehen" (Rombach)[38].

Auch „Welt" ist ein Grundphänomen, und - so könnte man einwenden - es ist eines unter anderen und also relativ. Das stimmt schon, nur vermag das Weltphänomen den Schritt hinein in die Pluralität, die Weltenvielfalt, zu tun, und man kann eben in sinnvoller Weise von der Welt des Glaubens wie von der Welt der Arbeit sprechen, wie diese wiederum miteinander ins Gespräch treten können, ohne sich gegenseitig auszuschließen. Die Entdeckung des Weltcharakters und damit einhergehend die Steigerung vom „Phänomen" zum „Grundphänomen" fördert zunächst allerdings die Einsicht zutage, dass mit jeder „Welt" immer auch ein Absolutheits- und Ausschließlichkeitscharakter einhergeht, der im Falle des Aufeinanderprallens eskaliert. Dies dokumentieren die Denkmodelle – Glauben (Kierkegaard) und Arbeit (Marx) usw. (s. o.) – ebenso wie die kriegerischen Auseinandersetzungen zwischen Staaten, Nationen und Kulturen. Wie nun ein solch grundsätzlicher Weltenkonflikt – und diese Konsequenz wäre zunächst einmal festzuhalten – gleichwohl zu bewältigen sein könnte, dazu scheint mir das Erfassen und Fassen des „Phänomens der Welt" und der „Welten" notwendig zu sein, da diese die nichthintergehbaren Grundlagen allen Selbstverständnisses bilden. Eine mögliche Lösung würde also zunächst eine Verschärfung der Problematik bedeuten.

Der Gang unserer Überlegungen zeigt aber, dass und wie die Arbeit der Vernunft an ihren eigenen Grundlagen in die Frage nach der Welt und den Welten münden. Genau hierin sahen wir ja die denkgeschichtliche Legitimation und auch Konsequenz der Phänomenologie. Geht man in diesem Sinne an die „Welt" als Phänomen heran und zieht dabei in phänomenologischer Konsequenz und Weiterführung seine Linien weiter aus, dann erhält das Phänomen auch jene Evi-

---

Erfolgen und Errungenschaften seine Begrenztheit sehen lernen muss. Auch in diesem Zusammenhang böte sich schon aus Gründen der Selbstkorrektur ein Blick nach Asien an.

[37] Rombach hat diese Unterscheidung selber einmal in einem Gespräch vorgenommen.

[38] Ein „Porträt" zum Denkweg Heinrich Rombachs zeichnet Stenger 2001b; vgl. auch ders. 1998b.

denzen, die es seiner eigenen Geschichtlichkeit verdankt. So wurde deutlich, dass in steigendem Maße die Phänomene nicht nur selbständig werden, sondern dass sie zur Selbsterhellung von Welt, Mensch und Natur beitragen, ja dass sie deren Selbsthervorgang zeigen und unterstützen können. Phänomenologie gewinnt *phänopraktische* Relevanz. Schließlich erweitert sich die Phänomenologie der Welt zu einer Phänomenologie der Welten, worin philosophische, kulturelle und gesellschaftliche Grundlagen neu zur Diskussion stehen. Der Phänomenologie scheint aus vernunfttheoretischen, methodischen und systematischen Gründen eine fundierende Rolle für *interkulturelle* Problemstellungen zuzuwachsen. Wollte man diese Ergebnisse auf den Titel des Vortrags zurückbeziehen, so könnte man im Anschluss an Nietzsche sagen: Die Geburt der Welt aus dem Geiste des Phänomens.

Literatur

Assmann, J. (1988): „Stein und Zeit. Das monumentale Gedächtnis der altägyptischen Kultur", in: J. Assmann u. T. Hölscher (Hg.): *Kultur und Gedächtnis*, Frankfurt/M., 87-114.
- (1998): *Moses, der Ägypter*, München/Wien.

Elberfeld, R. (1999): *Kitarô Nishida. Moderne japanische Philosophie und die Frage nach der Interkulturalität*, Amsterdam/Atlanta.

Fink, E. (1990): *Welt und Endlichkeit*, Würzburg.
- (1979): *Grundphänomene des menschlichen Daseins*, Freiburg/München.

Heidegger, M.: *Gesamtausgabe* [GA], Frankfurt/M. 1976 ff. (Bde. 2, 9, 17, 24, 27, 29/30, 56/57, 58, 63).
- (1976): „Zeit und Sein", in: ders.: *Zur Sache des Denkens*, Tübingen, 2. Aufl., 1-26.
- (1979): *Sein und Zeit* [SuZ], 15. Aufl. Tübingen.

Held, K. (1991): „Heimwelt, Fremdwelt, die eine Welt", in: *Phänomenologische Forschungen*, Bd. 24/25, Freiburg/München.
- (1995): „Welt, Leere, Natur. Eine phänomenologische Annäherung an die religiöse Tradition Japans", in: G. Stenger u. M. Röhrig (Hg.): *Philosophie der Struktur – ‚Fahrzeug' der Zukunft? Für Heinrich Rombach*, Freiburg/München.

Henrich, D. (1983): *Kant oder Hegel? Über Formen der Begründung in der Philosophie*, Stuttgart.

Husserl, E.: *Husserliana* [Hua], Den Haag 1950 ff. (Bde. I, III, VI, XV).

Lohmar, D. (1997): „Die Fremdheit der fremden Kultur", in: *Phänomenologische Forschungen* NF Bd. 2, 189-205.

Kouba, P. (1996): „Die Sache des Verstehens", in: *Internationale Zeitschrift für Philosophie* 2, 185-196.

Merleau-Ponty, M. (1966): *Phänomenologie der Wahrnehmung*, Berlin.
- (1984): *Das Auge und der Geist*, Hamburg.

- (1986): *Das Sichtbare und das Unsichtbare*, München.

Nishida, K. (1990): „Selbstidentität und Kontinuität der Welt", in: R. Ohashi (Hg.): *Die Philosophie der Kyôto-Schule*, Freiburg/München 1990, 54-118.
- (1999): *Logik des Ortes. Der Anfang der modernen Philosophie in Japan*, Darmstadt.

Nishitani, K. (1990): „Vom Wesen der Begegnung", in: R. Ohashi (Hg.): *Die Philosophie der Kyôto-Schule*, Freiburg/München 1990, 258-274.

Ohashi, R. (1990): „Einführung", in: ders. (Hg.): *Die Philosophie der Kyôto-Schule*, Freiburg/München 1990, 11-45.
- (1995): *Die Welt der Philosophie Nishidas* [jap.], Tokyo.
- (1996): „Die Zeit der Weltbilder", in: R. A. Mall u. N. Schneider (Hg.): *Ethik und Politik aus interkultureller Sicht* (*Studien zur Interkulturellen Philosophie*, Bd. 5), Amsterdam/Atlanta, 19-30.

Röhrig, M. (1995): „Strukturontologie – Bildphilosophie – Hermetik. ‚Springende Punkte' zur Frage nach der ‚Einheit' der drei Ansätze Rombachs", in: G. Stenger u. M. Röhrig (Hg.): *Philosophie der Struktur – ‚Fahrzeug' der Zukunft?*, Freiburg/München 1995, 457-480.

Rombach, H. (1965/1966): *Substanz, System, Struktur. Die Ontologie des Funktionalismus und der philosophische Hintergrund der modernen Wissenschaft*, 2 Bde., Freiburg/München, ²1981.
- (1971): *Strukturontologie. Eine Phänomenologie der Freiheit*, Freiburg/München, ²1988.
- (1977): *Leben des Geistes. Ein Buch der Bilder zur Fundamentalgeschichte der Menschheit*, Freiburg/Basel/Wien.
- (1988): *Die Gegenwart der Philosophie*. 3. grundl. neu bearb. Aufl., Freiburg/München.
- (1980): *Phänomenologie des gegenwärtigen Bewußtseins*, Freiburg/München.
- (1983): *Welt und Gegenwelt. Umdenken über die Wirklichkeit: Die philosophische Hermetik*, Basel.
- (1985): „Philosophische Zeitkritik heute. Der gegenwärtige Umbruch im Licht der Fundamentalgeschichte", in: *Philosophisches Jahrbuch* 92, 1-16.
- (1987a): *Strukturanthropologie*, Freiburg/München.
- (1987b): „Die sechs Schritte vom Einen zum Nicht-andern", in: *Philosophisches Jahrbuch* 94, 225-245.
- (1991a): *Der kommende Gott. Hermetik – eine neue Weltsicht*, Freiburg.
- (1991b): „Das Tao der Phänomenologie", in: *Philosophisches Jahrbuch* 98, 1-17.
- (1994a): *Der Ursprung. Philosophie der Konkreativität von Mensch und Natur*, Freiburg.
- (1994b): *Phänomenologie des sozialen Lebens. Grundzüge einer Phänomenologischen Soziologie*, Freiburg/München.
- (1996): *Drachenkampf. Der philosophische Hintergrund der blutigen Bürgerkriege und die brennenden Zeitfragen*, Freiburg.

Stenger, G. (1996): „Das Phänomen der Evidenz und die Evidenz des Phänomens", in: *Phänomenologische Forschungen* NF, Bd. 1, 84-106.
- (1997a): „Interkulturelle Kommunikation. Diskussion – Dialog – Gespräch", in: N. Schneider et al. (Hg.): *Philosophie aus interkultureller Sicht* (*Studien zur Interkulturellen Philosophie*, Bd. 7), Amsterdam/Atlanta, 289-315.
- (1997b): „Hermeneutik der Welt – Hermetik der Welten" (dt. u. korean.), in: *Philosophical Hermeneutics. Journal of Korea Society for Hermeneutics*, Seoul, 255-316.

- (1998a): „Structures of *world*-oriented encounter", in: *Topoi. An International Review of Philosophy*, 17, 37-47.

- (1998b): „Zum 75. Geburtstag von Heinrich Rombach", in: *Phänomenologische Forschungen* NF, Bd. 2, 294-296.

- (2001a): „Zur Aktualität des Humanismusbriefs", Meßkirch.

- (2001b): „Heinrich Rombach – Ein Porträt", in: *Information Philosophie*, Nr. 2, Lörrach, 36-43.

Waldenfels, B. (1993): „Verschränkung von Heimwelt und Fremdwelt", in: R. A. Mall u. D. Lohmar (Hg.): *Philosophische Grundlagen der Interkulturalität (Studien zur Interkulturellen Philosophie*, Bd. 1), Amsterdam/Atlanta, 53-65.

Weinmayr. E. (1989): „Denken im Übergang – Kitarô Nishida und Martin Heidegger", in: H. Buchner (Hg.): *Japan und Heidegger*, Sigmaringen, 39-62.

Phänomenologische Grundlagen der Strukturontologie

Ivan Blecha

Heinrich Rombach wurde wegen seiner These bekannt, der zufolge sich in der Geschichte des philosophischen Denkens drei Typen von Ontologien unterscheiden lassen: die Substanz-, System- und Strukturontologie. Jeder dieser Typen ist mit einer spezifischen Denkweise verbunden. Von diesem Gesichtspunkt aus ist es bemerkenswert, dass für Rombach die Phänomenologie die unumgängliche Grundlage für die Behandlung der Strukturontologie darstellt. Vor diesem Hintergrund ist zu fragen, auf welche Weise Phänomenologie die strukturalistische Auslegung der Wirklichkeit fundiert und warum eben sie dazu bestimmt sein soll, denjenigen Typus von Ontologie zu begründen, der für das gegenwärtige Philosophieren so erwünscht ist.

Rombach zufolge ist die Entstehung der neuzeitlichen Wissenschaft und des durch den Abschied vom Gesichtspunkt der Substanz und durch die Explikation des Systembegriffs gekennzeichnete neuzeitliche Denktypus *„vielleicht die radikalste Umdeutung des Weltganzen, die die Menschheitsgeschichte enthält"* (Rombach 1981, 148). Sie ist „die Heraufführung einer neuen Zeit, weil sie die Heraufführung einer neuen Welt ist" (ebd.). Trotzdem ist im Auge zu behalten, dass, wenngleich das Systemdenken einen Abschied vom Substanzdenken bedeutet, es noch die Widersprüche enthält, welche die Ablösung des Substanzdenkens erzwangen. Und eben die Mängel des Substanzdenkens zeigen m. E. am klarsten, warum Rombach die Phänomenologie als Grundlage für die Entwicklung des Strukturdenkens in Anspruch nimmt.

Antike und Mittelalter beschrieben die Wirklichkeit mittels des Substanzbegriffs. Substanz ist das Seiende, das durch sich selbst bestimmt und angelegt ist (*per se, in se*). Alle ihre Beziehungen zu anderen Seienden sind sekundär (akzidentell) und können keinen Einfluss darauf ausüben, was dieses Seiende ist.

Das neuzeitliche Denken dagegen sieht die Wirklichkeit als ein System, „das nicht mehr einzelne und selbständige Substanzen in sich enthält, sondern nur noch unselbständige Momente, die völlig in die funktionalen Beziehungen, in denen sie stehen, aufgehen" (Rombach 1988, 95). Dieser Denktypus wurde noch im Rahmen der traditionellen Metaphysik durch den Nominalismus veranlasst. Es ist interessant, dass allen Anzeichen nach im Hintergrund dieser Entwicklung ein fast spekulatives theologisches Problem stand: der Streit um den Charakter des Schöpfungsaktes, nämlich darum, ob die Dinge primär durch die Vernunft

Gottes oder durch den freien und darum unerforschlichen Willen Gottes geschaffen sind. Als Repräsentanten eines „theologischen Voluntarismus" waren die Nominalisten der Ansicht, dass jedes Seiende als eine einzigartige, in sich geschlossene Gegebenheit anzusehen sei, als *res singularis*, die sich in ihrer faktischen Vorhandenheit erschöpft und deren ontische Dignität sich keineswegs in einem vorausbestimmten Wesen, sondern erst in den Beziehungen erweisen kann, die sie zu anderen Gegebenheiten einnimmt. Ihr Sein besteht nicht mehr durch sich selbst, sondern „in alio", in Anderem. Seit dieser Zeit ist die Welt ein Netz von Funktionen und Beziehungen. Dadurch wurde ein Weg zur Entstehung der neuzeitlichen Philosophie und Wissenschaft vorbereitet, der sich aber schrittweise immer mehr von den theologischen Fragen entfernte. Seine Ziele unterstützten und ergänzten dann die naturwissenschaftlichen Entdeckungen (Kopernikus, Kepler, Galilei) und philosophischen Spekulationen (Cusanus).

Die Beziehungen und Funktionen untersuchen heißt aber, einen ganz neuen Zugang zur Wirklichkeit einzunehmen. Im Gegensatz zur Antike und zum Mittelalter verlieren mit der Neuzeit die inneren Dingqualitäten ihre Bedeutsamkeit, und in den Vordergrund treten Quantitäten und Proportionen. Das neue Wirklichkeitsbild verlangt auch eine neue Denkweise und einen neuen Wissenschaftstypus: die *mathesis universalis*. Solche Wissenschaft ist *universal*, weil jedes System nur als ein in sich geschlossenes Ganzes gilt und die Erkenntnis eines jeden seiner Teile unvermeidlich auf alle übrigen Teile verweist. Gleichzeitig ist solche Wissenschaft *mathematisch*, weil die Untersuchung der Funktionen und Proportionen eine Formalisierung und prägnante Quantifikation erfordert (vgl. dazu Rombach 1981, 140-150). Das führt zuletzt zu der Vorstellung, dass die Erkenntnis der Wirklichkeit auf einen Grund, auf einen konstanten und unter allen Umständen erweisbaren Stil des „Entziffertwerdens", bauen darf. Auch das Wissen selbst wird zum Bestandteil eines universalen Systems, was zu der Überzeugung führt, dass man die Grunderkenntnis der Welt aus sich selbst generieren kann. Die Beschreibung der Welt als System und die Idee eines sich selbst fundierenden Wissens hängen eng miteinander zusammen. „Wenn die Welt nach dem Grundmodell des Systems ausgelegt wird, kann das Wissen nur noch in sich selbst Begründung finden." (Rombach 1988, 104) So werden in der neuzeitlichen Philosophie auch ein einziger Geist, ein einziges Subjekt vorausgesetzt, die für sich selbst bürgen. Der Systemontologie entspricht die Egologie des Wissens – wie sich am auffälligsten schon bei Descartes nachweisen lässt. „Dem System der Weltwirklichkeit steht, nach seiner Konzeption, das System der Selbstartikulation des Geistes gegenüber." (Ebd. 107)

Gleichzeitig aber – und das ist für unsere Erwägungen besonders wichtig – bleibt diese Korrelation starr und verhärtet sich zu einem Dualismus, den zu überwinden weder neuzeitliche Wissenschaft noch Philosophie imstande sein werden. Ganz klar kommt dieser Dualismus bei Descartes zum Ausdruck: „*Der cartesische Dualismus* ist die unvermeidliche Ausgangsstufe des systematologischen Philosophierens." (Ebd.) Trotz der hartnäckigen Versuche, ihn zu überwinden, wirkt dieser Dualismus bis ins 19. Jahrhundert hinein.

Zum Mangel des Systemdenkens wird mithin schließlich die einseitige Entfaltung seiner ursprünglich revolutionären Idee. Auf der Flucht vor der Substanzmetaphysik reduziert es das Seiende auf sterile Gegebenheiten, welche ihre Dignität nur im Bezug auf anderes Seiendes und in der mittels eines solchen Bezugs erfüllten Funktion haben. Systemorientiertes Denken will das Seiende als diejenige „Datei" erforschen, bei der uns ursprünglich nur das Faktum betreffen soll, „dass" sie bloß hier sind. Jedes Seiende ist so individuell und singulär, dass sich darüber nichts anderes sagen lässt, als dass es schlicht „gegeben" ist. Es hat keine Möglichkeit, das darzustellen, was vielleicht hinter ihm verborgen sein könnte; es kann auf seinen Ort stets nur in der Nachbarschaft anderer Gegebenheiten verweisen. Die Sammlung dieser Nachbarschaftsbeziehungen sagt etwas über den Wirklichkeitscharakter aus. So wird die Welt der Erscheinungen schrittweise zu einem System von eindimensionalen Flächenrelationen, die durch diejenigen Mittel beschrieben und gemessen werden können, über die das beobachtende Subjekt verfügt. Dieser Stil eines Umgangs mit der Wirklichkeit bemächtigt sich auf lange Zeit der modernen Wissenschaft: Der Szientismus des 19. Jahrhunderts ist nichts anderes als ein Ausdruck solches Denkens. „Die Ordnung jener Erscheinungen ist nicht mehr eine vertikale, nämlich die Beziehung der Erscheinung auf das, wovon sie Erscheinung ist; sie ist vielmehr horizontal: Erscheinungen werden auf Erscheinungen bezogen und aus ihren Beziehungen heraus erklärt und verstanden." (Orth 1984, 8)

Die Wendung des Interesses von der Substanz zu *rem singularis* trägt so in sich einen Grundwiderspruch. Die Systematologie wähnt, dass für den Charakter eines jedes Seienden bestimmend sei, *wie es gegeben ist*. Aber sie begnügt sich mit einer *einzigen*, kontingenten, den Interessen des neuzeitlichen Subjekts entsprechenden Gegebenheitsweise. Dass *unterschiedliche Gegebenheitsweisen* möglich sind, die gerade Gegenstand der Forschung sein sollten, entzieht sich ihr.

Exemplarisch zeigt sich diese Verengung des Blickes wieder im Cartesianismus. Descartes sucht „klare und deutliche Erkenntnis" zu erlangen und will sich den Intentionen des damaligen Denkens entsprechend auf eine bestimmte Gegebenheitsweise des Seienden stützen. Evident, klar und deutlich zu sein, bedeutet für Descartes, eben *auf eine spezifische Weise*, nämlich *durch sich selbst* gegeben zu sein. Das *Cogito* wird so wichtig aus dem Grund, weil es jenen Typus von Seienden verkörpert, der fähig ist, sich selbst zu setzen und dadurch evident, d. h. eine Quelle der unerschütterlichen Erkenntnis zu sein. Für Descartes und ähnlich für die neuzeitliche Philosophie ist das Seiende als Gegenstand gegeben, der frei von allem Zweifel ist.

„Evidenz ist [...] eine Erscheinungsweise von Gegenständen, und zwar diejenige, bei der *mit* dem Gegenstand immer auch seine Wahrheit miterscheint. Der Gegenstand kommt so vor den Geist, daß er diesem nicht *vermittelt* wird, durch eine ‚Vorstellung' von ihm, sondern daß er als er *selbst* gegenwärtig ist. Evidenz ist die Erscheinungsweise der *Selbstgegebenheit*." (Rombach 1962/63, 76)

Der wirkliche Gegenstand für diesen Typus der neuzeitlichen Metaphysik ist nur solches Seiende, das sich „in der Gegebenheitsweise der Selbstgegebenheit" (ebd.) ausweisen lässt. So lesen wir bei Descartes, dass im Fall der äußeren Körper „es nur sehr wenig ist, was ich in ihnen klar und deutlich durchschaue; nämlich die Größe oder Ausdehnung nach Länge, Breite und Tiefe, die Gestalt, die der Begrenzung dieser Ausdehnung entspringt, die Lage, die die verschiedenen Gestalten zueinander einnehmen, und die Bewegung oder die Veränderung dieser Lage" (*Meditationen*, III, 19). Evident, klar und deutlich zu sein, heißt vor allem, *auf bestimmte Weise* gegeben zu sein, nämlich auf die Weise, für welche die neuzeitliche Wissenschaft einzig und allein ein Verständnis haben wird: für Ausdehnung, Mess- und Quantifizierbarkeit. Anstatt die eigentlich nötige Vorbetrachtung darüber anzustellen, was es überhaupt besagt, *gegeben zu sein*, inwiefern es unterschiedliche Weisen der Gegebenheit gibt, wie diese aufgefasst werden und was über das, was gegeben ist, auszusagen ist, blieb man bei der *einen Weise* von Gegebenheit stehen, derjenigen, die für die anschauende Subjektivität die passendste ist. Der Bruch im Vergleich mit der traditionellen Metaphysik ist deutlich, deutlich aber auch die fatale Einschränkung, die mit ihm erfolgt. Die Gegebenheitsweise, in der sich das Gegebene als evident enthüllt, ist in Wirklichkeit nur *diejenige Weise*, die für den wissenschaftlichen Kontext des 17. Jahrhunderts relevant war. Zugleich aber wurde diese Gegebenheitsweise für universal erklärt und für gleich universal auch die Wissenschaft, die Position, die jene Art der Gegebenheit aufweist. Alle anderen Gegebenheiten werden mit dem Maß dieser idealen Gegebenheit gemessen, gewöhnlich für unvollkommen erklärt und wenn möglich angepasst, damit sie das gültige Kriterium erfüllen.

Doch in dieser Position keimte ein Widerspruch, der schließlich zum Untergang des Systemdenkens führen musste. Es war die auf der cartesischen Ambition aufgebaute Wissenschaft selbst, die ihre eigenen Grenzen entdeckte. Es zeigte sich, dass es Gegebenheitsweisen gibt, bei denen wir nicht mit der Beschreibungsart auskommen können, welche die Methodik der *mathesis universalis* anbot, und dass es mithin weder eine universal geltende Gegebenheitsweise noch einen universalen Zugang zu ihr gibt. Die von der neuzeitlichen Wissenschaft propagierte Gegebenheitsweise ist beispielsweise kaum in Gebieten anzutreffen, in denen Geistes- und Sozialwissenschaften arbeiten. Als einer der ersten, der sich bemühte, für Wissenschaften solcher Art einen spezifischen Diskurs zu finden, gilt heute Wilhelm Dilthey. Edmund Husserl setzte dann mit dem Versuch fort, eine neue universale Wissenschaft zu begründen, die imstande wäre, alle denkbaren *Seinsweisen* zu umfassen. Mit der allmählichen Auflösung einer allgemein akzeptierten Gegebenheitsweise zeigte sich auch erstmals, dass zunächst elementare Fragen gestellt werden müssen, wie: *Was heißt es überhaupt, „gegeben zu sein"?* Welches sind die Bedingungen der Möglichkeit der Gegebenheit als solcher? Aus dieser Motivation erwuchs Husserls Hauptinteresse: „[...] was das heißt, der Gegenstand sei ‚an sich' und in der Erkenntnis ‚gegeben' [...]". (Husserl 1968, 8)

Diese Verschiebung des Forschungsinteresses war elementar. Schon die Tatsache selbst, dass es sich als notwendig zeigte, nach unterschiedlichen Gegebenheitsweisen zu fragen, ist Beleg dafür, dass solche Verschiedenheit damit zusammenhängt, wie sich Wirklichkeit selbst zeigt, und dass derjenige Ort in der Entwicklung des Denkens erreicht werden muss, an dem dieses Problem zu verstehen ist. Es ist das Geschehen der Wirklichkeitserscheinung selbst, das fordert, unsere Teilnahme an ihm anzuerkennen und die bisherige Auslegungsweise umzuwerten. Durch sorgsame Beschreibung der Weisen, in denen sich unterschiedliche Gegebenheitsweisen manifestieren, stellen wir fest, dass „Gegebenheit" keineswegs solches ist, das irgend bereits vorhanden ist, sondern vielmehr dasjenige, was nur einen Aspekt zeigt, im übrigen aber verborgen bleibt und aus dem Untergrund seines Nicht-Erscheinens hervorgeholt werden muss. Das Nicht-Erscheinende ist freilich stets anwesend, es ist aber nicht mehr möglich, es mittels der traditionellen Substanz- oder Systembegriffe aufzufassen.

Dennoch befinden wir uns mit solchen Überlegungen auf dem Boden der Ontologie, wenngleich auf ganz andere Weise als im Fall des Substanz- oder Systemdenkens. „Gegebenheitsweise" heißt strenggenommen nichts anderes als die Weise, mit welcher jedes Seiende *seinen Anspruch auf Sein, seinen Existenzstil* erweist, die Weise, mit welcher es als es selbst *existiert*, als das, was es uns erlaubt, es von anderem Seienden zu unterschieden – jedoch nicht nach dem Muster, welches wir ihm aufprägen. *Zu sein heißt, in eine bestimmte Erscheinungsweise hervorzugehen*, die für jedes Seiende verschieden ist. Daraus folgt, dass je ein Raum für solches Aufgehen vorauszusetzen ist und dass ein solcher Raum für andere Seinsweisen verschlossen ist. Die Weise, in der ein bestimmtes Seiendes ist, impliziert *einen ganzen Horizont von Angelegenheiten und Zusammenhängen*, welche allerdings nicht voll offenkundig werden können. Die Seinsweise stützt sich auf die *Differenz zwischen Erscheinendem und Nicht-Erscheinendem*. Diese Differenz ist wesentlich dynamisch, sie stiftet für jede Erscheinung Raum und Zeit. Jedes erschienene Seiende (als potentieller Gegenstand der Forschung) und sein Horizont sind als *identische* zu verstehen. Das Offenkundige ist dem Horizont des Nichterscheinens abzuringen und besitzt eine spezifische Dynamik. Jedes Offenkundige (und also jede Gegebenheit unserer Erfahrung) muss man „als einen *Hervorgang* verstehen, in dem etwas sein ‚Sein' aus seiner eigenen Faktizität erst ermöglicht. Etwas wird zu seinem eigenen Horizont. *Etwas geht von sich her auf*. Das Aufgehen geht auf" (Rombach 1980a, 146). Alles, was sich ergibt und sich zeigt, ist Ergebnis einer Selbstentwicklung – und solche *Autogenesis* betrifft das gesamte Feld von Bezügen, die ein jedes Offenkundige aufschließt.

Dem entspricht auch unsere Erfahrung. Der Prozess des Hervorgangs, mittels dessen ein Seiendes mögliche Gegebenheit erlangt, ist ein Geschehen, an dem wir notwendig teilhaben, wenn wir verstehen sollen, was es heißt, gegeben zu werden. Den Charakter des Seienden stellen wir nicht in bloßer Anschauung der Aspekte fest, durch die es sich anbietet, sondern aus der Aneignung des Rahmens, in dem sich sein Hervorgang abspielt. Es wurde aufgewiesen, dass z. B. schon die schlichte Wahrnehmung nicht nur die Aufnahme einer fertigen Datei ist. Ihr Vorgang ist eine spezifische Entdeckung und Umgruppierung von Horizonten, eine Situationsartikulation, durch die erst Sehen selbst möglich wird (vgl. die Forschungen von Merleau-Ponty).

Das aber heißt, dass jedes Seiende seine spezifischen Erfassungsformen *erfordert*. Es ist evident, dass die Aktivitäten der Artikulation und Formierung mit den Regeln von Gegebenheitstypen verbunden sind, die völlig außerhalb ihres Einflusses wirken. Daraus folgt, dass unsere Erfahrung nicht eine solche der rein positiven Aufnahme und des harmonischen Einklangs, sondern eher eine der Negation und Korrektur ist. Erst die Notwendigkeit, sich selbst zu korrigieren, setzt unsere Erfahrung überhaupt in Gang. Nicht nur die Verfestigung der vorangehenden Erlebnisse, sondern vor allem ihre ständige Verbesserung bindet uns fest an die Wirklichkeit der äußeren Seienden. Mittels der korrigierenden Aktivität, der Notwendigkeit, Perspektiven zu wechseln und Möglichkeiten zu wählen, stehen wir in Urkorrelation zur transzendenten Realität. Die Realität wird wie erwähnt nie als ein positives Datum gegeben; sie wird stets variiert, konstituiert, und sie wird immer entschwinden. Das, was die Erfahrung letztendlich als ein festes Gebilde zu behalten imstande ist, solches, das sich anschauen lässt und dem man auch einen Namen geben kann, wird immer nur ein sekundäres und ideales Bild der Realität selbst sein.

Aber eben weil Erfahrung keine passive Aufnahme von Eindrücken ist, sondern Erfahrung der Korrektur, also eine aktive Artikulation des Raums, in dem die Autogenesis einer jeden Gegebenheit entstehen kann, muss sich die Erfahrung auf eigene Mittel der Artikulation stützen. Ihre Sammlung oder Einheit bildet der menschliche Körper. Als ein körperliches wird jedes Subjekt auf die Teilnahme an der Selbstentstehung des Seienden zurückverwiesen und ist so Teil eines Geschehens, in dem es zu keinem Moment abgeschlossen sein kann. Auch das Subjekt entfaltet, formt sich selbst in jedem Augenblick – und das ist eine Thesis, die offenkundig im Widerspruch zur Vorstellung der neuzeitlichen Philosophie von einer festen und nur geistigen Subjektivität steht. Das Subjekt besitzt keine Möglichkeit, sich auf eine ursprüngliche Identität zu stützen, weil es eine solche erst mittels seines Hineinwachsens in die Perspektivität der Erscheinung und mittels ihrer Aneignung gewinnen kann. „So gesehen ist das ‚Subjekt‘ und ist das ‚Dasein‘ ohne jeden Rest ein *Konstitut* der Dimension, innerhalb deren es ermöglicht ist." (Ebd. 242 f.) Es gibt kein anderes Prinzip der Individuation als die Selbstkonstitution durch die Wahl der Perspektiven: „Ein ‚jeder‘ ist nur das, was ihm ‚an seiner Stelle‘ gegeben ist." (Ebd. 243) Hier zeigt sich die Konstitutionsrolle der korrigierenden Erfahrung: A priori ist mir stets nur die „Andersheit" gegeben, sofern mir die Perspektive gegeben ist, welche wesentlich Wahl und Wandel fordert. Wenn ich mich als Subjekt erfahre, erfahre ich damit zusammen auch die Möglichkeit, der Andere zu sein. Durch diese ‚Gefährdung‘ bestimmt sich erst meine Stelle im Ganzen des Wirklichen – ähnlich, wie durch die ‚Gefährdung‘ seitens des Verborgenen die Stelle der anderen Seienden im Ganzen der Wirklichkeit bestimmt und begrenzt wird. Ich bin als Subjekt prinzipiell immer *mehr, als ich selbst*. Darin ist die Möglichkeit verankert, das real andere Subjekt zu verstehen und sich als soziales Wesen zu verhalten. „Wie mir nie nur *eine* Seite des Wahrnehmungsgegenstandes gegeben ist, sondern der *ganze*

Gegenstand durch eine Seite hindurch, so bin ich mir nie *allein* gegeben, sondern immer auch die *Anderen* durch meine besondere Lage hindurch." (Ebd.)

Das Sichgeben eines jeden Seienden als „Selbst-zeigen" ist so ein Vollzug, der in demselben Sinn aufzufassen ist wie die sich erscheinende Subjektivität. „Nicht nur ich und Gegenstand, sondern auch die Korrelation zwischen beiden und die Dimension, innerhalb deren diese Korrelation spielt, werden *innerhalb* des Gesamtphänomens konstituiert und korrelieren so streng, daß sich das, was das eine ist, aus dem ergibt, was das andere ist, oder *daß sich alles aus allem ergibt.*" (Ebd. 241) Für ein derart sich ausdifferenzierendes Geschehen passt am besten der Begriff der *Struktur.*

Es ist aber zugleich zu betonen, dass ‚Struktur' bei Rombach etwas anderes meint als im traditionellen Strukturalismus. Vereinfacht ließe sich sagen, dass die Struktur im Sinne des Strukturalismus nur die gründlich ausgearbeitete Theorie des Systems ist und dass sie folglich näher dem System- als dem Strukturdenken im Sinne Rombachs steht. Der Strukturalismus charakterisiert sich durch die Ortrelation und verdrängt die Eigenart der Entitäten, die sich in solchen Relationen befinden. „Die Struktur eines Gebietes zu äußern, heißt, jede virtuale Ko-existenz zu bestimmen, die vor den Wesen, Gegenständen und Werken aus diesem Gebiet kommt. Die ganze Struktur ist eine Vielheit von virtualer Koexistenz." (Deleuze 1973). Für die Einheiten solcher Strukturen sind nicht der Horizont ihres Aufgehens, sondern völlig äußere Relationen bestimmend. Demgegenüber bezeichnet die Struktur bei Rombach ein Geschehen, das seine eigene Wirklichkeit aus sich selbst generiert und außer dem Netz der Orte auch die partikulären Horizonte seines Aufgangs, seinen Sinn und seine Geschichte, seine Geburt und seinen Untergang in der Zeit hat.

„An jeder Stelle ist die Struktur etwas ‚anderes' als sie selbst, aber doch so, daß dieses Andere durch sie zu ihr selbst ‚gemacht' werden muß. Dies ist die ‚Leistung', die das ‚Leben' der Struktur ist. [...] Nur weil jedes für sich selbst und alles für einander ‚Ereignis' ist, ‚geschieht' überhaupt etwas." (Rombach 1994, 65) Damit etwas von einem anderen getroffen, berührt, durch es beeinflusst oder von ihm verursacht, also überhaupt ein Teil der Struktur werden kann, muss es mit sich selbst etwas tun. „Etwas, das sich nicht selber ist, kann auch kein [...] ‚Selbst' sein, das für ein Getroffenwerden stehenbleibt und sich durchhält." (Ebd.)

Es ist jetzt klar, warum die Forderung nach einer anderen Ontologie, als es diejenige ist, die die philosophische Tradition überlieferte, in Rombachs Augen nur mit Hilfe der Strukturphänomenologie zu erfüllen ist. „Als *Phänomen* läßt sich jede Einzeltatsache nur fassen, wenn sie zu einer Spiegelung des Ganzen geworden ist, und das Ganze geht nur auf (‚erscheint' nur), wenn es aus dem *strukturellen Zusammenhang* hervorgeht. So ist ‚Erscheinen' der Seinssinn *strukturaler Entitäten* – und ‚Phänomenologie' ihre zugehörige Wissenschaft." (Rombach 1980b, 23) Der Strukturbegriff eröffnet so die Region, „innerhalb deren ein Erscheinen des jeweiligen Seienden möglich wird. Diese Wissenschaft interpretiert das Seiende im ausschließlichen Hinblick auf sein Erscheinen-Können; sie heißt darum ‚Phänomenologie'. ‚Phänomen' ist das Seiende, wenn an ihm die Struktur herausgearbeitet wird, die der ganzen *Region* zugrunde liegt." (Rombach 1988, 119)

Hierin ist ein Beleg für eine wechselseitige Bereicherung zu sehen: Phänomenologie wird zum effektiven Fundament der dynamischen Ontologie. Deren traditionelle Probleme erlangen eine neue Dimension und erhalten ein neues Wirkungsfeld. „Was früher *Konstitution* und *Intentionalität* genannt wurde, stellt sich jetzt in der Dimension der Strukturphänomenologie als *Konkreativität* heraus, als korrelative, spontane, sich selbst suchende, findende, verlierende und wiederfindende Wirklichkeit, als der *Prozeß* ‚Sein'." (Rombach 1980a, 298) Diese Ontologie könnte, sich stützend auf Phänomenologie, jede abstrakte Auffassung des Seins vermeiden. Denn ‚Sein' ist jetzt nicht mehr als eine Ganzheit von Seienden aufzufassen, sondern als Ausdruck, Zug, Weise dessen, *wie* dieses Seiende ist. Wenn das Sein seine *Weisen* hat, dann kann es ohne *bestimmte Weise* nicht sein (vgl. Rombach 1987, 227). Das Sein *überhaupt* gibt es nicht. Die Ontologie ist erst dann sinnvoll, wenn wir unter „ist" einen momentanen Modus des realen Aktes verstehen, der den Grundtypus des Seienden fixiert und so einzelne Begriffe und Eigenschaften beeinflusst. ‚Sein' bedeutet etwas anderes für das Lebewesen als für die Person. Die Person hat nicht nur andere Eigenschaften als das Lebewesen (oder der Stein), sondern sie besitzt eine *andere Seinsweise* (sie *ist* z. B. verantwortlich, frei). Die Freiheit ist keine Eigenschaft des Menschen, sondern *„seine Weise zu sein"* (ebd.).

Im Unterschied zu Heideggers Versuch, Ontologie mittels Phänomenologie zu begründen, verfügt die Strukturphänomenologie zudem über die Fähigkeit, die Geschichtlichkeit der unterschiedlichen Erscheinungen zu respektieren. Eben weil die Struktur eine dynamische Ganzheit eines gemeinsamen Subjekt-Objekt-Geschehens ist, wird die Weise der Subjektkonstitution mittels der Aneignung der angebotenen Perspektiven von den betreffenden Gestalten der partiellen Selbsterscheinung bestimmt. Die Existenzstruktur des Daseins ist gleichzeitig mit der Entfaltung der neuen Struktur für dieses Dasein verbunden. Das, was Natur und menschliche Welt, die durch Tätigkeit des Daseins entstanden sind, in unterschiedlichen Epochen erzielt haben, sind „momentane Lichtungen" als Orte ihres *konkresziven* Durchdringens. „Es geht nie nur um die Individualstruktur des Menschen, sondern immer auch um die *Megastruktur* der geschichtlichen Existenz, die nicht einfach als Schöpfung oder soziale Welt vorgegeben ist, sondern die auch in einem Strukturprozeß verwickelt ist, der selbst wieder auf den Menschen und auf die Art seiner Selbststrukturierung angewiesen ist." (Rombach 1991, 15)

Literatur

Deleuze, G. (1973): Gilles Deleuze, „A quoi reconnaît-on le structuralisme?", in: F. Châtelet (Hg.): *Histoire de la philosophie VIII. Le XXe siècle*, Paris.

Husserl, E. (1968): *Logische Untersuchungen*, Bd. 2, Tübingen.

Orth, E. W. (1984): „Einleitung: Dilthey und der Wandel des Philosophiebegriffs seit dem 19. Jahrhundert", in: ders. (Hg.): *Dilthey und der Wandel des Pilosophiebegriffs seit dem 19. Jahrhundert (Phänomenologische Forschungen* 16), Freiburg/München, 7-23.

Rombach, H. (1962/1963): „Die Bedeutung von Descartes und Leibniz für die Metaphysik der Gegenwart", in: *Philosophisches Jahrbuch* 70, 67-97.
- (1980a): Phänomenologie des gegenwärtigen Bewußtseins, Freiburg/München.
- (1980b): „Das Phänomen Phänomen", in: E. W. Orth (Hg.): *Neuere Entwicklungen des Phänomenbegriffs (Phänomenologische Forschungen* 9), Freiburg/München, 7-32.
- (1981): *Substanz, System, Struktur*, Bd. 1, Freiburg/München, 2. Aufl.
- (1987): „Die sechs Schritte vom Einen zum Nicht-andern", in: *Philosophisches Jahrbuch* 94, 225-245.
- (1991): „Das Tao der Phänomenologie", in: *Philosophisches Jahrbuch* 98, 1-17.
- (1988): *Die Gegenwart der Philosophie*, Freiburg/München.
- (1994): *Der Ursprung. Philosophie der Konkreativität von Mensch und Natur*, Freiburg.

Bilddenken als Problem der Philosophie
Zur Bildphilosophie Heinrich Rombachs

Karl Ludwig Kemen

> Wer bestimmt denn, was „Denken" ist? Was Begriff? Wer,
> wenn nicht das Denken und die Philosophie selbst?
>
> *Heinrich Rombach*

> Wer weiß, welche Formen die Philosophie finden wird,
> wenn sie in unserem Leben einmal eine höhere Rolle spielt
> als die eines Wärters, der die Sinne bewacht.
>
> *Arthur C. Danto*

Einleitung

Selten versuchte ein Denker auf so unterschiedlichen Wegen das Wesen des
Menschen und seiner Welt in Sicht zu bringen, zu gewahren und auch begreifbar
zu machen, und selten hat in der zweiten Hälfte des 20. Jahrhunderts ein Philosoph sich so entschieden für ein ursprüngliches und eigenständiges Philosophieren eingesetzt und hoffnungsvoll ein Neuland des Denkens betreten wie Heinrich Rombach. Selten brachte ein Philosoph beim Wechsel auf ein neues „Spiel-
feld des Geistes" (Rombach 1966, Bd. 2, 511), das des „Strukturdenkens", soviel
Mut auf wie er, da dort das herkömmliche Denken so radikal in Frage gestellt
wird, dass das Denken sich zu riskieren scheint. Dieses Wagnis des Denkens[1]
scheut sich nicht, „Philosophie" aufs Spiel zu setzen, weil strukturelle Offenheit
und das Moment des Genetischen die entscheidenden Gesichtspunkte dieses
Denkens sind. Wer auf diese Weise Wege beschreitet, die kein gewisses Ziel haben, kann irren, aber auch finden. Wenn nicht alles trügt, hat Rombach auf diesem denkerischen Weg den schöpferischen Untergrund der menschlichen Existenz gesichtet, aus dem die menschliche Geschichte in ihren jeweiligen Grundphilosophien hervorgeht. Der Hervorgang geschieht als Bild-Werdung. Ein sol-

---

[1] Vgl. Wust 1988. Dort: „Die ‚Insecuritas humana' als Spielraum für Wagnis und
Entscheidung", 54 ff.

ches Unterwegs-Sein (vgl. Wisser 1998 und 1996) ist in einem wesentlichen Sinne menschlich und macht bei aller Gefahr den Menschen in seiner „Insecuritas" erst zum „menschlichen" Menschen.

Das Denkfeld, das Rombach ausgeschritten hat, und die denkerischen Wege, die er gegangen ist, werden von vier Grenzpunkten markiert (sie seien hier mit Verweis auf seine Veröffentlichungen genannt):[2] 1. Vom Wesen der Frage zur Dimensionenlehre und zur Strukturfindung (Rombach 1949/1952, 1962, 1965/66). 2. Ausfaltung einer Strukturphilosophie und Entdeckung der Genese und der Konkreativität (Rombach 1971, 1980, 1987, 1988, 1994, 1994). 3. Fundamentalgeschichte als Geschichte der Grundphilosophie, Hermetik und die Erprobung des Bilddenkens (Rombach 1977, 1981, 1983, 1983, 1989, 1991, 1996). 4. Wissenschaftstheoretische Klärungen (Rombach 1974).

I. Rombachs Ausgangsposition

Richard Wisser gab seiner Besprechung der ersten Auflage von Rombachs *Die Gegenwart der Philosophie. Eine geschichtsphilosophische und philosophiegeschichtliche Studie über den Stand des philosophischen Fragens* (1962, 3. Aufl. 1988) den Titel „Auftakt einer neuen Philosophie" (Wisser 1963). Inwiefern Rombach philosophisches Neuland betritt, deutet Wissers Rezension damit an, dass beim sog. „zweiten Verlauf', von dem Rombach nicht näher spricht", bestimmte Phänomene eine eminent philosophische Bedeutung erhalten, die als solche nicht im Medium des Gedankens erscheinen, sondern ihre Wahrheit in ihrer eigenen Medialität besitzen. „Geschehende Geschichte", die später Fundamentalgeschichte genannt werden wird, ist so ein solches – über Heidegger hinausweisendes – Phänomen, in dem die Seinsgeschichte nur eine Epoche ist. In ihr spielt sich das Leben des Geistes ab, ereignet sich lebendiger Geist.

Gegen Heidegger, der für Rombach neben Husserl der entscheidende Ansatzpunkt für sein Denken ist, stellt er in seiner Schrift *Gegenwart der Philosophie*, in der er im 24. Kapitel (Rombach 1988, 105 ff.) zu dem im gleichem Jahr von Heidegger gehaltenen Vortrag „Zeit und Sein" Stellung bezieht, eine Verengung der Philosophiegeschichte auf Seinsgeschichte[3] und eine einseitige Rückbindung von Philosophie auf die griechischen Ursprünge fest. Rombach selbst setzt auf eine Fundamentalgeschichte, deren Denkraum so umfassend ist, dass sowohl östliche und westliche Denkwege sich treffen und zu gegenseitigem Austausch veranlasst werden können als auch nichtsprachliche Medien bzw. nichttextliche „Sprach"-Medien philosophische Akzeptanz erlangen.

---

[2] Es sei hier an die Bedeutung von Hermes und an den Brauch, Grenzsteine in seinem Namen zu setzen, erinnert (vgl. Rombach 1983a, 40 f.).

[3] Rombach 1988, 108. Die Epochen Seinsgeschichte werden markiert durch die Grundworte „Hen, Logos, Idea, Ousia, Energeia, Substantia, perceptio, monas, Gegenständlichkeit, Gesetztheit des Sich-Setzens, absoluter Begriff, Wille zum Willen".

In diesem Zusammenhang taucht eine Kritik auf, die für meine Fragestellung von zentraler Bedeutung ist. Rombach macht deutlich, dass die Tradition, aber in gewisser Weise auch noch das Seinsdenken Martin Heideggers, Philosophie ausschließlich vom Begriff bzw. vom philosophischen Text her denkt.[4] Es taucht die entscheidende Frage auf, ob nicht auch anderes als Begrifflichkeit und Text Medium von Philosophie sein könnte. Ja, Rombach geht noch weiter und spricht sogar von der Möglichkeit einer größeren Bedeutung anderer Medien. Das hört sich nicht nur in den Ohren akademischer Philosophen wie Blasphemie an, sofern Kunst, Religion und Politik zum Beispiel die von Rombach gemeinten anderen Medien sind. Für viele kommt da das Eigentliche der Philosophie: die Begrifflichkeit und die Strenge begrifflichen Denkens, zu kurz. „Wo man über der Form das Argumentieren vernachlässigt, bleibt der philosophische Gedanke auf der Strecke. Und wo zwischen Wissenschaft und Glauben kein Unterschied gemacht wird, liegt die Gefahr einer Mystifizierung der philosophischen Sinnsuche nahe", so lautet die Warnung Ferdinand Fellmanns.[5]

Weil eine Verachtung begrifflichen Denkens und Argumentierens bei Rombach gerade nicht vorliegt, wie seine begrifflich luziden philosophiehistorischen Werke wie *Substanz, System, Struktur* belegen – in denen auf höchst subtile Art und mit größter Stringenz die Geschichte des neuzeitlichen Denkens in ihrer Genese rekonstruiert wird –, liegt um so mehr Grund vor, der hinweisenden Kritik Rombachs zu folgen und das Denken anderen Weisen der Seins- und Sinnerfahrung zu öffnen.

II. Der Seinsstatus des Bildes und die Problematik eines Bilddenkens

Dass es immer schon Aufgabe der Philosophie war, zu sagen und zu bestimmen, was Denken ist, ist eine Allerweltsweisheit, denkt man nur an die variantenreiche Ausfaltung der Fragestellung von Heraklit und Parmenides bis hin zu Hegel und Heidegger. Dennoch muss es möglich sein, nach Möglichkeiten zu fahnden, die das begriffliche Denken nicht fasst (vgl. Wisser 1998, 71 ff.). Wäre dem nicht so, hätten, wie Rombach richtig sieht, eine allgemeine Anthropologie, die schon über das Wesen des Menschen entschieden hat, oder eine die Subjekt-Objekt-Spaltung voraussetzende Psychologie das ureigenste Feld der Philosophie besetzen können. Dann wäre über das Denken im Sinne einer festgelegten Naturge-

---

[4] Rombachs Kritik an Heidegger in Rombach 1991, 118 ff.

[5] „Die an den Dichter-Philosophen zu bewundernde Fähigkeit, durch den Stil Begründungszusammenhänge zu imitieren, läßt den Leser allzu leicht die objektiven Inhalte vergessen und nur das Erlebnis intensiven Denkens im Gedächtnis behalten [...] Daher tut jeder Anfänger gut daran, sich zunächst von Schriften Nietzsches fernzuhalten, um ein prominentes Beispiel dieser Art des Philosophierens zu nennen." (Fellmann 1998, 150 f.) „Das Ziel der Philosophie ist und bleibt die begriffliche Erkenntnis, da nur diese kritische Distanz erlaubt, die beim Kunstwerk kaum möglich ist." (Ebd. 145)

gebenheit entschieden und „Sein" nur mehr auf ein präfiguriertes Denken bezogen. Dies hätte dann den makabren und im wahrsten Sinne des Wortes ungeheuerlichen Vorteil, dass sich ein absoluter und damit maßgeblicher Begriff des Denkens statuieren ließe, mit dem leichter Hand eine Abgrenzung zu geschichtlichem Handeln, zu Religion und Kunst erfolgen könnte. Rombach ist daher einem Denken verbunden, das im Sinn Heideggers um die „Eigentümlichkeit der Eröffnung von Sein" weiß und sich dieser auch einordnet. Die Eröffnungsart von Sein „entscheidet darüber, was Denken ist und soll, was Kunst will und vermag, worin Staat und Gesellschaft, Moral und Wissenschaft ihren Sinn und ihre Begrenzung haben" (Rombach 1988, 109), sie entscheidet über die epochale Struktur einer Kultur. 26 Jahre später erwächst daraus die Einsicht, dass jede Kultur eine Grundphilosophie ist und „menschliches Leben Philosophie ist, wenn es sich in geschichtlicher, konkreativer, struktularer Weise vollzieht". Der Fachphilosophie bleibt die Aufgabe, aufgrund und auf dem Grund der geschehenden Philosophie Seinsaussagen herauszuholen (ebd. 223). Das, was in der 1. Auflage der *Gegenwart der Philosophie* die denkerische Erschließung des Verhältnisses von Sein und Mensch ist, wird hier zur Herausarbeitung philosophischen Lebens. Das Denken, in seiner begrifflichen wie bildhaften Weise, scheint aufgehoben zu werden in einem gewagten Vorgriff in die Zukunft des Denkens. Aufgabe einer so verstandenen Philosophie ist in Zeiten des „Endes der Philosophie" und der Auflösung eines verkrusteten Begriffsdenkens die spähende Vorausschau und die Anstrengung, das so Erblickte auszusagen. Der Bogen, den Rombach von seinen philosophiehistorischen Untersuchungen bis zu seinem ausschauenden philosophischen Vorgriff schlägt, ist ein Programm, das aus dem schon angesprochenen „zweiten Verlauf" der Geschichte der neuzeitlichen Philosophie resultiert. Vermittelt wird dieser Schritt durch den zweiten Weg, den Rombach gegangen ist, den Weg des Bilddenkens und einer Bildphilosophie, die, wie er in *Leben des Geistes* bemerkt, z. T. auf das mit Heidegger vereinbarte Projekt „Der Weg" zurückgeht.

Dass traditionelle Philosophie auf den Seinsstatus des Bildes nicht gerade gut zu sprechen ist, ja ihr das Bild in aller Regel als das philosophisch Zu-Überwindende gilt, wobei Begriff und Logik zentrale Waffen im Kampf um die Vorherrschaft im Denken sind, ist altbekannt und, was den Ausgang des Kampfes angeht, akzeptiert. Der Begriff ist der Hüter der Philosophie. Was nicht auf den Begriff gebracht werden kann, gehört nicht in das Reich des Denkens und falls doch, dann im Sinne Hegels. Dagegen stehen die Denkversuche Martin Heideggers und Theodor W. Adornos, die der Kunst eine eminente Bedeutung für die Philosophie einräumen; Heidegger, wenn er Kunst als das „Ins-Werk-Setzen der Wahrheit" fasst, Adorno, wenn er in der Kunst den Widerpart gegen eine instrumentell verkürzte Vernunft erkennt.[6]

---

[6] Vgl. Fellmann 1998, 143. Für Fellmann sind diese Versuche Affinitätsbildungen zum Mythos und ein Beleg dafür, dass sich die programmatische Formel „Vom Mythos zum Logos" nicht absolut behaupten konnte.

Da Bild und Kunst eine unbestreitbare Wesensnähe besitzen, ja in der Regel stellvertretend füreinander stehen, kann man sogar wie Arthur C. Danto den Eindruck bekommen, dass „die Platonische Metaphysik eine Art begriffliches Gefängnis ist, gebaut, damit man die Kunst an einem sicheren Ort in Verwahrung halten kann, so wie das Labyrinth entworfen wurde, um den Minotaurus davon abzuhalten, räubernd auf Kreta umherzuziehen. [...] Die verblüffende Wahrheit liegt jedoch darin, daß die Philosophie mit ihrer Definition der Kunst zugleich sich selbst Gestalt gibt und daß sie sich im Zuge der Entmündigung der Kunst erst selbst in ihre Rechte eingesetzt hat. Die Kunst muß zweifellos irgendeine ungeheure Kraft besessen haben, daß sie so eine geniale Reaktion wie die Philosophie hervorrufen konnte. Für die einstigen Kräfte der Kunst ist die Fähigkeit, Illusionen zu erzeugen, bestenfalls eine Metapher."[7]

Danto sieht deutlich, dass die Bildhaftigkeit der Kunst Bedingungselement für die Entstehung der Philosophie im antiken Griechenland war. Das Problem ist nur, dass nicht ganz klar ist, um welche Kraft es sich im Fall der Kunst handelt. Der Schluss auf die Verbindung der Kunst mit Mythos und Magie, die die Menschen in Bann schlagen, anstatt sie in die Freiheit zu heben, liegt nahe und lässt auch die Argumentationsfiguren der Ikonoklasten sinnvoll erscheinen (Danto 1993, 157 ff.; Biser 1973, 247 ff.). Was Mythos und Magie und mit ihnen das Bild aber eigentlich sind, bleibt im Dunkeln und kann nur durch ihre damaligen Verurteilungen erschlossen werden. Wer zu den Wurzeln eines Bilddenkens kommen will, bricht Tabus und tritt in ein vermintes Kulturfeld. Platons Philosophieoffensive gegen die Kunst und die heutige Abwehrhaltung gegenüber einer vertieften Erfahrung des Bildes deuten auf ein übermächtiges Angstpotential des Menschen hin.

III. Zum Verhältnis von Bild und Denken bei Ernst Bloch

Um dem Bilddenken und seiner möglichen Gefahr etwas näher zu kommen, ist es ratsam, sich bei Ernst Bloch Rat zu holen, ist er doch der deutsche Philosoph des zwanzigsten Jahrhunderts, der in seiner Philosophie keineswegs mit Bildern gespart hat und dies deshalb, weil er, wie Adorno richtig sah, in seinem Denken „die Dynamik des Gedankens in seiner Darstellung auszudrücken sucht, anstatt in jener Mischung von festgelegten Termini und sprachlicher Undifferenziertheit [...], die für das verdinglichte Bewußtsein überhaupt charakteristisch ist" (Adorno 1973, 64). Dies erinnert an Hegel, andererseits aber auch an Schelling, der sich unterstand, eine Philosophie der Mythologie zu schreiben; nicht zufällig

---

[7] Danto 1993, 10 f. Wenn hier Danto zitiert wird, so nicht, um ihn mit Rombach zu parallelisieren. Danto ist weit von den Einsichten Rombachs entfernt und ebenso von Heidegger, für dessen Denken er (vgl. ebd. 157) kein Verständnis aufbringen kann, weil ihm jeder Zugang dazu zu fehlen scheint. Unbeschadet dessen ist seine Einschätzung des Verhältnisses von Philosophie und Kunst stichhaltig.

wurde Ernst Bloch „expressionistischer Schelling-Marxist" genannt (Sloterdijk 1998, 324). Dieser Titel zeichnet ihn unter Denkern aus, da er sowohl größte Nähe zur Kunst als auch zur Mythenbildung suchte.

Ernst Blochs Buch *Spuren* ist nicht nur sein schönstes Buch, wie Dolf Sternberger sagte, sondern auch das bilderreichste. Im Abschnitt „Geist, der sich erst bildet" findet sich unter der Überschrift „Das rote Fenster" folgende Erinnerung Blochs an seine Kindheit:

> „Acht Jahre, und am merkwürdigsten die Nährollenschachtel in einer Auslage am Schulweg; sie stand zwischen Wolle und Deckchen mit weiblicher Handarbeit, die einen doch nichts anging. Doch auf der Schachtel war etwas abgebildet, mit vielen Farbpünktchen oder Fleckchen auf dem glatten Papier, als ob das Bild geronnen wäre. Eine Hütte war zu sehen, viel Schnee, der Mond stand hoch und gelb am blauen Winterhimmel, in den Fenstern der Hütte brannte ein rotes Licht. Unter dem Bildchen stand ‚Mondlandschaft', und ich glaubte zuerst, das sei eine Landschaft auf dem Mond, ein sehr großes Stück Chinarinde gleichsam, aber ich hatte eine durchdringende Erschütterung dabei, die ganz unaussprechlich war, und habe das rote Fenster nie vergessen. Wahrscheinlich wird jedem einmal, irgendwann und dann wieder an andrem so zumut; ob es nun Worte oder Bilder sind, die ihn treffen. Der Mensch fängt früh damit an, hörte er nicht ebenso früh damit auf, so wäre ihm das Bild wichtiger als er selbst, ja als sein ganzes Leben. Der Fall hängt nur indirekt mit dem Icherlebnis dieser Jahre zusammen; es kam im gleichen Jahr auf einer Bank im Wald." (Bloch 1995, 64)

Diese beeindruckende Textpassage, die wie die *Spuren* überhaupt an Walter Benjamins „Berliner Kindheit um Neunzehnhundert"[8] erinnern, beinhaltet dreierlei: erstens die akkurate Beschreibung einer Erinnerung an ein auf eine Schachtel aufgedrucktes Bildchen, zweitens die Feststellung einer durchdringenden Erschütterung, die unaussprechlich war und dazu führte, dass das Bild nie vergessen wurde, und drittens die bemerkenswerte philosophische Feststellung, dass, wenn der Mensch nicht so früh mit diesen Bildbegegnungen zu Ende käme, das Bild wichtiger sei als er selbst und das Leben.

Wie kommt Bloch dazu, diese fast nicht nachvollziehbare Feststellung zu machen? Befinden wir uns ontogenetisch gesehen beim Knaben Bloch auf einer kulturgeschichtlichen Stufe, die dem magischen oder mythischen Zeitalter entspricht, das Jahrzehntausende gedauert hat, und die in jeder Kindheitsentwicklung in Kürze durchgearbeitet werden muss? Oder was bedeutete es, wenn die Kindheit nicht so schnell mit dem Bilde fertig würde? Bedeutet dies, dass das Bild dann eine Präsenz und Realität bekäme, die das eigene Sein und Leben überböte? Sicher ist, wenn wir Bloch Glauben schenken wollen, dass die Realpräsenz dieses Bildes so groß wäre, dass sie auch bei normaler Kindheitsentwicklung ein Leben lang präsent bliebe und den Menschen bis in den Tod begleiten könnte.

---

[8] Benjamin 1980, 235 ff. Das nachfolgende Kapitel in diesem Band heißt interessanterweise „Denkbilder".

Das Bild besäße demnach eine höhere „Realität" als die Wirklichkeit. Vielleicht ist darin die „Macht" des Bildes zu erkennen (vgl. Grassi 1970). Bloch beendet die zitierte Textpassage aus den *Spuren* mit den Sätzen:

> „Von dem froheren, dem roten Fenster auf der Schachtel war später etwas in dem Dachzimmer eines Sekundaners, der viel älter als ich war und mit dem ich Pulver statt Salz auf Butterbrot aß; vielmehr das Staunen des roten Fensters bekam etwas vom Geruch in diesem Zimmer, wo der Sekundaner auf- und ab-ging, lernte und rauchte, männlich und gelehrt. [...] In ,gebildeten' Bildern oder Büchern ist das Fenster niemals; doch freilich, ich vergesse: das Zimmer in der Bakerstreet, wo Sherlock Holmes wohnt, liegt noch manchmal dahinter: wenn der Regen an die Scheiben schlägt, Sherlock Holmes sitzt mit Dr. Watson am Kamin, und es schellt. Mit dem Fenster wie mit einer Maske angetan trat man heraus und endlich nach außen, ins Freie." (Bloch 1995, 65)

Dieses frühe Erlebnis des roten Fensters begleitet Blochs Entwicklung, wobei sich das erlebte Bild mit Sinnlichkeit anreichert und selber zum Subjekt des *thaumazein* wird. Dieses so verstandene Phänomen wird schließlich zur Maske für den Menschen, die es uns ermöglicht, ins Freie des Denkens zu treten. Wenn ich Bloch hier recht verstehe, ermöglicht erst der gelungene Durchgang durch ein mythisch-bildhaftes Denken den Schritt zum Logos. Die Ausblendung, Un-terdrückung oder Verhinderung eines solchen Denkerlebnisses und Bilddenkens beim jungen Menschen verhinderte geradezu beim Erwachsenen, sich frei im Denken zu bewegen, ja verhindert Erwachsenwerden als solches. Das gewährte Bilddenken ist sozusagen einerseits Voraussetzung und andererseits Garant phi-losophischen Denkens. Erst im Durchgang durch den Mythos lässt sich der Lo-gos entfalten, wird er fruchtbar. Eine Verleugnung der Bilder im Sinne „gebilde-ter" Bilder und Bücher führt zur Unfruchtbarkeit des Denkens und zur Erstar-rung des Geistes und so in eine Sackgasse des Lebens. Das früh erfahrene Bild ist Movens für den Denkweg und das Werk.

> „Aber nun: was war der Anfang, war er nicht ebenso jäh wie ganz, alles mit ei-nem Mal? Dieses in ihm Gemeinte kommt nicht leicht zurück, drängt jedoch immer neu an, als Morgen, der laut und klar werden soll. Viel kam später kon-kret hinzu, oft Unerwartetes, gewiß auch neue Pubertät mit frischen Gesich-tern. Nur: es bleibt bei alldem ein früh Heimliches bestehen, ein rotes Licht am Fenster jeder ersten Konzeption, selber noch nicht angemessen manifestiert, in keinem Geschick, auch in keinem Gebilde." (Ebd. 93)

Affektiver Ausgangspunkt philosophischen Denkens und Fragens scheint nicht nur bei Bloch die staunendmachende Bilderfahrung zu sein, die, bliebe es bei ihr, im Mythischen erstarrte. Die mythische Bilderfahrung wird bei Bloch in die Phi-losophie hinein gerettet. Diese wird aber, indem sie „gedacht wird, verwandelt". „Ihr Negatives wie gegebenenfalls ein in Bildern eingekapseltes Positives, durch Bilder wenigstens Bezeichnetes, treten deutlich hervor." (Bloch 1985, 18)

Exkurs I: Das bikamerale Denken

Blochs Erfahrung des Bildes und ihre Herüberrettung ins philosophische Denken verweisen wie Rombachs Fragestellung auf eine neuropsychologische Problematik, die erst in den letzten Jahrzehnten virulent wurde: auf die Frage nach der Entstehung und dem Ursprung des Bewusstseins. Julian Jaynes legte 1976 eine Theorie zur Entstehung des Bewusstseins vor, die einerseits unglaublich erscheint, andererseits jedoch vieles erklären könnte (Jaynes 1997).

Jaynes geht davon aus, dass der Mensch zwischen 8000 und 1000 vor Christus kein Bewusstsein in unserem heutigen Sinne besaß, sondern dass sein Denken bzw. sein Gehirn bikameral organisiert war. Die linke Gehirnhemisphäre beinhaltet den menschlichen und sprachlichen Teil, die rechte war der Sitz göttlicher Stimmen, halluzinatorischer Stimm- und Bilderscheinungen. Der bikamerale Geist tritt auf, als die Menschen sesshaft wurden und „Städte" gründeten (vgl. Rombach 1977).[9] Das bikamerale System, menschlich/links – göttlich/rechts, koordinierte menschliches Zusammenleben auf der Basis halluzinatorischer Anweisungen, die der Mensch ohne Bewusstsein in seiner rechten Gehirnhälfte produzierte, die er aber als göttliche Stimmen und Anweisungen, die von visuellen Halluzinationen/Bildern begleitet werden konnten, erfuhr. Während Götter in realer Präsenz erfahren wurden, lag eine Geist-Körper-Spaltung (Subjekt-Objekt) noch nicht vor. Real-akustische und real-visuelle Erlebnisse lenkten jedes Handeln.

Nehmen wir Blochs Bilderfahrung, so scheint sie eine späte Folge dieses bikameralen Geistes zu sein, wofür nicht nur Erfahrungen in der Kindheit, sondern auch von Künstlern und Dichtern sprechen. Die Genese unserer Gehirnstruktur oder unserer Geistbildung scheint demnach in uns nach wie vor wirksam zu sein, so dass wie bei Bloch Bilder eine Realpräsenz erhalten, deren Wirkung, da sie ein göttliches Maß implizieren, ein ganzes Leben lang anhalten kann. Würde ihre Wirkkraft nicht durch selbstbewusstes Denken relativiert, wären sie wichtiger als das persönliche individuelle Leben.

Nehmen wir Blochs Kindheitserinnerung „Das rote Fenster" ernst, so können wir mit Jaynes und seiner Theorie schließen, dass die rechte halluzinatorische stimm- und bildgebende Hirnhemisphäre einen nicht zu unterschätzenden Bestandteil der Bewusstseinsentwicklung auch des heutigen Menschen darstellt und Bilderfahrung im Sinne der Chaostheorie sozusagen einen Attraktor geistiger Entwicklung und philosophischen Denkens ausmacht. Wird dies akzeptiert, dann ist ein überzeugendes Argument für eine Bildphilosophie in Rombachs Sinn gefunden, da dieses Denken jedem rationalen und textorientierten Denken

---

[9] Folgende Stufen der Geistbildung lassen sich nach Jaynes unterscheiden: Vor 8000 v. Chr.: keine Differenzierung der Hirnhemisphären, kein Bewusstsein, aber völlige Sprachausbildung; nach 8000 v. Chr.: Ausbildung des bikameralen Systems; nach 1000 v. Chr.: Zerfall des bikameralen Systems und Bewusstseinsbildung.

vorausgeht. In diesem Falle wird es einsichtig, dass das Bild gleiche philosophische Dignität besitzt wie der Begriff.

IV. Das Problem des Bilder-„Lesens"

Da es in einer Zeit wie der unseren, die durch eine hypertrophe Explosion bilderloser Bilder gekennzeichnet ist, nicht leicht fällt, Bilder ihrem Wesen nach adäquat oder im Sinne Rombachs zu lesen, hat schon 1981 Dietmar Kamper in seinem Buch *Zur Geschichte der Einbildungskraft*[10] festgestellt. Er macht deutlich, dass das Bilddenken Rombachs Heideggers Plädoyer für die Rehabilitierung der Einbildungskraft fortsetzt, stellt aber andererseits ebenfalls deutlich heraus, dass das von Rombach in der Einleitung zum *Leben des Geistes* empfohlene Bilder-„Lesen" ein schwieriges Unterfangen ist, wenn man die Vorurteilsstrukturen einer instrumentalisierten Erkenntnis in Rechnung zieht, kurz, wenn man eingesteht, dass die gegenwärtig geübten Erkenntnisweisen ein Bild-Sehen bzw. Bild-Erfahren in einem wesentlichen Sinne nahezu ausschließen (Kamper 1981, 232). Sollte man überhaupt von einem Lesen der Bilder sprechen?[11] Ist doch ein Bild, wenn es wirklich Bild ist, wie Rombach meint, etwas, das alles enthält, weshalb man, anders als im Fall des Textes, mit jedem beliebigen anfangen kann. Cusanisches Denken klingt hier an, was insofern nicht verwunderlich ist, als für Rombach der Struktur-Gedanke auf ihn zurückgeht.

Welche Schwierigkeiten es beim „Lesen" von Bildern gibt, für die im Sinne von Panofskys Ikonologie keine Texte herangezogen werden können, beweisen Bilder steinzeitlicher Höhlenmalerei. Sie mögen hier als „Lese"-Beispiele dienen.

In seiner 1952 erschienen zweibändigen Geschichte der Kunst stellt Richard Hamann bezüglich der frankokantabrischen Höhlenmalereien fest, dass diese Bilder, entgegen ihrer Einschätzung als geniale impressionistische Reproduktionen kurz nach ihrer Entdeckung, nicht die Wiedergabe zufällig-einmaliger optischer Erscheinungen seien: vielmehr begriffene Bilder von Tieren mit der Deutlichkeit von Sehbildern, deren Gedächtniseindruck auf scharfer Beobachtung und ständiger Übung beruht (Hamann 1963, 49) – und aufgrund dieser Funktion mithin nichts anderes als Dokumente magischer Praxis. Interessant ist nun, dass Hamann die historisch spätere vereinfachte Darstellung von Tieren als Höherentwicklung deutet, und zwar in dem Sinne, als der magische Glaube um so gefestigter war, je mehr die Abbildlichkeit auf Zeichen reduziert wurde. Dies sei ein Hinweis auf die fortschreitende Entwicklung vom anschaulichen zum be-

---

[10] Kamper 1981. Kamper unternimmt es dort, Rombachs *Leben des Geistes* in den größeren Rahmen eines „Bilddenkens" nach dem Ende des „Sprachdenkens" und des Niedergangs der Schulphilosophie, die im Gehäuse der neuzeitlichen Begriffsphilosophie erstarrt sei, zu stellen.

[11] Vgl. in diesem Zusammenhang Bätschmann 1988, § 15; auch Rombachs Kritik an Gadamer (Rombach 1991, 78 ff.) sowie Gadamer 1993.

grifflichen Denken, zur Ausbildung der gesprochenen und geschriebenen Sprache. Der Schritt „von der Vollständigkeit des Bildes zur Bedeutungsfülle und Bedeutungskraft des Zeichens, des Symbols, des Wortes" (ebd. 52) ist aber mit dieser Abstraktionstendenz noch nicht vollzogen. Der Begriff hat die Herrschaft über das Bild noch nicht angetreten. Fast scheint es so, als ob ein missverstandener Piaget hier Pate gestanden hätte.[12]

Arnold Hauser, der kurz nach Hamann seine *Sozialgeschichte der Kunst und Literatur*[13] vorlegte, betont hinsichtlich der Höhlenmalerei ihre naturalistische Priorität und weist die These von der Ursprünglichkeit naturferner und stilisierender Kunst ab. Für ihn erweist sich die Höhlenmalerei als eine Analogie zur modernen Kunst. Der impressionistische Charakter der Höhlenbilder ist nur einer der analogen Effekte. Für Hauser erscheint hier die korrekte Wiedergabe der tierischen Wesen bis ins Virtuose gesteigert. Dies ist für ihn Zeichen dafür, dass der Mensch den „wahllos triebhaften Naturzustand" verlassen, den „starren und feste Formeln schaffenden Zivilisationszustand aber noch nicht erreicht hat". Hauser gibt unumwunden zu, dass er „dieser wohl wunderlichsten Erscheinung der Kunstgeschichte" ratlos gegenüber stehe. Im Unterschied zu Hamann sind Höhlenmalereien für ihn keine rationalistischen, also keine nur gedachten und begriffenen Bilder, bei denen das Vorurteil und das Denken dem Bildner zuvorkommt und an einem wirklichen Sensualismus hindert, der die Welt zu sehen in der Lage ist, sondern optisch-organische Bilder. Die paläolithischen Maler können ihre Welt, und das ist in der Regel das Tier, so unmittelbar wiedergeben, weil ihr Intellekt noch nicht die Frische der Erfahrung verstellt und die direkte lebendige Wahrnehmung unterläuft. Die Erfassung des Tieres in seiner Bewegung und Bewegtheit führt zu der uns heute frappierenden Authentizität. Gegen einen Dualismus des Gesehenen und Gewussten, also gegen eine platonisch-cartesische Konstruktion, steht die Einheit der sinnlichen Anschauung der Höhlenmalerei. Während sich Hamann und Hauser in der Funktionsbeschreibung der Höhlenmalerei im Sinne der Magie nicht unterscheiden, widersprechen sie sich hinsichtlich der Wertung aufs schärfste. Hauser leistet aber in der Herausstellung der Bewegungserfassung einen deutlichen Beitrag zur Lesbarkeit der Höhlenbilder, er bringt das Leben in Sicht, für das Spätergeborene oder gar Virtualisierte keinen Blick mehr haben.

---

[12] Piaget wies zwar eine dreistufige Strukturentwicklung des Denkens (kognitive Prozesse) auf: 1. senso-motorische Operationen (bis zum 18. Monat), 2. konkrete Denkoperationen (bis zum 11./12. Lebensjahr), 3. formale Denkoperationen aufgezeigt, aber er hat auch gezeigt, dass Sprache kein unbedingt notwendiges Element des operationellen Denkens ist. Noch entschiedener wendet er sich gegen konventionelle Vorstellungen von der Wahrnehmung. Es wäre lohnend, seine Auffassung vom figurativen Erkennen (Wahrnehmung, „innere Bilder", Gedächtnis), mit Rombachs Modellanalyse der Wahrnehmung (vgl. Rombach 1980, 171 ff.) und mit den neueren Erkenntnissen der Neurobiologie (z. B. Roth 1994) zu vergleichen. Zu Piaget vgl. Furth 1972.

[13] Hauser 1970, 1 ff; schon D.-H. Kahnweilers *Gegenstand der Ästhetik* (1971) von 1915 befasste sich mit dem Phänomen der Höhlenmalerei.

Einen Schritt weiter geht Georges Bataille in *Lascaux oder die Geburt der Kunst* (1955). Er überrascht mit folgender Feststellung:

> „Wir haben doch, alles in allem, dem Erbe unserer unmittelbaren Vorgänger nur wenig hinzugefügt; nichts würde also unsererseits das Gefühl rechtfertigen, mehr zu sein als sie. Der ‚Mensch von Lascaux' aber schuf aus dem Nichts die Welt der Kunst, mit welcher der Geist beginnt, sich mitzuteilen. [...] Seine Botschaft, keiner anderen vergleichbar, geht uns nahe, weil sie die Ganzheit des Menschenwesens in uns anruft. Was uns in Lascaux, in der Tiefe der Erde, verwirrt und erhebt, ist die Vision eines Fernsten, einer unbekannten Tiefe; und was das Verständnis dieser Botschaft erschwert, ist ein nichtmenschlicher Unterton, der sie begleitet. Wir sehen auf den Wänden von Lascaux eine Art von tierischem Reigen. Diese animalische Wesenheit ist nichtsdestoweniger für uns das erste stumme und doch fühlbare Zeichen unserer Gegenwart im Universum." (Bataille 1986, 11)

Bilder, die an und für sich für stumm gehalten werden, verfallen also gerade dann in ein noch größeres Schweigen, wenn keine ursprünglichen Worte sie erläutern können und keine Texte Brücken zum Verständnis bauen. Nehmen wir Bataille ernst, so eignet gerade diesen frühesten Werken der Kunst an ihrem höhlenhaften Ort eine Macht, die überwältigt, ähnlich jenem Gefühl, das uns überkommt, wenn wir die „brennende Gegenwärtigkeit" von Kunst erfahren, die sich „als das Schöne, an das Gemeinsame, an die Milde der Brüderlichkeit wendet".[14] Sieht man davon ab, dass diese Bilder einem wie auch immer gearteten Zweck dienten, scheinen sie nicht nur in einem gefühlsmäßigen Sinne zu bewegen, sondern in einem so elementaren, dass dies letztlich auch „Geist" genannt werden kann. Die elementare Bewegtheit lebendiger Körper wird fühlbar im bewegenden Gefühl und begreifbar im beflügelten Geist. Mit Bataille wird deutlich, dass diese bewegende Kunst, die den Reigen der Tiere zeigt, als Nachahmung nicht darum möglich war, weil magische Zwecke ihre Notwendigkeit aufzeigten, sondern weil sie eben als Kunst schon war. Das Lesen der Höhlenmalerei muss also als ein Erspüren der Bewegtheit tierischen und menschlichen Lebens erfolgen. Hinausreichend über die Erfahrung und Erkenntnis (Gefühl) des Todes, welche schon den Neandertaler auszeichneten, ereignet und konstituiert sich beim homo sapiens qua homo ludens – im Sinne von Georges Bataille – die Übertretung des Verbots in die Bewegtheit des Festes, in die Freiheit: „Ein Kunstwerk oder ein Opfer sind also an jenem festlichen Geiste beteiligt, der die Welt der Arbeit oder den Geist jener, zur Erhaltung der rationalen Welt nötigen, Verbote hinter sich lassen will." (Bataille 1986, 39) Mit Georges Bataille sind wir der Lesbarkeit des Bildes näher gekommen, sofern verstehbar wird, dass ein geistiges Nachvollzie-

---

[14] Bataille 1986, 12. Die magische Funktion, die die Höhlenmalerei auch aufweist, ist für Bataille von sekundärer Natur. Jähnig (1975) tritt entschieden für den Vorrang der Bilder bei der Vergangenheitserkenntnis ein und mobilisiert die Kunst mit ihrer Kraft zur Vergegenwärtigung insbesondere gegen Platon und Hegel.

hen von Bildern ein Einlassen auf die Bewegtheit ist, die sich im Bilde und im Körper des Menschen leibhaft äußert.

Heinrich Rombach zeigt in *Leben des Geistes*, dass die Höhlenmalerei einen Schritt des Menschen hin zu seiner Menschwerdung kennzeichnet. Den Schritt macht der Mensch mit Hilfe seiner Bilder vom Tier. Er wird Mensch in Absetzung gegen das Tier mit Hilfe des Tieres. Im Unterschied zu anderen Autoren bezieht Rombach auch den Ort der Bilder in sein „Lesen" mit ein. Die Höhle wird zu einem Phänomen, das gelesen werden kann. Nicht nur das vom Menschen Hervorgebrachte teilt sich mit, sondern auch das Naturphänomen „Höhle" spricht. Gegen jeglichen Animismus darf an dieser Auffassung festgehalten werden, da sich der Mensch selbst nur in der Abarbeitung an dem ihm als Phänomen Begegnenden hervorbringt. Die Höhle ist für den Menschen das Phänomen der Wandlung, da er an ihr den Übergang vom Außen zum Innen, von Höhe und Tiefe erfährt.

In einer Zeit, die von einem globalen Cyberspace und von digitalen Welten träumt, wo Kraft in PS und Zeit in Megahertz gerechnet werden, scheint es völlig abwegig zu sein, anzunehmen, dass Menschen erfahren könnten, was es heißt, im Anhauch einer Höhle zu stehen, und zu spüren vermöchten, was das Tier für den Menschen bedeutet. Disneyland besitzt eine solche „Authentizität" und Anziehungskraft, dass es unvorstellbar erscheint, Natur, Höhle oder Tier als solche erfahren zu können. Ja, die Künstlichkeit der Welt hat ein Maß erreicht, die zu überwinden keine Sensibilität mehr in der Lage zu sein scheint. Marx' Ausspruch: „Das gesellschaftliche Sein bestimmt das Bewußtsein", scheint um so wahrer zu werden, als das Leben künstlicher und medialer wird. Er gilt um so mehr, als die Krise von Schrift und Begriff deutlicher wird (Flusser 1995, 29 ff.). Gegen die Gegenwart einer babylonischen Bild- und Geistverwirrung arbeitet Rombach an, wie schon der Titel seines Buchs *Der kommende Gott. Hermetik – eine neue Weltsicht* (Rombach 1991a) zum Ausdruck bringt.

Warum aber ist es das Tier, an dem gemessen der Mensch zum Menschen wird? Diese Frage beantworten die Bilder, welche die Menschen hervorgebracht haben, oder besser, die den Menschen in ihrer Selbstfindung zugekommen sind. Die Bilder verraten es selbst, aber nur unter der Bedingung, dass der Mensch die Sensibilität achtet, die den Höhlenmalern eigen war. Sie verraten, dass die Hervorbringung des „tierischen" Bildes eine Voraussetzung der Menschwerdung ist.[15] Sich dem Verraten zu öffnen, ist die Möglichkeit, Rat einzuholen. Wenn sich etwas verrät, muss nicht mehr geraten und mit dem hermeneutischen Blindenstock im Unbekannten gerührt, sondern es muss zugegriffen werden, damit das Verratene nicht wieder verloren geht. „Vom Tiere lernt der Mensch die Eindeutigkeit. Er lernt Leben als Darleben, Darstellung eines Einheitsprinzips für Verhalten und Umgebung, Verfügen und Ziel, Einsatz und Erwartung, Wunsch und Kraft. Gleichgewicht und Übereinstimmung ermöglichen ein schlüssiges

---

[15] Nur indem der Mensch „tierisch" wird, kann er Mensch werden, und indem er das Tier in seiner inneren Bewegtheit erfasst, kann er es in seinem Außen darstellen.

Weltverhalten. Beim Tier hat die Natur für diese Stimmigkeit gesorgt; beim Menschen ist die Stimmigkeit der wichtigste Gegenstand der Sorge. Er lebt nicht geradezu in die Welt hinein, sondern er muß sich zuerst eine Grundprägung geben, eine lebensmäßige Eindeutigkeit, durch die sich Aufnahme- und Handlungsorgane, Weltinterpretation und Vorhaben aufeinander abstimmen und ihm dadurch das Können verleihen. Die Grundprägung nennen wir Stimmung. Ohne Stimmung und Einstimmung kann dem Menschen nichts gelingen – ohne zu etwas gestimmt zu sein, spricht ihn nichts an." (Rombach 1977, 60 f.) Hinzuzufügen wäre: auch kein Bild.

Im Unterschied zu Bataille, für den die Höhlenmalerei das Erscheinen des Menschen in der Kunst darstellt und den Blick dafür freimacht, dass in der Kunst der Geist entsteht, der den Menschen prägt, macht Rombach für die Wahrnehmung des Menschseins und der Genese der Menschwerdung sensibel, indem er den springenden Punkt trifft, der für die Entfaltung des Menschseins sorgt: die Konkreativität.

Exkurs II: Die Begriffsfelder „Bild" und „Begriff" oder:
Was könnte „Ge-sicht" bedeuten?

Wer Philosophie eindeutig auf Begriff, Logik und Argumentation einschränken will, sollte sich vergegenwärtigen, dass die zur Verfügung stehenden Begriffe nicht die Eindeutigkeit besitzen, die ihnen oft unterstellt wird. Es ist auszumachen, in welchen Bedeutungsfeldern Bild und Begriff beheimatet sind und an welchen Stellen sie sich überschneiden, verdecken oder auch auslöschen.

Üblicherweise wird von einem „Bild" angesichts eines materiellen Bildes, das z. B. an einer Wand hängt, gesprochen. Auf gleicher Ebene befindet sich der Text, da dieser auf einer Papierseite geschrieben oder gedruckt ist. In diesem Falle wäre Text analog zu Bild. Bedenkt man weitere Zusammenhänge, so wird ersichtlich, wie nötig eine Phänomenologie dieser Phänomenfelder ist.

Fragen wir weiter nach dem Status des Bildes, dann kann mit Bild auch etwas gemeint sein, das jenseits des Materiellen liegt. Solches wird oft Urbild bzw. Imago oder Eidos genannt. Diesem erst wäre der Begriff analog, da er keine sinnlichen und materialen Qualitäten besitzt. Da aber Bild so sehr dem materiellen Bild oder Gebild verbunden ist, wäre es sinnvoll, das Urbild „Ge-sicht" zu nennen. Im Griechischen bedeutet Eidos auch Gesichtsbildung.[16]

Wenn wir nach dem Ursprung bildlichen Denkens bzw. nach einem Urbild fahnden, scheint es naheliegend, den generativen Ursprung von Bild überhaupt im Gesicht der Mutter zu suchen. Das Gesicht der Mutter ist das erste „Ge-

---

[16] Vgl. auch Wetzel 1997. Die Frage nach dem Status des Bildes wird ausführlich in Boehm (Hg.) 1994 diskutiert. Das „Spiegelstadium" Lacans, das in Kampers Denken eine bedeutende Rolle spielt, wäre an dieser Stelle ebenfalls diskutierenswert (Lacan 1986, 61 ff.). Vgl. auch Belting 2001.

sicht" des Menschenkindes und erster Baustein einer Weltsicht überhaupt.[17] Es folgt dem intrauterinen Gehör, der Vertrautheit mit der Stimme (vgl. Sloterdijk 1998). In der ersten Auflage von Rombachs *Die Gegenwart der Philosophie* findet sich die Schilderung einer Begebenheit in Russland während des Zweiten Weltkrieges, die in der zweiten Auflage gestrichen wurde. Rombach berichtet dort von einer alten Frau, die einer Gruppe Soldaten begegnete, die sie aber nicht wahrnahm. „Ihr Gesicht ist nur Weinen, ein blickloses und fassungsloses Weinen."

> „An diesem Gesicht, an dieser Gestalt, an diesem Gehen und Taumeln wird die Geschichte zuschanden. Das ist so, weil die Geschichte mit all ihren Kategorien und Bedeutungen diesem Gesicht nicht begegnen, ihm nichts geben, seine Realität für es selbst mit nichts beantworten kann. Das Gesicht zeigt sein unerhörtes Maß, das Gewicht an Wirklichkeit, die in ihm zugegen ist. Es hat einen Rang und einen Anspruch, an dem gemessen die Ereignisse ringsumher aufhören, ein Ereignis zu sein. [...] Das Gesicht gibt sich nur zu sehen – und zu ‚erkennen'; aber es selber sehen und seine Unaufwiegbarkeit erkennen ist ein und dasselbe." (Rombach 1962, 114)

Die Bedeutung der Wahrnehmung des Gesichts ist m. E. einer der zentralen Erfahrungskerne in Rombachs Bilddenken und mitmenschlicher Kommunikation überhaupt. Nicht zufällig endet Rombachs *Gegenwart der Philosophie* und beginnt *Das Leben des Geistes* mit Bildern, die das Phänomen Gesicht hervorheben. Im Anschluss an die Zeichnung einer Frau, die ihr Gesicht mit den Händen verdeckt, blickt den Leser in *Das Leben des Geistes* von einem Foto eine Frau an, in deren Zügen und Blick eben jenes Erleben zum Tragen kommt, das Rombach meint, wenn er von Geist spricht (Rombach 1977, 9 f.; auch Wisser 1999, 379 ff.).

Das Gesicht und damit das Bild erzählen nicht dies und das eines Lebens, so wie es jemand erlebt hat, sondern das Leben als solches, seine Bewegtheit, seinen Verlauf und seine Kristallisation. Das Gesicht ist das Bild einer Welt. Das Gesicht als solches und damit das Bild sind keine Garanten gegen die Verherrlichung der Geschichte, sondern ihr Mal und Maß (vgl. Wisser 1997). Sehen ist dann aber Erkennen.

---

[17] Vgl. Rombach 1994, 98 ff. („Die Bipedie, oder die Erfahrung des aufrechten Ganges.") Erwähnenswert auch folgende Ausführungen Milan Kunderas in seinem Essay zu Francis Bacon: „Was bleibt nun, wenn man bis dahin hinabgestiegen ist? Das Gesicht. Das Gesicht, das ‚jenen Schatz, jenen Goldklumpen, jenen verborgenen Diamanten' birgt, der das unendlich fragile, in einem Körper lebende ‚Ich' ist. Das Gesicht, auf das ich meinen Blick richte, um darin einen Grund zu finden, ‚diesen Zufall ohne Sinn' zu leben, der das Leben ist." (Kundera 1996, 18).

V. Hermetische Philosophie als Schlüssel zu Welt und Bild

Seit Heidegger ist es zwar kein allgemeiner Konsens, aber eine oft verwendete Denkfigur, dass mit dem Vergehen einer Welt – im Sinne Heideggers und Rombachs – auch das Kunstwerk und das künstlerische Ge-bild untergehen. Es scheint völlig zutreffend zu sein, dass das Kunstwerk, das es zu bestimmten Zeiten gab, in anderen Welt-Zeiten nicht mehr „lesbar" und im eigentlichen Sinne nicht mehr verstehbar ist. Das ehemals weltaufschließende, ja weltaufstellende Ge-bild ist für Nachgeborene stumm, woraus Hermeneutik und Ikonologie die Motivation für ihre Versuche entnehmen. Gabriel Liiceanu schreibt in seinem Beitrag für die Gedächtnisschrift zum 100. Geburtstag Heideggers:

> „Wer nicht in die Welt des Kunstwerks gehört, ist dazu verurteilt, in der Äußerlichkeit zu verbleiben, die das Werk den Nachfahren zuwendet. Damit wird jeder Bezug zum Kunstwerk, der nicht ein Leben in der Welt des Werkes ist, zu einem bloßen Kunstbetrieb – eine Tätigkeit, die das Werk bloß in seiner Äußerlichkeit, d. h. als Gegenstand, betrifft. Die Ästhetik, die Kunstwissenschaft und die Kunstgeschichte sind nur uneigentliche Tätigkeiten, insofern ihnen das Kunstwerk nur noch seine Uneigentlichkeit ausliefert: sein Gegenstandsein statt seines Werkseins, seine Äußerlichkeit statt seiner Innerlichkeit, die Spur eines Geschicks statt des Geschicks selbst." (Liiceanu 1989, 209)

Wenn dem so ist, wofür Vieles spricht, scheinen eine Rückgewinnung anderer Welten aussichtslos oder zumindest Zugänge zu anderen Welten versperrt, wie sie sich in Werken der Kunst – in Gebilden, in Bildern und Gestalten – zeigen. Wir wären dazu verurteilt, Bildern, wie sie die Höhlenmalerei bietet, nur auf der dinghaften oder ästhetischen Ebene zu begegnen, sie rein ästhetisch auszulegen.[18] Jeder Zugang zur Welthaftigkeit der Bilder wäre verschlossen. In Anbetracht der oben angeführten Interpretationsbeispiele wird klar, was das bedeutet. Mit Hamann und Hauser betreten wir die Felder von Kunsthistorik und Kunstsoziologie, mit Bataille den Bereich einer philosophischen Ästhetik, die sich schon weit über hermeneutische Grenzen hinausgewagt hat. Bei Hamann bleiben die Bilder weltloser als bei Hauser, weil ein eindeutiger Funktionszusammenhang behauptet wird und formalästhetische Kriterien die Oberhand gewinnen. Demgegenüber spürt man bei Hauser, wie er für den übergreifenden Zusammenhang, in dem Bilder stehen, eintritt, und man merkt die Tendenz, die Werke der Frühe mit der Gegenwart zu verbinden. Erst Bataille gelingt es, bei aller Betonung des Geheimnisses, Rätsels und Wunders steinzeitlicher Höhlenmalerei, einen Zusammenhang mit dem Menschen als solchem, und das heißt auch mit uns, sicht- und fühlbar zu machen, indem er nicht davor zurückscheut, die Werke der Höhlenmaler den Leistungen der Spätgeborenen gleichzusetzen. Bataille steht an der Schwelle einer ihm fremden, einer anderen Welt, man spürt seine Bereitschaft, sie zu öffnen und den Glauben, sie öffnen zu können.

---

[18] Inwieweit ein Fehlverständnis von Ästhetik und Aisthesis der Grund für eine solche Verkürzung der Zugangsdimension ist, müsste eigens bedacht werden.

Würde nicht Heidegger selbst in seinem Kunstwerkaufsatz davon gesprochen haben, dass auch die Bewahrenden und nicht nur die Schöpfer dem Wesen eines Kunstwerks angehören, fiele es schwerer, hier einer Lösung näher zu kommen. Die Frage lautet, ob die Bewahrenden diejenigen sind, die noch in der Welt des Kunstwerks leben und dieselbe offen halten, oder sind Bewahrende auch die, die angesichts eines Werkes der Kunst eine vergangene Welt wieder zu eröffnen in der Lage sind? „Wer sind diese Bewahrer, die sich wohl grundlegend von den gewöhnlichen, ‚uneigentlichen', Empfängern oder Auslegern des Kunstwerkes unterscheiden?" (Liiceanu 1989, 209) Liiceanu stellt zwar diese Frage, beantwortet sie aber nicht. Sehen wir bei Heidegger selber nach.

„Die Kunst läßt die Wahrheit entspringen. Die Kunst entspringt als stiftende Bewahrung die Wahrheit des Seienden im Werk. Etwas erspringen, im stiftenden Sprung aus der Wesensherkunft ins Sein bringen, das meint das Wort Ursprung. Der Ursprung des Kunstwerkes, d. h. zugleich der Schaffenden und der Bewahrenden, das sagt des geschichtlichen Daseins eines Volkes, ist die Kunst. Das ist so, weil die Kunst in ihrem Wesen ein Ursprung und nichts anderes ist: eine ausgezeichnete Weise wie Wahrheit seiend und d. h. geschichtlich wirklich wird. [...] Solches Besinnen vermag die Kunst und ihr Werden nicht zu erzwingen. Aber dieses besinnliche Wissen ist die vorläufige und deshalb unumgängliche Vorbereitung für das Werden der Kunst. Nur solches Wissen bereitet dem Werk Raum, den Schaffenden den Weg, den Bewahrenden den Standort." (Heidegger 1971, 64 f.)

Heidegger spricht in dreifachem Sinn von Bewahrung: 1. Kunst selbst west als Bewahrung der Wahrheit; sie ist ein Wahrheitsmodus. 2. Der Ursprung des Kunstwerks ist zugleich der Ursprung der Schaffenden und der Bewahrenden. 3. Das Besinnen auf das Wesen der Kunst ist Vorbereitung für den Standort der Bewahrenden. Mit keinem Wort spricht Heidegger von Bewahrenden, denen es möglich ist, die vergangene Welt eines Kunstwerkes wieder zu öffnen und zu begehen. Er spricht eindeutig von einem neuen Standort, der dem besinnend Bewahrenden schöpferisch gegeben wird, in eins mit dem Raum der Kunst und dem Weg des Schaffenden.

Die Vermutung, mittels einer schnell handhabbaren Methode einer vergangenen Welt habhaft zu werden, erweist sich, liest man Heidegger korrekt, als Sackgasse. Die Bewahrenden können nur so verstanden werden, dass sie selbst im Aufgang einer neuen Welt bewahrend an der Aufstellung eines Kunstwerkes teilnehmen, indem sie wahr-nehmen. Bewahrung scheint in Wahrnehmung zu wurzeln, einer Wahrnehmung, die den Grund legend sich damit grundlegend von jeder Wahrnehmung abhebt, die in einem Missverständnis ihrer selbst nur dazu fähig ist, sinnliche Äußerlichkeit zu vermerken, und sich ihrer Herkunft aus dem Grunde nicht bewusst ist, weil sie Sinnlichkeit und Äußerlichkeit schon missversteht.[19]

---

[19] An dieser Stelle müsste Rombachs Auffassung von Wahrnehmung rekapituliert werden (Rombach 1980, 171 ff; zur Lippe 1987).

Für die Bewahrenden besteht für die Wiedereröffnung einer vergangenen Welt wohl nur eine Möglichkeit, nämlich dann, wenn sie selbst wieder Bewahrende werden können, die den Neuaufgang einer Wahrheit, d. h. den einer Welt und eines Werkes, eräugen. Indem die so verstandenen Bewahrenden und damit auch die Erschaffenden welt-haftig und in einem entschieden schöpferischen Sinne wahr-haftig werden, könnte es ihnen gelingen, vergangene Welten in ihrem Ursprung zu sehen. Das Denken Heinrich Rombachs weist in diese Richtung.

Die Frage ist: Gibt es einen Weg zu den Welten und Werken, die für uns nicht mehr Gegenwart sind oder, mit Hegel gesprochen, die für uns als Kunst keine „höchste Bestimmung" mehr besitzen? Gibt es einen Weg hinüber, ein Transzendieren, das die Übertragung von einer Welt in eine andere ist? Eine Übertragung vielleicht im Sinn jener Übersetzung, von der Benjamin spricht, wenn er schreibt: „Denn in irgendeinem Grade enthalten alle großen Schriften, im höchsten aber die heiligen, zwischen den Zeilen ihre virtuelle Übersetzung. Die Interlinearversion des heiligen Textes ist das Urbild oder Ideal aller Übersetzung." (Benjamin 1980, 21) Nach Benjamin enthält jedes Kunstwerk schon die eigentliche Übersetzung, da das Hervorbringen des Werkes wie auch die spätere Übersetzung an ein und derselben Aufgabe beteiligt sind, nämlich an der Wahrheit der Sprache, oder mit Bloch formuliert, am Prozessieren der wahren Sprache (ebd. 16).

In Bezug auf Rombach können wir die hier sowohl von Heideggers Kunstwerkaufsatz wie von Gedanken Benjamins her entwickelten Fragen mit einem eindeutigen Ja beantworten. Mit Recht kann gesagt werden, dass Rombach Heideggers Fundamentalhermeneutik, die das Welten von Welt in Sicht bringt, zu einer Tiefenhermeneutik qua Hermetik radikalisiert. Folgt man Rombach, dann kann die Frage nach der Bedeutung der Bewahrenden in dem Sinne beantwortet werden, als sie die Welt der Werke mittels des hermetischen Wegs wieder eröffnen können. Rombachs Denkweg ist daher der Weg einer kritischen Kritik hermeneutischen Verstehens; und die von ihm ausgearbeitete Hermetik ist diejenige Philosophie, die eine einseitige Hermeneutik in ihre Grenzen verweist, indem sie deren Absolutheitsanspruch abwehrt (Rombach 1991a, 78 ff.).

Mit Rombach erlangen gegenüber dem Text und der Sinnfigur das „Bild" (Gestalt) wieder die Würde, die ihm zukommt, und das Sehen eine Dignität, die sich dem Verstehen und „Lesen" nicht zu unterwerfen braucht.[20] So können nicht nur auf hermeneutischen Wegen Horizonte ausgeschritten, sondern Welten, vergangene und zukünftige, erschlossen werden. Welten zu eröffnen, gründet aber in der Konkreativität, in die Natur und Mensch gemeinsam gestellt sind. Dies bedeutet aber wiederum, dass nicht nur bewährte Konzepte preiszugeben und liebgewordene Gewohnheiten über Bord zu werfen sind, sondern der Ursprung wahrgenommen werden muss, der in einem wesentlichen Sinn als Woh-

---

[20] Rombach 1991a, 90 ff. Von hier aus könnte eine produktive Kritik gegenwärtig üblicher Bilderwelten und ihrer Konsumierung erfolgen (vgl. dazu Wisser 1988, 59 ff; Kamper 1994, 73 ff.).

nung dient. Einen neuen Standort zu beziehen, bedeutet nicht mehr nur, seine Perspektive wechseln zu können, sondern das Risiko einer Einwohnung an einem neuen Ort, wie ihn z. B. die Kunst gewährt, in Kauf zu nehmen. Hier ist ein Wahrnehmen gefordert, das weder Ruhe im Gegenständlichen noch im nur Sinnhaften findet, sondern sich im Zwischen, als Struktur in der Genese, wiederfindet.

Literatur

Adorno, Th. W. (1973): *Philosophische Terminologie*, Frankfurt/M.

Bataille, G. (1986): *Lascaux oder die Geburt der Kunst*, Genf 1986 [1. Aufl. Genf 1955].

Bätschmann, O. (1988): *Einführung in die kunstgeschichtliche Hermeneutik*, Darmstadt.

Belting, H. (2001): *Bild-Anthropologie. Entwürfe für eine Bildwissenschaft*, München.

Benjamin, W. (1980): *Gesammelte Schriften*, Bd. IV.1, Frankfurt/M.

Biser, E. (1973): „Bild", in: *Handbuch philosophischer Grundbegriffe*, Bd. I, München, 247-255.

Bloch, E. (1985): *Antike Philosophie. Leipziger Vorlesungen zur Geschichte der Philosophie*, Bd. 1, Frankfurt/M.
- (1995): *Spuren*, Frankfurt/M., 9. Aufl.

Boehm, G. (Hg.) (1994): *Was ist ein Bild?*, München.

Danto, A. C. (1993): *Die philosophische Entmündigung der Kunst*, München.

Dümpelmann, L. u. R. Hüntelmann (1991): *Sein und Struktur. Eine Auseinandersetzung der Phänomenologien Heideggers und Rombachs*, Pfaffenweiler.

Fellmann, F. (1998): *Orientierung Philosophie. Was sie kann, was sie will*, Hamburg.

Flusser, V. (1995): „Die kodifizierte Welt", in: ders.: *Die Revolution der Bilder. Der Flusser Reader zu Kommunikation, Medien und Design*, Mannheim, 29-37.

Furth, H. G. (1972): *Intelligenz und Erkennen. Die Grundlagen der genetischen Erkenntnistheorie Piagets*, Frankfurt/M.

Gadamer, H.-G. (1993): *Kunst als Aussage (Gesammelte Werke*, Bd. 8), Tübingen.

Grassi, E. (1970): *Macht des Bildes: Ohnmacht der rationalen Sprache*, Köln.

Hamann, R. (1963): *Geschichte der Kunst* [Taschenbuchausgabe], Bd. I, München.

Hauser, A. (1970): *Sozialgeschichte der Kunst und Literatur*, München.

Heidegger, M. (1971): „Der Ursprung des Kunstwerkes", in: ders.: *Holzwege*, Frankfurt/M., 7-68.

Jähnig, D. (1975): *Welt-Geschichte: Kunstgeschichte. Zum Verhältnis von Vergangenheitserkenntnis und Veränderung*, Köln.

Jaynes, J. (1997): *Der Ursprung des Bewußtseins*, Reinbek.

Kahnweiler, D.-H. (1971): *Der Gegenstand der Ästhetik* [1915], München.

Kamper, D. (1981): *Zur Geschichte der Einbildungskraft*, München/Wien.
– (1994): „Wege aus der Bilderhöhle: Das Aufklaffen der Immanenz", in: ders.: *Bildstörungen. Im Orbit des Imaginären*, Stuttgart, 73-91.

Kundera, M. (1996): „Essay zu Francis Bacon", in: *Francis Bacon. Porträts und Selbstporträts*, München.

Lacan, J. (1986): „Das Spiegelstadium als Bildner der Ichfunktion" [1949], in: ders.: *Schriften I*, Weinheim, 61-70.

Liiceanu, G. (1989): „Zu Heideggers ‚Welt'-Begriff in ‚Der Ursprung des Kunstwerkes'", in: *Kunst und Technik. Gedächtnisschrift zum 100. Geburtstag von Martin Heidegger*, Frankfurt/M., 205-215.

zur Lippe, R. (1987): *Sinnenbewußtsein. Grundlegung einer anthropologischen Ästhetik*, Reinbek.

Rombach, H. (1952): „Über Ursprung und Wesen der Frage", in: *Symposion. Jahrbuch für Philosophie* 3, 135-236; 2. Aufl. Freiburg i. Br. 1988.
– (1962): *Die Gegenwart der Philosophie. Eine geschichtsphilosophische und philosophiegeschichtliche Studie über den Stand des philosophischen Fragens*, Freiburg/München.
– (1966): *Substanz, System, Struktur. Die Ontologie des Funktionalismus und der philosophische Hintergrund der modernen Wissenschaft*, 2 Bde., Freiburg/München.
– (1971): *Strukturontologie. Eine Phänomenologie der Freiheit*, Freiburg/München.
– (1974): *Wissenschaftstheorie*, Freiburg/Basel/Wien.
– (1977): *Leben des Geistes. Ein Buch der Bilder zur Fundamentalgeschichte der Menschheit*, Freiburg/Basel/Wien.
– (1980): *Phänomenologie des gegenwärtigen Bewußtseins*, Freiburg/München.
– (1981): *Sein und Nichts. Grundbilder westlichen u. östlichen Denkens*, zus. m. K. Tsujimura u. R. Ohashi, Freiburg/Basel/Wien.
– (1983a): *Welt und Gegenwelt. Umdenken über die Wirklichkeit: Die philosophische Hermetik*, Basel.
– (1983b): „Der Frieden alles Friedens. Hölderlins Universaltheologie", in: J. J. Petuchowski, H. Rombach u. W. Strolz: *Gott alles in allem. Religiöse Perspektiven künftigen Menschseins*, Freiburg i. Br., 41-75.
– (1987): *Strukturanthropologie. „Der menschliche Mensch"*, Freiburg/München.
– (1988): *Die Gegenwart der Philosophie. Eine geschichtsphilosophische und philosophiegeschichtliche Studie über den Stand des philosophischen Fragens* [1962], 3., neu bearb. Aufl. Freiburg/München.
– (1989): „Die Seinsgeschichte als Epoche auf dem Wege der Menschheit – Versuch einer Ortung des Denkens von Martin Heidegger im Gesamthorizont der Kulturen", in: T. Buchheim (Hg.): *Destruktion und Übersetzung. Zu den Aufgaben von Philosophiegeschichte nach Martin Heidegger*, Weinheim, 171-176.
– (1991a): *Der kommende Gott. Hermetik – eine neue Weltsicht*, Freiburg i. Br.
– (1994a): *Der Ursprung. Philosophie der Konkreativität von Mensch und Natur*, Freiburg i. Br.
– (1994b): *Phänomenologie des sozialen Lebens. Grundzüge einer Phänomenologischen Soziologie*, Freiburg/München.

– (1996): *Drachenkampf. Der philosophische Hintergrund der blutigen Bürgerkriege und die brennenden Zeitfragen*, Freiburg i. Br.

Roth, G. (1994): *Das Gehirn und seine Wirklichkeit. Kognitive Neurobiologie und ihre philosophischen Konsequenzen*, Frankfurt/M.

Sloterdijk, P. (1998): *Sphären I*, Frankfurt/M.

Wetzel, M. (1997): *Die Wahrheit nach der Malerei*, München.

Wisser, R. (1963): „Auftakt einer neuen Philosophie", in: *Frankfurter Allgemeine Zeitung*, 2. April.

– (1988): „Der ‚blinde Fleck' im Fernsehen oder Nachdenken über Bilderwelten und Weltbilder", in: *1. Schulmedientage von Rheinland-Pfalz*, Bad Kreuznach, 59-73.

– (1996): *Philosophische Wegweisung. Versionen und Perspektiven*, Würzburg.

– (1997): *Kein Mensch ist einerlei. Spektrum und Aspekte „kritisch-krisischer Anthropologie"*, Würzburg.

– (1998): *Vom Weg-Charakter philosophischen Denkens. Geschichtliche Kontexte und menschliche Kontakte*, Würzburg.

– (1999): „Karl Jaspers: ‚Die Philosophie soll nicht abdanken. Am wenigsten heute.' Eine Portrait-Skizze", in: ders.: *Vom Weg-Charakter philosophischen Denkens*, Würzburg.

Wust, P. (1988): *Ungewißheit und Wagnis*, 8. Aufl. München.

Heinrich Rombachs philosophische Hermetik: Lehre von der Verschlossenheit

Gudrun Morasch

Eine besondere Stellung im Werk Heinrich Rombachs nimmt die von ihm entwickelte philosophische Hermetik ein: die Lehre von der Verschlossenheit, vom Nicht-Verstehen (vgl. Rombach 1983, 16 f., 20). Ausgehend von der weitverbreiteten, bis hin zu tödlichen Auseinandersetzungen führenden Unfähigkeit der Menschen, sich untereinander zu verständigen und in Frieden miteinander zu leben, vertritt die Hermetik ein ganz besonderes und die herkömmliche (abendländische) Philosophie in vielen Punkten herausforderndes Verständnis nicht nur von den Bedingungen der Möglichkeit einer zwischenmenschlichen Verständigung, sondern von Mensch und Wirklichkeit überhaupt. Rombach selbst liegt dieser Ansatz in besonderer Weise am Herzen: Seines Erachtens ist er für das menschliche Leben, ja: *Über*leben von entscheidender Bedeutung. Im Folgenden werden die Inhalte der philosophischen Hermetik dargelegt und kritisch gewürdigt.[1]

I. Darstellung

Laut Rombach befindet sich die Menschheit in einem tiefgreifenden Umbruch, an dessen Ende der ‚menschliche Mensch' oder kein Mensch mehr stehen wird: Die heute auftretenden, die ganze Erde betreffenden Probleme (wie Ökologieproblematik, Nord-Süd-Konflikt etc.) drohten alles Leben entscheidend zu beeinträchtigen oder sogar völlig zu vernichten. Nach Rombach sind diese Schwierigkeiten im Wesentlichen auf Kommunikationsprobleme zurückzuführen, die wiederum einer falschen Sicht der Wirklichkeit entsprängen: dem apollinisch-hermeneutischen Tagdenken, das seit zweieinhalb Jahrtausenden die abendländische Geistesgeschichte beherrsche. Dieses Denken betrachte schlechthin alles in Bezug auf seine Erkennbarkeit, sei jedoch zugleich unfähig, die *Wahrheit* der Dinge zu erfassen. Nicht nur um die drohenden Gefahren abzuwenden, sondern

---

[1] Eine ausführliche Behandlung dieser Thematik findet sich in Morasch 1996.

um überhaupt zu einem erfüllten Leben miteinander zu kommen, bedarf es nach Rombach eines Umdenkens über die gesamte Wirklichkeit, konkret: der philosophischen Hermetik, die einen echten und heilbringenden Gegensatz zur Apollinik darstellen soll.[2]

1. Hermetik und Apollinik

Rombach zufolge liegt die eigentliche Wurzel alles menschlichen Elends in der Verabsolutierung einer ganz bestimmten menschlichen Selbstauslegung: des auf die Gestalt des griechischen Gottes Apollon zurückgehenden – und deshalb als ,apollinisch' bezeichneten – Licht- und Seinsdenkens, das alles Seiende ausschließlich auf seine Erkennbarkeit hin ansehe. In besonderer Weise werde dieses Denken von der neuzeitlichen Wissenschaft, vor allem aber von der Hermeneutik als der Lehre vom Verstehen verkörpert. Im Zuge seines einseitigen Erkenntnisideals versuche dieses Denken schlechthin alles – sogar Nacht und Nichts – erkennend ans Licht zu ziehen und öffentlich zu machen, um es so zu beherrschen; eine Verschlossenheit der Dinge werde nicht gewahrt. Gleichzeitig beanspruche es, prinzipiell zu absoluter Erkenntnis fähig zu sein. Rombach zufolge irrt dieses Denken von Grund auf: Seine Annahmen entsprächen lediglich einer Verfallsform der Wirklichkeit. Von außen auf die Dinge zugehend, sie nach äußeren, ihnen fremden Hinsichten beurteilend, werde alles in bereits bestehende Horizonte eingeordnet, damit aber nicht in seiner eigenen Wahrheit erfasst. Zugleich werde alles auf ein statisches Sein festgelegt; Bewegung sei nur noch als akzidentelle, nicht aber für das *Wesen* einer Sache möglich. Als Folge dieser Einstellung würden jedoch nicht nur die jeweiligen Dinge, sondern auch der Mensch, sein Denken und das Leben überhaupt ,fest-gestellt'. Wirkliche Erkenntnisse würden ebenso unmöglich wie Lebendigkeit, Offenheit und Weiterentwicklung. Aufgrund der Illusion, der Mensch könne selbstmächtig erkennen, handeln und über alles verfügen, werde diesem zugleich zu Unrecht eine Sonderstellung zugesprochen. Damit entstehe aber keine humane, sondern eine ,humanizistische' Welt.[3]

Diesem seines Erachtens äußerst gefährlichen, da einseitigen Denken setzt Rombach die philosophische Hermetik als die „,Lehre' der Verschlossenheit" (Rombach 1983, 17), vom Nicht-Verstehen, entgegen, die ebenfalls eine lange Tradition habe, von der Apollinik aber immer unterdrückt worden sei (vgl. ebd. 16 f., 20, 55, 93, 99). Als Sinnbild der Hermetik gilt Hermes, der Halbbruder Apollons aus der griechischen Mythologie (vgl. ebd. 17, 84): Als Bote zwischen den (verschiedenen menschlichen Lebens-) Welten ist Hermes der Gott der Ei-

---

[2] Vgl. Rombach 1991, 10; 1988b, 367 ff.; 1977b, insbes. 44 f.; 1983, 91 ff.; 1987, 11 ff.
[3] Vgl. Rombach 1991, 99 f.; 1983, 16 f., 84 ff., 91 ff.; 1977a, 264 ff.

genheiten, der dieses wichtigste Gut eines jeden sowohl verleiht als auch schützt, der Gott der Verschlossenheit, der Widerfahrnisse sein lässt, anstatt sie umzudeuten, und der Gott der Grenze, des Weltenunterschieds (vgl. ebd. 26-48). Entsprechend geht es der Hermetik darum, das Wissen von der Unbegreiflichkeit wach zu halten und die Dinge vor dem apollinisch-hermeneutischen Zugriff zu schützen (vgl. ebd. 16 f., 93, 120 f., 173). Ihre Prinzipien sind Nicht-Verstehen, Verschlossenheit und die Dynamik des Werdens im Unterschied zu einem statischen Sein (vgl. ebd. 20). Indem sie am Prinzip der Erkenntnis Kritik übe und die Unkenntnis sowie das Recht auf Verschlossenheit schütze, ohne selbst wieder vom Horizont des Erkennens auszugehen, soll die Hermetik eine echte Gegenbewegung zum apollinischen Tagdenken bilden (vgl. ebd. 16 f., 91 ff.). Zugleich soll jedoch auch sie einen Weg zur Erkenntnis verkörpern, und zwar den einzig zutreffenden, da es hier um die Sache bzw. die Wirklichkeit selbst gehe. Im hermetischen Verstehen würden die Dinge nicht festgestellt, sondern zu ihrer Selbsttranszendenz und damit Selbstwerdung inspiriert, an der auch der Hermetiker teilnehme: In Anerkennung der grundlegenden Verschlossenheit einer menschlichen Lebenswelt riskiere er zusammen mit der jeweiligen Sache den Sprung in eine gemeinsame neue Welt, die er damit von innen heraus rein und unverfälscht, ja: besser als der hier Beheimatete erkenne. Allein ein solches Verstehen sei menschlich zu nennen; nur so sei Verständigung möglich.[4]

2. Der Mensch und seine Welt

Rombach zufolge ist alles Seiende struktural vorzustellen: Alles geschieht in Strukturen und nur dort. Struktur ist dabei nicht Verfassung, sondern Genese – eine fundamentale Bewegung *vor* allem Sein. Die einzelnen Momente haben keine Substanz, sondern sind ausschließlich durch ihre Relationen untereinander bestimmt. Zwischen Teil und Ganzem herrscht strukturelle Identität, das heißt, das Ganze ist in jedem Einzelmoment – in je verschiedener Artikulation – ganz da; alles, was einen Teil angeht, betrifft in gleicher Weise auch das Ganze bzw. alle anderen Teile (vgl. Rombach o. J., 3; 1988b, 25-34, 61 f.).

Auch der Mensch ist Struktur in diesem Sinne. Er hat keinen unveränderlichen, substantiellen Kern, sondern entspricht dem Gesamt seiner Relationen. Zusammen mit seiner jeweiligen Umwelt bildet er eine einzige Struktur und konstituiert sich als solche je neu.[5] Diese Selbststrukturierung ist eine den ganzen Menschen und das ganze Leben umfassende ‚Totalleistung‘, die bereits *vor* jeder Unterscheidung zwischen Mensch und Wirklichkeit, Dasein und Sein geschieht

---

[4] Vgl. ebd. 80, 93, 97, 110 f., 135, 173, 175; 1991, 38, 48; 1987, 128 ff., 218, 255 ff.; 1980, 267 ff.; 1988b, 91; 1977b, 47 ff.

[5] Vgl. Rombach 1987, 127 ff., 252, 281 ff., 428; o. J., 3.

und in Konkreativität, das heißt in gemeinsamem Tun und Hervorgang mit der vorgegebenen Wirklichkeit, stattfindet.[6] Allerdings bildet der Mensch nach Rombach insofern eine besondere Daseinsstruktur, als er in besonderer Weise befähigt sein soll, alles zu seiner Selbstübersteigung zu befreien (vgl. Rombach 1991, 100). Konkret wird die Selbstgestaltung des Menschen darin gesehen, dass er eine je neue, aus verschiedenen Grundphänomenen zusammengesetzte Grundstruktur entwickelt, die ihn und sein Verhalten von Grund auf bestimmt (vgl. Rombach 1987, 133 ff.; 1977a, 7; 1988a, 167 ff.). Eines dieser Grundphänomene ist die Situation (vgl. Rombach 1987, 137).

Rombach zufolge bildet die Situation die Grundform menschlichen Daseins. Alles wird in Situationen gegeben und nur dort, ja: der Mensch findet sich solchermaßen schon immer als in-einer-Situation-stehend vor, dass er dadurch von Grund auf konstituiert wird: Er erfährt sich niemals ,an sich', sondern nur als das ,Wem' der Gegebenheit, aus dem sich das ,Wer' erst nachträglich ableitet. Die menschliche Identität ist somit die Antwort ,des' Menschen auf seine schlechthin vorgängige Betroffenheit durch die Situation, gewissermaßen die Artikulation dieser Betroffenheit (vgl. ebd. 138 f., 145 ff., 281 ff.). Jeder Angang durch eine Situation ruft einen transzendentalen Einbruch hervor – den vollständigen Verlust der letztgewonnenen Identität –, aus dem heraus dann der Sprung zur nächsten, von der neuen Situation bestimmten Identität erfolgt (vgl. ebd. 167, 209, 252). Die menschliche Identität ist damit nichts Statisches, sondern wird jeweils völlig neu konstituiert (vgl. ebd. 286 f.). Wenngleich sie strikt von der jeweiligen Situation vorgegeben wird, soll dem Menschen aber die *Identifizierung* mit einer Situation offen stehen (vgl. ebd. 204, 218, 239, 252).

Die konkrete, interpretativ gestaltete Situation wird als ,Welt' bezeichnet und gilt als grundlegende Weise menschlicher Selbstauslegung (vgl. ebd. 411 f.; 1980, 295; 1983, 22 ff.). Sie ist nicht Gegenstand des Bewusstseins oder Erscheinungshintergrund von schon Vorhandenem, sondern bildet den Hintergrund, auf dem es erst Fälle und Gegenstände *geben* kann; sie ist Grundlage allen Erlebens (vgl. Rombach 1991, 42, 46 f., 50 f.), das Bedingungsraster, das sich aus den transzendentalen Grundstrukturen und den Tiefendimensionen der Kommunikation ergibt und jegliches Verstehen, Handeln und Erfahren eines Menschen von Grund auf ermöglicht und bestimmt (vgl. Rombach 1977b, 41). Entsprechend umfasst jede Welt die ganze Wirklichkeit - schlechthin alles ist nach innen gegeben (Rombach 1987, 218, 406, 412).

Welt und Ich bilden eine unauflösliche Einheit (vgl. Rombach 1983, 130): Eine Welt ist „je die ,meine'" (Rombach 1991, 46). Wer ,seine' Welt – und das heißt sich selbst – gefunden hat, ist heil und ganz, das heißt mit seiner Wirklichkeit ,idemisch' (vgl. Rombach 1987, 248). Entsprechend ist eine Welt bis ins

---

[6] Vgl. Rombach 1988 b, 362 ff.; 1987, 127 ff., 428 ff.; 1983, 171; o. J., 3; 1977a, 7, 301 f.; 1988a, 161 f.

Kleinste einheitlich strukturiert (vgl. Rombach 1983, 141): Alles stimmt darin aus innerer Notwendigkeit überein und führt so zu schlüssigem Weltverhalten bzw. Gelingen – Einzelnes und Ganzes entsprechen sich.[7] Die darin liegende Eigentypik bildet das höchste Gut eines jeden Menschen. Erreicht wird sie – und zwar unfehlbar –, wenn der Mensch seinem Innersten folgt (vgl. Rombach 1983, 42, 121).

3. Die Hermetik der Welten

In Frage steht nun die Beziehung dieser verschiedenen menschlichen Lebenswelten zueinander. Im Unterschied zur Hermeneutik hält die Hermetik eine Vermittlung – zunächst – für schlechthin unmöglich. Der Grund dafür liegt darin, dass jede Welt ‚einzig' ist.

Strukturontologisch gesehen, handelt es sich bereits bei der Abweichung eines einzigen Moments um eine völlig andere Struktur und das heißt Welt (vgl. Rombach 1988b, 91 ff.): Aufgrund der je eigenen, umfassenden Ontologie des Einzelnen, der zufolge alles notwendig und ausschließlich im Licht der eigenen Welt und Wahrheit erscheint, ist jede Welt von charakteristischer Unverwechselbarkeit – je ‚einzig' –, zudem aber ausschließlich und universal, ja: ‚multiversal' – jede Welt ist ‚Weltanschauung' und hat als solche absolute Geltung. Zugleich ist sie ausschließlich von innen heraus einsehbar, das heißt für den, der ihren Entstehungsweg mitgegangen ist und damit selbst Ursprung des (allein) hier Beheimateten und Geltenden ist. Damit sind alle Welten von Grund (!) auf unvereinbar, ja: schlechthin inkommunikabel – nach außen absolut hermetisch: Es gibt keine allgemein-gültige Ebene, welche sie angemessen (das heißt in *ihrer* Wahrheit) verbinden und ihr Verhältnis zueinander zeigen, die ein wirkliches Verstehen oder Vergleichen, ja: nur einen angemessenen Austausch über die trennenden Differenzen ermöglichen würde – selbst ein Horizont der Unvergleichlichkeit würde ihrer Verschlossenheit nicht gerecht; bereits jedes Benennen ist gewaltsam und unzutreffend. Genau genommen ‚gibt es' die vielen Welten nicht einmal, da alle nur in der jeweils eigenen – und damit verfälscht – erscheinen: Es existiert kein gemeinsames ‚es', das sie ‚gibt'.[8]

Damit gibt es nicht ‚die' Welt, sondern nur Welt*en* (vgl. Rombach 1987, 430 f.), nicht ‚die' Ordnung, nur Ordnung*en* (Rombach 1983, 8, 131) die jeweils *innerhalb* der eigenen erscheinen (vgl. Rombach 1991, 51). Jeder Versuch, *eine gemeinsame* Basis zu setzen, ist Ideologie: das zu Unrecht verabsolutierte Denken

---

[7] Vgl. Rombach 1977 a, 188; 1991, 37; 1985, 14; 1987, 405 f.

[8] Vgl. Rombach 1991, 51 ff., 142 ff.; 1983, 68 ff., 134 f., 146-149; 1977b, 44; 1988b, 91; 1987, 167, 406. Dies gilt schon für die eigenen, ‚alten' Welten: Einmal aus ihnen entlassen, erscheinen sie in der Erinnerung nicht mehr in ihrer eigentlichen Wahrheit, sondern nur noch verfälscht (vgl. Rombach 1983, 39, 131; 1991, 49).

einer (per se beschränkten) Welt (vgl. Rombach 1977b, 46 f.; 1987, 317). Indem die Hermeneutik von der Möglichkeit einer Vermittlung ausgehe, das heißt aber die einzelnen Welten unter eine zu Unrecht für allgemein gehaltene subsumiere, verfälscht sie Rombach zufolge deren Wahrheit von Grund auf. Damit sei sie nicht nur unfähig, die Wahrheit der Dinge zu erfassen, sondern bewirke letztlich nur eine Verhärtung der bereits bestehenden Fronten.[9]

4. Von Welt zu Welt:
Hermetisches Über-setzen als intermundane Kommunikation

Gleichwohl soll auch die Hermetik einen Weg zur Erkenntnis verkörpern, und zwar den einzig zutreffenden: Rombach zufolge ist sie das Medium der Klarheit selbst, in dem schlechthin alles zu klären sei (vgl. Rombach 1991, 143); dem Hermetiker zeige sich die Wahrheit „in geradezu diamantener Klarheit und Brillanz" (ebd. 89; vgl. auch Rombach 1983, 135, 173). Diesem scheinbaren Widerspruch liegt zugrunde, dass mit der unüberwindbaren Verschlossenheit einer Welt nach außen eine innere Transparenz korrespondiert, in der ihre Wahrheit hell und klar aufscheint (vgl. Rombach 1983, 112). Doch wie soll es gelingen, die hermetische Verschlossenheit einer fremden Welt zu überwinden und in diese einzudringen? Hilfe kommt auch hier von Hermes, der ja nicht nur der Gott der Welten*scheidung* ist, sondern auch derjenige, der die Menschen von einer Welt in die andere über-setzt, sie dabei führt und geleitet. Sein Charisma soll es ermöglichen, die Eigenheit der Welten zu schützen, zugleich aber in sie hineinzuführen – wobei nicht jedem zu jeder Zeit der Zugang möglich ist: Die Vermittlung geht auf hermetische Weise vor sich.

Rombach zufolge ist eine Welt aufgrund ihrer Einzigkeit bzw. ihrer je eigenen Ontologie niemals von außen, sondern ausschließlich aus ihrem Inneren heraus erkennbar, besser: erfahrbar.[10] Entsprechend kann eine Welt zwar niemals – hermeneutisch – vermittelt, wohl aber – hermetisch – erfahren, das heißt im gemeinsamen Aufgang ‚mitgemacht' werden: Im sogenannten Einbruch, dem Augenblick zwischen dem Zusammenbrechen der alten und dem Entstehen einer neuen Situation, findet ein vollständiger Zusammenbruch statt, die absolute Negation der Identität des Subjekts (vgl. Rombach 1983, 59). Zugleich ist darin jedoch die Möglichkeit des Neuen gegeben: Im gemeinsamen Sprung von Mensch und Sache werden diese in einer konkreten Findung neu geboren, in eine höhere Dimension gesteigert und gehen zusammen als neue Situation und Welt auf (vgl. ebd. 129 f., 173, 175). Indem der Hermetiker nun im Ursprung der betreffenden Welt steht, ist er (allein) in der Lage, ihre Wahrheit ‚von Grund auf' und ohne

---

[9] Vgl. Rombach 1988 b, 367 ff.; 1977 b, 40 ff.; 1983, 16 f.; 1991, 77, 92, 100 f.
[10] Vgl. Rombach 1983, 92 f., 110 f.; 1991, 142 ff.; 1987, 253 ff.; 1988 b, 91, 111 ff.

sichtverstellende Horizonte zu erfassen: Rombach zufolge erkennt er auf diesem Weg schlechthin alles – uneingeschränkt und vollständig (vgl. ebd. 173; Rombach 1991, 35, 44, 48).

Aufgrund des gemeinsamen Sprungs von Mensch und Sache ist die so erworbene Erkenntnis weder selbst- noch fremdgegeben, sondern entsteht konkreativ aus Wirklichkeit *und* Mensch – die Wirklichkeit als das zu Erkennende übersteigt sich darin selbst, und diese Steigerung betrifft, da es nur ein gemeinsames Sein gibt, alles andere gleichermaßen (vgl. Rombach 1983, 59, 80, 110; 1991, 51 ff.). An welcher Stelle der Zugang zu einer Welt erfolgt, ist dabei unwichtig: Da der Geist einer Welt – aufgrund der Idemität – an jedem Punkt ganz da ist, wird bereits mit der kleinsten Spur die ganze Welt erfasst (vgl. Rombach 1983, 129 f., 139). Da Wahrheit nur von innen her einsehbar und damit laut Rombach weder zu vermitteln noch zu belegen oder zu beweisen ist (vgl. Rombach 1991, 35), werden die hermetisch gewonnenen Einsichten mit ihrer außerordentlichen „Deutlichkeit und Evidenz" (Rombach 1983, 135) ausgewiesen (vgl. Rombach 1991, 49 f., 142 ff.; 1983, 80 f., 95, 110 f., 135).

Während der Verstand die zentralen Phänomene des Lebens zerstöre (vgl. Rombach 1977a, 11; 1983, 14), soll es sich bei der hermetischen Erkenntnis eher um eine Art Erleuchtung, eine intuitive (und deshalb schlag-artige [vgl. Rombach 1991, 88]) Einsicht bzw. Eingebung handeln (vgl. ebd. 35), die sich deutlich vom ‚gewöhnlichen' Denken und Verstehen unterscheide (vgl. ebd. 64): Eine Welt kann man nach Rombach nicht verstehen oder besprechen (vgl. ebd. 35, 143), sondern nur „‚sehen' und [...] ‚spüren'" (ebd. 87), insbesondere aber - in einer einzigartigen Weise von Identität - *sein* (vgl. ebd. 143). Entsprechend wird in der hermetischen Erfahrung kein Wissens-, sondern ein Seinszuwachs erlangt, eine Durchlichtung der gesamten Existenz (vgl. Rombach 1987, 131). Ihren Gegenstand bildet kein Einzelnes auf einem bestimmten Hintergrund, sondern jeweils der Geist einer Sache (vgl. Rombach 1991, 119), der alles erst als Welt erscheinen lässt. Letztlich handelt es sich dabei um die Wirklichkeit selbst (vgl. ebd. 44), ja: um die „wirkliche Wirklichkeit" (ebd. 90).

Um sich Zugang zu der hermetischen Erfahrung zu verschaffen, kann der Mensch einige Voraussetzungen erfüllen;[11] letztlich bleibt sie jedoch unverfügbar, der Willkür und Laune des Hermes unterworfen (vgl. Rombach 1983, 39): Charismatische Findung, Glück und Zu-fall bilden das geheime Zugangsprinzip einer Welt. Urplötzlich und unvorhersehbar schenkt sich die „Erleuchtung'" (ebd. 135), ja: bemächtigt sich des Menschen – auch gegen seinen Willen –, und zwar nicht allmählich, sondern immer schlagartig und damit vollständig (vgl. ebd.

---

[11] Notwendig ist hierfür vorbehaltlose Offenheit sowie die Bereitschaft, mit den Dingen zusammen neu aufzugehen, außerdem, aus dem Bewusstsein der ontologischen Ungeschiedenheit von Mensch und Sein, Mensch und Sache heraus suchend, auf die Sprache der Dinge zu hören und aus allem die inneren Möglichkeiten hervorzulocken (vgl. Rombach 1983, 125, 175; 1987, 128).

120 f.; Rombach 1991, 88 f.). Wenngleich in der Eigendynamik dieser Erfahrung alles unfehlbar, leicht und gleichsam ‚von selbst' geht (vgl. Rombach 1983, 59, 121), ist, da es sich um ein echtes Geschehen handelt, auch immer die Möglichkeit des Misslingens gegeben: Nach Rombach tritt dies immer dann ein, wenn die Wahrheit einer Sache missachtet wird, der Mensch ein Gelingen auf sich selbst zurückführt oder eine Welt verabsolutiert wird (vgl. Rombach 1987, 128; 1983, 62-70).

Um einen anderen Menschen verstehen zu können, ist es notwendig, dessen identitätsbestimmende Situation zu übernehmen, das heißt in die Situation als die Welt des Anderen zu springen, die eigene Identität zurückzulassen und die des Anderen auf sich zu nehmen. Nur so, indem ich gewissermaßen ‚mich selbst', meine eigene Situation, erfahre, bin ich in der Lage, den Anderen und seine Wahrheit wirklich – nämlich von innen heraus – zu erfassen.[12] Das sich dabei konstituierende *„identische Wir"* (Rombach 1987, 254) stellt eine daseinsmäßige Einigung dar, die höher steht als jede Identität und trotz der Unterschiede zwischen den Personen Idemität, das heißt Situationsidentität, hervorbringt. Allein daraus kann Rombach zufolge echte, da seinsmäßige Solidarität entspringen (vgl. ebd. 255 f.), während im hermeneutischen Verstehensversuch die Welt des Anderen in den Verstehensraum der eigenen Situation übersetzt und damit nur zur Kenntnis genommen werde (vgl. ebd. 253 f.), die Wahrheit des Anderen aber „„vordraußen'" (ebd. 254) bleibe. Rombach erhebt allerdings nicht nur den Anspruch, Welten und Menschen in ihrem (derzeitigen) So-Sein zu erkennen, sondern darüber hinaus, sie zu steigern, das heißt ihnen zu ihrer verfehlten Eigentlichkeit zu verhelfen, indem er ihr ursprünglich intendiertes, aber nicht verwirklichtes Sein vom faktischen abhebt (vgl. ebd. 87 f., 137; Rombach 1983, 138). Mit dieser Hoch- oder Differentialinterpretation soll der Andere besser verstanden werden als von sich selbst (vgl. Rombach 1983, 142; 1987, 262; 1988b, 91, 303), da diesem der jeweilige Verstehenshintergrund immer verborgen bleibe (vgl. Rombach 1988b, 303). Entsprechend sei es Aufgabe der Hermetik, jede Welt zu ihrem eigentlichen Sein zu befreien: *„Die Wirklichkeit ist noch längst nicht wirklich. Nichts ist es selbst. Für alles hat der Hermetiker erst noch zu sorgen."* (Rombach 1983, 143)

II. Würdigung

In ihrem Kern ist Rombachs Hermetik durch das Bemühen gekennzeichnet, eine zentrale menschliche Erfahrung theoretisch zu fassen, zu analysieren und vor al-

---

[12] Vgl. Rombach 1987, 254. – Allerdings soll der Hermetiker den Betreffenden zugleich besser verstehen als dieser sich selbst (vgl. Rombach 1983, 142; 1987, 262; 1988 b, 91, 303).

lem zu erklären: die Erfahrung von der Unmöglichkeit einer echten Verständigung und von der Überwindung dieser Unmöglichkeit in ein sich plötzlich schenkendes, vollständiges Verstehen. Allerdings liegt in eben diesem Bemühen auch die entscheidende Grenze der Hermetik: Das Ansinnen, die jedes Denken von Grund auf negierende, ‚seinsmäßige' Erfahrung der radikalen Vereinzelung als des per se Unbegreifbaren oder der absoluten (!) Neuwerdung mit einer Theorie einzuholen und zu vermitteln, stellt einen unlösbaren Widerspruch dar. Rombach vermag die Erfahrung des sich schlechthin Entziehenden gegebenenfalls punktuell zu treffen und überzeugend darzustellen; letztlich ist sie jedoch nicht durch eine Theorie in den Griff zu bekommen. Beispielsweise führt das Bemühen, das Erlebte in seiner Unbedingtheit wiederzugeben, zu einer solchen Überspitzung gerade der zentralen hermetischen Thesen, dass sie wohl eine Ahnung der dahinterstehenden Erfahrung vermitteln, theoretisch aber nicht mehr haltbar, geschweige denn überzeugend sind. Wenngleich die betreffenden Erfahrungen als unbedingt *erlebt* werden mögen, wäre deshalb geltend zu machen, dass sie als solche nicht mit der Wirklichkeit übereinstimmen müssen und – schon aufgrund ihrer Unvereinbarkeit mit anderen hermetischen Thesen – keinen Anspruch auf ‚die' Wahrheit erheben können.

1. Kritische Anfragen

Eine Analyse des hermetischen Ansatzes zeigt, dass dieser auf mehreren, zum Teil widersprüchlichen Axiomen beruht, die weder als solche ausgewiesen noch in ihrer entsprechenden Problematik hinterfragt werden. Verstärkt werden die damit gegebenen Schwierigkeiten dadurch, dass es Rombach versäumt, die von ihm verwendeten (auch zentralen) Begriffe wie etwa ‚Situation', ‚Welt' und ‚Identifikationsfreiheit' hinreichend zu klären oder wenigstens einheitlich zu gebrauchen, so dass sie in ihrer Aussagekraft teilweise stark eingeschränkt werden.

Rombach zufolge wird die menschliche Identität allein von der jeweiligen Situation bestimmt. Dabei bleibt jedoch unklar, ob 'Situation' die jeweils gegebene *Einzel*situation oder deren *Abfolge* meint, was zu völlig unterschiedlichen Verstehenskonzeptionen führt: Während die erstgenannte Version mit der These eines absoluten Nullpunkts sowie einer absoluten Differenz zwischen den Welten und einer vollständigen Identität im Verstehen in eins geht, steht letztere dem völlig entgegen. Entsprechend stehen sich die jeweiligen Verstehensbegriffe gegenüber: Der erstgenannten Version zufolge geschieht das hermetische Verstehen als Sprung – vollständig und schlagartig. Der zweitgenannten Version zufolge geschieht es dagegen vermittelt, das heißt als ‚Weg', der – da die absolute Differenz aufgehoben ist – insofern ‚sinnvoll' ist, als das Verstandene grundsätzlich bewahrt wird und damit zu dem beschriebenen Seinszuwachs führen kann. Daneben stehen beide Versionen mit Rombachs These einer menschlichen Freiheit in Widerspruch: Wenn die menschliche Identität mit dem von der Situation strikt vorgegebenen Beziehungskonglomerat gleichgesetzt wird, so ‚ist' der Mensch nicht mehr als diese vorgegebene Identität; sein ganzes Sein kommt aus der Situation – es gibt für ihn keine Alternativen. Entsprechend bleibt auch das Verhältnis zwischen situationsabhängiger Identität und Identifikations‚freiheit' ungeklärt: Letztlich muss die Identifikationsfreiheit entweder Teil der – von der Situation vorgegebenen – Identität sein und damit keine Freiheit im eigentlichen Sinne oder sie kann – da nicht über die Situation gegeben – auch nicht zusammen mit dieser übernommen werden.

Die Hermetik ist damit von einem tiefen, letztlich nicht zu überbrückenden Riss durchzogen, der zu bedeutenden Widersprüchen und Unklarheiten führt. Beispielsweise vertritt Rombach normalerweise eine absolute Getrenntheit der Welten, an anderen Stellen jedoch die dem entgegenstehende These vom Verstehen als Weg oder auch beide Versionen nebeneinander.[13] Die überwiegend vertretene These einer *absoluten* Differenz ist allerdings nicht überzeugend: Wenngleich Rombach zu Recht behauptet, nichts sei für zwei Menschen wirklich identisch (vgl. Rombach 1987, 135), ist nicht davon auszugehen, dass *keinerlei* Verständigung stattfindet, wenn Menschen miteinander kommunizieren. Entsprechend kann auch Rombach nicht umhin, Vorwissen aller Art zu benutzen, um zu seinen Erkenntnissen zu kommen, um sie zu artikulieren und zu vermitteln. Und: Wie soll eine Welt ganz und gar aus sich selbst kommen? Braucht nicht jede Erkenntnis ihren Anfang? Schließlich ist Differenz nicht ohne Identität zu denken (!) – nur in Bezug auf die Vorstellung von Einheit kann etwas als different erscheinen: Die These einer *absoluten* Differenz ließe nicht nur das Ausmaß der Verschiedenheit im Verborgenen, sondern sogar deren Möglichkeit; nicht einmal ‚meine' Welt gäbe es. Auch der Sprung von einer Welt zur anderen wäre undenkbar, da in ihm die einzelnen Welten schon vorab verbunden sind. Rombachs Annahme scheint auf einer übermäßigen Gewichtung der horizontalen Komponente zu basieren: Wenn Rombach die menschliche Identität als das Gesamt der Relationen des Betreffenden zu einem bestimmten Zeitpunkt versteht, deren Konstellation im nächsten Augenblick schon wieder eine – völlig – andere ist, denkt er vor allem in zeitlichen Querschnitten - das Leben ist eine Abfolge miteinander unverbundener Zustände. Damit wird der strukturontologische Gedanke jedoch einseitig interpretiert: Unter Missachtung der vertikalen bzw. geschichtlichen Komponente würde mit jedem Situationswechsel *schlechthin alles* neu – zum einen hätten zwei Menschen in derselben Situation zwingend dieselbe Identität; zum andern verbände ‚einen' Menschen in zwei aufeinander folgenden Situationen nichts, was über den bloßen Zufall hinausginge. Es gäbe weder innere noch äußere Gegebenheiten, die sich mit der Zeit (!) bei einem Menschen

---

[13] Vgl. Morasch 1996, 209 f. Vgl. im einzelnen Rombach 1983, 29 f., 38 f., 59, 108, 110, 117, 129, 140, 142 f., 174; 1991, 35, 72, 102 ff., 142; 1988b, 91, 229 ff.; 1987, 87, 128 f., 411.

entwickeln; alles entspräche dem gegenwärtigen ,Standort'. Demgegenüber ist anzunehmen, dass bei jedem – noch so tiefgehenden – Situationswechsel vieles, ja: das meiste sowohl der äußeren als auch der inneren Gegebenheiten bestehen bleibt, also ,nur' die Konstellation *völlig* neu wird, die jedoch die in der Abhängigkeit der Situationen untereinander gegebene Kontinuität nicht aufzuheben vermag, das heißt aber, dass die einzelnen Situationen – anders als in der These vom absoluten Identitätswechsel – miteinander verbunden sind, sich gegenseitig bedingen und hervorbringen. Entsprechend sind die vertikal vorzustellenden Beziehungskonstellationen als die Beziehung der aufeinander folgenden Situationen *zueinander* ebenso stark zu gewichten wie die horizontal vorzustellenden.[14] Die Annahme einer *absoluten* Differenz, die schlechthin keine Beziehung zwischen den Welten zuließe, ist damit – wie auch die These vom absoluten Sprung – nicht aufrechtzuerhalten.

Auch der ,Sinn' hermetischen Verstehens bleibt unter der Annahme einer absoluten Neuwerdung im Unklaren: Inwiefern wird meine alte, ,eigentliche' Welt von meinem Identitätswechsel und Erkennen tangiert? Was ist damit gewonnen, wenn ,ich' als derselbe wieder in meine ursprüngliche Situation zurückkehre, da das Erlebte in der Erinnerung ja nur noch verfälscht erscheint? Wie ist es möglich, sich über die hermetische Erfahrung weiterzuentwickeln, wenn sie nicht als solche erhalten bleibt? Und wie vermag jemand über eine solche Erfahrung – und sei es nur über ihr Prinzip – zu sprechen, wenn Erinnerungen nicht das Eigentliche wiedergeben? Aufgrund der Theorie vom absoluten Sprung, der jede Verbindung zwischen den Polen aufheben soll, ist nicht nur eine Bewahrung des Verstandenen, sondern auch jede sichere Aussage darüber unmöglich, ob damit wirklich eine Klärung, ja: nur eine Veränderung des Blicks auf eine Welt stattfindet. Rein denkerisch wäre es daher nur möglich, von einem wirklich absoluten Sprung und Identitätswechsel, das heißt einer radikalen Unterbrechung jeglicher Verbindung zwischen alt und neu, auszugehen, *oder* ein – in irgendeiner Form und Intensität gegebenes – Überdauern des in der anderen Welt Erfahrenen anzunehmen.

Offen bleiben auch die Bedingungen der Möglichkeit eines Wechsels zwischen den Welten: Inwieweit kann ich selbst entscheiden, ob ich die Identität des Anderen übernehmen will? Gibt mir das meine – bisherige – Situation und Identität vor oder ist meine diesbezügliche Entscheidungsfreiheit von derselben Art wie die sogenannte Identifikationsfreiheit? Kann also jeder in jede Welt springen? Wie bzw. wann und mit welchem Recht kann ich der übernommenen Situation wieder entfliehen, komme ich wieder in meine eigene Welt zurück? Oder kann ich gar nicht mehr ,zurück'? Angesichts der Bedeutung, die Rombach der Relationalität zuspricht, ist nicht davon auszugehen, dass der Verstehende die

---

[14] Dass der Mensch nicht ohne einen Rest an Substantialität zu denken ist, zeigte ich in Morasch 1996, 202-207; 1998.

fremde Situation als die unabänderlich eigene auf sich nehmen, das heißt die so bedeutende Relation der Freiwilligkeit, mit der er die andere Situation übernommen hat, außer acht lassen kann: Besteht also nicht ein Unterschied in der Zugehörigkeit zu meiner ‚eigentlichen' Welt und der, in die ich ‚nur' gesprungen bin? Kann ich aus jeder Situation gleichermaßen fliehen – etwa aus der Situation eines schweren Schicksalsschlags? *Muss* ich nicht wieder ‚zurück'? Nimmt man dagegen an, die Distanz gegenüber der übernommenen Identität komme aus der Freiheit der Identifikation, so würde die fremde Situation nicht mehr als *ganze* übernommen – gerade das Wichtigste bliebe außen vor.

Nicht ganz eindeutig ist weiter, *worauf* sich das hermetische Verstehen letztlich richtet. Die These, jemand könne von außen besser verstanden werden als von sich selbst, impliziert, dass dessen ‚eigentliche Wahrheit' erfasst werden soll, die sich damit von seinem Selbstverständnis unterscheidet. Entsprechend kann sich nach Rombach niemand selbst angemessen verstehen, weil ihm der jeweilige Verstehenshintergrund immer verborgen bleibt (vgl. Rombach 1988b, 303). Die These von der Identitätsübernahme impliziert dagegen, dass das Selbstverständnis bzw. Selbsterleben des Zu-Verstehenden das eigentliche Verstehensziel darstellt, also mit dessen ‚Wahrheit' gleichzusetzen ist: Echtes Verstehen soll nur von innen heraus möglich sein, weil hier keine sichtverstellenden Horizonte auftreten. Zu vereinen sind beide Annahmen nur, wenn sich der Verstehende zugleich außen und innen befindet, das heißt gegenüber dem Betroffenen den Vorteil hat, auch den diesem entzogenen Verstehenshintergrund zu erfassen. Diese Version ist allerdings nicht nur in sich unhaltbar, sondern läuft auch der These von der vollständigen Identität zwischen Verstehendem und Verstandenem sowie der These vom absoluten Nullpunkt zuwider.

Fragen wirft auch Rombachs Verständnis von ‚Verstehen' auf. Allgemein gilt Verstehen als Erkenntnisart, genauer: als das Erfassen von Sinn. Daneben kann es auch als Zustimmen im Sinn von Anerkennen gelten, dies jedoch erst in zweiter Linie, da es in diesem Sinn über das reine (und gleichsam interesselose) Erkennen einer Sache hinausgeht.[15] Diesem allgemeinen Verständnis zuwiderlaufend, setzt Rombach Verstehen generell mit Erkennen gleich,[16] zugleich aber mit Zustimmen: Hermetisch zu verstehen, bedeutet nicht nur, einen Menschen ganz zu erfassen, sondern insbesondere sein Sein, Denken und Handeln als zwingende Entsprechung seiner jeweiligen Situation, das heißt aber als die einzige (!) Möglichkeit, diese seine Situation zu leben, zu sehen und das heißt *an*zuerkennen. Problematisch an dieser Gleichsetzung ist zunächst, dass sie vom üblichen Verständnis abweicht, ohne dass dies deutlich gemacht würde, vor allem aber, dass Verstehen damit auf einen (zudem nachgeordneten) Aspekt reduziert wird.

---

[15] Vgl. dazu Schaeffler 1974, 1628 ff.; Dilthey 1968, 144; Kluge 1989, 185.

[16] Unter Umständen spricht Rombach deshalb von Verstehen anstelle von Erkennen, weil er letzteres für ‚kalt' hält, während im Begriff des Verstehens ein gefühlsmäßiger Anteil mitschwingt.

Mit der These von der vollständigen Identitätsübernahme setzt Rombach Verstehen weiter mit dem unmittelbaren *Erleben* des Zu-Verstehenden – beispielsweise eines Gefühlszustandes – gleich. Dies ist zunächst insofern problematisch, als Verstehen als Erkenntnisform notwendig auch das *Erfassen* dieses Erlebens beinhalten muss. Daneben ist es schwierig, dass Rombach zwar einerseits behauptet, wegen des fehlenden Verstehenshintergrunds könne niemand sich selbst ganz verstehen (vgl. Rombach 1988b, 303), andererseits aber völlige Identität zwischen Verstehendem und Verstandenem fordert. Damit steht nicht nur in Frage, wie es möglich ist, die Identität des Anderen ganz zu übernehmen und zugleich – wieder von außen – dessen Grenzen zu erkennen, sondern insbesondere, ob noch von Verstehen zu sprechen ist, wenn der Verstehende die Identität des Anderen übernimmt, also dieser *ist*: Muss nicht vielmehr ein vom Verstandenen unabhängiges Ich dessen Situation erfassen (das heißt aber wieder die Identität zwischen beiden aufgegeben werden)? Rombachs Theorie impliziert kein verstehendes Subjekt, welches das Verstandene in sich (!) aufnimmt, und somit keine Begegnung zwischen zwei eigenständigen Personen: Indem der Verstehende die vormals eigene Identität gegen die neue eintauscht, bringt er *seine eigene* Welt und Person nicht in den Vorgang ein; das Risiko des Verstehensgeschehens bezieht sich somit auf den Identitätswechsel, nicht aber darauf, *sich selbst* dem Fremden auszusetzen.[17] Damit meint Verstehen weniger das Sicheinfühlen einer menschlichen und entsprechend bedingten Persönlichkeit als vielmehr das Erfassen eines Menschen im Sinne eines schlagartigen und vollständigen, den Verstehenden selbst aber letztlich nicht tangierenden *Wissens*, womit es in die Nähe des von Rombach abgelehnten methodisch-wissenschaftlichen Vorgehens rückt: Einerseits wird mit der Identität eines Menschen dessen Innerstes und Intimstes erfasst; andererseits bleibt der Erkennende selbst (!) davon seltsam unberührt. Entsprechend ist zu fragen, ob das hermetische Verstehen nicht doch zur – wenn auch nur verschlüsselt zugänglichen – Methode gemacht wird und Rombach die von ihm beschriebenen zu-fälligen, ‚nicht-integrierbaren' Erlebnisse verallgemeinern und in einen alles umfassenden Erklärungshorizont einordnen will, anstatt seiner eigenen Einsicht zu folgen, dass sie nur im persönlichen Leben je erprobend gelebt werden können.

Schwer vorstellbar ist schließlich, das hermetische Verstehen führe zur Lösung aller zwischenmenschlichen Konflikte.[18] Indem die Hermetik davon ausgeht, dass jeder Mensch – zu Recht – in seiner eigenen, von außen nicht einsehbaren Welt lebt, ist zwar insofern eine wesentliche Verbesserung der zwischenmenschlichen Kommunikation anzunehmen, als sich die Menschen weniger vereinnahmt und damit besser verstanden fühlen werden, nicht aber, dass damit per

---

[17] Vergleiche dazu Rombachs Forderung, der Verstehende müsse sich selbst einbringen, sowie seinen Vorwurf an die Hermeneutik, den Anderen außen vor zu lassen und nur zur Kenntnis zu nehmen (vgl. Rombach 1987, 253 ff.).
[18] Vgl. Rombach 1991, 10; 1983, 143; 1977b, 40 ff.; 1985, 16.

se alle Konflikte gelöst werden: Die Welthaftigkeit eines Denkens vermag nicht von vornherein dessen Inhalt zu legitimieren; zwischen dem Verständnis für die Bedingtheit eines Denkens und dessen Eignung als sachangemessener Problemlösung gilt es zu unterscheiden. Zudem ist anzunehmen, dass sich der für den Hermetiker erhobene, aber nicht weiter einsichtig gemachte Anspruch, den Anderen besser zu kennen als er sich selbst, ungünstig auswirkt: Auf diese Weise droht nicht nur das Recht des vorgeblich Verstandenen auf seine eigene Wahrheit missachtet, sondern – mit der grundsätzlichen Ablehnung allgemeiner Verbindlichkeiten – auch die Möglichkeit eines Missbrauchs eröffnet zu werden, und zwar nicht nur zu Lasten des ‚Verstandenen', sondern auch des ‚Erkennenden', der seine eigenen Grenzen kaum mehr sehen wird, wenn ihm per se unbeschränkte Erkenntnis zugesprochen wird. Indem der Andere zudem weniger als menschliche Persönlichkeit denn als Konzentrationspunkt einer Situationenkonstellation gilt, wird zwar sein So-Sein und seine Wahrheit als natürliche Entsprechung seiner Situation legitimiert, aber nicht insofern ernstgenommen, als sie das eigene Sein in Frage stellen könnte. Rombach beweist somit einerseits große Sensibilität für die Bedürfnisse des Zu-Verstehenden, vertritt andererseits aber auch Thesen, die dem eher zuwiderlaufen.

Im Einzelnen vermag die philosophische Hermetik somit nicht in allen Punkten zu überzeugen. Begründet ist dies im Wesentlichen darin, dass Rombach widersprüchliche Thesen aufstellt, diese aber ungeachtet dessen als ‚die' Wahrheit setzt. Beispielsweise ist nicht einsichtig, inwiefern die im Verstehen erzielte Einsicht in die eigene Welt gerettet werden kann, wenn zugleich betont wird, dass sie in ihrer Wahrheit verloren geht, was nicht nur die Möglichkeit, sondern auch den Sinn eines Wechsels zwischen den Welten fraglich werden lässt. Zugleich wird in Bezug auf Erkenntnis zwar einerseits Transparenz und strengste Prüfung auf Wirklichkeitsangemessenheit gefordert, andererseits aber betont, Wahrheit sei – da eben nur von innen her einsehbar – grundsätzlich weder zu vermitteln noch zu belegen oder zu beweisen.[19] Entsprechend weist sich die hermetische Erkenntnis lediglich mit dem Hinweis auf ihre einzigartige „Deutlichkeit und Evidenz" (Rombach 1991, 35) aus. So leidet die Hermetik darunter, dass wenig belegt oder wenigstens hinreichend einsichtig gemacht wird.[20] Auch die transzendentale Frage nach der Position, von der aus die Theorie der Welten erstellt wird, bleibt unbeantwortet. Letztlich steht Rombach der Hermetik allzu unkritisch gegenüber: Anstatt sie zumindest punktuell und ansatzweise zu hinterfragen und gerade dadurch ihre Glaubwürdigkeit zu erhöhen,

---

[19] Vgl. Rombach 1991, 35, 49 f., 142 ff.; 1983, 80 f., 95, 110 f., 135, 172.

[20] So merkt beispielsweise Haeffner an, Rombach spreche „meist in kurzen Behauptungssätzen, die ein Phänomen evozieren und erhellen [...] Begründungen sind selten; an ihrer Stelle stehen oft schlagende Beispiele (deren Tragweite gelegentlich etwas überzogen wird [...])." (Haeffner 1988, 455). Auch Brezinka kritisiert, Rombach versuche kaum einmal, seine Annahmen zu begründen (vgl. Brezinka 1967, 150).

findet sich über weite Strecken nur eine nicht weiter einsichtig gemachte Gleichsetzung von Wahrheit und Hermetik bzw. hermetischem Verstehen. Kriterien für diese Zuschreibungen werden nicht genannt. Rombach hält zwar alle Erkenntnis für sich ständig erneuernd (vgl. Rombach 1983, 172; 1987, 314, 418); in Bezug auf das hermetische Wissen zieht er jedoch nur spätere Ergänzungen, nicht aber grundsätzliche Korrekturen in Betracht.[21]

Daneben vermag die Hermetik auch die von ihr selbst erhobenen Ansprüche nicht in jeder Hinsicht zu erfüllen. So scheint das hermetische Verstehen zwar zur Verständigung zwischen Menschen beitragen zu können, jedoch nicht in dem von Rombach beanspruchten Ausmaß. Auch die vorgebliche Menschlichkeit des hermetischen Verstehens steht in Frage, da sich einerseits der Verstehende nicht selbst ins Geschehen einbringt, andererseits aber der ‚Verstandene‘ keine Möglichkeit hat, *seine* Wahrheit gegenüber dem Anspruch des Hermetikers auf vollständige Erkenntnis zu behaupten. Daneben ist der Unterschied zur Apollinik weniger groß als von Rombach propagiert: Auch das hermetische Verstehen kann nicht auf Feststellungen sowie auf eine Beteiligung des Verstandes verzichten; auch das hermetische Verstehen geschieht nicht ausschließlich als Sprung, sondern bedarf der Vermittlung. Insbesondere sticht dabei ins Auge, dass die Hermetik einerseits als die *„Verstehenslehre des Unbegreiflichen"* (Rombach 1983, 25) einen radikalen Gegenentwurf zum Erkenntnisideal und -anspruch der Apollinik bilden und das Recht auf Verborgenheit vor deren Erkenntnisstreben schützen will, andererseits aber beansprucht, selbst eine – und sogar die einzig wahre – Verstehenstheorie darzustellen, mit deren Hilfe schlechthin alles – sogar die Verschlossenheit selbst – vollständig zu erkennen sei: ein Ansinnen, welches das der Apollinik noch übertrifft.[22]

2. Möglichkeiten der Hermetik

Wenngleich also einige Fragen offen bleiben, ist jedoch festzuhalten, dass Rombachs Hermetik einen äußerst tiefgehenden und in entscheidenden Punkten weiterführenden philosophischen Ansatz darstellt.

So liegt eine der großen Stärken der Hermetik in Rombachs Fähigkeit, die menschlichen Erfahrungen eines Verstehens und seines Scheiterns auf anschauliche Weise darzulegen und sie so lebendig und nachvollziehbar werden zu lassen. Auf diese Weise vermittelt Rombach nicht nur einen Einblick in das Verstehensphänomen, sondern verhilft auch dazu, sich selbst und das eigene Erleben besser zu verstehen und gegebenenfalls angemessener damit umzugehen. Indem er die

---

[21] Vgl. Rombach 1983, 135, 139 ff., 172 f., 177; 1991, 35, 44, 48 f., 88 f.; 1987, 314, 418; 1980, 247 f., 267 ff.; 1977 a, 208, 218.

[22] Vgl. zu der Problematik des apollinischen Gehalts in Rombachs Hermetik ausführlich Morasch 1996, Kapitel 5.

als unüberwindbar erlebte Kluft zwischen den Menschen positiv interpretiert – nämlich als natürliche Entsprechung ihrer Eigenheit, die ihr höchstes Gut darstellt –, leistet er einen wesentlichen Beitrag zur Entschärfung der jede Kommunikation von Grund auf gefährdenden, da als unvereinbar erlebten Gegensätze.

Entsprechend bedeutsam ist Rombachs Entwurf zur Frage von Einheit und Vielheit, die seit den Anfängen der Philosophie thematisiert wird. Mit seiner Weltenlehre gelingt es Rombach, das Einzelne *als* Einzelnes – und damit als absolut Getrenntes – vorbehaltlos anzuerkennen, zugleich aber den Gedanken der Einheit zu wahren. Indem er dem Einzelnen eine je eigene Ontologie zuerkennt und die daraus resultierende radikale Unvermittelbarkeit ohne Abstriche akzeptiert, spricht er ihm eine schlechthin unantastbare Würde zu. Indem seine Wahrheit aber zugleich radikal auf das entsprechende Einzelne beschränkt wird, wird jeder Form von Dogmatismus als der ungerechtfertigten Übertragung der eigenen – beschränkten – Weltsicht auf das Andere der Boden entzogen. Gleichwohl wird damit keine Zerfallenheit miteinander unverbundener Einzelner propagiert, sondern die Idee des Ganzen gewahrt: Gerade *durch* die Freigabe des Einzelnen auf sich selbst wird eine nicht unterdrückende, sondern bereichernde und lebendige ,gemeinsame Welt der Welten' möglich. Damit sind Einheit und Vielheit gleichermaßen berechtigt; sie legitimieren und erfüllen sich gegenseitig. Entsprechend geht es darum, die eigene Welt ernst, aber nicht für das Ganze zu nehmen, das heißt ganz aus ihr heraus zu leben, zugleich aber alle anderen *in* ihrer Eigenheit anzuerkennen, anders ausgedrückt: Es ist weder sinnvoll, sich ganz von einem ,Allgemeinen' her zu verstehen, noch, sich ausschließlich auf sich selbst zu beziehen; nur ein lebendiger Wechselbezug zwischen beiden Polen ist weiterführend.

Weiter enthält Rombachs Weltenlehre ein insbesondere für Gemeinschaften sehr fruchtbares Verständnis von Wahrheit, nämlich die Vorstellung von ,je meiner Wahrheit'. Indem der Einzelne zusammen mit einer Welt neu aufgeht, erfährt er die allein hier gegebene – und damit niemals zu verallgemeinernde –, hier aber auch ,gültige' Wahrheit dieser Welt. So ist die persönliche Erfahrung eines Menschen unbedingt ernst zu nehmen, zugleich aber zu bedenken, dass – gerade *weil* Wahrheit nicht zu belegen ist – niemals *Anspruch* auf deren Übereinstimmung mit der Wirklichkeit erhoben werden darf.

Eine geradezu revolutionäre Botschaft beinhaltet Rombachs Leitsatz „Alles ist nicht es selbst" (Rombach 1983, 172). Im Unterschied zu jedem substantialistischen und deterministischen Denken vertritt Rombachs Hermetik die Auffassung, dass der Mensch – wie alles Sein – nicht nur dazu befähigt ist, die in ihm angelegten und damit bereits gegebenen Möglichkeiten zu verwirklichen, sondern darüber hinaus solche erst in sich zu ,schaffen', das heißt zu evozieren und so ins Sein zu rufen. Auf diese Weise macht Rombachs Hermetik dem Menschen nicht nur Hoffnung, weit mehr werden zu können als er (derzeit) ,ist', sondern vermittelt ihm auch ein Stück weit die Kraft dazu, Möglichkeiten in sich zu entwickeln (und schließlich zu verwirklichen), die bislang *noch nicht* vorhanden sind, das heißt aber, in ganz ungeahnter Weise über sich selbst hinauszuwachsen.

Schließlich besteht die Bedeutsamkeit der Hermetik darin, das herkömmliche Verständnis von Verstehen zu vertiefen. Wenngleich es nicht sinnvoll sein dürfte, Rombachs Verständnis im ganzen zu übernehmen, vermag es den herkömmlichen Verstehensbegriff insofern zu bereichern, als es Aspekte betont, die dort Gefahr laufen, nicht hinreichend gewürdigt zu werden.

Zunächst betont die Hermetik, dass Verstehen als Erkenntnisform per se Anspruch auf Wahrheit erhebt, das Zu-Verstehende also in seiner Wahrheit erfassen muss, um als Verstehen gelten zu können: Rombach erlaubt erst dann von Verstehen zu sprechen, wenn die Situation des Anderen übernommen und damit von innen heraus uneingeschränkt erfasst wird – ein unvollständiges oder nur vermeintliches Erfassen wird nicht als Verstehen bezeichnet. Allerdings versäumt es Rombach, zwischen einem ‚vollständigen' als einem Wahrheit erfassenden und einem ‚umfassenden' als einem die *gesamte* zu verstehende Wahrheit aufnehmenden Verstehen zu unterscheiden.

Rombachs These, jemand könne von außen besser verstanden werden als von sich selbst, weist ebenfalls auf einen bedeutenden Aspekt hin. Anders als unter Annahme der vollständigen Identitätsübernahme stellt hier nicht das Selbstverständnis des Zu-Verstehenden das Ziel des Verstehens dar, sondern dessen Wesen, das sich von ersterem unterscheiden kann. Folglich kann ein Außenstehender unter Umständen in einem Menschen verborgene oder sogar erst noch zu entwickelnde Möglichkeiten erkennen, die diesem selbst (noch) nicht einsichtig sind. Entsprechend bedeutet nach Rombach, einen Menschen auf diese Weise zu verstehen, ihn bei seiner ‚Selbst'werdung zu unterstützen bzw. zu dieser erst zu befähigen. Problematisch ist dabei allerdings die Gefahr des Missbrauchs der Autorität, die dem Verstehenden zugestanden wird.

Mit seiner Weltenlehre mahnt Rombach weiter an, dass der Mensch in viel stärkerem Maße begrenzt ist als gemeinhin angenommen und ihm auch das Ausmaß seiner Begrenztheit immer entzogen bleibt. Entsprechend soll die These, Verstehen sei nur über einen radikalen Seinswechsel möglich, einsichtig machen, wie tief unsere Bedingtheit verankert ist und wie weit wir davon entfernt sind, *wirklich* vom Anderen her zu denken: Unsere Bedingtheit wirkt sich nicht nur darauf aus, *was* wir erfassen, sondern auch darauf, *als* was wir ‚etwas' erfassen. Folglich gibt es für Rombach nicht ‚die' Sache, sondern nur das – so oder so – Erfasste. Auch die menschliche Vernunft ist nur eines unter vielen, ebenfalls ‚welt'haft begrenzten Vermögen (vgl. Rombach 1987, 288). Ein objektivistisches Wirklichkeitsverständnis ist damit abzulehnen: Von einer für alle gleichermaßen ‚gegebenen' Wirklichkeit kann nicht ausgegangen werden, ja: Nicht einmal das eigene Verstehen scheint unverändert erhalten zu bleiben, sondern sich mit dem Wechsel in eine andere Welt – das heißt mit dem Bedingungsgefüge eines Menschen – grundlegend zu wandeln. Allerdings drängt sich hier einmal mehr die Frage auf, wie Rombach unter diesen Umständen mit dem Anspruch auf Wahrheit über die durch den absoluten Nullpunkt gehende Erfahrung hermetischen Verstehens zu sprechen vermag.

Rombachs These von der vollständigen Identitätsübernahme macht weiter darauf aufmerksam, dass etwas, das jemand aus eigener Erfahrung kennt, unter Umständen besser von ihm verstanden wird als etwas Unbekanntes, das heißt, dass die eigene Betroffenheit im Verstehen von besonderer Bedeutung ist. Dabei ist allerdings zu bedenken, dass letztere nicht nur eine Vertiefung, sondern gegebenenfalls auch eine Minderung des Verstehens bewirken dürfte, weil der Verstehende aufgrund seiner Betroffenheit dazu neigen könnte, das fremde, dem eigenen ähnlich erscheinende Erleben vorschnell unter das eigene zu subsumieren, während er einem ‚fremden' Gegenstand distanzierter gegenüberstehen und vielleicht gerade dadurch eher in der Lage sein könnte, dessen Wahrheit zu erfassen. Festzuhalten ist somit, dass die Vertrautheit mit dem Verstehensgegenstand dessen Verstehen auf jeden Fall beeinflussen wird – ob in günstiger oder ungünstiger Weise, muss offen bleiben. Ähnlich verhält es sich mit Rombachs Gleichsetzung von Verstehen und Zustimmen: Wenngleich diese nicht als generell sinnvoll erachtet werden kann, vermag sie darauf hinzuweisen, dass das Verstehen einer Sache durch deren zusätzliches Anerkennen zwar nicht unbedingt verbessert, aber auf jeden Fall beeinflusst werden dürfte.

III. Ausblick

Unter Ausklammerung der genannten Schwierigkeiten zeigt sich Rombachs Hermetik als eine anspruchsvolle und in wesentlichen Punkten weiterführende Philosophie nicht nur menschlichen Verstehens, sondern des menschlichen Daseins überhaupt. Rombachs Ansatz beleuchtet kritisch bedeutende, bisher kaum wahrgenommene Fixierungen des abendländischen Denkens und des darin wurzelnden menschlichen Selbst- und Daseinsverständnisses, insbesondere die Gefahr, mit dem Bemühen um grenzenloses Verstehen die Dinge und letztlich das Leben selbst ‚fest-zu-stellen' und somit entscheidend zu beschränken. Demgegenüber sucht die Hermetik den Sinn für das Unbegreifliche und Unantastbare zu wecken und verborgene Steigerungsmöglichkeiten von Mensch und Dingen sowie des ganzen menschlichen Daseins aufzuzeigen. Mit den in ihr enthaltenen Möglichkeiten vermag sie sowohl die gegenwärtige Philosophie entscheidend zu bereichern als auch dem Einzelnen zu einer Vertiefung oder sogar Neufindung seines Lebens zu verhelfen. Indem Rombach – ungeachtet dessen, ob es immer gelingt – versucht, sich vom Alten und Eingefahrenen zu lösen und ganz neue Denk-Wege zu beschreiten, zeigt er nicht nur Mut, sondern auch große philosophische Eigenständigkeit. Durch den Aufruf zur menschlichen Neuwerdung und Selbstüberschreitung, durch die positiv vermittelte Hinaufhebung des Einzelnen zum Ganzen, geschieht bereits ‚hermetische Hebung' – Rombachs Hermetik vermittelt Mut zur ‚Steigerung' und ermuntert dazu, nach einem neuen, erfüllenderen Dasein und Miteinander zu suchen.

Gudrun Morasch

Literatur

Brezinka, W. (1967): „Über den Wissenschaftsbegriff der Erziehungswissenschaft und die Einwände der weltanschaulichen Pädagogik. Eine Antwort an Heinrich Rombach", in: *Zeitschrift für Pädagogik* 13, 135-168.

Dilthey, W. (1968): *Ideen über eine beschreibende und zergliedernde Psychologie (1894)*, in: G. Misch (Hg.): *Wilhelm Dilthey. Gesammelte Schriften*, Bd. 5, Stuttgart, 5. Aufl., 139-240.

Haeffner, G. (1988): „Rezension zu ‚Strukturanthropologie'", in: *Theologie und Philosophie* 63, 450-455.

Kluge, F. (1989): *Etymologisches Wörterbuch der deutschen Sprache*, Berlin/New York, 22. Aufl.

Morasch, G. (1996): *Hermetik und Hermeneutik. Verstehen bei Heinrich Rombach und Hans-Georg Gadamer*, Heidelberg.
- (1998): „Der Mensch als Struktur. Heinrich Rombachs Strukturontologie am Beispiel der menschlichen Identität", in: *Theologie und Philosophie* 73, 70-83.

Rombach, H. (1977a): *Leben des Geistes. Ein Buch der Bilder zur Fundamentalgeschichte der Menschheit*, Freiburg et al.
- (1977b): „Die Grundstruktur der menschlichen Kommunikation. Zur kritischen Phänomenologie des Verstehens und Mißverstehens", in: E. W. Orth (Hg.): *Mensch, Welt, Verständigung. Perspektiven einer Phänomenologie der Kommunikation (Phänomenologische Forschungen* 4), Freiburg/München, 19-51.
- (1980): *Phänomenologie des gegenwärtigen Bewußtseins*, Freiburg/München.
- (1983): *Welt und Gegenwelt. Umdenken über die Wirklichkeit: Die philosophische Hermetik*, Basel.
- (1985): „Zur Hermetik des Daseins. Ein philosophischer Versuch", in: K.-E. Bühler u. H. Weiß (Hg.): *Kommunikation und Perspektivität. Beiträge zur Anthropologie aus Medizin und Geisteswissenschaften. Festschrift für Dieter Wyss zum 60. Geburtstag*, Bd. 1, Würzburg, 13-19.
- (1987): *Strukturanthropologie: „Der menschliche Mensch"*, Freiburg/München.
- (1988a): *Die Gegenwart der Philosophie. Die Grundprobleme der abendländischen Philosophie und der gegenwärtige Stand des philosophischen Fragens*, 3., grundl. neu bearb. Aufl. Freiburg/München (erste Aufl. 1962).
- (1988b): *Strukturontologie. Eine Phänomenologie der Freiheit*, Freiburg/München, 2. Aufl. (1. Aufl. 1971).
- (1991): *Der kommende Gott. Hermetik - eine neue Weltsicht*, Freiburg.
-: „Versuch einer Selbstdarstellung" [unveröff. Manuskript, ohne Ort, ohne Jahr].

Schaeffler, R. (1974): Artikel „Verstehen", in: H. Krings et al. (Hg.): *Handbuch philosophischer Grundbegriffe*, Bd. 3, München, 1628-1641.

Der „menschliche Mensch" und die „menschliche Gesellschaft"

Heinrich Rombachs strukturphilosophische Grundlegung der Anthropologie und Sozialphilosophie

Thomas Franz

Die Jahre vor und nach der Millenniumswende schienen prädestiniert dafür zu sein, sich die grundlegenden Fragen nach dem Selbstverständnis des heutigen Menschen und den Perspektiven für die Zukunft der Menschheit insgesamt zu stellen. Die Stimmung des Umbruchs und die Suche nach Neuanfängen, das Zerfallen bestehender Lebensformen und politischer Systeme und das Aufkommen alternativer Bewegungen zeigt die Gegenwart in der *Krisis*. So ist es nicht verwunderlich, dass sich Politiker wie Religionsführer bis heute verstärkt mit Zukunftsszenarien befassen.

Die gegenwärtige Krisis ist jedoch in ursprünglicher Weise die Stunde der Philosophie. Fragt diese doch nach den ontologischen Grundlagen dieser Umbrüche, verortet diese in der Geschichte der Menschheit und entwirft eine neue, vertiefte Sicht des Menschseins. Freilich gelingt dies nicht jeder Philosophie. Es bedarf der sachgerechten Wahrnehmung, des visionären Weitblicks und der geeigneten ontologischen und anthropologischen Begrifflichkeiten. Alle diese Momente vereinigen sich im beeindruckenden Werk Heinrich Rombachs. Wohl wie kein Zweiter hat er das Selbst- und Wirklichkeitsverständnis des Menschen aus seinen historischen Gegebenheiten zum Thema gemacht und gleichzeitig die Grundlagen für ein zukünftiges Menschsein aufgezeigt. Der Mensch hat seine menschlichen Möglichkeiten noch nicht ausgeschöpft. Dies wird seine Aufgabe für die Zukunft sein. Der „menschliche Mensch" und die „menschliche Gesellschaft" – unter diesen Leitvorstellungen erörtert Rombach das zentrale Anliegen seiner Philosophie, deren ontologische Grundlagen und Konsequenzen aufzuzeigen er sich in seinem Werk verschrieben hat.

Im Folgenden soll ein Gesamtüberblick über die anthropologische und sozialphilosophische Konzeption Rombachs gegeben werden, indem die wichtigsten Begrifflichkeiten eingeführt und erörtert werden. Dabei geht es zunächst um die Frage nach dem Menschen innerhalb der Gesamtkonzeption der Strukturphilosophie. Weiterhin gilt es, die wichtigsten Grundzüge der Strukturontologie zu klären. Im dritten Abschnitt folgt das tiefenphänomenologische Konzept der anthropologischen Grundphänomene. Daran schließt sich die Darlegung der Grundzüge der Struktursoziologie an. Zum Abschluss wird das vieldimensionale Gesamtbild des Menschen am Umbruch in das neue Jahrtausend gegeben.

Die Auseinandersetzung mit dem Werk Rombachs steht erst am Anfang.[1] Vor aller Kritik möchte dieser Beitrag einen Einblick in die Sicht von Menschsein eröffnen, die Rombach in seiner Strukturphilosophie aufgezeigt hat.[2]

1. Der Mensch in der Strukturphilosophie

Der Mensch ist das Thema der Rombachschen Strukturphilosophie. Strukturphilosophie, das ist Philosophie vom Menschen. Die Anthropologie ist dabei kein disziplinär abgegrenzter Teilbereich der Philosophie. Der Strukturphilosophie geht es immer um das Ganze der Wirklichkeit. Der Mensch ist das Modell schlechthin für die Wirklichkeitsauffassung der Strukturphilosophie. Wo der Mensch zum Thema wird, sind auch die beiden anderen großen Themen der Philosophie, Welt und Gott, gleichermaßen thematisch präsent. Strukturphilosophie, das ist in eins Strukturanthropologie, Strukturkosmologie und Strukturtheologie.

Die Strukturanthropologie beinhaltet eine nachmetaphysische Auffassung vom Menschen. Rombach ist nicht daran gelegen, erneut eine Wesensbestimmung des Menschen in metaphysischer Manier aufzulegen. Eine überzeitliche, allgemeingültige Festlegung des menschlichen Wesens lässt sich heute nicht mehr ausmachen. Wenn überhaupt von Wesen gesprochen werden kann, dann im Sinne einer „Wesensgeschichte" und eines „Wesenspluralismus". Das Wesen des Menschen ist nicht vorgegeben, sondern es muss geschichtlich je konkret neu gefunden werden. Es gibt eine Vielzahl von Wesensrealisierungen des Menschen. Ein Blick auf die Vielfalt gelebten Lebens zeigt dies.

Eine Philosophie, die sehen und nicht vorgeben will, die beschreiben und nicht festlegen will, ist Phänomenologie. Das zentrale Motto, das ihr Begründer Edmund Husserl ausgegeben hat, war „Zu den Sachen selbst". Im Versuch einer Selbstbegründung seiner Philosophie hat Husserl das transzendentale Bewusstsein als Begründungsinstanz eingeführt und somit die Phänomene als Bewusstseinsphänomene konzipiert.

---

[1] Eine erste umfassende Auseinandersetzung mit dem Gesamtwerk findet sich in Stenger u. Röhrig (Hg.) 1995.

[2] Rombachs Selbstverständnis geht von einer Dreigliederung seiner Philosophie aus. Neben der Strukturphilosophie, zu der die – teils nochmals unterschiedene – Strukturontologie und die Strukturphänomenologie zählen, bilden die Bildphilosophie und die Philosophische Hermetik eigene Bereiche. Zum Zusammenhang dieser Bereiche vgl. Röhrig 1995. Der vorliegende Beitrag beschränkt sich im Wesentlichen auf den Ansatz der Strukturphilosophie.

Der Mensch ist aber mehr als Bewusstsein. Dies hat Martin Heidegger gesehen und die Phänomenologie ontologisch vertieft begründet.[3] Zur ontologischen Phänomenologie gehört auch die Einsicht, dass die Phänomene „zunächst und zumeist" nicht in ihrer eigentlichen Form gegeben sind, sondern in derivater Form als „Epiphänomene". Die Phänomene als faktisch-deskriptive Bestandsaufnahme des Menschen verkürzen damit das Menschsein, indem sie den eigentlichen Phänomengehalt nicht erarbeiten. Phänomenologie ist aber gerade darin eine „Arbeitsphilosophie".

Die Phänomene sind in der ontologischen Phänomenologie die „Seinsweisen" des Menschen und des nichtmenschlichen Seienden. Da zwischen dem menschlichen und dem nichtmenschlichen Seienden eine unüberbrückbare Differenz gesehen wird, steht jedoch der Mensch als „Dasein" im Mittelpunkt. Dass der Mensch jedoch nicht auf eine bestimmte Weise zu sein festgelegt ist – nämlich in der Heideggerschen Weise der Entschiedenheit und Entschlossenheit – hat Eugen Fink erkannt. Fink geht davon aus, dass es fünf unableitbare, auf keine anderen Phänomene zurückführbare „Grundphänomene" des Menschen gibt: Eros, Tod, Arbeit, Herrschaft und Spiel.[4] Die Konkretheit des menschlichen Daseins ist plural. Wie bei Heidegger Dasein zum Verstehensmoment von Sein schlechthin wird, sind für Fink alle Grundphänomene „Weltsymbole". Jedes Grundphänomen ist nicht nur eine Seins- und Verstehensweise des Menschen, sondern auch eine Seins- und Verstehensweise der Wirklichkeit insgesamt. Fink hat neben der Einsicht in die Pluralität der anthropologischen Grundphänomene auch die Frage nach einer positiven Zuordnung von Individualität und Sozialität des Menschen gestellt.[5]

In der ontologischen Phänomenologie werden die Phänomene vom Menschen her gedacht. Das Phänomen als Phänomen zu sehen und den Menschen von den Phänomenen her zu beschreiben, hat sich Rombach in seiner „Strukturphänomenologie" zur Aufgabe gestellt. Dies bedeutet auch, dass die ontologische Kluft zwischen dem Menschen und dem nichtmenschlichen Seienden überwunden wird. Die für den Menschen zutreffenden ontologischen Bestimmungen gelten auch für das nichtmenschliche Seiende, wobei der sachgerechte Rahmen eingehalten werden muss.[6]

Die Strukturphänomenologie Rombachs, die über die transzendentale Phänomenologie Husserls und die ontologische Phänomenologie Heideggers die

---

[3] Zur Frage, inwieweit sich bei Husserl und Heidegger noch eine metaphysische Wesensauffassung verbirgt, die erst bei Rombach gänzlich überholt wird, vgl. Seubold 1999.

[4] Vgl. Fink 1979. Dieses posthum erschienene Werk beinhaltet eine Vorlesung, die Fink unter dem gleichen Titel im Sommersemester 1955 in Freiburg im Breisgau gehalten hat.

[5] Die weiterführende Bedeutung des Finkschen Denkens im Zusammenhang der phänomenologischen Philosophie Husserls und Heideggers habe ich versucht darzustellen in Franz 1999, 47-63.

[6] Auf diesen Sachverhalt kann nicht näher eingegangen werden. Vgl. dazu Rombach 1994b, 131-135.

Fragestellung der Phänomenologie vertieft und erweitert auf einen neuen Boden stellt, nimmt dabei die ontologische und die kritische Fragestellung der ontologischen Phänomenologie Heideggers wie die erweiterte Problemstellung Finks auf. [7] Die Strukturphänomenologie arbeitet an der Klärung und Verbesserung der Phänomene mit Hilfe der *Hoch- und Differentialinterpretation*. Diese Arbeit wird ermöglicht durch ein neues Verständnis von Phänomenologie und Ontologie. Es gilt nun zu klären, was sich hinter der Zuordnung von Phänomen und Struktur verbirgt.

Struktur ist das Grundwort des Rombachschen Denkens. 1965/1966 hat er in *Substanz, System, Struktur* die „apokryphe Denkgeschichte" des Strukturgedankens in der Philosophiegeschichte der Neuzeit vorgelegt. Die *Strukturontologie* von 1971 versucht diesen Gedanken begrifflich zu fassen. Die bereitgestellte Begrifflichkeit der Strukturontologie ermöglicht eine umfassende „Strukturwissenschaft" vom Menschen, die 1987 in der *Strukturanthropologie* und 1994 in einer *Struktursoziologie* vorgelegt wurde. In diese Schriften eingebettet sind umfangreiche Phänomenanalysen, die das differentialinterpretatorische Konzept der Phänomenmeliorisierung exemplifizieren.

Die Strukturphänomenologie ist damit im eigentlichen Sinne „Phänopraxie". Demzufolge versteht sich die Strukturphilosophie als „tätige Philosophie". „Wir unterscheiden zwischen *Strukturgedanke* und *Strukturontologie*. Der Strukturgedanke ist lange schon lebendig, bevor die Strukturontologie mit ihrer begrifflichen Arbeit beginnt. Im Grunde ist der Strukturgedanke schon immer am Werk, da er ja kein ‚Gedanke' ist, sondern die *Selbsterhellung* des geschehenden Lebens selber." (Rombach 1994b, 168)

Rombach vollzieht in seinem Selbstverständnis eine Neuorientierung der Phänomenologie als Grundlagenwissenschaft. Die Strukturphänomenologie stellt für die Humanwissenschaften eine dem Phänomen Mensch in der ganzen Vielschichtigkeit seiner Wirklichkeit gerechtwerdende Methodologie bereit, die weitgefächerte anthropologische Forschungsmöglichkeiten eröffnet. Ziel der Strukturphilosophie wie der wissenschaftlichen Forschungsperspektive, die sie bereitstellt, ist die Arbeit an der „Selbsthebung des Daseins" (vgl. Rombach 1980, 325-332) mittels kritischer Phänomenanalysen der anthropologischen Grundphänomene wie der sozialen Lebensfelder des Menschen.

Der Mensch hat die Möglichkeiten seines Menschseins noch nicht erreicht. Dieses „Mehr" an Menschlichkeit, das die Strukturphänomenologie aufzuzeigen sich vorgenommen hat, setzt ein anderes ontologisches Wirklichkeitsverständnis voraus: die *Strukturontologie*.[8]

---

[7] Vgl. hierzu die ausführliche Darstellung in der *Phänomenologie des gegenwärtigen Bewußtseins* in Rombach 1980.

[8] „Die Strukturontologie interpretiert den Menschen neu. Sie schafft jedoch nicht ein neues ‚Menschenbild', sie entdeckt keine neuen Qualitäten und weist ihm keine neuen Aufgaben zu. Sie entdeckt ihn aber als die Stelle, an der eine spezielle ontologische Verfassung in die Allgemeinheit des Seins (wenn man noch so sprechen kann) umschlägt. Die

2. Genese und Implikation: die strukturontologischen Grundlagen

Die strukturphilosophische Bestimmung des Menschen ist grundgelegt in einer neuen Wirklichkeitskonzeption. Diese lässt sich aus der Philosophiegeschichte des Abendlandes herleiten. Rombach unterscheidet die Abfolge dreier ontologischer Grundkonzeptionen: Substanz, System und Struktur, denen entsprechende Anthropologien, Kosmologien und Theologien zuzuordnen sind.[9] Die in der Antike und im christlichen Mittelalter gültige Substanzontologie, die sich bis in die Gegenwart in der substanzialistischen und personalistischen Anthropologie innerhalb der Geisteswissenschaften gehalten hat, ist eine Gegenkonzeption zum Strukturgedanken, der sich in der neuzeitlichen Philosophie im Untergrund herausgebildet hat. Als vereinfachte und verkürzte Form des Strukturdenkens hat sich jedoch die Systemontologie, die die Wirklichkeitsauffassung neuzeitlicher Naturwissenschaft und Technik beinhaltet, durchgesetzt. Die populäre Systemtheorie Luhmanns stellt eine Spätform dieses Denkens dar.

Für die drei ontologischen Grundkonzeptionen haben je unterschiedliche Wirklichkeitsbereiche Modellcharakter. Für die Substanzontologie ist das Gott, für die Systemontologie die Welt, für die Strukturontologie der Mensch.

Der Strukturgedanke hat sich im Spätmittelalter in Auseinandersetzung mit der Substanzontologie entwickelt.[10] Diese philosophische Konzeption ging von einem ewig bleibenden, in sich stehenden Wesenskern aus, dem alle Beziehungen und Veränderungen nur akzidentiell und äußerlich zugeordnet sind. Es sind aber gerade die Relationen und Veränderungen, die ontologisch die Struktur intern konstituieren. Anders gesprochen sind gerade die für die Substanzauffassung unwesentlichen Elemente diejenigen, die das Wesen einer Struktur bilden.

Die Strukturontologie ist eine „Ontologie des Funktionalismus". Wie im Strukturdenken geht es auch bei der Systemontologie um die interne funktionalistische Verfassung. Beide stellen Identitätsphilosophien dar. Ihr Unterschied liegt in der Verhältnisbestimmung zwischen den Einzelmomenten und dem Ganzen des Systems bzw. der Struktur. Systemontologisch ist das System mehr als die Summe seiner Teile. Demgegenüber ist für die Strukturontologie jedes Strukturmoment identisch mit dem Ganzen der Struktur. Als seine entscheidende Entdeckung betrachtet Rombach jedoch die „Strukturgenese" (vgl. Rombach 1971, 221-298 u. 1994b, 65-85). Denn Strukturen haben keine bleibende Verfassung, sondern sie konstituieren sich in einem eigentypischen Entfaltungsgesche-

---

Strukturontologie ist das Ende der ‚Anthropologie' – oder die Entdeckung, daß der Mensch prinzipiell unbeschränkt über sich hinauskann." (Rombach 1971, 357)

[9] Es versteht sich von selbst, dass im Rahmen einer tätigen Philosophie diesen Grundkonzeptionen menschliche Lebensformen und -bilder unterhalb einer theoretischen Philosophie zugrunde liegen. Vgl. die fundamentalgeschichtliche Herleitung von Substanz, System, Struktur in Rombach 1977.

[10] Vgl. zur Entstehungsgeschichte der Strukturontologie, zu der letztlich auch nichteuropäische Kulturen beigetragen haben, Rombach 1994b, 168-184.

hen, zu dem Aufgang, Höhepunkt und Untergang gehören. Das lebendige Steigerungsgeschehen der Strukturierung lässt sich als „genetischer Bogen" beschreiben, zu dem nicht nur ein ekstatischer Anfang, sondern auch eine Form der Beendigung gehört. Die Strukturontologie ist eine Philosophie des Lebens, weil sie das lebendige Geschehen zwischen Leben und Tod als das jeder Wirklichkeit entsprechende Geschehen ansieht. Zu diesem Leben gehören die schöpferischen Möglichkeiten der Geburt wie die Endlichkeit des Todes.

Jede Struktur hat ein eigenes Selbst, das sich in der Genese konstituiert. In ihrer „Autogenese" ist jede Struktur frei, weswegen die Strukturontologie sich als *Phänomenologie der Freiheit* versteht. Geburt, Tod, Endlichkeit, Selbst, Freiheit, um die nur bisher genannten „Strukturale" der Rombachschen Strukturontologie aufzuführen, sind dem Leben des Menschen entnommen. Sie treffen in je eigener Weise jedoch für alle Wirklichkeitsbereiche zu. „Es gibt keine Ontologie des Menschseins innerhalb einer allgemeinen Ontologie. Sie *ist* die allgemeine Ontologie. Der Vorwurf des Anthropomorphismus, der unseren Ausführungen auf einem niederen Verständnisniveau unausweichlich gemacht werden muss, ist also eher umzukehren. Wir interpretieren nicht die Welt nach dem Menschen, sondern den Menschen nach der Welt. Darum haben alle phänomenologischen Befunde, die am Menschen abgelesen werden können, eine *homologe* Bedeutung für jede andere phänomenologische und ontologisch interessierte wissenschaftliche Thematik, mutatis mutandis freilich, aber nicht durch Abänderungen, sondern nur durch Verallgemeinerung der hier schärfer hervortretenden Züge." (Rombach 1971, 357)

In ihrer Genese kommen Strukturen zur Erscheinung. Deswegen hat die Phänomenologie für die Strukturphilosophie herausragende Bedeutung, da es darin um die Phänomene als Erscheinungen geht. Freilich geht es nicht um transzendentale Bewusstseinsphänomene noch um existentialontologische Daseinsvollzüge, sondern um den „Hervorgang" der Phänomene als Phänomene, also um die Genese ihres Erscheinens. Es dürfte deswegen jetzt einsichtig sein, wie Struktur und Phänomen bei Rombach zuzuordnen sind.

Der genetische Grundzug, den die Strukturontologie entdeckt und begrifflich gefasst hat, bedeutet für die strukturphilosophisch ausgerichtete Anthropologie und Soziologie, dass menschliche Individualität wie menschliche Gemeinschaft nur als Genese von Individualität wie Sozialität phänomenologisch korrekt beschrieben werden. Damit stellt sich aber die Frage nach der Verhältnisbestimmung von Individual- und Sozialgenese. Grob und in Kürze gesprochen ist die Substanzanthropologie eine Anthropologie der Individualität, die den „vernünftigen Menschen" propagiert. Seit dem 19. Jahrhundert ist die Systemanthropologie eine Anthropologie der Sozialität, die den „gesellschaftlichen Menschen" einfordert. Jeweils wird ein Pol zugunsten des anderen herausgehoben. Es ist aber gerade Rombachs Intention, das Spannungsgeschehen zwischen Individualität und Sozialität zu fassen. Nur in einer stimmigen Zuordnung von Individualität und Sozialität lassen sich sowohl der „menschliche Mensch" wie die „menschliche Gesellschaft" als Leitbild der Anthropologie behaupten.

Die Frage nach dem Verhältnis von Individualstruktur und Sozialstruktur verdeutlicht die grundsätzliche Fragestellung nach der Kombination von Strukturen. Wenn alles Struktur ist, muss geklärt werden, wie größere und kleinere Strukturen sich zueinander verhalten. Das Zuordnungsverhältnis der Strukturen hat Rombach als „Strukturkombinatorik" beschrieben (vgl. Rombach 1971, 299-359 u. 1994b, 110-135). Während Substanzen nur im Nebeneinander bestehen und keine Verhältnisse eingehen, die sie in ihrem Wesen selbst betreffen, sind Strukturen nur in Strukturen möglich. Dieses Verhältnis folgt den Gesetzmäßigkeiten der „Strukturimplikation". Jede Struktur ist in sich autonom nach der Maßgabe ihrer eigenen Subjektivität, aber auch Moment in einer größeren Struktur nach der Maßgabe von deren Subjektivität. Die Wirklichkeit ist nach Auffassung der Strukturontologie daher gestuft. Die Stufen sind zueinander offen, wobei die ontologisch tiefere Stufe die Bedingung für die ontologisch höhere Stufe ist. „Überformung" ist die Weise, wie eine höhere Stufe die niedrigere einstrukturiert. So setzt etwa die Pflanzenwelt materiale Strukturen voraus, wie sie selbst die Bedingung tierischen Lebens ist. „Ebenso der Mensch, der seine Welt durch die Überformung des tierischen Lebens herausgearbeitet hat und immer noch in allen seinen Gestaltungen durchsichtig auf Unterlagen bezogen bleibt. Jedes menschliche Verhalten hat tierische Vorformen, die auch noch unter der ‚Überformung' lebendig und aktuell bleiben. An jedem Punkt kann der Mensch ins Tierische ‚zurückfallen' und muss dann wieder durch sich selbst oder durch andere auf die Dimension des Menschlichen *gehoben* werden." (Rombach 1994b, 117) Die einzelnen Stufen der Wirklichkeit sind daher keine in sich abgeschlossenen Schichten, sondern ein lebendiges Hin und Her zwischen tieferen und höheren Stufen, wobei die höhere Stufe ein mehr an Wirklichkeit beinhaltet, was jedoch auf der niedrigeren noch nicht gesehen wird. Leben ist daher immer auf dem Sprung.

Aus der strukturimplikatorischen Verhältnisbestimmung der Wirklichkeit ergibt sich auch Rombachs Auffassung von Kreativität. Leben ist immer schöpferisch, aber nur im Sinn der Auseinandersetzung mit den umgebenden strukturalen Möglichkeiten. Daher spricht Rombach von „Konkreativität". Der Mensch hat seine unterschiedlichen Lebensformen immer in konkreativer Weise mit der Natur gefunden, wobei nicht nur der Mensch, sondern auch die Natur auf eine höhere Stufe gehoben wurde.[11]

Letztlich ist für Rombach jede lebendige Autogenese eine Weise der Konkreativität mit dem absoluten „All-Leben", dem „Ursprung".[12] Dieser theologi-

---

[11] Vgl. zur anthropologischen Bedeutung von Hermetik und Konkreativität Rombach 1987, 127-131 und zur Philosophie der Konkreativität von Mensch und Natur Rombach 1994b, 13-34.

[12] „Was wir Leben nennen und was so allgemein und selbstverständlich erscheint, ist in Wahrheit der Zustrom aus dem Ursprung, der in jedem als je sein eigener Ursprung erscheint. Ein jedes Selbst ist im Innersten *das* Selbst, und wer dieses zum Sprechen bringt, lebt seine Genialität." (Rombach 1994b, 205)

sche Aspekt der Philosophie Rombachs rundet den knappen Durchgang durch die Strukturontologie ab. Die Konsequenzen der strukturontologischen Grundlagen für die strukturphilosophische Auffassung vom Menschen stehen nun an. Wie bereits angedeutet, handelt es sich dabei um eine Doppelstruktur, die individuelles wie soziales Leben umfasst. Die Strukturanthropologie ist dementsprechend gedoppelt: als Tiefenphänomenologie und Höhenphänomenologie. Erstere erörtert die Grundphänomene des individuellen Lebens, die zweite fragt nach den Grundstrukturen der Sozialität.

3. Die Tiefenstrukturen des menschlichen Daseins

Nach Rombach lässt sich eine philosophische Konzeption nur aus ihrer geschichtlichen Konsequenz begründen. Wie der Strukturgedanke in der Philosophiegeschichte der Neuzeit sich entfaltet, so findet die Strukturanthropologie ihren historischen Boden in der nachhegelschen Philosophie. Anstelle einer metaphysischen Sicht des Menschen werden je unterschiedliche Grundstrukturen des menschlichen Daseins für eine philosophische Gesamtkonzeption herangezogen. Ob der Glaube bei Kierkegaard, das Schöpferische bei Nietzsche, die Lust bei Freud, die Entschiedenheit bei Heidegger, die Sprache im Strukturalismus usw. – immer wird eine Grunddimension zum Maßstab einer Gesamtinterpretation von Mensch und Wirklichkeit.

Dieser philosophiegeschichtliche Vorgang lässt sich mit Hilfe des methodologischen Instrumentariums der Strukturphilosophie verdeutlichen. Hierfür ist zunächst die Unterscheidung von Phänomen und Grundphänomen wichtig. Kierkegaard etwa zeigt am Phänomen Glaube, welche Bedeutung der Glaube für den Menschen haben kann. Dieses lässt sich auf kein anderes Phänomen zurückführen, es ist ein Grundphänomen. Das gleiche gilt jedoch auch für jede andere Konzeption. Nietzsche ist ebenso Recht zu geben wie Heidegger. Die Verabsolutierung eines Grundphänomens, die bei den nachhegelschen Konzeptionen zu finden ist, wird innerhalb der Strukturphänomenologie aufgelöst. Alle Grundphänomene haben ihre anthropologische Berechtigung. Jedes Phänomen kann zum Grundphänomen werden: so etwa Arbeit, Sprache, Kunst, Religion, Sport, Forschung usw.[13]

Eine weitere Präzisierung nimmt Rombach hinsichtlich des Verhältnisses von Mensch und Grundphänomen vor. Die Grundphänomene sind nicht etwas am Menschen, sondern sie bilden Tiefenstrukturen, die das individuelle Leben unterfangen und dabei mehr Lebensmöglichkeiten für den Einzelnen bereitstellen, als dieser selbst zu leisten vermag. Die Strukturphänomenologie ist daher

---

[13] Als erster hat Fink eine Pluralität von Grundphänomenen angenommen, die er im Rahmen seiner dialektischen Phänomenologie jedoch systemanthropologisch zuordnet. Vor dem Hintergrund der Strukturanthropologie habe ich eine kritische Interpretation der Finkschen Anthropologie vorgelegt in Franz 1999, 131-178.

Tiefenphänomenologie. Ein entscheidendes Kennzeichen ist die Dynamik der Grundphänomene, zu deren Beschreibung Rombach auf die asiatische Tradition des „Fahrzeugs" zurückgreift. Im Buddhismus werden damit die unterschiedlichen Schulbildungen gekennzeichnet wie „großes", „kleines" oder „diamantenes" Fahrzeug.[14] Für die Strukturanthropologie kommt es jedoch vor allem auf den Bewegungscharakter an, der sich hinter diesem Begriff verbirgt. Entscheidend ist für den Menschen, das jeweils entsprechende Grundphänomen zu finden und in dessen Dynamik hineinzugelangen. „Wer sich wirklich auf es einlässt, gerät mit dem Phänomen in eine Bewegung, durch die sich dieses selbst und auch ihn verändert. Es ist nicht mehr ein Phänomen *im* menschlichen Dasein, sondern das menschliche Dasein ist ein Phänomen im Bewegungsvollzug des Grundphänomens selbst, das die höhere Seinsmacht und die tragendere Subjektivität hat." (Rombach 1987, 419)

Die Individualgenese des Menschen besteht in der Findung von Grundphänomenen. Die Regel ist dabei, dass jeder Mensch ein bestimmtes Phänomen als sein Grundphänomen entdeckt und sich auf die Phänomenbewegung einlässt. Darin liegt gelingendes und vielleicht sogar geglücktes Dasein. „Gelingen" und „Misslingen" sind strukturontologische Grundmöglichkeiten. Misslingen ist jedoch wiederum Möglichkeitsbedingung für erneutes Gelingen. Rombachs Anthropologie ist optimistisch. „Glücken" ist jene eigentliche und ursprüngliche Grundform des autogenetischen Geschehens.

Jedes Grundphänomen ist für sich autonom, dennoch stehen die Grundphänomene in einem Verhältnis der „Homologie" zueinander. Unter Homologie versteht Rombach die Ausbildung eines gleichen Sinnzusammenhangs, der für die konkrete historische Profilation der Grundphänomene kennzeichnend ist. Aus der Entsprechung der Grundphänomene ergibt sich die Gesamtstruktur des Menschen. Diese ist wiederum bewegt, wobei unterschiedliche Grundphänomene innerhalb der Gesamtstruktur in unterschiedlicher Weise stärker oder schwächer zur Geltung kommen können. So impliziert die frühmittelalterliche Auffassung von Religion etwa ein anderes Verständnis von Arbeit, das sich gänzlich von der reformatorischen Auffassung von Religion, Arbeit, Macht, Bildung usw. unterscheidet. War im Mittelalter die Religion Leitinstanz der Gesamtstruktur, so ist dies heute vornehmlich die Arbeit.

Die Gesamtstruktur des Menschen wie die einzelnen Grundphänomene sind daher nur unter den Vorgaben einer „historischen Anthropologie" sachgemäß zu beschreiben. Die Einsicht in den historischen Gestaltwandel der Grundphänomene führt dann zum strukturanthropologischen Verständnis einer Wesensgeschichte des Menschen.

In seiner *Strukturanthropologie* von 1987 hat Rombach die Strukturanalysen der Grundphänomene Situation und Handeln vorgelegt. Die ausführliche Darlegung insbesondere des Grundphänomens Situation kann hier nicht wiedergegeben werden. Zwei wesentliche Grundzüge des Rombachschen Analyse des

---

[14] Vgl. Rombach 1996, 122-127; ebenso Stenger 1995.

Grundphänomens Situation sollen jedoch kurz genannt werden, die den strukturanthropologischen Gesamtansatz verdeutlichen und präzisieren: die „Situationskokarde" und das „reine Geschehen".

Die Situation ist ein Grundphänomen, das für den Menschen unausweichlich ist. Immer lebt der Mensch in Situationen, die ihn als ganzes betreffen. Jede Situation steht selbst wieder in einer größeren Situation, die wiederum von einer größeren Situation umfangen wird. So ergibt sich ein Gesamtzusammenhang von Innen- und Außensituationen, von Nah- und Fernsituationen, den Rombach Situationskokarde nennt. Situationen betreffen und gehen mich an. Aus diesem betreffenden „Angang" konstituiert sich ein „Situations-Ich". Zu jeder Situation gehört eine „Ichidentifikation". Da die Situationskokarde aus einer Stufung von Situationen besteht, ergibt sich für den Mensch ein „Pluralismus der Iche". „Die Vielfalt der Situationen konstituiert eine Vielfalt von Ichen, als deren vieldimensionale Aufstockung das jeweilige Ich sich erfährt. Die verschiedenen Iche kommen nicht nebeneinander, sondern gestuft übereinander, in einer Art *Ichturm* vor; aber das höchste Ich ist durchaus nicht das wichtigste." (Ebd. 242) Das Zusammenspiel von Nah- und Fernsituationen und ihrer unterschiedlichen Iche macht die Reichhaltigkeit und die Spannung des menschlichen Daseins aus. Verbleibt der Mensch in Nahsituationen, verliert er an Offenheit und Weite. Verbleibt der Mensch in Fernsituationen, verliert er an Konkretion und Profil. Aus diesem gelingenden oder auch misslingenden Zusammenspiel ergeben sich die Grundbefindlichkeiten des Menschen wie Langeweile, Bedrängnis, Angst, Trauer, aber auch Freude und Mut. Gelingende Formen zu ermöglichen, ist die Aufgabe einer „Strukturtherapie", die Durchlässigkeit und Offenheit für alle Situationen zu gewährleisten hat.

Da das Ich eine Vollzugsform ist, die sich erst aus dem Situationsgeschehen ergibt, gibt es im letzten keine bleibende Identität, nur Nichts. Wie die innerste Situation sich nicht substanzialistisch festmachen lässt, so auch nicht die äußerste. Dennoch ist diese, das „All-Leben", immer präsent als das innerste Lebensprinzip. „Das Umfassendste kann darum nicht benannt, wohl aber *erfahren* werden, erfahren insofern, als auch die äußerste Situation im Falle der Durchlässigkeit und Durchlichtetheit der Situationskokarde in mittleren und näheren Situationen *mitpräsent* ist, ja das eigentliche Thema ist, das überall abgehandelt wird." (Ebd. 311)

Da weder die innerste noch die äußerste Situation festgemacht werden kann, sondern nur über die mittleren und näheren Situationen präsent ist, gilt diesen Situationen das Augenmerk Rombachs. So etwa die Bedeutung der Natur, deren Präsenz unter den Stichworten „Erdenleib" und „das Tier im Menschen" abgehandelt wird.[15] Aber auch die Bedeutung von Kultur und Geschichte und nicht zuletzt der Stellenwert der Sozialität.

---

[15] Auf die Bedeutung des Leibes innerhalb der Phänomenologie der Situation kann nicht weiter eingegangen werden. Vgl. dazu Rombach 1987, 288-306.

Wie wir bereits gesehen haben, konstituiert jede Situation eine Form von „Egoität". Die Egoität kann als „Ich" oder als „Wir" erscheinen. Wir ist dabei eine eigene Form von Ich, die nicht aus dem Plural der Iche besteht. Wir als die Sozialstruktur der Situation gibt es wiederum in vielen übereinander liegenden Dimensionen. Ich und Wir sind keine letzten fixierten Größen, sondern sie sind im Zusammenspiel auf unterschiedlichen Ebenen. „Vielleicht ist das, was wir im extremen Sinn ‚Ich' nennen, nur eine Kreuzung vieler Wir-Einheiten. Es bildet sich sozusagen eine Ich-Achse aus, die durch alle Wir-Situationen hindurchreicht. Aber auch diese letzte Ich-Konzentrizität hat einen Wir-Aspekt: wir Iche." (Ebd. 258) Bevor die Zuordnung von Individualität und Sozialität von Seiten der Sozialität weiter in den Blick genommen wird, kommen wir abschließend auf Rombachs Identitätskonzept zurück.

Die Phänomenologie der Situation beinhaltet die anthropologische Konkretisierung der Strukturontologie. Dies gilt insbesondere für den Aspekt der Strukturimplikation. Aber auch der Grundzug der Strukturgenese erfährt eine Profilierung hinsichtlich seiner identitätsphilosophischen Aspekte. Rombach unterscheidet nämlich drei Stufen von Egoität: „Identität", „Authentizität" und „Idemität". Jede Struktur entwickelt Egoität. Identität ist die Stufe der Egoität, auf der Individualität erreicht wird. Dies trifft bereits für Pflanzen und Tiere zu. Der Mensch kann darüber hinaus Authentizität gewinnen, wenn seine individuelle Gestalt strukturgenetisch gefunden wird. Die Eigengestalt ist unverwechselbar und einmalig. Unter Idemität wird dann die Form der Egoität erreicht, in der ein Selbst nicht besessen wird, sondern alles „von selbst" geschieht. Mit der Idemität ist eine neue Form des Geschehensvollzugs gekoppelt. Dieses Geschehen wird „rein" genannt, weil es das Geschehen selbst ist, aus dem alles hervorgeht. Dabei entwickelt das Geschehen eine Kraft, die der Mensch als Hebung erfährt, in die er sich ganz verliert. Gerade in diesem Verlieren glückt menschliches Dasein, weil es mehr erhält, als es selbst zu leisten vermag. Freilich ist das „reine Geschehen" von endlicher Dauer und lässt sich nicht besitzen. Dennoch ist es für Rombach die Grundform des Wirklichkeitsgeschehens, die, am Menschen abgelesen, für alle Wirklichkeit gilt und nicht zuletzt dem Menschen selbst mehr Möglichkeiten an Humanität eröffnet.

„Im Von-selbst bekundet sich das *Selbst selbst*. Dieses ‚Selbst selbst' dürfte der vorläufige Endpunkt der Geschichte der Egoität sein und in seinem Lichte müssen die Thesen der Metaphysik, der Anthropologie und der Theologie neu gedacht werden." (Ebd. 389) So ist die Erfahrung des reinen Geschehens die Erfahrung der Idemität von absolutem und endlichem Selbst. Von daher gesehen sind alle anderen Formen der Identität Derivate. Der Mensch ist auf diese ursprüngliche Geschehensform verpflichtet, will sein Leben gelingen und glücken, weil sie die Grundform des Lebens selbst ist.

4. Die Ordnungen des sozialen Lebens

Wie der Mensch unterfangen wird von seinen Tiefenstrukturen, in denen er seine Freiheit findet, so wird er auch übergriffen von Höhenstrukturen. So hat Rombach in Entsprechung zur Tiefenphänomenologie eine Höhenphänomenologie erarbeitet. Höhenstrukturen sind Sozialphänomene, deren Wirklichkeit die Dimension der Geschichte bildet. Wirklichkeitsform der Höhenstrukturen ist die „Sozialgenese" (vgl. Rombach 1994a, 146-198). Auch in der Sozialphilosophie gelten die Gesetzmäßigkeiten der Strukturontologie. Die Sozialstrukturen haben demzufolge ein eigenes Leben. Sie entstehen, erreichen ihre Hochform und vergehen wieder. Die Höhenstrukturen sind nicht vom Menschen verursacht, sondern geschehen von selbst. Dieses von selbst artikuliert sich als der „Gemeinsinn", der „Geist" einer Gemeinschaft. Rombach hält an dem Unterschied zwischen Gesellschaft und Gemeinschaft fest, wenngleich er davon ausgeht, dass alle Gesellschaften auf Gemeinschaften hin tendieren. Gemeinschaften bilden jenen idemischen Geist aus, in dem die Identität des Einzelnen mit der Identität der Gemeinschaft zusammengeht. „Das Ganze *lebt* in jedem Einzelnen, und zwar ohne ihm seine Einzelheit zu nehmen. Er kann seine eigene Identität *mit* der Identität der Gemeinschaft identifizieren. Dies nennen wir ,Idemität'. Alle Sozialgenese zielt auf Idemität, alle Gemeinschaften besitzen in sich, wie stark oder schwach ausgeprägt, immer Idemität." (Rombach 1994a, 169)

Gemeinschaft ist dann die Sozialgestalt, in der der Mensch nicht nur gesellschaftlich, sondern in der die Gesellschaft menschlich ist. Die Idemität einer Gemeinschaft als Hochform der Sozialgenese lebt aus einem gemeinsamen Geist. Durch die geglückte Sozialgenese nimmt die Individualexistenz somit teil am „größeren Menschen".

Die Bedeutung der Sozialphilosophie für den Menschen hat sich bereits am Zusammenhang von Ich und Wir gezeigt. Zur Menschlichkeit des Menschen gehört nicht nur die Gestaltfindung seiner individuellen Struktur, sondern auch die Teilnahme an unterschiedlichen Sozialgenesen. Die Sozialanthropologie folgt daher auch hier den Regeln der Strukturimplikation. Gemeinschaften sind nur in Gemeinschaften möglich. So ist auch das soziale Leben vieldimensional gestuft.

Insbesondere an länger dauernden Sozialstrukturen wie etwa den Nationalstaaten, Religionsgemeinschaften oder den Kulturen zeigt sich, dass das Leben der Höhenstrukturen Geschichte bildet. Geschichte ist die Geburtsform des größeren Menschen, die immer epochal verläuft. Da auch zu großen Höhenstrukturen Untergang und Verfall gehören, muss der ursprüngliche Geist immer wieder neu geboren werden, wobei die neue Gestalt immer noch eine Artikulation desselben Geistes vollzieht. Den Epochen der Geschichte des größeren Menschen entsprechen die Lebensalter des „kleineren Menschen": Kindheit, Jugend, Reife und Alter. Dies verdeutlicht erneut, dass für Individualanthropologie wie für die Sozialanthropologie die gleichen strukturontologischen Vorgaben gelten. Dies trifft auch für den Aspekt der Freiheit zu, der üblicherweise der Individualexistenz zugesprochen wird. Aber auch Sozialgenesen haben ihre Freiheit.

Für den Menschen kommt es darauf an, sowohl in seiner Individualexistenz wie in seiner Sozialstruktur zueinander stimmige Lebensformen zu finden. Die Doppelstruktur des Menschen von Individualität und Sozialität ist nach keiner Seite hin zu reduzieren.

„Aus dieser Doppelstruktur wird auch das *Kriterium* der Selbstgestaltung gewonnen, die ja nicht beliebig sich selbst überlassen bleiben darf. Das Kriterium besteht darin, dass diejenige Sozialgestalt gefunden werden muss, die für die schöpferische Selbstgestaltung der Individuen am förderlichsten ist, wobei aber die Selbstgestaltung der Individuen auch wieder unter das Kriterium gestellt ist, dass nur solche Gestaltgenesen als gelungen gelten können, die dem Gelingen der Sozialgestalt förderlich sind." (Ebd. 291)

Rombach entwirft seine Struktursoziologie als *Phänomenologie des sozialen Lebens*. Deren wichtigste phänomenologische Entdeckung besteht darin, dass das gesellschaftliche Leben immer in „sozialen Ordnungen" stattfindet (vgl. ebd. 31-145). Diese sind das Grundphänomen des sozialen Lebens. „Alles, was der Mensch ist, ist in Ordnungen definiert, deren Ausgestaltung eine soziale Leistung ist. Die primäre und elementare Existenzform der ‚Gesellschaft' ist die Ausgestaltung der sozialen Ordnungen." (Ebd. 55 f.) Soziales Leben gibt es nur in den Ordnungen der Arbeit und des Berufs, der Wirtschaft, des sittlichen Lebens, des Verkehrs, des Rechts, der Religion, der Kunst, der Politik, der Sprache, des privaten Lebens usw. Jede Ordnung spielt in die andere hinein, ohne dass sie ihre eigene Autonomie aufgibt. Die sozialen Ordnungen bezeichnet Rombach daher als „Sozialspiele". Die Zahl der Ordnungen ist nicht festgelegt und abgeschlossen. Damit ist ein weites Feld sozialphänomenologischer Forschung eröffnet.

Wie die Tiefenstrukturen des individuellen Daseins bilden die sozialen Ordnungen einer bestimmten Gesellschaft eine Gesamtstruktur aus, die keine höhere Gesamtordnung darstellt, sondern ein lebendiges Beziehungsgeflecht der Homologie zwischen den einzelnen Ordnungen, wobei nicht immer alle Ordnungen auf dem gleichen Niveau zu finden sein müssen. Denn auch Entsprechungen müssen gefunden werden. Es lässt sich jedoch aus dem Entsprechungsgeschehen ein gemeinsames Profil, ein Stil, angeben, der etwa die deutsche von der englische Gesellschaft unterscheiden lässt.

Auch die sozialen Ordnungen sind auf dem Boden der Strukturontologie zu beschreiben als autogenetische Strukturen, die aus der Konsequenz ihrer autonomen Selbstgestaltung eine eigene Subjektivität entwickeln. Ordnungen sind in Bewegung, sie haben ein Leben, das aus unterschiedlichen Schüben besteht, die die Geschichte der Ordnungen ausmachen.[16]

---

[16] „Diese außerordentliche Kraft der Eigendynamik ist das, was wir ‚Geschichte' nennen. Die Geschichte gibt es darum eigentlich nicht als Gesamtprozeß, sondern ursprünglich und unmittelbar nur als Eigengeschichte der unterschiedlichen sozialen Ordnungen." (Rombach 1994, 97)

Um zu dieser strukturalen Auffassung der sozialen Ordnungen zu gelangen, bedarf es der Erkenntnis, dass die bekannte empirische Gegebenheit der Ordnungen nicht die eigentliche Wirklichkeit ausmacht. Ordnungen sind vielmehr „transzendentale" Größen, die die jeweilige Dimension erst eröffnen, innerhalb derer etwas als ein bestimmtes religiöses, ökonomisches oder privates Problem erscheint. „Also nicht die Beschreibung irgendwelcher Erscheinungen des sozialen Lebens kann sich Phänomenologie nennen, sondern nur die Beschreibung der transzendentalen Strukturen der Sozialität, die jeder einzelnen sozialen Erscheinung zugrundeliegen müssen, damit diese überhaupt ,sozial' genannt werden kann." (Ebd. 281 f.)

Die transzendentale Vorgegebenheit der sozialen Ordnungen wandelt sich jedoch im Lauf der Geschichte. Dies zu sehen bedarf es einer „historischen Phänomenologie", die davon ausgeht, dass etwa die Ordnung der Wirtschaft zu Zeiten des Merkantilismus etwas anderes als ist als im Zeitalter der Globalisierung. Die strukturale Phänomenologie schließlich erfasst die Doppelstruktur zwischen den empirischen Erscheinungen und ihrer transzendentalen Bedeutung. Als kritischer Phänomenologie geht es ihr gerade darum, die empirischen Erscheinungen auf ihre transzendentalen Grundlagen hin zu interpretieren. Darin liegt auch deren „Verlebendigung", worin Rombach den ontologischen Sinn von Demokratie ansieht. Demokratie darf nicht auf ihre äußere Ordnungsgestalt reduziert, sondern muss auf ihren transzendentalen Sinn hin freigegeben werden. Dann wird deutlich, dass Demokratie die Grundform allen sozialen Lebens ist, und dies nicht nur in der Politik.

Wie verhält sich nun das Individuum zu diesen Ordnungen? Zunächst findet das Individuum Ordnungen vor und muss in unterschiedliche Weise in diese einbezogen werden. Es erhält darin seinen Platz, und die Ordnung legt auch den Wert fest, den das Individuum für die Ordnung hat. Innerhalb einer Ordnung hat der Mensch seine „Persona",[17] durch die hindurch die Ordnung durchklingt und die ihm konkrete Bestimmungen zuweist. Bei aller Einbezogenheit des Menschen in soziale Ordnungen geht doch dieser nicht vollständig in den Ordnungen auf. Jenseits seiner unterschiedlichen Personae als Arbeiter, als Ehemann usw. bleibt er Mensch. „Wir müssen in jeder Ordnung und jederzeit uns *voll* mit der Persona identifizieren und zugleich *gänzlich* von ihr distanzieren. Wir können dies, da wir nicht Individuen sind, die in einer sozialen Ordnung wie in einer Umwelt existieren, sondern da wir *als* die ganze Struktur existieren, die zugleich Individuum *und* Ordnung ist." (Ebd. 124 f.)

---

[17] „Wir nennen diesen Kreis der Erscheinungsweisen, der sich aus den Bestimmungsmöglichkeiten einer sozialen Ordnung ergibt, die ,Persona' des Individuums, gleichsam die ,Maske', die ihm auferlegt wird und mit der es eine bestimmte Präsenz innerhalb dieser Ordnung erhält. Es spricht aber durch diese Maske hindurch, seine Individualität klingt durch, und in diesem Sinne wollen wir hier ,Persona' verstehen, also vom ,personare' als Hindurchklingen her." (Ebd. 122 f.)

Der Durchgang durch die Rombachsche Strukturanthropologie in ihrer Doppelung als Individual- und Sozialanthropologie hat die lebendige und spannungsreiche Vielfalt menschlicher Lebensformen in Grundzügen nachzuzeichnen versucht. Die Gesamtstruktur zwischen Tiefenstruktur und entsprechender sozialer Ordnung als Höhenstruktur beschreibt Rombach als „Sphäre".[18] Veränderungen in der Tiefenstruktur führen zur Umgestaltung der entsprechenden Höhenstruktur. Das „aktuelle Leben" des Menschen besteht aus der Gesamtstruktur aller Sphären von Recht, Arbeit, Bildung, Religion, Wirtschaft usw. Diese machen die aktuell gelebte Wirklichkeit des Menschen aus.

5. Die Menschheit im Umbruch

Die Gesamtstruktur von Tiefenstrukturen und Höhenstrukturen bilden die Strukturwissenschaft vom Menschen, die Rombach im Rahmen einer historischen Phänomenologie entwickelt hat. Historische Phänomenologie geht von der Geschichtlichkeit des Menschen und der Gesellschaft aus. Sie beschreibt, wie es zu revolutionären Veränderungen in der Lebenswirklichkeit des Menschen kommt. Diese revolutionären Veränderungen finden in unterschiedlichen Tiefendimensionen des Menschseins statt und wirken sich auf die Gestaltung der entsprechenden Höhenstrukturen aus (vgl. Rombach 1996, 19-32).

Die Dimension des aktuellen Lebens, die wir bisher in ihrer Doppelung als Individual- und Sozialanthropologie nachgezeichnet haben, ist unterfangen durch die Dimension der gesellschaftlichen Bedingungen, die vor allem die national strukturierten Gemeinschaften betreffen. Veränderungen in diesem Bereich erscheinen als „Ereignisse" im aktuellen Leben und wirken sich auf den nationalen Gesamtzusammenhang aus.

Mehrere Nationen bilden zusammen eine Kultureinheit wie etwa Europa. Kulturen gründen in der tieferliegenden Dimension des „epochalen Bewusstseins", das über epochale Revolutionen und „Umstürze" sich herausbildet. Während Nationen sich zu einer übergeordneten Kulturwelt vereinigen, gibt es zwischen unterschiedlichen Kulturwelten keine Vergleichbarkeit mehr. Hier sind „äonale" Unterschiede gegeben, die weder auf der Ebene der Rationalität noch auf der des Empfindens überbrückt werden können. Zwischen den Kulturen ist nur noch die „intermundane Kommunikation" möglich (vgl. ebd. 142-149).

Die Dimension unterhalb des epochalen Bewusstseins ist die Seins- und Fundamentalgeschichte. Sie beschreibt die grundlegenden Menschheitsschritte.

---

[18] „Der Mensch lebt immer in *Sphären*, die durch den Unterschied von Höhen- und Tiefenstrukturen offen gehalten werden und damit überhaupt erst Bewegungsraum für den Menschen als Individuum und Gemeinschaft schaffen. [...] Immer sind dabei Tiefenstrukturen vorausgesetzt, die zur Ausbildung von Höhenstrukturen führen, aber meist besteht zwischen beiden eine gewisse Differenz; da klafft eine Öffnung auf, die Sphäre." (Rombach 1996, 92)

So etwa bilden Antike, Mittelalter und Neuzeit den europäischen Äon, der von den voreuropäischen und außereuropäischen Äonen unterschieden wird. Veränderungen in der Seins- und Fundamentalgeschichte sind „Umbrüche", die nicht gemacht werden können, sondern die geschehen. Freilich nicht so, als ob der Mensch unbeteiligt wäre. Der Mensch erfährt den Umbruch als das, was er immer schon wollte, und ist begeistert.

Der Umbruch, der sich gegenwärtig vollzieht, ist der von System zu Struktur. Aus Systemen müssen Strukturen werden, weil sie lebendiger und damit humaner sind. Der Umbruch, der in der Dimension der Fundamentalgeschichte geschieht, schlägt auf die höheren Dimensionen durch und hat Auswirkungen auf das epochale Bewusstsein, die gesellschaftlichen Bedingungen und nicht zuletzt das aktuelle Leben mit den entsprechenden Höhenstrukturen der Sozialordnungen, der Nationen und Kulturwelten. So sind etwa das Aufkommen des Nationalismus nach dem Zerfall des Sowjetsystems ebenso wie die Auseinandersetzungen im ehemaligen Jugoslawien Beispiele für Strukturierungsversuche kleinerer und größerer Sozialeinheiten, die einst durch eine Systemverfassung eingebunden waren.

Auch auf der Ebene des epochalen Bewusstseins geht es um die Gestaltfindungen der asiatischen, afrikanischen, der amerikanischen und selbst der europäischen Kulturwelten, die das Ende des eurozentrischen Systems bedeuten. Aus dem Gespräch der Kulturwelten ergibt sich für Rombach keine einheitliche Menschheitskultur. Die Gemeinschaft der Menschheit besteht in der lebendigen Kommunikation einer Pluralität von Kulturwelten. „Die Menschheit ist auf dem Weg, eine lebendige Gemeinschaft zu werden, vielleicht sogar eine Gemeinschaft mit allem Lebendigen, und dies ist ein Umbruch in einen neuen Äon, der alles, nicht nur den Menschen und schon gar nicht nur die Europäer oder sonst eine Kulturwelt, betrifft." (Ebd. 107)

Auf allen individuellen und sozialen Dimensionen des Menschseins gilt es daher von der Systemauffassung zur Strukturauffassung zu gelangen. Dies ist jedoch nicht nur eine Bewusstseinsveränderung, sondern eine Verwandlung der Lebensrealität. Diese strukturale Lebensrealität hat Rombach sowohl in seiner Strukturanthropologie wie in seiner Struktursoziologie aufgezeigt. Sie gilt dem zukünftigen Menschen und seiner Menschlichkeit. Humanität ist das Kriterium, wonach die kleinen individuellen wie die großen kulturellen Strukturgenesen bemessen werden. Darin besteht die „zweite Aufklärung". „So wie die Kulturwelt ‚Europa' aus der ersten Aufklärung hervorgegangen ist, wird die Welt aller Kulturen aus der zweiten Aufklärung hervorgehen. Die dieser zugrundeliegende gestaltlose Grundgestalt könnte der ‚menschliche Mensch' sein, der seine (vielgestaltige) ‚Vernunft' in die offene (gestaltlose) ‚Menschlichkeit' verwandelt hat. ‚Humanität' ist das höchste und einzige Gebot. Aber Humanität enthält kein Programm, keinen Katalog von Ideen, sondern ist die konkret vernehmbare Stimme des lebendigen Alls in uns." (Ebd. 149)

Rombachs strukturphänomenologische Grundlegung der Anthropologie und Soziologie beinhaltet die Vision und Hochinterpretation eines zukünftigen

Menschseins. Ein Einblick in diese visionäre Grundlegung wurde zu geben versucht. Die Beschränkung auf die Leitlinien und abstrakten Grundbegriffe dieses Denkens darf nicht vergessen, dass es Rombach in seinen Schriften gelungen ist, in anschaulichen Modellen und Bildern, in plastischen Beispielen, in vielfältigen Phänomenanalysen seine Philosophie zum Sprechen zu bringen. Kritische Einwände wie etwa den des Irrationalismus oder den des Idealismus hat er selbst vorweggenommen.[19] Ob diese Einwände dennoch statthaft sind, wird die philosophiegeschichtliche Auseinandersetzung klären. Letztlich ist die einzige Kritikerin dieser Philosophie das Leben selbst. „Ob dieser Griff in die Zukunft des Denkens zum rechten Begriff des Denkens der Zukunft führt, kann nur die Zukunft selbst erweisen. Ihr ist dieser philosophische Versuch über die Gegenwart der Philosophie einzig gewidmet. Die Zukunft des Menschen ist die Gegenwart der Philosophie." (Rombach 1988, 226)

Ob sich im neuen Jahrtausend die Gegenwart der Strukturphilosophie an der Lebenswirklichkeit des Menschen zeigen wird, bleibt abzuwarten. Zu wünschen wäre es!

Literatur

Fink, E. (1979): *Grundphänomene des menschlichen Daseins*, hg. v. E. Schütz u. F.-A. Schwarz, Freiburg/München.

Franz, Th. (1999): *Der Mensch und seine Grundphänomene. Eugen Finks Existentialanthropologie aus der Perspektive der Strukturanthropologie Heinrich Rombachs*, Freiburg i. Br.

Röhrig, M. (1995): „Strukturontologie – Bildphilosophie – Hermetik. ‚Springende Punkte' zur Frage nach der 'Einheit' der drei Ansätze Rombachs", in: G. Stenger u. M. Röhrig (Hg.) 1995, 457-480.

Rombach, H. (19565/1966): *Substanz, System, Struktur. Die Ontologie des Funktionalismus und der philosophische Hintergrund der modernen Wissenschaft*, 2 Bde., 2. unveränd. Aufl. 1981, Freiburg/München.
- (1971): *Strukturontologie. Eine Phänomenologie der Freiheit*, Freiburg/München.
- (1977): *Leben des Geistes. Ein Buch der Bilder zur Fundamentalgeschichte der Menschheit*, Freiburg/Basel/Wien.
- (1980): *Phänomenologie des gegenwärtigen Bewußtseins*, Freiburg/München.
- (1987): *Strukturanthropologie. „Der menschliche Mensch"*, Freiburg/München.
- (1988): *Die Gegenwart der Philosophie. Die Grundprobleme des abendländischen Philosophie und der gegenwärtige Stand des philosophischen Fragens*, 3., grundlegend neu bearbeitete Aufl., Freiburg/München.
- (1994a): *Phänomenologie des sozialen Lebens. Grundzüge einer Phänomenologischen Soziologie*, Freiburg/München.

---

[19] Zu einer wohlwollend kritischen Auseinandersetzung mit der Strukturphilosophie vgl. die Beiträge in Stenger u. Röhrig (Hg.) 1995, 305-457.

- (1994b): *Der Ursprung. Philosophie der Konkreativität von Mensch und Natur*, Freiburg i. Br.

- (1996): *Drachenkampf. Der philosophische Hintergrund der blutigen Bürgerkriege und die brennenden Zeitfragen*, Freiburg i. Br.

Stenger, G. (1995): „Fahrzeug. Phänomen und Bild", in: G. Stenger u. M. Röhrig (Hg.): 1995, 493-525.

Stenger, G. u. M. Röhrig (Hg.) (1995): *Philosophie der Struktur – „Fahrzeug" der Zukunft?*, Freiburg/München.

Seubold, G. (1999): „Die Substanz muß Struktur werden. Die Entsubstanzialisierung von Husserls ‚Ego' und ‚Heideggers' in der Strukturphänomenologie Heinrich Rombachs", in: H. R. Sepp (Hg.): *Metamorphose der Phänomenologie. Dreizehn Stadien von Husserl aus* (*Phänomenologie Kontexte*, Bd. 7), Freiburg/München, 287-312.

Rombachs Weg zu einer Philosophie des Lebens

Eckard Wolz-Gottwald

Trotz der Vielschichtigkeit seines Denkens, das zahlreiche Interpretationsmöglichkeiten offen lässt, gibt es doch nur wenige Grundworte, die die gesamte Philosophie Heinrich Rombachs tragen. Eines dieser Grundworte ist ‚Leben‘.[1] Die folgende Interpretation wird die verschiedenen Ansätze und Entwicklungen der Philosophie Rombachs unter dem Blickwinkel seines Weges zu einer Philosophie des Lebens bündeln. Es ist zu zeigen, wie mit der Ausrichtung auf eine Philosophie des Lebens eine der Grundmotivationen, eine der zentralen Antriebskräfte, aber auch eine der wichtigsten Perspektiven im Denken Heinrich Rombachs vorliegt.

Zu Beginn ist *erstens* das *Grundverständnis von Leben* im Denken Heinrich Rombachs zu klären. Es wird sich zeigen, dass es Rombach nicht nur um ein lebendiges Philosophieren geht, sondern um eine Philosophie, die mitten im Lebensvollzug steht, und zwar mitten im Vollzug eines erfüllten, lebendigen Lebens. Diese Aufgabe zieht *zweitens* die Frage nach der *Methodik* nach sich, der Methodik, mit der die Lebendigkeit des Lebens adäquat zur Darstellung kommen kann. Die Bahnen herkömmlicher phänomenologischer Wissenschaft sind zu verlassen, um eine neue Phänomenologie zu entwerfen, die aus der eigenen Erfahrung der Lebendigkeit des Lebens zu schöpfen vermag. Jetzt ist es möglich, in einem *dritten* Kapitel die *Grundzüge einer Phänomenologie der Lebendigkeit des Lebens* aufzuzeigen. Es werden die Prinzipien des Gehens, Gelingens und Glückens, der Konkreativität oder des genetischen Bogens zu umreißen sein, wie sie in der Strukturphilosophie und der philosophischen Hermetik zur Darstellung kommen. Die phänomenologischen Analysen gehen aus von den verdunkelten, erstarrten Oberflächenstrukturen der Phänomene, die dann auf ihr ursprüngliches, lebendiges Potential hin geöffnet werden sollen. Abschließend erscheint es

---

[1] Unabhängig von seiner phänomenologischen Herkunft mag Rombach so durchaus in einer Tradition der Philosophie als Lebensform stehen, die im Abendland mit der Philosophie der Antike den Anfang nimmt, im Mittelalter in der philosophischen Mystik zu finden ist und dann wieder in der Neuzeit bei Nietzsche oder Bergson ihren Niederschlag findet. Das Denken Rombachs ist in dieser Weise aber auch in Parallele zu den zahlreichen anderen Texten zur Philosophie als Lebensform oder Lebenskunst zu sehen, die in den letzten zehn Jahren publiziert wurden (siehe z. B. Hadot 1991; Marten 1993; Böhme 1994; Albert 1995; Schmid 1998; Albert u. Jain 2000).

viertens als wichtig, den von Rombach aufgezeigten *Weg zur Verwirklichung der Lebendigkeit des Lebens* nachzuzeichnen. Da die Lebendigkeit des Lebens per se nur ,von selbst' entstehen kann, muss sich der Weg zu ihrer Verwirklichung als Aufgabe eines ,Hervorbringens jenseits des Machens' verstehen. Diese Aufgabe ist mit dem Begriff der Differentialinterpretation verbunden, der konkreativen phänomenologischen Analyse.

1. Das Grundverständnis von Leben

Schon in seinen frühen Schriften wird Rombachs Intention der Suche nach einem ursprünglichen und lebendigen Philosophieren deutlich, das sich nicht scheut, über die allgemein vorherrschende Philosophie der beweisbaren und somit feststehenden Wahrheiten hinauszugehen. Es war dabei die phänomenologische Bewegung, von der er hoffte, dass sie eine in dieser Weise lebendige Philosophie zu verwirklichen vermöchte.[2] Noch vorsichtig spricht er in den sechziger Jahren davon, dass Philosophie, wie er sie versteht, nicht „steht". Sie ist „unterwegs". Philosophie geschieht „tätig". Der Denker bleibt in „Bewegung" (Rombach 1962, 16 u. 100).

Zehn Jahre später erscheint in der ausgearbeiteten *Strukturontologie* die gleiche Denkfigur, jedoch weit pointierter formuliert. Es geht Rombach jetzt um die Absetzung von einem Totalitarismus der Fakten und Tatsachen. Rombach wendet sich gegen Philosophie, deren Ziel es ist, an die Wirklichkeit von außen heranzutreten, sie durch Begriffe mit festen Bedeutungen zu fixieren und so ihren Sinn verfügbar zu machen. Jedes Leben verliert dann seine Lebendigkeit und wird in sich „tot". Rombach versucht vermeintlich toter Philosophie der Gegenwart das Leben wieder einzuhauchen. Es geht ihm um die Zurückführung der Philosophie „in die Lebendigkeit des Lebens" (Rombach 1971, 213). Lebendigkeit des Lebens meint ein erfülltes Leben, meint Leben im ursprünglichen Sinn, in dem der Philosoph nicht von außen über die Phänomene der Welt theoretisch nachdenkt, sondern mitten im Lebensvollzug steht und darüber hinaus dieses Leben in der Fülle seiner Lebendigkeit zu leben versteht.[3]

---

[2] Phänomenologie bedeutet für Rombach schon in seiner Freiburger Zeit die „Hoffnung der modernen Philosophie" (Rombach 1966, 476). Bis zuletzt bleibt die phänomenologische Methode für ihn die Methode, durch die das Strukturdenken erst wissenschaftliche Darstellbarkeit erlangt (siehe ders. 1994, 179). In der Phänomenologie konnte Rombach genau dieses bewegte Philosophieren entdecken, das immer im Übergang ist, immer auf dem Weg bleibt, ohne Logik, mit dem Mut des Abenteurers voranschreitet. Immer wieder weist Rombach auf dieses lebendige Potential der Phänomenologie hin (siehe z. B. ders. 1975, 28 u. 30; 1980a; 1980b 273 u. 330).

[3] Solches Denken durchzieht die gesamte *Strukturontologie*. Beispielhaft seien einige Stellen genannt: Rombach 1971, 55, 74, 84-85, 88, 133, 252, 245, 332. Wenn es jetzt um die Philosophie eines erfüllten Lebens geht, so weist dieser Ansatz doch entscheidend über Philosophie als Grundphilosophie des tätigen Lebensvollzuges hinaus, wie sie von

Wenn Rombach in den achtziger Jahren betont, dass in Tatsachen und Fakten gesicherte Kenntnis letztlich „tot" sei, so scheint die Grundintention seines Ansatzes weiter beibehalten zu sein. In Radikalisierung seines Denkens wird jedoch in der philosophischen Hermetik das gesuchte Leben nur in der Erfahrung einer „fliegenden Bewegung" gefunden (Rombach 1983, 45). Auch in der *Strukturanthropologie* geht es ihm darum, ein „höheres Leben" zu suchen, demgegenüber ein „bloßes" Leben wahrlich wie „tot" wirke (Rombach 1987, 383).[4] Der Gedankengang scheint zu kulminieren, wenn Rombach sein Denken selbst als *„dramatische Lebensphilosophie"* tituliert (ebd. 277).[5] Rombach tritt somit nicht nur für ein über Faktenanalyse hinausgehendes, lebendiges Philosophieren ein. Er will Leben und somit Philosophieren ganz neu bestimmen. Leben bedeutet dann nicht mehr das ‚bloße' Leben. Rombach geht es um Leben im höheren Sinne. Und Leben im höheren Sinne ‚fliegt'. Will der Leser oder die Leserin den Rombachschen Gedankengang nachvollziehen, so gilt es sich auf ein *dramatisches Leben* einzulassen. Dies zu verstehen, mag jedoch dem von außen an Rombachs Werk herantretenden Leser durchaus Schwierigkeiten bereiten, wenn eine so verstandene dramatische Lebensphilosophie die Bahnen herkömmlicher phänomenologischer Wissenschaft verlassen muss. Es ist die Frage nach der adäquaten Methodik zu stellen, durch die der Weg zu einer dramatischen Lebensphilosophie evident gemacht werden kann.

2. Zur Methodik

Der Anspruch der phänomenologischen Bewegung, auf die Rombach so große Hoffnung setzte, war der Anspruch, eine wissenschaftliche Philosophie entwerfen zu können. Phänomenologische Philosophie verstand sich von Beginn an als methodisches Denken, das die Anstrengung des Begriffs nicht scheut. Gegen alle dogmatischen Erstarrungen findet sich hier die Intention einer Philosophie, die gerade durch ihre Wissenschaftlichkeit nicht in die Beliebigkeit des Relativismus abzugleiten droht. Wenn Rombach dann in der *Strukturontologie* Sätze formuliert wie: „Wo keine Widersprüche enthalten sind, ist dies nicht unbedingt beabsich-

---

Dümpelmann und Hüntelmann bei Rombach aufgezeigt wird (siehe Dümpelmann u. Hüntelmann 1991, 118-125).

[4] Beispielhaft wiederum einige Textbelege, in welchen diese Denkfigur mit verschiedener Schwerpunktsetzung formuliert wird: Rombach 1987, 105, 210, 211, 281. Mit Philosophie als Weg vom bloßen Leben zur Wiedergewinnung eines ursprünglichen Verständnisses von Leben baut Rombach nicht nur auf den existenzphilosophischen Ansatz Heideggers auf, sondern steht unmittelbar in der Tradition Husserlscher Phänomenologie (siehe hierzu Wolz-Gottwald 1999, insb. 97-117).

[5] Im Zusammenhang mit seiner Rede von der 'dramatischen Lebensphilosophie' spricht Rombach davon, dass die Nähe seines Denkens zu den Weltreligionen vielleicht mehr hervortrete als zu der Tradition der abendländischen Philosophie (siehe Rombach 1987, 277). Deutliche Parallelen insbesondere zum Spätwerk Heideggers treten hervor.

tigt", oder: „In einem bestimmten Sinne stimmt hier nichts" (Rombach 1971, 19 u. 20), so scheinen zumindest die herkömmlichen Bahnen phänomenologischen und wissenschaftlichen Denkens verlassen zu sein.[6] Es scheint Rombach weder um Beweise noch um Argumente, weder um Begreifen noch um Kommunikation im allgemeinen Sinn zu gehen. Letztlich mag die Lebendigkeit des Lebens, die er zeigen will, sogar nicht einmal gedacht oder benannt werden.[7] Der erste Eindruck eines sinn- und bedeutungslosen Philosophierens scheint so vom Autor selbst noch bestätigt.

Wer jedoch nicht aufgibt und die Energie aufbringt, weiter zu lesen, der wird erkennen, dass in einer *dramatischen Lebensphilosophie*, wie sie Rombach in immer wieder neuen Ansätzen entwirft, aus ihrer Sache heraus tatsächlich nichts begriffen werden kann. Der Gegenstand der Philosophie Heinrich Rombachs verlangt eine diesem Gegenstand spezifische Methodik.[8] Sein Denken liefert, wie Rombach selbst formuliert, „keine Begriffe, sondern ein Begreifen, keine Philosophie, sondern ein Philosophieren, kein Denken, sondern ein Leben" (Rombach 1987, 281). Alle Argumente, alles Beweisen und jeder Gedanke mögen, der Vergleich sei hier erlaubt, wie die bloße Kenntnis von Schwimmtechniken des Denkens wirken, ohne dass der Sprung ins Wasser des Lebens gewagt wäre. Philosophie heißt für Rombach konkretes Philosophieren, wie wenn es darum gehen würde, im ‚Wasser' der Fülle des Lebens ‚schwimmend' zu philosophieren. Wer den Sprung ins Leben nicht wagt, wer draußen steht und das Leben zu begreifen versucht, der hat eben nur Begriffe, nicht das Leben in seiner vollen Lebendigkeit und Fülle. Rombach wird nicht müde, immer wieder zu betonen, dass die Erfahrung des Gehens, das heißt, das Leben selbst unmittelbar zu leben, das Zentrum seiner Philosophie ausmacht.[9]

Nun geht es Rombach jedoch nicht nur um die Erfahrung erfüllten Lebens, sondern auch um die philosophische Reflexion solchen Erfahrens. So sind auch in seinen Büchern und Artikeln Worte, Begriffe, ja sogar Argumente vorzufinden, die jetzt jedoch einen anderen Stellenwert erlangen. Alle Worte, alles Denken und somit auch alle Begriffe gelten als nachträgliche Rekonstruktion dessen, was in der Erfahrung ursprünglicher Lebendigkeit ursprünglich geschah. Die Analysen Rombachs sind vom Leser wieder auf den Erfahrungshorizont des konkreten Lebens zurückzuübersetzen. Die Voraussetzung für ein adäquates Verständnis ist somit ein Lesen, „das sich nicht festklammert" (Rombach 1971, 77),

---

[6] Diese Aussage gilt allerdings nur für ein engeres Verständnis phänomenologischer Wissenschaft, keineswegs z. B. für ein phänomenologisches Denken, wie es bei Martin Heidegger zu finden ist. Siehe hierzu insb. Wolz-Gottwald 1996.

[7] Siehe hierzu Rombach 1971, 100 u. 248; 1983, 14 u. 41; 1987, 232 u. 311.

[8] In diesem Sinn schrieb schon Martin Heidegger, dass alle Wissenschaften vom Lebendigen, gerade im Sinne einer strengen Wissenschaft, notwendig „unexakt" sein müssten, da man bei einer exakt-wissenschaftlichen Erfassung des Lebendigen alles andere, aber eben nicht mehr das Lebendige fassen würde (Heidegger 1977, 79).

[9] Siehe z. B. Rombach 1971, 91, 125, 146, 249; 1983, 37, 70; 1987, 224; 1991, 12.

das nicht an den vorzufindenden Begriffen festhält. Die Begriffe beweisen nicht Leben, aber sie weisen durchaus auf Leben im ursprünglichen Sinn, auf die eigene Erfahrung von erfülltem Leben.

Die genaue Lektüre des zu Beginn angeführten Zitats zeigt, dass nicht behauptet wird, dass hier ‚nichts stimme‘, sondern nur, dass ‚in einem bestimmten Sinne‘ hier nichts stimme. Es wird deutlich, warum einerseits gesagt werden kann, dass trotz der Ablehnung herkömmlicher Argumentationsstrukturen doch bis zuletzt der Anspruch phänomenologischen und in dieser Weise wissenschaftlichen Schaffens aufrechterhalten bleibt. Eine Philosophie der Tiefenphänomene des Lebens verlangt nicht eine Abkehr, sondern das Übersteigen des althergebrachten Wissenschaftsbegriffs.[10] Die Tiefenphänomene des Lebens sind nicht von außen zu begreifen. Von außen gesehen stimmt hier nichts, alles erscheint widersprüchlich. Im konkreten Mitleben und Mitgehen in der eigenen Erfahrung werden jedoch die Phänomene des Lebens evident. Wissenschaft ist dann tatsächlich, wie Rombach dies pointiert formuliert, der „unsicherste Erkenntnismodus“ zuzusprechen. Lebensphänomene sind per se unsicher. Sie sind nicht festzuschreiben. Wie ein Fisch im Wasser mag jedoch auch der Phänomenologe in diesem ‚unsicheren‘ Metier lebendiger Wirklichkeit eine ganz neue, nicht festhaltende, lebendige Sicherheit gewinnen. Er mag, gegen jeden Relativismus, zwischen „echten und unechten Erfahrungen unterscheiden zu lernen“ (ebd. 150). Dies bedeutet zu lernen, Stimmiges von Unstimmigem zu trennen und so die inneren Strukturen lebendiger Wirklichkeitserfahrung nachzuzeichnen.[11]

Phänomenologie als dramatische Lebensphilosophie geht Wege, die dem allgemein anerkannten Wissenschaftsbegriff heute üblicher akademischer Philosophie nicht entsprechen. Sie geht Wege, die auch in der gegenwärtigen Phänomenologie nicht im Mainstream zu finden sind. Rombach scheut jedoch nicht davor zurück, Ross wie auch Reiter zu benennen. Wenn das Aufdecken der Wirklichkeit ursprünglichen Lebens zur Aufgabe der Philosophie werden soll, so wird auch der Weg einer neuen Methodik notwendig, um dieser Aufgabe adäquat begegnen zu können. Die Lebendigkeit des Lebens ist gerade durch eine neu verstandene phänomenologische Methodik in ihren Grundzügen wissenschaftlich nachzuzeichnen. Die Analyse der Grundzüge einer Phänomenologie der Lebendigkeit des Lebens muss aus der konkreten Erfahrung der Lebendigkeit des Lebens schöpfen.

---

[10] In diesem Sinn geht Rombach davon aus, daß die neue Wissenschaft ihren entschiedendsten Kampf auch nicht gegen die Nichtwissenschaft, sondern gegen die alte Wissenschaft zu führen habe (Rombach 1971, 154).

[11] Mit Recht wendet sich Rombach wiederholt gegen den Vorwurf, einem Irrationalimus oder Relativismus das Wort zu reden (Rombach 1983, 172 oder 1987, 135).

Eckard Wolz-Gottwald

3. Grundzüge einer Phänomenologie der Lebendigkeit des Lebens

Die phänomenologischen Analysen der Lebendigkeit des Lebens gehen allesamt von dem zunächst und zumeist vorherrschenden, befestigten und begreifbaren Wirklichkeitsverständnis aus. Gemeint ist die Alltagswirklichkeit, in der das ursprüngliche Potential der Lebendigkeit noch nicht entfaltet ist. Diese Verdunklung ihres ursprünglichen Potentials gilt es in einer, wie Rombach es einmal nannte, eigentümlichen „Erweckungserfahrung" zu durchbrechen (Rombach 1991, 12), um Wirklichkeit dann im lebendigen Sinn nicht nur zu verstehen, sondern sie auch leben zu können. Diese Analysen erscheinen in seinen verschiedenen philosophischen Ansätzen in je unterschiedlicher Formulierung. In der Strukturphilosophie ist es der Übergang vom System zur Struktur, in der philosophischen Hermetik der Durchbruch von der Apollinik zu Hermetik, wodurch die Lebendigkeit des Lebens zur Entfaltung kommt.

Immer geht es um Eröffnung, um Hebung, um Befreiung. Das Leben von Wirklichkeit bedeutet dabei keineswegs die Konstruktion einer zusätzlichen Dimension von Realität. Rombach erstrebt auch keine gleichsam höhere Wirklichkeit an. Der Satz der *Strukturontologie*: „Der Weg zum Ursprung ist ein Rückweg" (Rombach 1971, 307) gilt für alle phänomenologischen Analysen. Rombach will die Phänomene so zeigen, wie sie ursprünglich sind, und ihre Ursprünglichkeit erscheint dann, wenn der Philosoph mit ihnen zu leben versteht, wenn sie hierdurch in Bewegung geraten, dynamisiert werden und Realität so erst als Realität in ihrer Ursprünglichkeit aufbricht.

Von den zahlreichen Momenten, die Rombach in seinen Analysen aufweist, treten drei in besonderer Weise hervor, die sowohl in der Strukturphilosophie als auch in der Hermetik zur Darstellung kommen. Es sind drei Momente der Steigerung: Gehen – Gelingen – Glücken (Rombach 1983, 124; 1987, 212). Nach langer Bemühung oder plötzlich aus heiterem Himmel wird erfahren, dass ‚es geht'. Wirklichkeit kommt in Bewegung und steigert sich. Ein ‚es geht' transformiert sich zum ‚es gelingt', wobei ein Gelingen weit größere Lebendigkeit aufweist als ein Gehen der Sache. Die intensivste Erfahrung von Lebendigkeit geschieht jedoch dann, wenn ‚es glückt'. Leben, das glückt, bildet die Hochform von Leben, die Lebendigkeit des Lebens im ursprünglichen Sinn.

Wenn in dieser Weise verfestigte Lebensstrukturen in Bewegung geraten, bedeutet dies durchaus eine Dynamisierung von Wirklichkeit. In der so aufgezeigten Steigerung geht es jedoch um mehr als nur um ein Wachstum an Geschwindigkeit. Es wird eine andere, eine neue Qualität erreicht. Wirklichkeit zeigt sich genetisch, Realität wird schöpferisch, das Leben ist kreativ erfahren. Die Kreativität erscheint gleichsam als das Zeichen für ein als „Struktur vollzogenes Leben" (Rombach 1971, 126). Die Lebendigkeit eines glückenden Lebens bedeutet ein kreatives Leben, wobei Rombach nicht von Kreativität, sondern von Konkreativität spricht.[12] Der Gedanke der Konkreativität geht davon aus, dass

---

[12] Das Thema der Konkreativität zieht sich dabei durch alle Ansätze seines philoso-

Kreativität nicht eine Leistung ausschließlich des Menschen allein ist. Kreativität geschieht immer im Zusammenspiel von Mensch mit Welt und zeigt sich somit ursprünglich gesehen als konkreativ. Mensch und Sache bilden im Gehen, Gelingen und Glücken einen einzigen, konkreativen Hervorgang. Nicht der Mensch zeigt sich in besonderer Lebendigkeit, sondern die Lebendigkeit von Realität tritt im konkreativen Geschehen von Mensch und Welt hervor.[13]

Der in dieser Weise nachvollzogene Gedankengang könnte nahelegen, dass es Rombach darum gehe, erstarrte und somit unvollkommene Weltsichten zur Lebendigkeit und somit zur Vollkommenheit zu führen. Vollkommenheit ist jedoch keineswegs das angestrebte Ziel. Vollkommenes Leben steht in der Gefahr, in seiner eigenen Widersprüchlichkeit zugrunde zu gehen. Dies gilt dann, wenn Vollkommenheit ein Aufhören von Wachstum und somit Stillstand bedeutet. Wer beansprucht, vollkommen zu sein, wächst nicht mehr, ist erstarrt und auch nicht mehr lebendig. Der scheinbar Vollkommene hat seine Vollkommenheit mit dem Stillstand schon wieder verloren. Nicht die Perfektion, sondern die Meliorisation bedeutet für Rombach somit das Prinzip lebendiger Kreativität.[14] Die Bewegung der Steigerung darf nicht stehen bleiben. Bleibt sie stehen, so ist sie schon wieder gefallen.

Da aber Steigerung nicht ins Unendliche fortgeschrieben werden kann, so muss alles Gelingen und Glücken wieder zerfallen, wenn die Lebendigkeit des Prozesses beibehalten werden soll. Das Prinzip der Lebendigkeit ist nach Rombach der ‚genetische Bogen‘, Aufgang und Untergang, Finden und Verlieren, Verflüssigung und Verhärtung, Aufstieg und Abstieg, Gelingen und Misslingen.[15] Natürlich wird derjenige, der in einem solchen lebendigen Prozess steht, klar den Aufgang dem Untergang oder das Gelingen dem Misslingen vorziehen. Aus der Perspektive der Lebendigkeit ist der Aufgang jedoch keineswegs besser als der Untergang zu beurteilen und Gelingen keineswegs dem Misslingen vorzuziehen. Beide Seiten gehören zur Lebendigkeit des Lebens. Selbst Erstarrung und Verhärtung gelten als notwendige Phasen des genetischen Bogens lebendiger Wirklichkeitserfahrung.

Rombach benützt das biblische Bild der Jakobsleiter, um den Gedanken des Auf und Ab lebendiger Prozesse zum Ausdruck zu bringen. Hiernach geht es darum, dass jeder Mensch konsequent auf der Jakobsleiter seines eigenen Lebens weitersteige, um dann im Niedersteigen zu erkennen, dass auf den unteren Sprossen nichts anderes geschieht als auf der höchsten. Obwohl der Unterschied zwischen höheren und niederen Niveaus damit in gewisser Weise relativiert wird,

---

phischen Denkens ab den siebziger Jahren. Siehe so z. B. Rombach 1977, 301; 1980, 297; 1983, 129; 1987, 205.

[13] Rombach spricht in diesem Sinne vom „Sich-melden des All-Lebens als die innerste Wirklichkeit" (ebd. 314).

[14] Siehe hierzu Rombach 1971, 255 oder 1987, 425.

[15] Siehe hierzu Rombach 1971, 267 u. 274; 1983, 129-132; 1987, 90, 101, 205, 227, 233 u. 406.

so bleibt die Perspektive des Aufstiegs im „Augenblick des erlebenden Lebens selbst" jedoch von allerhöchster Wichtigkeit (Rombach 1987, 232). Im konkreten Leben wird es in besonderer Weise darum gehen, zum Gehen, Gelingen und vielleicht zum Glücken zu gelangen. Im konkreten Leben wird der Weg zur Verwirklichung ursprünglicher Lebendigkeit eine besondere Rolle spielen.

4. Der Weg zur Verwirklichung der Lebendigkeit des Lebens

Rombach sieht seine Philosophie im Zusammenhang einer Umbruchszeit, einem Umbruch, in welchem in allen Bereichen unserer gegenwärtigen Kultur die Lebendigkeit des Lebens zur Verwirklichung drängt.[16] Es ist dabei nicht nur die phänomenologische Bewegung, in welcher er das aufkommende Leben sah. Es sind die Jugendbewegung, die Bewegung des Wiederaufbaus nach dem Krieg, die Studentenbewegung der 68er, in der Gegenwart dann die Friedensbewegung, die ökologische Bewegung, die Frauenbewegung oder die Meditationsbewegung. Unabhängig von den jeweilig vertretenen Inhalten, glaubt er gerade hier Durchbrüche zu einer ursprünglichen Lebendigkeit des Lebens orten zu können.[17] Dies bedeutet, dass ein wesentlicher Aspekt seines Schaffens als phänomenologische Analyse des gegenwärtigen Denkens und Lebens zu beurteilen ist.

Andererseits gehört es jedoch auch zu seinen wesentlichen Intentionen, an der Auflockerung der Dogmatisierungen sowohl in der akademischen Philosophie als auch in der ihr Denken aufnehmenden Öffentlichkeit zu arbeiten. Von Anfang an ist Rombachs Interesse an der Verflüssigung der Dogmatisierungen und der Verlebendigung der Erstarrungen gegenwärtigen Denkens unverkennbar. So bringt er in der *Strukturanthropologie* sogar die Hoffnung zum Ausdruck, dass der Durchbruch ursprünglichen Lebens, der bisher nur in kleineren Bereichen gelang, durch die von ihm gelieferte Kenntnis der Vorgänge nun auch auf größere Lebenskreise übertragbar sein könne (siehe Rombach 1987, 397). Wie mag jedoch Leben hervorgerufen werden, das per se nur aus sich selbst, oder wie Rombach immer wieder formuliert, nur ‚von selbst' entstehen kann.[18] Argumentieren, Überzeugen, Beweisen und all die anderen Methoden herkömmlicher Philosophie werden hier nicht greifen können. All diese Methoden wollen auf den

---

[16] Diese Haltung prägt das gesamte Schaffen Heinrich Rombachs, von den frühen Schriften, wenn er davon spricht, dass die Zeit des Systems vorbei und die Zeit der Struktur gekommen sei, bis hin zu der Feststellung in den Analysen der neunziger Jahre, in welchen er überall ein „Hindrängen auf Umbruch" zu sehen glaubt (Rombach 1966, 503; 1975, 23; 1987, 18; 1994, 185)

[17] Auf Konkretionen in der Gegenwart geht Rombach insbesondere in den späteren Schriften ein. Als Beispiele können gelten: Rombach 1983, 20; 1987, 402-405.

[18] Dieser Grundgedanke des 'von selbst' gehört zu den wesentlichen Prinzipien sowohl struktualer Genese als auch des hermetischen Aufgangs (siehe Rombach 1971, 170; 1983, 127 u. 175; 1987, 112).

anderen einwirken, kommen somit von außen. Auch jedes Nachgehen oder Mitgehen vorgegebener Denkwege wäre für die angestrebte Intention der Verwirklichung der Lebendigkeit des Lebens kontraproduktiv.

Andererseits wird die Möglichkeit oder Unmöglichkeit der Entstehung von
schöpferischem Leben auch nicht von blindem Zufall oder einem vorherbe-
stimmten Fatum abhängen dürfen. Die zentrale Frage ist, was kann getan werden, damit etwas ‚von selbst' entsteht? In seinem Buch *Leben des Geistes* formuliert Rombach den Weg der Verwirklichung paradox als „Hervorbringen jenseits
des Machens" (Rombach 1977, 288). Leben ist nicht zu machen, und doch steht
die Phänomenologie im Sinne Rombachs vor der Aufgabe des Hervorbringens
der Lebendigkeit des Lebens. Philosophie wird zur Übung.[19] Die Methodik dieser Übung bleibt zwar paradox, und doch scheint ein konkret zu gehender Weg
aufzeigbar.

Wenn die von Rombach durchgeführten phänomenologischen Analysen,
Strukturanalysen, Bildanalysen oder auch hermetischen Analysen sich dieser
Aufgabe der Hervorbringung jenseits des Machens stellen, werden sie zur sogenannten ‚Differentialinterpretation'.[20] Differentialinterpretation meint die kritische Analyse eines Phänomens, die auf die Erhellung seiner lebendigen Tiefendimensionen ausgerichtet ist. Das erste Augenmerk wird sich dabei auf die
Dogmatisierungen, Erstarrungen oder Verfehlungen richten. In der Differenzierung zwischen ihren verschiedenen Niveaus gilt es die erstarrten oder sich selbst
verfehlenden Strukturen einer Sache, einer Situation, einer Weltinterpretation,
eines Lebenszusammenhangs, das heißt eines Phänomens, aufzuzeigen. Selbst-
widersprüche sind zu erkennen und zu lösen, Vorurteile sind zu benennen und
aufzugeben (siehe Rombach 1987, 207 u. 316). Wenn Rombach einerseits in der
Strukturontologie von der „Liquidierung von Systemtendenzen" spricht (Rombach 1971, 220), andererseits in der *Strukturanthropologie* aber betont, dass man
sich ruhig „auch in jeder Verlustsituation niederlassen kann", da in jeder Ent-
fremdung ja das Nachbild einer Identitätsfindung liege (Rombach 1987, 124-
125), so sind hier nur die beiden Seiten der einen Medaille beschrieben. Liquidierung entspricht einem aktiven Handeln, das Niederlassen und Akzeptieren der
passiven Gegenseite. Die Kunst der Differentialinterpretation mag jedoch schon
von Beginn an in der Verbindung beider Seiten liegen, in der aktiven Passivität
oder in einer Art passiven Tuns.

Dem ersten Schritt der Analyse der Verfehlungen hat jedoch ein zweiter
Schritt zu folgen, der auf die Tiefendimensionen des Phänomens ausgerichtet ist,
um diese auf ihr ursprüngliches Leben hin zu öffnen. Hier wird der Phänomeno-

---

[19] Schon Pierre Hadot hatte in den achtziger Jahren die wahre Philosophie in der Antike als „geistige Übung" aufgezeigt (Hadot 1991, 41). Philosophie als Übung wird dann
auch zum wichtigen Moment der gegenwärtigen, auf Lebenskunst ausgerichteten Philosophie (siehe z. B. Böhme 1994; Schmidt 1998).

[20] Der Gedanke der Differentialinterpretation gehört seit der Formulierung des
Strukturgedankens zu den zentralen Grundprinzipien des Rombachschen Denkens.

loge jedoch vor dem Problem stehen, dass selbst dann, wenn Erstarrungen oder Verfehlungen bewusst sind, der kreative Prozess, der schöpferische Aufgang noch lange nicht in Gang gekommen ist. Es gilt dann weniger etwas theoretisch aufzuzeigen. Vielmehr besteht die Aufgabe darin, die Unmöglichkeit jedes Einwirkens von außen „als Unmöglichkeit spürbar werden" zu lassen und dadurch einen Sprung zu „provozieren" (Rombach 1971, 306). Rombach spricht an anderer Stelle von einem Anklopfen, damit sich jene Bewegung löse (Rombach 1983, 176), dann jedoch vor allem vom „Reiz" als Gegenbegriff zum „Sein" (ebd. 93 u. 97). Rombachs Denken ist keine Philosophie des Seins. Sie beschreibt nicht, wie etwas ist. Sein Denken ist eine Philosophie des Reizes. Sie reizt den Leser, selbst zu erkennen. Nach den bisherigen Ausführungen zur Methodik ist es per se nicht möglich, jemanden von der Existenz der Lebendigkeit des Lebens zu überzeugen. Rombachs phänomenologische Analysen müssen so versuchen, den Hörer oder Leser zu reizen und ihn so vielleicht in Bewegung zu bringen. Es geht um den Reiz, der die konkrete Erfahrung des Aufgangs eines ursprünglichen Lebens zu provozieren vermag.

Die Kraft der Selbsttranszendenz freizusetzen, dies ist jedoch nur durch ein „einfühlsames Eingehen" auf die jeweilige Situation möglich (Rombach 1987, 129). Differentialinterpretation wird somit über den kreativen Vorgang hinaus zu einem konkreatives Geschehen.[21] Sie ist keine Einbahnstraße, was vor allem in Rombachs Ausführungen zur philosophischen Hermetik deutlich wird. „Jeder hilft sich, indem er dem anderen hilft." (Rombach 1983, 150) Differentialinterpretation meint ein wechselseitiges Mitleben. Die Lebendigkeit des Lebens geschieht nur in einem gemeinsamen Aufgang, in einem gemeinsamen Prozess des lebendigen Gesprächs.

Was so in den verschiedenen Texten in immer wieder unterschiedlicher Sicht beleuchtet wird, das mag durch ein einfaches Bild in besonders klarer Weise zum Ausdruck kommen, in welchem sich Rombach interessanterweise auf Karl Marx bezieht. Von ihm ist die Aussage überliefert, dass man den Dingen nur ihre eigene Melodie vorspielen müsse, um sie zum Tanzen zu bringen. Philosophie des Lebens geschieht hiernach als zum Tanz aufspielendes Denken. Rombach fügt dann jedoch differenzierend hinzu: „Wer allerdings zum Tanz aufspielen will, darf keine eigene Dogmatik verfolgen; er spielt sonst, das ist gegen Marx zu sagen, den Dingen nicht zum Tanz auf, sondern er bläst ihnen den Marsch." (Rombach 1983, 143)[22]

Denken und Analysieren im lebendigen Sinne gleicht dem Musizieren. Der Musiker hat dabei die Melodie desjenigen zu treffen, für den er musiziert. Es ist die Melodie des Hörers oder Lesers zu treffen, die ihn zum Tanzen bringt, die das Leben in seiner Lebendigkeit in ihm ‚von selbst' tanzend eröffnet. Die Melo-

---

[21] An anderer Stelle spricht Rombach sogar von der „Phänomenologie der Konkreativität" als dem zentralen Schlüssel der Initiation schöpferischen Lebens (Rombach 1994, 195)

[22] Siehe hierzu auch ebd. 59 u. 1987, 426.

die zu erkennen, die zum tanzenden Leben bewegt, dies mag jedoch kaum von außen gelingen. Die jeweilige Lebensmelodie zu erkennen, dies geht nur in einer konkreativen Findung. Rombach beschreibt dieses Geschehen wie folgt: „Der schöpferische Mensch versteht es, Sachen und Menschen und Stoffe zur Selbsttranszendenz zu befreien und dabei seine eigene Selbsttranszendenz so zu ermöglichen, daß sie in ein idemisches Geschehen einmündet. Darin hebt sich alles, die Sache und er selbst." (Rombach 1987, 392)

Der Philosoph lässt sich ein und lebt mit dem Phänomen seiner Analyse in einem idemischen Geschehen. Gemeinsam wachsen sie über sich selbst hinaus, und nur in einem solchen gemeinsamen konkreativen Aufgang geschieht jenes Finden der Melodie des Phänomens, das den Tanz des Lebens erweckt.

Der gegenwärtige Umbruch und Denkwandel der abendländischen Kultur wurde in der Literatur vielfach beschrieben, diskutiert und analysiert. Dass es sich bei diesem Umbruch, wie Rombach dies sieht, um einen Aufbruch der Lebendigkeit des Lebens handelt, dies kann auch als Ausdruck seiner Hoffnung, weniger als das Ergebnis einer Analyse beurteilt werden. Unabhängig von dieser seiner Beurteilung bleibt es jedoch Rombachs Verdienst, dem philosophischen Denken der Gegenwart die Erfahrung des lebendigen ‚Gehens‘ vermittelt zu haben. Die Hochform seines Philosophierens mag allerdings erst erreicht sein, wenn Denken nicht nur ‚geht‘, sondern wenn es ‚tanzt‘. Die Hochform mag erreicht sein, wenn Phänomenologie es lernt, das Leben zum Tanzen zu bringen und so nicht nur lebendige Philosophie zu entwerfen, sondern Philosophie auf die konkrete Erfahrung der ‚Lebendigkeit des Lebens‘ hin auszurichten. In einem solchen Beitrag zu einer Phänomenologie, die in der gegenwärtigen Umbruchszeit für die Erfahrung ursprünglichen Lebens öffnet, mag auch die besondere Bedeutung der Philosophie Heinrich Rombachs zu finden sein.

Literatur

Albert, K. (1995): *Vom philosophischen Leben*, Würzburg.

Albert, K. u. B. Jain (2000): *Philosophie als Form des Lebens*, Freiburg/München.

Böhme, G. (1994): *Weltweisheit - Lebensform - Wissenschaft. Eine Einführung in die Philosophie*, Frankfurt/M.

Dümpelmann, L. und R. Hüntelmann (1991): *Sein und Struktur. Eine Auseinandersetzung der Phänomenologien Heideggers und Rombachs*, Pfaffenweiler.

Hadot, P. (1991): *Philosophie als Lebensform. Geistige Übungen in der Antike*, Berlin.

Heidegger, M. (1977): *Holzwege (Gesamtausgabe 5)*, hg. v. F.-W. von Herrmann, Frankfurt/M.

Marten, R. (1993): *Lebenskunst*, München.

Rombach, H. (1962): *Die Gegenwart der Philosophie*, Freiburg/München.

- (1965/1966): *Substanz, System, Struktur. Die Ontologie des Funktionalismus und der philosophische Hintergrund der modernen Wissenschaft*, Freiburg/München, 2 Bde.
- (1971): *Strukturontologie. Eine Phänomenologie der Freiheit*, Freiburg/München.
- (1975): „Phänomenologie heute", in: E. W. Orth (Hg.): *Phänomenologie heute. Grundlagen- und Methodenprobleme (Phänomenologische Forschungen* 1), Freiburg/München, 11-30.
- (1977): Leben des Geistes. Ein Buch der Bilder zur Fundamentalgeschichte der Menschheit. Freiburg/Basel/Wien.
- (1980a): „Das Phänomen Phänomen", in: E. W. Orth (Hg.): *Neuere Entwicklungen des Phänomenbegriffs (Phänomenologische Forschungen* 9), Freiburg/München, 7-32.
- (1980b): *Phänomenologie der gegenwärtigen Bewußtseins*, Freiburg/München.
- (1983): *Welt und Gegenwelt. Umdenken über die Wirklichkeit: Die philosophische Hermetik*, Basel.
- (1987): *Strukturanthropologie. „Der menschliche Mensch"*, Freiburg/München.
- (1991): „Das Tao der Phänomenologie", in: *Philosophisches Jahrbuch* 98, 1-17.
- (1994): *Der Ursprung. Philosophie der Konkreativität von Mensch und Natur*, Freiburg i. Br.

Schmid, W. (1998): *Philosophie der Lebenskunst. Eine Grundlegung*, Frankfurt/M.

Wolz-Gottwald, E. (1996): „Das Denken ohne Brücke. Zur Transformation der Phänomenologie bei Martin Heidegger", in: *Phänomenologische Forschungen* N.F., Bd. 1, 67-83.
- (1999): *Transformation der Phänomenologie. Zur Mystik bei Husserl und Heidegger*, Wien.

Die Abwesenheit der Zukunft
Einführung in die Zeitproblematik im Denken Heinrich Rombachs

Ángel E. Garrido-Maturano

1. Thema

Die folgenden Überlegungen sollen zum einen in Rombachs Grundbegriff der Situation und sein Verständnis der entsprechend situativen Zeit einführen, zum anderen die Hermeneutik der Zeit, wie sie Rombach insbesondere in seiner *Strukturanthropologie* vorlegt,[1] kritisch analysieren. Dass sich die hier von einer Levinaschen Perspektive aus unternommene Kritik auf das Thema Zeit konzentriert, ist weder willkürlich noch zufällig. Das – meiner Ansicht nach – ungenügende Verständnis der Zeit bei Rombach stellt sein Denken im Ganzen in Frage. Lässt sich die Zeit in einer Ganzheit einschließen, oder zerreißt sie im Gegenteil jeden Versuch, Existenz als eine gegenwärtige Ganzheit zu denken? Da ja Rombach wiederholt behauptet, dass seine Philosophie eine Philosophie des Ganzen sei und als eine Ganzheit gedacht werden müsse, um die Fülle ihrer Sinngehalte zu begreifen, ist die Zeitfrage keineswegs eine unwesentliche Frage.

2. Situation und Idemität

Die Situation ist ein Grundphänomen, d. h. ein Phänomen, das sich für sich selbst ereignet und nicht als eine Folge oder Ableitung eines anderen Phänomens zu verstehen ist. Aus methodologischen Gründen werde ich zuerst eine formale Charakterisierung des umfangreichen Themas der Situation bei Rombach geben, danach werde ich versuchen, die verschiedenen Charakteristiken in einem Begriff zusammenzufassen.

---

[1] Rombachs Hauptwerk ist die im Jahre 1987 veröffentlichte *Strukturanthropologie*. In diesem Buch entfaltet Rombach systematisch sein ganzes Denken. Die Strukturphänomenologie hatte er weiterentwickelt und gab ihr in dem 1994 erschienenen Buch *Der Ursprung* eine neue Gestalt. Obwohl er in diesem Werk die wichtigsten Begriffe der Strukturphänomenologie noch einmal darstellt und tiefer auf den Begriff der „Konkreativität" eingeht, kann, von einer begrifflichen und systematischen Perspektive her, die *Strukturanthropologie* weiterhin als das Hauptwerk der besonderen Philosophie Rombachs gelten.

Die Situation könnte erstens als das *Worin* eines konkreten Daseins verstanden werden. Sie ist das Worin, in welchem sich ein Dasein befindet. Alles, was auf das Dasein trifft, erscheint in einem bestimmten Worin, und dieses Worin ist die Situation. Zweitens ist sie das *Woher* und das *Wohin* des Sichentwerfens des Daseins. Drittens ist sie *ursprünglich*: „Die Situation [ist] noch ursprünglicher als die Welt, denn immer erfahren wir die Welt nur in Situationen." (Rombach 1987, 138) Viertens ist die Situation *konkret*: Es gibt keine Situationen im Allgemeinen, sondern die Situation ist jeweilig meine Situation. Fünftens ist sie *unausweichlich*.

Bestimmt gibt es keine Situation ohne Ich, aber es gibt auch nicht ein Ich „an sich" und ohne Situation. Das Ich ist nur in einer Situation möglich. Sechstens ist die Situation daher das schlechthin Gegebene, d. h., sie ist die ursprüngliche Form, in der das Sein einem bestimmten Ich gegeben ist, oder, anders ausgedrückt, die Form, in der das in einer Struktur organisierte Sein für ein Ich zum Vorschein kommt. Siebtens ereignet sich die Situation unabhängig von den Seienden, die in ihr beschlossen sind. Die Situation ist somit *ontisch unabhängig*.

Schließlich ist die Situation *die Grundform der Existenz*. Es gibt nicht einerseits Existenz an sich und andererseits eine von ihr verschiedene Situation, in der die Existenz sich entwickelt. Vielmehr ist die Grundsituation gerade die, dass es Existenz gibt. Als ursprünglich ist die Situation weder eine Eigenschaft der Existenz noch ein Attribut der Dinge, sondern die Trägerin aller Attribute und Eigenschaften. Alle diese verschiedenen Charakteristiken zusammenfassend, definiert Rombach die Situation mit den folgenden Worten: „Die Situation ist nicht nur einfach das, was mich umsteht, sondern das, was mich *betrifft*." (Ebd. 139) Alles, was mich so betrifft, dass ich dem Betreffenden nicht ausweichen kann, ohne dass solches Ausweichen schon ein bestimmtes Verhalten dem Betreffenden gegenüber ist, macht den Bereich der Situation aus. Das Sichereignen des Betreffs ist vorzeitig in Bezug auf das Verhalten des Ich hinsichtlich des Betreffenden und auch in Bezug auf die transzendentale Konstitution desselben Ich. Sogar bevor das Ich sich selber konstituiert, findet es sich von einer Situation betroffen. Betreff und Vorgängigkeit sind keine Eigenschaften der Dinge, die in einer Situation geschehen, sondern wesentliche Eigenschaften der Situation selbst. Diese beiden Eigenschaften, welche die Situation genau bestimmen, werden von Rombach im Begriff der *Voreingenommenheit* zusammengefasst. Alles, was mich von vornherein einnimmt und mich unvermeidlich betrifft, ist die Situation. Voreingenommenheit und Situation sind Synonyme. Die Situation ist unser wesentlicher Boden, die Grundbasis aller unserer Existenzmöglichkeiten. Freilich wird sie vom Ich als der Außenbereich erfahren, in welchem es seine Existenz entfaltet, aber nicht weil sie das Außen, welches das Ich umsteht, wäre, sondern weil die Situation im Inneren des Ich aufklafft und es aus sich selbst herausreißt. Das Dasein wird immer ins Äußere gerissen und in Beziehung zur Situation gebracht, die es von vornherein einnimmt. Das Dasein ist diese Beziehung und für sich selbst genommen überhaupt nichts.

Die ursprüngliche Art der Beziehung zur Situation, die das Dasein ist, besteht selbstverständlich nicht in einer Antwort, welche die Situation strukturell gestaltet. Sie ist auch nicht das Bewusstsein der Situation. Die ursprüngliche Art der Beziehung zur Situation ist das Empfinden. Mit dem Wort „Empfinden" meint Rombach die Erfahrung des Aufklaffens der Situation in unserem Inneren, das sich unabhängig von unseren Willen und von der spontanen und transzendentalen Konstitution der Subjektivität in irgendwelchen ihrer Formen ereignet. In einer Situation gehen Dingen mich an, die für mich da sind, bevor ich für sie oder für mich selbst da bin. In diesem Sinne ist die Situation das Voreingenommen-Werden des Daseins vom Angangsbereich, in welchem das Dasein schon immer ist. Das Empfinden ist also die Erfahrung dieses Von-vornherein-Angegangenseins durch die Situation, die in mich eindringt, in mir aufklafft und durch mich zum Vorschein kommt. Solches Von-vornherein-durch-die-Situation-Angegangensein, die Voreingenommenheit, ist der letzte existenzielle Zustand, auf den das Dasein sich verweisen kann. In meinem ursprünglicheren Inneren existiert ein Anderes (die Situation), bevor ich selber existiere. Deswegen sagt Rombach, dass „das Empfundene das innen Gefundene ist" (ebd. 142). Das Ich findet sein Sich-selbst, indem es eine Situation empfindet, die das Ich betrifft und aus sich selbst herausreißt, bevor es seine Identität konstituieren kann. Gerade deswegen kann das Selbst als das Andere von sich selbst bezeichnet werden. Das Empfinden einer Situation ist dann das Grundpathos des Daseins und seine ursprüngliche Faktizität.

Es lässt sich ein bestimmter Parallelismus zwischen Rombachs Phänomenologie der Situation und der existentialen Analytik Heideggers erkennen. Die Situation entspricht dem Phänomen, das Heidegger „Welt" nennt, und auf irgendeine Weise entspricht das Empfinden der faktischen Befindlichkeit in einer Welt, in der das Dasein schon immer ist. So wie die Befindlichkeit das immer gestimmte In-der-Welt-sein des Daseins meint, so ist auch das Empfinden die ursprüngliche Stimmung, durch welche die Situation ins Dasein eindringt. Aber gerade in diesem Vergleich liegt auch der Grundunterschied, der die Strukturanthropologie von der existentialen Analytik trennt. Bei Rombach richtet sich das Dasein nicht auf die Welt, sondern die Welt (die Situation) dringt ins Dasein ein. Das Dasein ist nur ein leerer Punkt, durch welchen das Sein sich als Gesamt von Situationen strukturell gestaltet. In diesem Sinne schreibt Rombach: „Das Grundwesen der Situation gibt uns ein anderes Bild vom Dasein, als wir es bei Heidegger finden. Bei Heidegger ist das *Selbst*, das dem Dasein als ‚zu sein' vorgehalten ist. Die Situation belehrt uns eines anderen. Es sind gerade nicht wir, sondern es ist das ‚andere', die *Situation*, die sich so vorlegt, daß wir sie ‚zu sein' haben." (Ebd. 143) Auf diese Weise entfernt sich Rombach von der horizontal-transzendentalen Perspektive von *Sein und Zeit*, aber gleichzeitig nähert er sich der Perspektive, die Heidegger in seinen *Beiträge zur Philosophie* einnimmt. Seine Auffassung vom Menschen als derjenigen Stätte, in der das von Rombach als der strukturelle Hervorgang des Ganzen interpretierte Sein sich geschichtlich ereignet, und seine Auffassung der Existenz als Antwort, welche die Selbsttranszendenz der Dinge in einer Welt gestaltet, kann auf die Beziehung zwischen dem Zuwurf des Seins im Seienden und dem daseinsmäßigen Entwurf des Seins des Seienden in der Welt, die der wesentliche Gegenschwung des Ereignisses ist, bezogen werden. Damit will ich nicht sagen, dass Heidegger und Rombach das Gleiche denken. Ich sage damit nur, dass die Philosophie Rombachs im begrifflichen Sinne von der Philosophie des sogenannten zweiten Heidegger abhängt und eine Interpretation von ihr ist. Die Grundbegriffe Rombachs (Struktur, Hervorgang, hermetische Konkreativität) sind nichts anderes als konkrete Auslegungen oder in bestimmten Fällen Entwicklungen der entsprechenden Grundbegriffe Heideggers (Welt, Sein, Ereignis) und können letztlich auf diese bezogen werden. Wie andere zeitgenössische Phänomenologen (z. B. Lévinas, Henry, Ricoeur in *das Selbst als ein Anderer*) sucht auch Rombach nach demjenigen ursprünglichen Phänomen, welches das Dasein als Selbst konstituiert, bevor es sich als Ich aufgrund der Intentionalität des Bewusstseins konstituieren kann. Anders ausgedrückt, sucht Rombach danach, das spontan-transzendentale Subjekt der Neuheit zu überwinden. Gleichzeitig versucht er die Spontaneität und die Identität des Ich so zu verstehen, als ob sie eine Antwort auf eine ursprüngliche Stellung des Selbst vermöge einer Alterität wären – gerade einer Alterität, die vom Selbst gelitten wird und vom Ich nicht konstituiert werden kann. Das Andere, welches das Selbst so stellt, dass unsere Existenz eine Antwort auf diese pathische Stellung ist, wäre bei Rombach die Situation.

Unsere Antworten auf die Situation, die uns immer im Voraus gegeben ist, können verschieden sein; wir können es jedoch nicht vermeiden zu antworten, da wir uns immer in einer Situation befinden. Das Empfinden oder das Fühlen sind das Erleiden dieser Situation, die das Selbst stellt und in der wir uns befinden. Gerade deswegen setzt jede Antwort, welche die Situation auf die eine oder andere Weise gestaltet, das Empfinden des Selbst als ursprüngliche Beziehung zur Situation voraus. Die Situation ist also keine äußerliche Umgebung: Vielmehr ist sie die ursprüngliche Öffnung des Anderen (d. h. des Hervorgangs des Seins, der sich in Situationen gestaltet) in uns. Und die Existenz ist nicht mehr als das Aufnehmen der jeweiligen Situationen.

Rombachs Auffassung der Situation bestimmt gleichzeitig seinen Identitätsbegriff. Das Ich ist weder eine Substanz noch intentionales Bewusstsein. Das wesentliche Ich, das Innen, wird von der Situation konstituiert. Es ist nur das Sichereignen eines Weltzustandes in einer situativen Gestaltung. „Wir *sind* die Situation." (Ebd. 144) Wir sind die Situation aber nicht in dem aktiven Sinn, dass wir uns mit ihr identifizieren, sondern in der passiven Hinsicht, dass uns die Nicht-Identität (die in Situationen strukturierte Welt) als Identität vorgegeben ist. Dieses Selbe von Selbst und Aufgehen der Situation, das die höchste Form der Identität bildet, wird von Rombach Idemität genannt: Die absolute Identität zwischen der strukturellen Gestaltung des Betreffsbereichs (Situation) und dem Menschen, der konkreativ diese Situation aufgehen lässt, ist die Idemität. Wenn sich z. B. ein Mensch zu einer bestimmten Aufgabe verpflichtet, dann identifiziert er sich mit dieser Aufgabe. Wenn ein Mensch im Gegenteil eine strukturelle

Sinngestaltung entstehen lässt (etwa wenn er ein Kunstwerk schafft), dann identifiziert er sich nicht mit der von ihm geschaffenen Struktur, sondern ist mit ihr eins. Der Mensch und die Struktur idemizieren sich (vgl. Rombach 1994, 57 f.). Ursprünglich sind das Innen des Menschen und die Situation, in der er sich befindet, idemisch. Nur im nachhinein und auf eine abgeleitete Weise kann das Dasein Abstand von der Situation nehmen (d. h. Bewusstsein von ihr erlangen), sie objektivieren und sich mit der objektivierten Situation identifizieren. Das Ich ist die Situation und befindet sich in ihr als dasjenige, das in seinem innersten Kern von ihr besessen ist. Ohne diese Besessenheit wäre das Ich überhaupt nichts.

3. Die Situationskokarde

Jede Situation erscheint immer als eine innere Situation, die von einer äußeren betroffen und umfangen wird. Diese äußere Situation ist ihrerseits eine innere für eine andere Situation, die sie umfasst usw. Das Ich als die innerste Situation, die von allen anderen äußeren Situationen angegangen wird, ist der Kern dieser Aufeinanderfolge von konzentrischen situativen Ringen, die von Rombach mit der Figur einer Kokarde illustriert wird. Jede Situation ist gleichzeitig eine innere und eine äußere Situation. Als innere ist sie das Betroffene; als äußere ist sie das Betreffende. Je ferner und umfangreicher die betreffende Situation ist, desto allgemeiner und unbestimmter ist sie; und je allgemeiner und unbestimmter sie ist, desto weniger sind wir uns ihres Einflusses bewusst, es sei denn ein Ereignis tritt ein, das die Kokarde so verändert, dass eine ferne Situation mich unmittelbar betrifft und so zu einer Nahsituation wird. Das Folgende mag hierfür ein Beispiel sein. Normalerweise achten wir vor allem auf nahestehende Situationen, die uns, wie etwa häusliche, alltägliche Situationen, unmittelbar betreffen, und richten unsere Aufmerksamkeit nur selten oder überhaupt nicht auf unsere Situation als Erdbewohner. Aber gesetzt den Fall, ein Meteorit nähert sich der Erde, dann träte unsere Situation als Erdbewohner aus dem Unbewussten und aus ihrer Ferne hervor. Sie würde sich als eine nahe Situation auszeichnen, und wir würden sie als ganz nahe empfinden, insofern wir als Erdbewohner betroffen wären. Was die Ferne oder die Nähe einer Situation bestimmt, ist nicht ihre räumliche Ferne oder Nähe, sondern die Bestimmtheit oder Unbestimmtheit ihres Angangs.

Die Gesamtheit der nahen, fernen und fernsten Situationen in gegenseitiger Beziehung bildet die existenzielle und situative Räumlichkeit des Daseins. Sie stellt, wie gesagt, die Struktur einer Kokarde dar. Der Kokarde wohnt eine bezeichnende Bewegtheit inne. Die Bewegtheit der situativen Ringe der Kokarde (ihre situative Dynamik) ist nichts anderes als die Gliederung des Angangs. Angang und Betreffen beziehen sich auf dasselbe Phänomen, obschon aus verschiedenen Perspektiven. Der Angang meint die Art und Weise, in welcher die situative Dynamik ins Ich eindringt und es durchstimmt. Das Betreffen meint die Art und Weise, wie das Ich den Angang der situativen Dynamik empfindet. Betreffen und Angang entsprechen einander. Der Angang der Situationen betrifft mich, und das Sich-Betroffen-Fühlen setzt einen Angang voraus. Das Ich in seinem innersten Kern ist das Empfinden des Betroffenwerdens von Situationen, die mich in einer bestimmten Kokarde angehen. Der Angang ist wechselnd. Aus der Unbestimmtheit eines fernen Angangs nähern sich uns die Situationen, bis sie in unserem Innern verschmelzen. Die Situationen, die uns vage angehen, werden allmählich zu Situationen, die uns immer auf eine bestimmtere Weise betreffen, bis sie unser Inneres betreten, d. h. aus angehenden Situationen zur Situation werden, die wir sind, und die in uns verschmolzenen Situationen werden dann von anderen Situationen betroffen. Diese situative Dynamik ist für Rombach der Ursprung der Zeit.

4. Die Zeit

„Die Situationskokarde als ganze ist Bewegung. Diese Bewegung nennen wir Zeit." (Rombach 1987, 156) Die Umwandlung des Angangs, welche die Bewegung der Kokarde bestimmt, ergibt sich aus der Verwandlung einer angehenden in eine angegangene Situation. Die Situationen, die im Außen der Kokarde liegen, nähern sich einem Ich, das nicht ein nacktes oder reines, sondern ein von den schon gewesenen Situationen bestimmtes Ich ist. Dieser Ruf des Angangs, der die gewesenen Situationen auf eine bestimmte Zukunft hin zurückruft und sie in einer gegenwärtigen Situation wieder gestaltet, wird von Rombach *Provokation* genannt. Die gewesenen Situationen, die das Ich konstituieren, sind ihrerseits Rückruf von Situationen aus einem Angang heraus. Sie sind immer imstande, vom Angang, der sie umfasst, wieder (jedoch anders gestaltet) in die Gegenwart gebracht zu werden. Das aus einem Angang heraus in die Gegenwart zurückgerufene Werden der schon gewesenen Situationen nennt Rombach *Revokation*. Die formale Zeitstruktur wird von einer Trias gebildet, nämlich 1. von der sich aus dem Angang von fernen Situationen ergebenden Provokation, die meine Situation wieder gestaltet, 2. der Revokation der gewesenen Situationen, die von der Provokation der fernen Situationen zurückgerufen wird, und 3. dem Umschlag von provozierende in revozierte Situationen. Die Zeit fasst Rombach als ein Ergebnis der ständigen Dynamik der Kokarde auf. Diese Dynamik nimmt die Form einer diskontinuierlichen Reihenfolge von Provokationen und Revokationen an. Folglich kommen die Situationen nicht in der Zeit vor, sondern die Zeit in den Situationen. Die Zeit als solche gibt es nicht und kann – laut Rombach – als reine Zeit ohne Situation nicht erfahren werden. Die Zeit ist nur ein Ergebnis der Angangsbewegung der Kokarde und wird nur durch die Erfahrung der situativen Dynamik erlebt. Anders ausgedrückt, die Zeit ist eine Supra- oder Nebenstruktur der Situation, welche die Grundstruktur des menschlichen Lebens ist. Und die ganze Situationskokarde ist ihrerseits eine Struktur, die sich das Sein als Hervorgang schenkt, um seine eigenen Gestaltungen zu schaffen.[2] Die Zeit ist

---

[2] Zu unserer Interpretation des Begriffs „Hervorgang" vgl. Garrido-Maturano 1999.

nicht der Sinn des als Hervorgang aufgefassten Seins, sondern eine seiner Neben-strukturen. Sie ereignet sich, wenn das Dasein die Bewegtheit der Kokarde er-fährt, durch die der Hervorgang sich seine eigenen strukturellen Gestaltungen schenkt. Deswegen gibt es keine Zeit, die unabhängig von der Bewegtheit der Kokarde vergeht. Eine diachronische Zeit, eine Zeit, die außerhalb der erwähn-ten Reihenfolge von Provokationen und Revokationen verginge, wäre dieser Auffassung gemäß undenkbar. Für Rombach ist die Zeit eigentlich kein Verlauf, sondern ein Umschlagsgeschehen. Der provozierende Angang der fernen Situa-tionen (Zukunft) schlägt in innere Situationen um, die imstande sind, revoziert zu werden (Vergangenheit). Der Umschlag ist eigentlich die Gegenwart. Der Verinnerlichungsprozess des Angangs ist das Vergehen der Zeit. Daran, dass die Zeit kein linearer Verlauf, sondern ein Umschlagsgeschehen ist, zeigt sich in der Tat, dass die Gegenwart sich nicht als eine Zeitstrecke (Dauer) fassen lässt: „Je-der Versuch, die Zeit linear und ablaufmäßig zu denken, scheitert an der Gegen-wart, die durch die Zeitatomistik, die man zur Fixierung braucht, niemals getrof-fen wird, würde sie auch noch so minutiös betrieben." (Rombach 1987, 156) Wird dagegen die Gegenwart im Vorgang der Verinnerlichung als der Umschlag einer angehenden in eine angegangene Situation aufgefasst und sind die Grenzen der Innerlichkeit dem situativen Angang nach variabel, so muss auch die jeweilige Gegenwart variabel sein. Die Gegenwart wird dann nicht mehr als Punkt in ei-nem linearen Verlauf gedacht, sondern als der Angangsbereich, in dem ich mich befinde. Auf diese Weise kann mein „Jetzt" mehrdimensional, wechselnd und aus verschiedenen situativen Schichten zusammengesetzt sein. Mein Jetzt ist es, diesen Artikel zu verfassen, aber auch mein Aufenthalt in Europa, das zwanzigste Jahrhundert und das christliche Zeitalter. Solange eine Situation mich angeht, gilt sie als eine verweilende Gegenwart, innerhalb derer eine Vielfalt von Situationen und Ereignissen, die auch gegenwärtig sind, aufeinander folgen können (vgl. ebd. 267). Die Gegenwart kann also Stunden, Jahre, Jahrhunderte oder sogar Jahrtau-sende dauern, und sie besteht aus einer Vielfalt von Gegenwarten, die einander implizieren und auch die Struktur der Kokarde aufweisen. Die Gegenwart ist für Rombach „die Zeitinterpretation der Situation" (ebd. 157). Und da jede Situation die Bewegung der ganzen Kokarde impliziert, ist die ganze Zeit in der Gegenwart anwesend. Zukunft und Vergangenheit sind strukturelle Momente der Gegen-wart. Die Vergangenheit ist das gegenwärtige Zurückkommen von Situationen, die aus einer angehenden und zukommenden Situation heraus revoziert wurden. Die Zukunft ist das gegenwärtige Zukommen von Situationen, welche schon ge-wesene Situationen auf eine bestimmte Zukunft hin provozieren. Der Angang ist eine Totalität, in welcher eine Provokation einer Revokation entspricht und um-gekehrt Nur insofern die Zukunft sich auf ein bestimmtes Schon-sein bezieht, kann sie auf die Gegenwart zukommen (ihr Aufruf ist immer ein Rückruf), und nur so kann sie uns betreffen und eigentlich unsere Zukunft sein. Wenn die Zu-kunft die gewesenen Situationen nicht revozieren würde, um sie in der Gegen-wart wieder zu gestalten, dann wäre sie überhaupt nicht unsere Zukunft, weil sie auf unsere Gegenwart nicht zukäme, und jenseits dieses Zukommens auf die Gegenwart ist die Zukunft überhaupt nichts. Dasselbe geschieht im Falle der Vergangenheit. Eine in der Gegenwart von einer zukommenden Provokation nicht revozierte Vergangenheit gibt es ebenfalls nicht.

Die äußeren, provozierenden Situationen eröffnen die Dimension des Künftigen und die inneren, revozierten Situationen, die dem Angang der äußeren entsprechen, die Dimension des Vergangenen. Der Treffpunkt, an dem das Zukommen eines Angangs (Zukunft) und das Zurückkommen des Gewesenen (Vergangenheit) gleichzeitig sind, ist die Gegenwart.[3] Nur in der Gegenwart ist es möglich, sich auf die Zukunft oder auf die Vergangenheit zu beziehen. Die Zukunft ist das Anrücken der fernsten Situationen in die Gegenwart und wird in der Gegenwart als dasjenige, das zum Angang kommt, erfahren. Die Vergangenheit sind die gewesenen Situationen, die von den zukommenden Situationen in die Gegenwart gebracht werden. Als solche wird sie auch in der Gegenwart erfahren. Diese Gleichzeitigkeit der Zeitdimensionen in der Gegenwart, die alles umfasst, ist die Grundzeitlichkeit des Daseins.

Alles ist Gegenwart. Die Gegenwart aber hat verschiedene und wechselnde Schichten, weil der Angang der situativen Ringe nach seiner Nähe oder Ferne je verschieden und wechselnd ist. Die Situationen, deren Angang noch in weitester Ferne verbleibt (etwa das Erkalten der Sonne), bilden meine zukünftigste Gegenwart. Die Situationen, die gerade jetzt aus den angehenden Situationen zu meinem angegangenen Ich werden und mich deswegen unmittelbar betreffen (wie meine gegenwärtigen Kopfschmerzen), bilden meine gegenwärtigste Gegenwart. Und diejenigen Situationen, die kaum zu meiner Gegenwart zurückkommen (z. B. die Tatsache, dass ich als Erdbewohner geboren bin), weil sie vom Angang nicht oder nur aus einer fernsten Zukunft heraus zurückgerufen werden, bilden meine am meisten vergangene Gegenwart. Das Wesentliche dieser Unterscheidung zwischen den verschiedenen Schichten der Gegenwart liegt darin, dass man stets in der Gegenwart entscheidet, was „Zukunft" und was „Vergangenheit" ist und wie zukünftig oder wie vergangen sie sind. Die Gegenwart ihrerseits ergibt sich aus der Identifizierung des Ich. Wenn ich mich nur mit nahen Situationen identifiziere und folglich nur diese Situationen mich betreffen, dann werden meine Zukunft und meine Vergangenheit freilich knapp sein. Wenn ich mich im Gegenteil auch mit der aus der Ferne angehenden Situationen identifiziere und folglich diese Situationen mich auch betreffen, dann werden meine Zukunft und meine Vergangenheit breiter sein. Die Gegenwart oder das Jetzt ist also der Bezugspunkt des Anrückens, das der Situationskokarde innewohnt. Kraft dieses Anrückens nähern sich die fernen Situationen, bis sie mit dem Innern des Daseins verschmelzen. Dieses Verschmelzen aber ist kein Verschwinden. Aus ihrem Verschmelzen können die Situationen von anderen angehenden Situationen noch einmal in die Gegenwart gebracht werden, um die jetzige Situation des Ich mitzugestalten. In diesem Fall erscheinen in der Gegenwart die ver-

---

[3] „[...] Zukunft und Vergangenheit sind darum in einer bestimmten Weise ‚gleichzeitig', gleicherweise in der Zeit der Gegenwart." (Ebd. 159)

schmolzenen, gewesenen Situationen als betroffene Vergangenheit. Das Jetzt ist dann kein bloßer zeitlicher Begriff, sondern eine Lebenskategorie. Es ist das Erlebnis eines beweglichen Angangsbereichs. In diesem Erlebnis treffen sich in mir Vergangenheit und Zukunft und werden auf diese Weise meine Zeit. Und da die Zeit jeweilig nur als meine Zeit möglich ist, ist die gegenwärtige Erfahrung der Dynamik der Situationskokarde Ursprung und Sinn der Zeit. Gerade deswegen stellt die Gegenwart die Grundform der Zeit dar, und alle Zukunft und Vergangenheit sind nur innerhalb einer weiter gegriffenen Gegenwart möglich (vgl. ebd. 272).

Entsprechend diesem Vorrang der Gegenwart bei Rombach ist die als unzeitliche Gegenwart aufgefasste Ewigkeit für ihn die Vollendung der Zeit. In der Ewigkeit erfährt man das Zukommen aller angehenden, provozierenden Situationen und das Zurückkommen aller angegangenen, revozierten Situationen im Ganzen und als eine Einheit. Die Ewigkeit ist das immer gegenwärtige Sichereignen des Hervorgangs. In diesem Ereignis treffen sich alle zukünftigen und vergangenen Situationen. Erstere werden vom Rombach als die sich ereignende Autogenese der vielfältigen Gestaltungen, die der Hervorgang sich selber schenkt, aufgefasst; letztere als die sich ereignete Wiedergestaltung, aufgrund sich die neuen Gestaltungen des Hervorgangs ereignen können. Im Bezug auf die Ewigkeit könnte man sagen, dass die Erfahrung des Hervorgangs, d. h. des Lebensprinzips, das die Strukturierung der Kokarde beseelt und die Totalität der Situationen umfasst, die einzige Ewigkeit ist, nach welcher der Mensch sich sehnen kann.

5. Zukunft und Diachronie

Die eigenartige Philosophie Rombachs, deren Grundbegriff der Situation hier in seinem wesentlichen Zügen analysiert worden ist, kann nicht nur als eine der hervorragendsten Auslegungen Heideggerschen Denkens, sondern auch für eine der wichtigsten Beiträge zur phänomenologischen Anthropologie und Ontologie gelten. Hieraus erhellen sich Fragen wie solche nach dem Ursprung des Sinns, der Entstehung und Gliederung von Strukturen, der Verbindung zwischen Mensch und Natur, dem künstlerischen Schaffen usw. Dieses Denken kann jedoch auch von verschiedenen Blickwinkeln her kritisiert werden. Meine Kritikpunkte, die eine Levinasche Sichtweise voraussetzen, werden sich vor allem auf folgende Fragen richten: auf die Ursprünglichkeit der Transzendentalität und besonders des Elements im Vergleich zur Situation sowie die Unmöglichkeit, die Zeit in einer strukturellen Totalität zu fassen. Beide Kritikpunkte stellen Rombachs Versuch in Frage, den Sinn von Totalität ausgehend von einem strukturellen Paradigma zu erläutern und zu gliedern. Zuerst werde ich auf die Beziehung zwischen Situation, Transzendentalität und Element eingehen.

Gegen Rombachs Situationsbegriff lässt sich vor allem einwenden, dass Rombach die ständige Transzendentalität des Daseins, die immer Situationen entwirft, mit der konkreten Situation verwechselt. Als Ergebnis dieser Verwechslung wird der konkreten Situation der Charakter einer schon von vornherein gegebenen Situation zuerkannt, und der Mensch wird darauf begrenzt, auf diese konkrete, angehende Situationen zu antworten. Aber wenn eine Situation wirklich konkret ist, wird sie von einem Dasein auf eine bestimmte, d. h. konkrete Weise verstanden und gegliedert. Deswegen ist sie nicht von vornherein schon gegeben, sondern wird von der Transzendentalität des jeweiligen Daseins konstituiert. Gerade die Transzendentalität ist es, die der Situation ihren konkreten Charakter verleiht. Damit das von Rombach gemeinte „Empfinden der Situation" bezüglich einer intentionalen Tätigkeit des Bewusstseins vorzeitlich wäre, müsste dieses Empfinden rein sein, d. h., es dürfte kein intentionales Verständnis, welches das mich Betreffende auf die eine oder andere Weise gestalten würde, mit sich führen. Aber da das Betreffende immer gestaltet in einer Situation erscheint, muss man zu dem Schluss kommen, dass die Intentionalität ursprünglicher als die Situation ist. Wo eine Situation geschieht, sind in ihr immer Wirkungen der intentionalen Transzendentalität zu spüren. Das dem Menschen von vornherein schon Gegebene, das vor irgendwelcher intentionalen Transzendentalität mich Betreffende ist nicht die Situation, sondern das *Element*, wenn ich den Begriff von Lévinas benutzen darf (vgl. Lévinas 1987, 152-167; 184-203). Dasjenige, dem ich ausgesetzt bin, bevor ich das mich Betreffende (sogar konkreativ) in einer Situation, Struktur oder Welt gestalten kann, ist das Empfinden des reinen Elementes. Ein Empfinden, das die Formen des nackten Schmerzes oder des nackten Genusses aufnimmt. Nehmen wir das Beispiel des Wassers. Bevor ich das Wasser in einer bestimmten Situation einschließe, wird das Wasser von mir ursprünglich als ein rein sinnlicher und verhältnisloser Urstoff empfunden; als das noch nicht gestaltete Elementare, dessen Frische ich genieße oder unter dessen Kälte ich leide. Wenn das Wasser in einer konkreten situativen Struktur erscheint, z. B. als Wasser des Schwimmbades, das von den Leuten meines Dorfes während des argentinischen Sommers benutzt wird, dann müsste dieses Wasser zuerst von einem Bewusstsein als Zeug verstanden werden und danach von diesem Verstehen in eine konkrete Situation eingegliedert werden. Aber phänomenologisch betrachtet, ist der Genuss der Frische des elementaren Wasser eine ursprünglichere und vorhergehende Beziehung zu ihm als die Konstitution des Wassers als Zeug und als seine entsprechende Eingliederung in eine konkrete Situation. Die Natur zeigt sich uns ursprünglich nach der Art von Elementen und nicht nach der Art von Situationen. Das Feuer, an dem ich mich verbrenne und das mich so betrifft, zeigt sich mir nicht als das Ergebnis der Verbrennung eines Waldes aufgrund einer schlechten Anwendung von Techniken der Unkrautbekämpfung (Situation). Das Feuer betrifft mich vielmehr ursprünglich als dasjenige, das mich brennt. Das „dasjenige", das noch nicht als „Feuer" aufgefasst wurde, meint das Elementare. Nur danach kann das Brennende, d. h. das Feuer, vom intentionalen Bewusstsein einer konkreten Situation eingegliedert werden. Vorauszusetzen, dass das ursprünglich Gegebene die Situation als Ganzes ist, ist m. E. das Ergebnis eines künstlichen Verständnisses der Frage. Das ursprünglich

Gegebene ist das Element, und *qua* Element ist es sinnlich zu empfinden, lässt sich aber nicht in eine strukturelle Totalität einschließen. Freilich wird das Element nachher immer weltlich oder situativ konstituiert werden. Bedeutet dies aber, dass das ursprünglich Gegebene die Situation ist? Ich wiederhole: Was mir von vornherein gegeben wird, sind nicht die konkreten Situationen (diese werden von der Subjektivität konstituiert), sondern die transzendentale Fähigkeit (Spontaneität), ausgehend vom sinnlichen Betreffen des Elementaren, Situationen zu entwerfen und zu konstituieren. Zu behaupten, dass die Transzendentalität des Menschen ursprünglicher ist als Situationen, bedeutet jedoch nicht ein Befangenbleiben in neuzeitlichen Auffassungen, sondern kennzeichnet die Situation in ihrem richtigen Zusammenhang: als Ergebnis der transzendentalen Tätigkeit des Bewusstseins, die ihrerseits das Element voraussetzt, und nicht umgekehrt.

In Bezug auf das Thema der Zeit bedeutet dies: Die Zeit ereignet sich nicht als eine Nebenwirkung oder Nebenstruktur situativer Dynamik. Die Zeit geschieht nicht in einer Situation, sondern das Gegenteil ist der Fall. Rombachs Philosophie nach sind die zukünftigsten Situationen diejenigen, die mich aus der weitesten Ferne heraus betreffen, die weniger zukünftigen diejenigen, die mich aus der Nähe angehen. Im Grunde genommen sind Ferne und Nähe eine verdeckte räumliche Metaphorisierung der Zeit. Was hier in Wirklichkeit gesagt wird, ist, dass die Situationen mich vorher oder nachher betreffen. Je zukünftiger eine Situation wäre, desto später wird sie mich betreffen. Je gegenwärtiger sie wäre, desto früher. Die Zeit ist vorausgesetzt als dasjenige, in dem Situationen vergehen, und nicht umgekehrt. Die Ursprünglichkeit der Zeit in Bezug auf die Situation zeigt sich durch die folgende Analyse. Es ist nicht möglich, sich eine Situation vorzustellen, die nicht in der Zeit vergeht. Warum? Weil die Situation aus dem Sichentwerfen des Daseins entsteht, und dieser Entwurf Zeit ist. Aber obwohl wir eine Situation ohne Zeit nicht erfahren können, trifft das Gegenteil nicht zu. Es ist (entgegen Rombachs Meinung) möglich, das reine Vergehen der Zeit ohne Situation zu erfahren. Dies geschieht in der Grundstimmung der Angst. In der Angst, wie Kierkegaard und Heidegger schon bemerkt haben, ist dasjenige, das mich ängstigt, überhaupt nichts. In der Angst gibt es keine Situation, vor der ich Angst habe. Ich ängstige mich vor meinem eigenen Sein als Möglichkeit. Anders ausgedrückt, ich ängstige mich vor dem reinen Sichentwerfen einer leeren Zeit (d. h. dem Nichts), das dem Dasein als Möglichsein und als Entwurf von sich selbst wesentlich ist. Die Angst ist die Erfahrung des reinen Vergehens der Zeit, ohne dass etwas in dieser vergehenden Zeit geschieht. Wenn das Dasein seine Existenz als den ständigen Riss einer leeren Zeit erfährt, dann erfährt es das Nichts, das es ist. Diese Erfahrung des Nichts ist die Angst. Nur in diesem ängstigenden Nichts kann jede Situation statthaben. Gerade deswegen setzt die Angst vor einer bestimmten Möglichkeit oder Situation diese Urangst voraus, d. h. die Angst, eine leere Zeit zu sein, in welcher das Dasein sich zu der einen oder anderen Situation entwerfen muss. Die Grundstimmung der Angst ist die Erfahrung einer Zeit ohne Situation und legt Zeugnis davon ab, dass die Situation die Zeit voraussetzt, und nicht umgekehrt. Rombach hat die Angst nicht ernst genommen.[4] Und auch nicht den Tod.

Für Rombach geschieht alles in einer Situation. Aber der Tod, der die Zeit und folglich die ganzen Situationen der Existenz eines Daseins, die wie erwähnt in der Zeit geschehen, als endlich bestimmt, ist in keiner Situation zu spüren. Wenn es eine Situation gibt, gibt es tatsächlich keinen Tod. Wenn der Tod da ist, dann sind alle Situationen verschwunden. Die Situation ist immer die konkrete Situation eines existierenden Daseins, das sich mit der Situation idemiziert. Wenn aber der Tod die Zeit und folglich die Existenz des Daseins beendet, dann gibt es schon keine Situation mehr. Dies zeigt noch einmal die konstitutive Priorität der Zeit in Bezug auf die Situation. Freilich ist es möglich zu argumentieren, dass mein Tod das Moment einer umfangreichen Situation ist, z. B. ein Moment in der Entwicklung einer bestimmten nordargentinischen Familie. Aber in der neutralen Erfahrung solcher Entwicklung wird mein konkreter und persönlicher Tod nicht erfahren. Der Tod als Tod ist immer und jeweilig mein Tod und bleibt unbezüglich. Im Entwicklungsprozess meiner Familie ereignet sich nicht mein Tod, der nur mir und nicht den übrigen Mitgliedern meiner Familie bestimmt ist, sondern es ereignet sich die Entwicklung der Beziehungen einer Gruppe von Menschen, die miteinander verbunden sind und vor meiner Geburt ohne mich gelebt haben, dann mit mir leben und nach meinem Tode wieder ohne mich leben werden. Der Entwicklungsprozess meiner Familie erfährt meine Abwesenheit, nicht meinen Tod. Jeder Versuch, den Tod als Moment eines strukturellen, allumfassenden Prozesses zu verstehen, verkennt die wesentliche Jemeinigkeit des Todes, die in Heideggers Existenzialanalytik ausgelegt wird. Der Tod ist nicht ein Moment des Lebens eines Ganzen. Der Tod als Tod und nicht als eine Interpretation des Todes ist der Tod eines Ich. In der Totalität kommt die Abwesenheit des Ich vor, nicht sein Tod. Noch in einem anderen Sinn lässt sich der Tod nicht in den Begriff der Situation einschließen. Jede Situation macht eine Struktur aus. Aber welche ist die Struktur des Todes? Worin bestehen das Zusammengehören und das gegenseitige Verhältnis zwischen seinen inneren Gliederungen, aus welchem der Sinn des Todes entstehen würde? Welches ist sein situativer Raum? In welchem Ring der Kokarde ist der Tod zu finden? Dies sind deswegen sinnlose Fragen, weil es sinnlos ist, den Tod mit Kategorien wie „Situation" oder „Struktur" zu denken. Die Strukturanthropologie versucht die Totalität des Menschen mittels der Kategorie der Struktur zu erläutern. Sie kann allerdings nicht das Ereignis, das die menschliche Existenz als eine Totalität, und zwar als eine endliche, bestimmt, richtig verstehen. Der Tod ist weder eine Struktur noch ein Strukturmoment. Er ist das Sichvollziehen einer geheimnisvollen Alterität, das alle Ringe der Kokarde auflöst.

In dem gleichen Maße, wie der Begriff der Situation den Tod nicht umfassen

---

[4] Die von Rombach in der *Strukturanthropologie* vorgenommene Analyse der Angst verwechselt diese mit der Furcht und erreicht nicht die Grunderfahrung der Angst, wie sie von Kierkegaard und Heidegger beschrieben worden ist (vgl. Rombach 1987, 162).

kann, vermag dieser Begriff auch die Zukunft nicht zu umfassen. Der Tod ist hinsichtlich der existenziellen Zeit, in der die Situation geschieht, die Zukunft. Der Tod als Tod – nicht als Beziehung zu ihm, die eigentlich nicht der Tod, sondern ein Teil des Lebens ist – ist in keiner Situation gegenwärtig. Wenn er gegenwärtig wäre, dann wäre das Dasein nicht gegenwärtig. Und alle Situationen sind Situationen eines Daseins. Der Tod ist kein ekstatisches Zukommen einer fernen oder nahen Gegenwart, sondern unsere Zukunft. Der Tod kommt nicht auf die Gegenwart zu. Er bleibt immer zukünftig hinsichtlich des Daseins und seiner Gegenwart. Das Phänomen des Todes ist der Beleg dafür, dass die ganze Zukunft nicht in die Gegenwart als ihr strukturelles Moment eingeschlossen werden kann.

Aber die Zukunft des Todes ist nicht die einzige Zukunft, die von der stets gegenwärtigen und totalisierenden Situation nicht umfasst werden kann. Auch die Bedingung der Möglichkeit aller echten Zukunft (eingeschlossen die des Todes), d. h. die Diachronie, vermag nicht von der Situation miteinbezogen zu werden. Während ich in einer gegenwärtigen und konkreten Situation lebe, vollzieht sich eine Zeit, welche die Situation, die ich bin, unabhängig von ihrer Struktur betrifft. Diese Zeit wird von Lévinas Diachronie genannt. Ihr Zeugnis ist das Älterwerden. Wie ist die Beziehung zwischen Diachronie und Situation zu denken?

Wie die Angstanalyse zeigt, ist die Zeit nicht ein Ergebnis der Bewegung der Kokarde. Im Gegenteil ereignet sich die Situation in der Zeit. In welcher Zeit aber? In der synchronischen Zeit, d. h. in einer Zeit, die Husserl zufolge aus dem intentionalen Bewusstsein oder Heideggers frühem Standpunkt in *Sein und Zeit* nach aus dem ekstatischen Entwurf der Existenz entspringt. Die Tatsache, dass das mit einer Situation identifizierte Dasein und folglich seine Situationen altern, legt Zeugnis davon ab, dass sich eine Zeit vollzieht, die sowohl die sich in der Synchronie ereignende Situation als auch dieselbe synchronische Zeitlichkeit betrifft. Diese Zeit bleibt außerhalb der Synchronie und der in ihr gestalteten Situationen und kann von der synchronischen Zeitlichkeit nicht ekstatisch entworfen werden. Sie lässt sich aber auf die Synchronie in der Form eines Betreffens ein, dessen Zeugnis das Älterwerden von allem ist, das in der erwähnten Synchronie existiert. Diese Zeit, die sich durch (*dia*) jede Situation und jede synchronische Zeitlichkeit (*chronos*) vollzieht, ist gerade die Diachronie.

Was mich und den Plexus von Situationen, der ich bin, betrifft, ohne in einer dieser Situationen eingeschlossen zu sein, heißt Alterität. Der Einbruch der Alterität, welche die Form einer Vorladung annimmt, ereignet sich weder in der gegenwärtigen Zeitlichkeit der Situation noch im ekstatischen, zukommenden Entwurf dieser Gegenwart, sondern er wird in der unaufnehmbaren Diachronie des Subjektes erlitten. Jedes mich Betreffen einer Alterität, die sich von keiner Situation umfassen lässt (wie z. B. der Tod), vollzieht sich in meiner Diachronie. Und sofern der Einbruch dieser Alterität sich nicht vollzogen hat, ist er in Bezug auf meine ganze situative Welt die Zukunft und nicht eine ferne Gegenwart. Wie könnte diese Alterität, obwohl in der Ferne, gegenwärtig sein, wenn ich überhaupt nicht weiß, welche Alterität sich vollziehen könnte? Und ich weiß dies nicht, da die Alterität als solche meine Synchronie, d. h. den Bereich meines Bewusstseins und Verstehens, transzendiert.

In der Diachronie steht der Tod. Der Tod ereignet sich nicht in der Situation, sondern er beendet aus einer diachronischen Zeit heraus die Zeitlichkeit, in der die konkreten Situationen sich entwickeln können und in der sich auch die konkrete Kokarde sich bewegt. Beendet auch der Tod die mich durch das Älterwerden betreffende Diachronie, in der er sich vollzieht? Der Tod ist die Zukunft. Ist er die extremste Zukunft? Hier taucht die große Frage auf – eine Frage, die sich weder auf die Gegenwart noch auf das zukommende Anrücken einer schon in der Ferne gegebenen Situation bezieht, sondern auf die Zukunft aller Situationen. Die Diachronie, die sich vollzieht und die Situation betrifft, während sie sich in der Kokarde bewegt, birgt die Zukunft der ganzen Kokarde in sich, eine Zukunft die vielleicht unendlich und ewig ist. Das Vergessen des Phänomens der Diachronie bringt Rombach dazu, eine Situation zu konzipieren, die reine Gegenwart ist, eine Situation ohne Zukunft. Aber die Gegenwart, so vielfältig, beweglich, mehrdimensional, reich und umfassend sie auch sein mag, wird niemals groß genug sein, um die Hoffnung beeinhalten zu können. Für die Hoffnung ist die Zukunft unentbehrlich.

Literatur

Garrido-Maturano, Á. E. (1999): „Un Dios inútil"„ in: *Escritos de Filosofía* 35.

Lévinas, E. (1987): *Totalität und Unendlichkeit. Versuch über die Exteriorität*, übs. v. W. Krewani, Freiburg/München.

Rombach, H. (1987): *Strukturanthropologie: „Der menschliche Mensch"*, Freiburg/ München.
- (1994): *Der Ursprung. Philosophie der Konkreativität von Mensch und Natur*, Freiburg.

Spielen und Spiel

Eine strukturphilosophische Betrachtung in phänomenologischem Zugang

Axel Horn

1. Spielen als Grundphänomen

Grundphänomene, wie Heinrich Rombach sie in seiner Philosophie versteht, sind solche Phänomene, die das Fundament bilden, auf dem Strukturierung geschieht. Sie begegnen in allen Bereichen des Seienden, des Lebendigen, des Menschlichen. Als anthropologische Grundphänomene bilden sie den existentiellen Grundriss im Geschehen der Auseinandersetzung mit der Welt, auf dem sich individuelles und epochales Menschsein immer wieder neu gestaltet. Sie durchziehen alle Bereiche der menschlichen Seinsgestaltung – das Alltägliche ebenso wie das Außergewöhnliche – und treten dabei mehr oder weniger offen, mehr oder weniger verdeckt hervor (vgl. Rombach 1977, 7).

Auch der Bereich von Bewegung, Sport und Spiel, der sich in unserer Zeit immer mehr in der *Welt des Sports* manifestiert, ist von solchen Grundphänomenen durchsetzt, die nicht nur das kreative Gestalten oder das Kämpfen, sondern auch das Spielen umfassen. Auch im sportlichen Spiel, so wird hier behauptet, kann sich menschliches Leben in besonderer Weise stimmig ereignen. Insofern kommt ihm ein „wesentlicher" Charakter zu. Es wird freilich nicht als die einzige Möglichkeit gelingenden Lebens, vielmehr als *ein* Grundphänomen neben anderen wie Beten, Lieben, Arbeiten, Feiern usw. (vgl. Rombach 1977, 7) gesehen.

Auf welchem Weg nun soll eine Annäherung an dieses Grundphänomen „Spielen" erfolgen? Den Horizont für ein strukturphilosophisches Verständnis des Spielens soll eine Phänomenologie des Spielens und des Spiels eröffnen.

2. Der phänomenologische Zugang

Dieser Intention folgend kann Phänomenologie im Anschluss an Martin Heidegger nicht als bloße Deskription verstanden werden, denn eine solche bliebe allein an Äußerlichkeiten, etwa an der sich stets wiederholenden Bewegung der Beine beispielsweise beim Spannstoß im Fußball und der Hand- und Armbewegung wie beim Freiwurf im Basketball usw. stehen – oder sie würde gar zu Absurditäten führen, wenn man etwa ein Fußballspiel auf 44 Fußballbeine, die hinter *einem* Ball hin- und herrasen, reduziert. Eine Phänomenologie des Spielens und des Spiels muss also, sollen Spiel und Spielen *eigentlich* erfasst werden, gerade das sichtbar machen, was zumeist und zunächst nicht aufscheint, d. h. das, wovon die Rede ist, aus seiner Verborgenheit herausnehmen und es als das Verborgene entdecken (vgl. Heidegger 1977, 33). Phänomenologie also verstanden als Erscheinenmachen dessen, was ein Phänomen in seiner Wesenstiefe und in seiner strukturalen Stimmigkeit meint: „Kritische Phänomenologie" (Rombach 1994b, 18). Nicht also um „objektive Betrachtung" geht es, sondern darum, „so in die Sache hineinzukommen, dass sie ihren Innenbau zu erfassen vermag und das Konstruktionsgeheimnis entdeckt, von dem her die Sache ihre ‚innere Möglichkeit' (Heidegger) erhält." (Ebd. 14)

Der Mensch spielt in vielfachen und vielfältigen Möglichkeiten sowohl tagtäglich als auch zu besonderen Anlässen. Insofern „kennt" jeder dieses Phänomen: ein Karten- oder Brettspiel im Kreise der Familie oder von Freunden, ein Musikinstrument, ein Rollenspiel, Glücksspiele (Lotto, Spielbank), sportliche Spiele. Wir spielen alleine oder mit anderen, gegen andere, wir spielen mit den Möglichkeiten unseres Körpers und der Bewegung (Gestik, Mimik, Tanzen, Laufen), mit Gegenständen (Bällen, Puck), nach festem Reglement oder nach selbst gewählten Regeln usw. Wir können unzählig viele Spiele spielen. Und offensichtlich ist die dabei ausgeübte Tätigkeit von so eigenem Charakter, dass unsere Sprache eine etymologische Figur braucht, um diese Tätigkeit auszudrücken: Ein Spiel kann man nicht „machen", nicht „tun", nicht „absolvieren" – ein Spiel kann man nur *spielen*. Spielen also als „unbedingt primäre Lebensqualität" (Huizinga 1958, 11), als „Weltsymbol" (Fink 1960), als „ek-sistenziales Grundphänomen" (Horn 1987).

3. Erfahrung von Identität im Spielen

Wie lässt sich diese eigene Welt des Spielens genauer beschreiben? Setzen wir bei einem Spiel an, das jeder aus eigener Erfahrung kennt: dem Spielen eines Kindes im Kleinkind- oder Vorschulalter.

Von Entwicklungspsychologen und Pädagogen wurden immer wieder die Vielfalt, der Ideenreichtum und die Ausdauer des Kindes beim Spielen hervorgehoben (vgl. z. B. Montessori 1976, 69 f.). Und in der Tat ist es ja so, dass ein Kind alles zu einem Spiel machen kann. Dabei zeigt es höchste Konzentration, volles Engagement, das spielende Kind scheint sich selbst und alles um es herum zu vergessen. „Selbstvergessenheit" (Rombach 1977, 44), völlige, selige Hingegebenheit (vgl. Fink 1960, 19) und traumhafte Versunkenheit, volle Gegenwart. Von Bedeutung scheint ihm allein sein augenblickliches Spiel zu sein. Das Vor- und Nachher sind beim Spielen ohne Bedeutung. Die Zeit scheint in der Zeit aufgehoben (vgl. Schiller 1971, 57). Erst wenn die Dynamik des Spiels von selbst erlahmt oder wenn eine Störung von außen erfolgt (wenn beispielsweise die Mutter zum Essen ruft), bricht das kindliche Spiel zusammen. Das Kind ist „mit Leib und Seele dabei", sagt der Volksmund – und drückt damit jenes Phänomen aus, das Schiller mit „Spieltrieb" bzw. mit dem „ästhetischen Zustand" beschreibt: die Erfahrung der Ganzheitlichkeit. Rationalität *und* Emotion, Freiheit *und* Notwendigkeit. Ein spielendes Kind ist „natürliche Vernunft und vernünftige Natur" (Rombach 1980, 23). Dies meint Schillers berühmter Satz: „Denn um es endlich auf einmal herauszusagen, der Mensch spielt nur, wo er in voller Bedeutung des Worts Mensch ist, und *er ist nur da ganz Mensch, wo er spielt.*" (Schiller 1965, 63)

Solche Erfahrung von Ganzheitlichkeit ist die Erfahrung von Identität, die dem Menschen nicht als Besitz (mit-) gegeben ist, die er sich nicht ein- für allemal erwerben kann – einer Identität, die vielmehr als Konstitutionsform einer ontologischen Verfassung, einer ontologischen Dynamik (vgl. Rombach 1971, 103) zu verstehen ist, die nicht Ausgangspunkt der Strukturierung einer Situation, sondern deren Ziel ist. Identität beginnt, prägt sich aus und zerbricht wieder. Identität ist nicht, sie *geschieht.*

Dies lässt sich in besonderer Weise beim Spielen eines Kindes im Sandkasten oder beim Rollenspiel mit Puppen beobachten, wo es nicht nur den Baggerfahrer oder die Mutter *spielt*, sondern in diesem Spiel der Baggerführer oder die Mutter *ist*. Oder es lässt sich bei einem Schauspieler auf der Bühne erkennen, der den „Faust" nicht nur *spielt*, sondern der in dieser Rolle „Faust" *ist*. Schließlich begegnet dieses Phänomen der Ausbildung von Identität auch beim sportlichen Spielen, etwa einem Fußballspiel, bei dem einer den Torwart nicht nur *spielt* – würde er dies tun, wäre es um den Erfolg seiner Mannschaft schlecht bestellt –, sondern der Torwart *ist*. Die „Schein-Realität" des Spielens meint also nicht, hier tue einer nur so als ob. Vielmehr bezeichnet der Schein des Spielens eine Veränderung der Wirklichkeit, da mit ihm die Hervorbringung neuer Möglichkeiten des Seins einhergeht. Eine Rolle ganz auszufüllen, mit Herz und Verstand dabei zu sein, in einer Situation ganz und gar aufzugehen und mit ihr voll und ganz einverstanden zu sein – das ist die Grunderfahrung des Menschen in seinem Spielen und in ihm die Erfahrung von Ganzheitlichkeit.

Im Spielprozess ereignet sich also die Erfahrung von Ganzheitlichkeit, die Ausbildung von Identität. Dies macht den Innenaspekt der Identität aus. Identität vollzieht sich jedoch nicht im luftleeren Raum. Die Ausbildung von Identität hat auch einen Außenaspekt.

Identität findet immer in *lebendiger* Beziehung und in lebendiger *Beziehung* mit der Umwelt statt: Konkreativität. Das, was den Menschen in vielfacher Weise an-geht, gilt es für ihn zu strukturieren, in eine bestimmte Ordnung zu bringen. Nicht darum geht es dabei, dass stets Neues, noch nie Gekanntes hervorzubringen sei – wie oft haben Kinder nicht schon im Sand gespielt oder wie oft haben Erwachsene nicht schon Basket-, Hand-, Fuß- oder Volleyball gespielt –, vielmehr ist wesentlich, das Alte, Altbekannte, von jedermann Gesehene wie neu zu sehen (vgl. Nietzsche 1966, Bd. 1, 814).

Der Außenaspekt des Strukturierungsprozesses meint also das gelingende Zusammenspiel von Setzung und Gebung, von Vorgegebenheit und Spontaneität. Gerade dieses Zusammentreffen ist es doch, das bei einem Sportspiel überraschende Möglichkeiten des Spiels – und letztlich auch den Erfolg – eröffnet, bisweilen etwas übertrieben als „geniale Aktion", z. B. bei einem Pass oder Freistoß, bezeichnet. Doch die direkt von der Eckfahne aus verwandelte Flanke eines Giovanne Elber in der Saison 1998/1999, der überraschende „Assist" eines Aufbauspielers John Stocktons (dem *all time assist leader*") beim Basketball, der kurze, verdeckte Lob mit der linken Hand auf der Position II statt des erwarteten Zuspiels durch den Zuspieler im Volleyball usw. – das sind die Situationen, in denen sich wirkliche Spieler von Sportprofis, die „arbeitend" ihren Vertrag erfüllen, unterscheiden.

4. Spielen als Epi- oder Pseudophänomen

Hier zeichnet sich, nebenbei bemerkt, ein Problem ab, das das Spiel in seiner Präsentation als Sportereignis durch die Medienlandschaft wesentlich betrifft: dass Epi- bzw. Pseudophänome eigentliche Phänomene überdecken. Wird denn in den Spielen des professionell betriebenen Mediensports – bei den Spielen auf nationaler Ebene, wie den wöchentlichen Begegnungen innerhalb der Fußball-Bundesliga, oder auf internationaler Ebene, wie bei Champions-League, Europa-, Weltmeisterschaften und Olympischen Spielen – überhaupt noch gespielt? Ist denn dieses Spielen nicht von Faktoren wie Geld, Macht, Vermarktung, Show, Einschaltquoten, Manipulation usw. stark überlagert – zu stark, um ein *Spiel* zuzulassen?

Andererseits ist aber auch zu fragen, ob es denn nicht doch die *Spieler* sind, die sich mit Erfolg durchsetzen, nämlich die, die trotz des vielen Geldes, um das es geht, locker bleiben können und die die Möglichkeiten, die ihnen die Situation bietet, aufnehmen können; und es ist ja auch zu fragen, warum denn Millionen von Zuschauern vor dem Fernsehapparat sitzen, wenn z. B. Martin Schmitt von der Schanze springt, wenn Michael Schumacher seine Runden in der Formel 1 fährt oder wenn der FC Bayern München in der Champions-League antritt. Sicherlich sind hinsichtlich der Einschaltquoten gerade jene Sportarten von nationalem Interesse, in denen ein „Landsmann" besonders erfolgreich ist. Doch ist generell zu fragen: Hängt das nun an nationalen Gefühlen, an Sensationslust, an Langeweile, oder liegt es letztlich am spielerischen Charakter des Sports und am Spiel selbst, der die Zuschauer – allen anderen Ebenen (wie z. B. ihrer Vermarktung) zum Trotz – so fasziniert?

Auch wenn verschiedene Ordnungen noch so sehr in das Spiel hineinspielen, ist eine klare Unterscheidung dennoch durchaus möglich (vgl. Rombach 1994b, 58) – und gerade angesichts der derzeitigen Gefährdung der „Spielkultur" mit besonderem Nachdruck zu fordern. Denn nur dort, wo ein Spiel allein um seiner selbst willen gespielt wird, kann es gelingen. Wird es aber von anderen Intentionen überlagert, kann es sich nicht frei entfalten. Wenn es etwa darum geht, in einer spielerischen Tätigkeit mehr oder weniger engagiert einen Arbeitsvertrag zu erfüllen oder lediglich der Unterhaltung der Zuschauer u. a. durch verabredete Gags (wie z. B. beim Wrestling) zu dienen oder wenn eine Grundidee des Spielens, wie etwa die des Gewinnenwollens, aufgegeben wird, wie z. B. bei der Fußball-Weltmeisterschaft 1982 in Spanien, als Deutschland und Österreich bereits für die nächste Runde qualifiziert waren und sich deshalb auf ein Hin- und Herschieben des Balles im Mittelfeld beschränkten, oder auch wenn ein Spiel unter dem Diktat des Resultats steht, so dass reine Taktik, Verhindern des Spielflusses des Gegners, sogenannte taktische oder gar vorsätzliche Fouls in völlig übertriebener Aggressivität usw. einer wirklichen Spielkultur entgegenstehen, so sind dies alles Tendenzen, die eigentlichem Spielen zuwiderlaufen.

Solche unzureichenden Formen des Spielens sind deshalb umso bedauerlicher, als Rombach zu Recht in den großen Sportbegegnungen die soziogenetischen Möglichkeiten eines gelingenden Gemeinschaftsfestes, das in der Erfahrung eines Gemeinschaftssinnes liegt, sieht. In diesem Aspekt ist auch ein wesentlicher Punkt des Spielens zur Abgrenzung gegenüber kriegerischen Handlungen gegeben: Obwohl einige Sportarten (Biathlon, Military, Fechten) ihrem Ursprung nach militärisch sind, sind sie als Spiel an feste Regeln und an einen „Geist" der Fairness gebunden, der es versagt, anderen Teilnehmern vorsätzlich Schaden an Leib und Leben zuzufügen. Der spielerische Charakter des Sports könnte im Falle von Weltmeisterschaften oder Olympischen Spielen sogar weltweit sein und einen großen Teil der Menschheit wenigstens für kurze Zeit zu einer Gemeinschaft werden lassen (vgl. Rombach 1994b, 304) – wenn der Geist des Spielens entstehen kann, wenn *eigentliches* Spielen geschieht.

Gegenwärtig entsteht jedoch häufig noch der Eindruck, dass man zwar die „Spielregeln", nicht jedoch die mit dem Spiel mögliche Erlebnisintensität und Gestaltungskraft kennt – ja mehr noch, dass nicht der „Geist" des Spiels, sondern ein „Un-Geist" geschürt wird, indem etwa Informationen in der Lokalpresse, in der Stadionzeitung oder durch den Stadionsprecher über den „Gegner" Antipathien und Hass nähren, die sich in Aggressionen und Gewalt entladen. An die Stelle der positiven Möglichkeiten des Spielphänomens treten dann verkürzte, nivellierende Pseudophänomene, in denen das eigentliche Spielphänomen in verwandelter und abgeschwächter Gestalt, gerade um das Wesentliche betrogen, gelebt wird (vgl. Rombach 1994b, 17). Dies ist deshalb umso bedauerlicher, als es scheint, als habe das Spielerische über das Sportliche hinaus auch in viele andere Bereiche des gesellschaftlichen Lebens übergegriffen – man denke nur an den Bereich der Unterhaltung, etwa an die vielen Fernsehsendungen mit „spielerischem Charakter" – Thomas Gottschalk, Günter Jauch.

In der derzeitigen Situation scheint gerade der Profisport, der mit seiner medialen Präsenz einen wesentlichen Faktor der öffentlichen Meinung darüber, was Spielen ist, prägt, vom eigentlichen Spielphänomen weit entfernt. Kritische Stimmen nehmen zu, die gerade den Profisport in der Gefahr sehen, sich vor allem den Medien gegenüber zu prostituieren – man denke etwa an die Kleiderverordnung des Internationalen Volleyball-Verbandes, an die Regeländerungen beim Biathlon, an die Eingriffe des Fernsehens bei Startzeiten und Startfolgen z. B. bei den Olympischen Spielen 1996 in Atlanta (vgl. Tröger 1996, 19) oder an die Festlegung der Anlauflänge beim Skispringen, um nur einige Beispiele anzuführen. Sowohl hinsichtlich des Mediensports als auch beim kindlichen Spielen kann es deshalb sicherlich nicht um eine blauäugige „Idealisierung des Spiel-Phänomens" gehen, vor der Sutton-Smith zu Recht schon in den achtziger Jahren gewarnt hat (vgl. Sutton-Smith 1983, 64). Eine kritische Betrachtung zur Unterscheidung von eigentlichem Spielphänomen und seinen Zerrbildern ist nötig.

Doch sind Zerrbilder eines Grundphänomens – man rufe sich etwa im Vergleich die Grundphänomene des Betens oder Liebens mit ihren mannigfachen Epi- und Pseudophänomenen ins Gedächtnis zurück – kein Einwand gegen seine Existenz und gegen die grundsätzlich positiven Möglichkeiten, in seinen gelungenen Ausprägungen menschliches Menschsein erleben zu können.

5. Spielen – Charakter der Leichtigkeit

Menschsein wird, gerade im Spielen, als Leichtigkeit erlebt. Nietzsche ist es, der sie in seinem singenden, tanzenden, lachenden, spielenden Zarathustra dem „Geist der Schwere" entgegenstellt. Auf der Grundlage von Lebensbejahung und positiver Grundeinstellung entsteht Leichtigkeit trotz voller Konzentration, trotz voller Kraftanstrengung – beflügelt im Einvernehmen mit der Situation, getragen vom Bestreben, die Möglichkeiten des eigenen Könnens mit den übergreifenden Möglichkeiten des Gesamtgeschehens zusammenschießen zu lassen (vgl. Rombach 1988, 200). Nur der siegt, der bei aller physisch-konditionellen und mental-psychischen Anstrengung locker und unverkrampft bleiben kann.

Als Prototypen dieser spielerischen Leichtigkeit führt Nietzsche das spielende Kind und den Künstler an (vgl. Nietzsche 1966, Bd. 3, 376). Sie gehen in ihrem Tun völlig auf: „Handlungsidentität" (Rombach 1971, 245). In ihr entsteht, trotz voller Konzentration, trotz vollen Ernstes, trotz vollen Engagements das Gefühl, „es" gehe wie von selbst – und deshalb leicht. Eine Erfahrung, die Csikszentmihalyi in unseren Tagen in vielen anderen Bereichen der beruflichen und privaten Welt auch außerhalb des Spielens beobachtet und als „Flow" beschreibt (vgl. Csikszentmihaly 1992, 16 ff.).

Warum ist das so? Weil alles zusammenpasst, weil alles stimmig ist, weil nichts stört, weil nichts Misstöne verursacht. Würden sie vernommen, etwa durch übertriebene Härte, durch ein absichtliches Foulspiel, einen nicht zugegebenen touchierten Ball usw. – hier kommt der Bereich der Fairness, die ja weit mehr umfasst als das bloße Befolgen der Regeln als wesentlicher Aspekt gelingenden Spielens ins Spiel – wäre die Leichtigkeit, die Selbstverständlichkeit dahin, die Stimmung zerstört. Solange aber alles zusammenpasst, „geht ein Spiel zusammen", gelingen einzelne Aktionen, gelingt das Ganze, gelingt das Spielgeschehen. Ja, bisweilen „glückt" es sogar (zur Steigerung des „es geht", „es gelingt", „es glückt" vgl. Rombach 1994a, 25). Der einzelne Spieler geht dann völlig im Spielgeschehen auf, ordnet sich mit seinen Möglichkeiten in dieses ein und diesem unter, spielt *mit*. Dann hat er auch das „Quäntchen Glück" oder das „Glück des Tüchtigen", dann „trifft er aus dem Bauch heraus" die richtigen Entscheidungen im Spiel – der alten Spielerfahrung entsprechend: Wer darüber nachdenkt, wie er eine Aktion gestalten soll (z. B. einen Torschuss kraftvoll oder als gefühlvollen Heber), der hat meistens schon verloren – denn Reflexion ist einseitig, ist Bruch der ganzheitlichen Stimmigkeit.

6. Unverfügbarkeit des Spielgeschehens

Diese Stimmigkeit geht über die Einzelaktionen und das Vermögen des einzelnen Spielers hinaus. Sie verweist auf die Unverfügbarkeit des Spiels. Denn die Stimmigkeit des Spiels kann man nicht „machen". Die einzelnen Spieler können gewisse Vorleistungen erbringen. Doch ob der Funke wirklich überspringt, ist offen. Selbst ein in dieser Thematik unverdächtiger Dichter wie Hermann Hesse äußert hierzu: „Dennoch gibt es, wie jeder von uns weiß, Feste und Spiele, bei welchen alles und jedes zusammenstimmt und einander hebt, beschwingt und steigert, so wie es theatralische und musikalische Aufführungen gibt, welche sich ohne deutlich erkennbare Ursache wie durch ein Wunder zu Höhepunkten und innigen Erlebnissen steigern, während andre, um nichts schlechter vorbereitete, nur eben brave Leistungen bleiben." (Hesse 1972, 221)

Diese Erfahrung ist unserer „Kultur der Machbarkeit" (Baruzzi 1995, 243), die den Menschen mit den von ihm geschaffenen Möglichkeiten der Technik als Dreh- und Angelpunkt allen Geschehens sieht, eher fremd. Doch verweist die Phänomenologie des Spielens und des Spiels mit aller Deutlichkeit darauf, dass der Mensch nicht Initiator und Hauptakteur, sondern nur „Mitspielender" im Spielgeschehen ist, das bei allem Lebendigen beobachtet (vgl. Scheuerl 1975, 9), ja das als Symbol des Weltgeschehens als Ganzen (vgl. Fink 1960) begriffen werden kann. Was aber heißt es nun, der Mensch sei „nur" Mitspielender, wenn dieses Mitspielen struktural im Sinne Rombachs verstanden wird? Dieses beruht auf dem konkreativen Umgang des Menschen mit seiner Welt, der nach Rombach so zu verstehen ist, dass die eigenen Möglichkeiten des Menschen mit den Kräften der ihn umgebenden Welt zusammenschießen, so dass sich dem Menschen dergestalt in der Dynamik – auch – des Spielgeschehens neue Erfahrungs- und Gestaltungsmöglichkeiten eröffnen (vgl. Rombach 1988, 200), die ihn über sich hinausheben.

Axel Horn

7. Eigenmaßstäblichkeit des Spiels

Dabei ist kein Spiel wie das andere, kein Spiel ist wiederholbar. Jedes hat einen eigenen Maßstab. Dieser kann nicht vorgegeben, gemacht, angeordnet werden. „Vollendung setzt Eigenmaßstäblichkeit nicht voraus, sie gewinnt sie. *Eigenmaßstäblichkeit* kann immer nur erlangt, niemals mitgegeben sein. [...]. Der einzige Maßstab der Vollendung ist die Bewegung des Gelingens selbst. [...]. Vollendung ist im Kleinsten und Bescheidensten möglich. Vollendung als ‚Mustergültigkeit' ist ein abgrundtiefes Missverständnis." (Rombach 1971, 276)

Dies redet nun nicht einer Beliebigkeit das Wort, als könnte ein Spiel in jedem Verhalten der Mitspieler gelingen – dies müsste aus dem bereits Gesagten deutlich geworden sein. Es bedeutet jedoch auch keine Relativität in dem Sinne, als sei jedes gelingende Spiel ohne Bedeutung, da es ja auch die Erfahrung anderer gelingender Spiele oder anderer Möglichkeiten, die zu gelingendem Spiel führten, gebe. Schließlich beinhaltet dies auch keinen Dogmatismus, der etwa meint, ein Spielgeschehen sei zuvor einmal mit diesen oder jenen Mitteln gelungen – und könne und müsse nach diesen vorgegebenen Maßstäben, die lediglich „wiederherzustellen", zu „reproduzieren" seien (auch diese Terminologie verrät den Geist des „Machbarkeitsdenkens"), immer wieder neu gelingen. Sicherlich ist es so, dass es gewisse Strukturen gibt, die ein gelingendes Spielgeschehen eher zulassen als andere. Hierzu gehört etwa eine faire Grundeinstellung und die Vermeidung der Überbewertung des Resultats, die bereits genannt wurden. Auch die Atmosphäre, die ein Spiel prägt, das Fehlermachen-Dürfen oder die Offenheit des Ausgangs einzelner Spielaktionen und des gesamten Spiels gehören hierher. Letztlich ist es diese Grundhaltung zum Spielen, der „Geist" des Spiels, mit der die „New-Games-Bewegung" aus Amerika in den siebziger und achtziger Jahren viele bereits bekannte Spielformen bereicherte, indem sie sie unter diese wiederentdeckte, „geist-volle" Spielhaltung stellte. Diese Strukturen, die das Erleben gelingenden Spielens vorbereiten, zu kennen und zu bereiten, ist von großer Bedeutung für die Spielerziehung in Elternhaus, Kindergarten und Schule. Denn wie jedes Grundphänomen bedarf auch das Spielen der Erziehung (vgl. hierzu Horn 1987).

8. Das Erleben von Zeit im Spiel

Ein weiteres Phänomen gelingenden Spielens ist die Erfahrung von Zeit. Entgegen objektiver Zeitmessung wird sie im Spiel völlig „subjektiv" erlebt: Die Zeit vergeht im – gelingenden – Spiel „wie im Flug", wogegen ein Spiel, bei dem nichts „zusammengeht", „langweilig" ist. In diesem Sinn ist ein gelingendes Spiel ein „himmlisches Vergnügen", wenn Himmel und Erde nicht verschiedene Bereiche für verschiedene Gegebenheiten, sondern verschiedene Qualitäten, verschiedene Dimensionen, verschiedene Ordnungen für dieselben Ereignisse sind (vgl. Rombach 1971, 280).

9. Selbstvergessenheit im Spiel

Auch dass ein Spielender in völliger Selbstvergessenheit spielt, ist hier zu erwähnen. In dem Augenblick, in dem ein Spielender im Spiel aufgeht, vergisst er in dessen Verlauf – ähnlich wie es zuvor von einem spielenden Kind gesagt wurde – den Alltags-„Stress" und die Alltagssorgen. Das Spielgeschehen „nimmt ihn gefangen", „nimmt ihn völlig ein", „vereinnahmt ihn voll und ganz", „reißt ihn mit" – und dies so sehr, dass er sich selbst dabei völlig vergisst. Am deutlichsten kann dieses Phänomen wohl darin aufgewiesen werden, dass Verletzungen, die zuvor Schmerzen bereitet haben, im Spiel plötzlich nicht mehr wahrgenommen werden – auch wenn sie sich bisweilen nach Beendigung des Spiels wieder bemerkbar machen.

10. Stimmigkeit und Sinnhaftigkeit

Gelingendes Spielen, so wurde oben gesagt, wird als „leicht" empfunden, wenn individuelle Spielhandlungen und das spielerische Gesamtgeschehen zusammenpassen, wenn alles zusammenstimmt, wenn alles stimmig ist, wenn es, wie bei einem Orchester, keine Misstöne gibt, wenn alles harmonisch ist.

Solche Stimmigkeit entsteht nicht von allein – sie bedarf der Mithilfe, der Grundhaltung der Spielenden im Spiel. Eine wesentliche Voraussetzung dafür, dass ein Spielgeschehen als stimmig empfunden werden kann, liegt darin, dass es als sinnvoll erachtet wird. Eine Reihe von Faktoren kann die Sinnhaftigkeit der Teilnahme am Spiel stören. So „macht ein Spiel keinen Sinn", wenn etwa die notwendigen motorischen Fähig- und Fertigkeiten fehlen. Die Integration ins Spielgeschehen kann nicht gelingen, das Spiel „läuft an ihm völlig vorbei". So verweist auch dieser Aspekt auf die Notwendigkeit einer Erziehung zum Spielen.

Als sinnvoll wird auch derjenige ein Spiel nicht empfinden können, der nur deshalb daran teilnimmt, weil der Sportlehrer dieses im Rahmen des schulischen Sportunterrichts anordnet oder weil der Arzt Bewegung verordnet hat – der Spielende selbst dazu im Grunde jedoch überhaupt keine Lust verspürt. Sinn kann nur entstehen, wenn *meine* Handlungen, *meine* Absichten und Ziele in das *Ganze* des Spielgeschehens integriert sind. Einzelnes und Ganzes müssen aufeinander bezogen sein. Jede Veränderung eines Einzelnen bedingt eine Veränderung des Ganzen. So bedingt etwa das gelungene Dribbling eines *einzelnen* Spielers, mit dem der direkte Gegenspieler ausgespielt wurde, eine Veränderung des Ganzen – des Verhaltens *aller* Angriffsspieler, die die entstandenen Lücken zu nutzen, und ebenso *aller* Abwehrspieler, die die entstandene Lücke zu schließen versuchen. Und jede Veränderung des Ganzen, z. B. ein Torerfolg, wirkt sich auf jeden Einzelnen in seinen Spielaktionen entscheidend aus. Rombachs Ausführungen zum strukturalen Geschehen (vgl. Rombach 1998, 38) im Allgemeinen treffen gerade auch in diesem Punkt auf das Spielgeschehen im Besonderen zu. Jeder, der ein Spiel mitspielt – selbst der Zuschauer im Stadion oder am Fernsehgerät (wenn hier auch ohne konditionelle Belastung) – spielt das Ganze mit, fiebert mit. Auch wenn der einzelne Spieler gerade nicht selbst am Ball ist, so öffnet er durch seinen Laufweg, durch seine Anspielbereitschaft, durch sein Abschirmen, Freiblocken usw. „Spielräume" – Raum für das Spielgeschehen als Ganzes.

11. Spielfreude

Die Stimmigkeit des Spielgeschehens wird vom Einzelnen meist als „Spaß" am Spielen erlebt. Dieser muss sich nicht in einem ständigen „keep-smile" oder unter fortwährendem lauten Bekunden von Emotionen äußern. Vielmehr begegnet er häufig als innere Freude, als stilles Genießen des eigenen Könnens, das zum Gesamtgelingen beitragen darf, als aktuelles Erleben des Gelingens des Spielgeschehens als Ganzen. Immer wieder ist *diese* Spielfreude, vor der ein Spieler bisweilen regelrecht „sprüht", zu beobachten. Besonders deutlich tritt sie bei früheren (Hoch-)Leistungssportlern hervor. Auf dem Fundament ausgeprägter Fähig- und Fertigkeiten und in der entsprechenden Einstellung zum Spiel, die zwar den Sieg – aber nicht um jeden Preis – will, ist gerade etwa bei Benefizspielen oder unbedeutenden Turnieren zu beobachten, dass das Spiel gelingt. Sicherlich will jeder Spieler den Punkt, den Korb machen, das Tor erzielen usw. Das Gewinnenwollen ist ein unverzichtbarer Bestandteil des sportlichen Spielens – und dennoch ist das Gewinnen bei den oben genannten Spielen nicht das Wichtigste, da mit ihm keine immensen Prämien für Athleten oder Unsummen für Fernsehgesellschaften verbunden sind. Freilich gibt es auch im (Hoch-)Leistungssport anerkennende Gesten für Leistungen des Gegners (etwa das Abklatschen unter dem Netz im Beachvolleyball); doch gerade dann, „wenn es eigentlich um nichts geht", dürfen gelungene Einzelaktionen von Mit- und Gegenspielern gelobt, brillante Einfälle und Kunststückchen in die Tat umgesetzt werden – ohne die übertriebene Härte, das taktische oder gar das vorsätzliche Foul des Gegenspielers befürchten zu müssen. Es ist bemerkenswert, dass gerade solche Spiele beispielsweise im Fußball meist mit einer Torflut – und nicht torlos oder gerade mit einem einzigen Treffer – enden: Das Spielgeschehen darf sich entfalten; es wird nicht der Taktik und der Überbewertung des Resultats untergeordnet.

12. Das Gelingen eines Spiels

Trotz gewisser Voraussetzungen, die die einzelnen Spieler einbringen können, bleibt das Gelingen des Spielgeschehens als Ganzes letztlich unverfügbar. Zwar werden die Athleten vom Gesamt-Spielgeschehen herausgefordert und bringen sich, so gut sie können, ein, dennoch bleiben sie dem Gesamtgeschehen, das sich allererst aus einer untrennbaren Korrelation von Einzelhandlung und Ganzem „ergibt", unterstellt. Dieses Phänomen wurde schon vielfach von Spieltheoretikern beobachtet. Grupe beispielsweise spricht davon, dass nicht nur ich spiele, sondern dass es mit mir spiele, dass das Spielgeschehen sich meiner bemächtige (vgl. Grupe 1983, 36). Oder Röhrs äußert, der Spieler stehe nicht nur seinem Spiel gegenüber, sondern er gehe gestaltend in es ein und werde wiederum spielend von ihm geprägt (vgl. Röhrs 1981, 90).

Vielfache Einzelphänomene belegen, wie eine Mannschaft „einen Lauf haben" kann, in dem ihr förmlich alles gelingt, wie bei einem Spiel, das „mit der Brechstange umgebogen werden soll", ein Spieler alles richtig macht – und dann doch nur Pfosten, Ring oder Netzkante trifft. Und nicht allein Spieler sind von diesem Phänomen betroffen, sondern Athleten im Allgemeinen. Ein „Trainingsweltmeister" ist der, der seine Leistungsfähigkeit unter den Belastungen des Wettkampfes nicht einsetzen kann – letztlich wohl deshalb, da er es nicht versteht, die ihm zufliegenden Kräfte des Wettkampfes aufzunehmen. Auf der anderen Seite gibt es die „Wettkampftypen", die von der Wettkampfatmosphäre inspiriert werden, die von der Woge der Begeisterung der Zuschauer, die ja potenziell Mitspielende sind, getragen werden, so dass der Funke überspringen, der Geist des Spiels sich ausbreiten kann. Im Spiel geht es also „um das Erlebnis einer Ekstase, die letzten Endes eine Geistgeburt ist oder sein soll. Im Spiel werden konkreative Kräfte freigesetzt, die, wenn es gelingt, zu einer starken Dynamik führen, welche denjenigen zum Sieg trägt, der diese Dynamik als Erster und am besten zu entfesseln versteht. Es ist nicht notwendig der Bessere, der gewinnt, sondern derjenige, dessen ‚Mannschaftsgeist' oder Leistungsgeist sich wecken und rufen lässt. Der Mannschaftsgeist ist die spielerische Gestalt des ‚Gemeingeistes'. Er steht nicht einfach zur Verfügung, sondern er muss jeweils von Fall zu Fall geweckt und ‚geboren' werden. Gelingt dies, so springt der Geist auch auf das Publikum über – oder auch umgekehrt, der Geist, der im Publikum erwacht ist, springt auf die Mannschaft über und führt dann zu der bekannten Dynamik, die sieghaft ist." (Rombach 1994b, 303 f.)

Auch wenn einige Athleten mehr dafür prädestiniert erscheinen als andere – auch sie können letztlich nicht über diese Kräfte des Spiels verfügen. Es verbleibt immer ein Ungewisses, Nicht-Machbares des gelingenden Spielens. Rombach bezeichnet dies als das „es", das sich zwischen den (mit-) spielenden Akteuren und dem Ganzen des Spielgeschehens ereignet: „Das ‚es' kann man nicht ‚machen'. Man kann es vielleicht provozieren, aber auch dies kann so sehr den Zug des Machens annehmen, dass es das ‚es' nicht zu provozieren vermag. Das ‚es' kann man nicht machen und nicht nicht-machen. Wer in diesen Dingen einigermaßen zuhause ist, weiß, dass das ‚es' das wichtigste Agens des menschlichen Daseins ist." (Rombach, 1994a, 25).

Dies gilt, Rombach folgend, für jeden Prozess der Strukturierung in der unbelebten Natur genauso wie in der belebten. Dies gilt für alle menschlichen Grundphänomene. Und dies gilt, wie eine Phänomenologie des Spielens und des Spiels zum Aufschein bringt, für das Spielen, das in seinem eigentlichen Verständnis als menschliches Grundphänomen in angemessener Weise begriffen wird.

Inwieweit erfolgreiche Profisportler im Tennis, Fußball, Golf usw. tatsächlich Spieler oder Arbeiter sind – oder ob es sich vielleicht sogar so verhält, dass es gerade das Mitspielenkönnen, das intuitive Erfassen von Spielmöglichkeiten ist, das die Topathleten der einzelnen Sportspiele von den nicht ganz so Erfolgreichen trennt, muss hier dahingestellt bleiben. Sicher ist, dass das Spiel in seiner echten Form vornehmlich dort aufscheint, wo es um seiner selbst willen gespielt wird. Dort hat es nichts mehr mit Wichtigtuerei oder Aberglauben (Hesse 1972, 256) und erst recht nichts mit Existenzsicherung, Show oder Einschaltquoten zu tun. Sicherlich sind die Übergänge fließend. Dennoch muss das eigentliche Spielphänomen von seinen Zerrbildern unterschieden werden, muss das eigentliche Verstehen von Spielen und Spiel die gegenwärtig vielfältigen Epi- und Pseudophänomene in ihrer Beschränkung und Oberflächlichkeit durchstoßen, um seine Chancen für die Erfahrung gelingenden Menschseins, um seine „therapeutischen" Möglichkeiten hierfür wirksam werden lassen zu können. Auch der Begriff „therapeutische Möglichkeiten" ist hier im Sinne von Rombachs Strukturdenken gemeint (vgl. Rombach 1987, 248), der damit jene Kräfte bezeichnet, die dem Menschen in seiner Aufgabe der konkreativen Strukturierung zukommen und es ihm ermöglichen, gesund, heil glücklich, in Harmonie mit sich und seiner Welt ein sowohl individuell als auch in der Gemeinschaft gelingendes, eigentliches, menschliches Menschsein zu leben.

Literatur

Baruzzi, A. (1995): Europas Philosophie der Machbarkeit, in: G. Stenger u. M. Röhrig (Hg.) (1995), 233-249.

Csikszentmihayli, M. (1992): *Flow*, Stuttgart.

Fink, E. (1960): *Spiel als Weltsymbol*, Stuttgart.

Grupe, O. (1983): „Das Spiel im Sport – der Sport als Spiel?", in: O. Grupe, H. Gabler u. U. Göhner (Hg.): *Spiel – Spiele – Spielen*, Schorndorf, 18-42.

Heidegger, M. (1977): *Sein und Zeit*, 14. Aufl., Tübingen.

Hesse, H. (1972): *Das Glasperlenspiel*, Frankfurt/M.

Horn, A. (1987): *Spielen lernen*, Weinheim.

Huizinga, J. (1958): *Homo ludens*, Hamburg.

Montessori, M. (1976): *Schule des Kindes*, Freiburg/Basel/Wien.

Nietzsche, F. (1966): *Werke in drei Bänden*, München.

Röhrs, H. (1981): *Spiel und Sportspiel – ein Wechselverhältnis*, Hannover.

Rombach, H. (1971): *Strukturontologie*, Freiburg/München.
- (1977): *Leben des Geistes*, Freiburg.
- (1980): Phänomenologie des gegenwärtigen Bewußtseins, Freiburg/München.

- (1987): *Strukturanthropologie*, Freiburg/München.
- (1988): *Die Gegenwart der Philosophie*, Freiburg/München.
- (1994a): *Der Ursprung*, Freiburg.
- (1994b) Phänomenologie des sozialen Lebens, Freiburg/München.
- (1998): „Die philosophische Grundfrage nach dem Sinn", in: H. Czef (Hg.): *Sinnverlust und Sinnfindung in Gesundheit und Krankheit*, Würzburg, 35-49.

Scheuerl, H. (1975): *Theorien des Spiels*, 10. Aufl. Weinheim/Basel.

Schiller, F. (1965): *Über die ästhetische Erziehung des Menschen*, Stuttgart.
- (1971): *Kallias oder über die Schönheit: Über Anmut und Würde*, Stuttgart.

Sutton-Smith, B. (1983): *Die Idealisierung des Spiels*, in: O. Grupe, H. Gabler u. U. Göhner (Hg.): *Spiel – Spiele – Spielen*, Schorndorf, 60-75.

Tröger, W. (1996): „Chancen und Gefahren der Olympischen Spiele aus der Sicht des IOC", in: H. Digel (Hg.): *Olympische Spiele in Atlanta – quo vadis Olympia*, Darmstadt, 17-37.

Erscheinen – Welt – Struktur

Heinrich Rombach und Jan Patočka im Welten-Gespräch

Helga Blaschek-Hahn

Dieser zweite Versuch, die Grundzüge des Denkens von Heinrich Rombach und Jan Patočka diesmal in Hinblick auf die drei Begriffe Erscheinen – Welt – Struktur zu analysieren und gegeneinander zu profilieren,[1] schließt sich der keineswegs unbestrittenen Annahme an, dass der Entwicklungs- und Auslegungs-Gang der Phänomenologie einer bestimmten inneren Konsequenz folge, sich jedoch nicht einfach als Fort-Schritt im strengen Wortsinn vollziehe, sondern eher in Sprüngen, vielfach gebrochen, als ständiges Selbstkorrektur-Geschehen in stetiger Selbsttranzendenz.[2] Dabei wurden und werden je differente komplexe Deutungen dieses Ganges zum Ausdruck gebracht, in denen die unterschiedlichsten Welt-Strukturen oder Welt-Formeln als Interpretation des Wirklichkeits-Geschehens im Ganzen zur Erscheinung kamen oder kommen. Alle diese Versuche, innerhalb der Phänomenologie fortzuschreiten, haben laut Rombach je für sich ihre eigene Berechtigung und immanente Legitimierung, bringen aber freilich auch ihre je eigenen Be-Grenzungen, Behinderungen und Verwerfungen mit sich, die für den Gang der Phänomenologie Umwege erzwingen oder sich den Gefährten und Nachfolgern auf diesem Denk-Weg, um im Bild zu bleiben, zuweilen gar als Rückschritte oder Sackgassen zeigen können.

So sollte es nicht überraschen, wenn sich nahezu zeitgleiche Rezeptions-Vor-Gänge, die die Konzeptionen jeweiliger Vor-Gänger kritisch befragen, eben-

---

[1] Der Text, der beim internationalen Kolloquium zum Werk Heinrich Rombachs 1999 in Prag vorgetragen und anschließend im Rückblick auf alle damaligen Vorträge und Diskussionsbeiträge überarbeitet wurde, versteht sich als Fortführung eines früheren Versuches, der dieselbe Absicht verfolgte und dazu die beiden Termini *Phänomenale Sphäre* (Patočka) und *Strukturgeschehen* (Rombach) betrachtete. Vgl. dazu Blaschek-Hahn 1999.

[2] Vgl. dazu Rombach 1983, 141–145. – Auch Rombachs umfassendste Husserl- und Heidegger-Kritik (Rombach 1980, 27–169), die die Textgrundlage eines deutschsprachigen Seminars zur Vorbereitung des o. a. Kolloquiums bildete, geht von der Annahme eines konsequenten Entwicklungs-Ganges der Phänomenologie aus, innerhalb dessen Rombach seine strukturontologische Konzeption im Anschluss an Husserls transzendentale Phänomenologie und Heideggers Fundamentalontologie zu ‚verorten' versucht. Im erwähnten Seminar, dem dieser Beitrag viele Anregungen verdankt, wurde dem indessen sowohl grundsätzlich als auch im Detail heftig widersprochen.

falls als je komplexe, möglicherweise voneinander erheblich abweichende Interpretations- oder Weltentwürfe zeigten. Als ein Beispiel dafür werden hier Heinrich Rombachs und Jan Patočkas Ansatz betrachtet. In der Absicht, das vielstimmige und von weit her kommende Gesprächsgeschehen der Phänomenologie bis in ihre Ursprünge zurück zu verfolgen, konzentrieren diese beiden Forschungsansätze ihr Interesse gleichermaßen auf den Zusammenhang von bzw. die Auseinandersetzung zwischen den hervorragenden Protagonisten der Phänomenologie, Edmund Husserl und Martin Heidegger. Das ergibt einerseits freilich eine analoge Zielrichtung ihrer diesbezüglichen konstruktiven Kritik, andererseits unterscheiden sich bei genauerem Zusehen aber die Konsequenzen, die beide daraus ziehen, mehr voneinander, als der erste Anschein vorgibt. Die Grundthese dieser Überlegungen lautet deshalb, dass das Rombach und Patočka gemeinsame Bemühen, den phänomenologischen Gedanken seinem eigenen Impetus gemäß möglichst getreu fortzuführen, ihn seiner ursprünglichen Intention immer näher zu bringen, im Einzelnen gerade grundsätzliche Differenzen zwischen den Konzeptionen Rombachs und Patočkas zum Vorschein bringt. Manche Details ihrer beider im Großen und Ganzen oft synonym anmutenden Begrifflichkeit entpuppen sich nämlich nur allzu schnell als lediglich homonym. Und die erste entscheidende Frage, was denn nun eigentlich die ursprüngliche Intention des phänomenologischen Gedankens sei, der beide auf der Spur sind, wird ganz unterschiedlich beantwortet.

Leider kann zur Verifizierung dieser Annahme nicht auf unmittelbare Äußerungen, nicht auf tatsächliche Gesprächs-Kontakte zwischen Rombach und Patočka oder womöglich gar auf eine klärende direkte Konfrontation der Rezeptions-Ansätze rekurriert werden. Wohl gab und gibt es ein Wissen umeinander,[3] aber weder von Patočka noch von Rombach sind irgendwelche Äußerungen zur je anderen ‚Marschrichtung' auf gleichwohl verwandtem phänomenologischem Weg bekannt. So bleibt nur der höchst problematische Versuch, ein Nach-Denken aus verschiedenen über verschiedene philosophische Weltentwürfe nachträglich zueinander zu vermitteln, sie als eine Art Welten-Gespräch in eine gemeinsame Denkbewegung zu bringen.

---

[3] So kannte Rombach Patočkas persönliches Schicksal: er hatte sich in den 70er Jahren an Interventionen bei Behörden beteiligt, um dem durch die widrigen politischen Verhältnisse erheblich in der Arbeit behinderten Prager Kollegen sein Los eventuell zu erleichtern. Direkter philosophischer Gedankenaustausch zwischen dem damals regelmäßigen philosophischen Kolloquium Rombachs in Würzburg und dem Archiv Jana Patočky ergab sich dann in den 90er Jahren durch ein mit freundlicher Unterstützung der Fritz-Thyssen-Stiftung ermöglichtes, u.a. in vorliegender Edition dokumentiertes, vergleichendes Forschungsprojekt der Autorin dieser Überlegungen zum Werk Patočkas und Rombachs, das im erwähnten Prager Kolloquium von 1999 seinen vorläufigen Höhepunkt fand. Im Rahmen dieser Forschungen stellte sich schnell heraus, dass Patočka nachweislich Einblick in Rombachs Werk genommen, sich mindestens die *Strukturontologie*, die offenbar bald nach ihrem Erscheinen in Prag verfügbar war, angeeignet hatte.

Als Vehikel sollen dabei die drei Titel-Begriffe „Erscheinen – Welt – Struktur" dienen, weil möglicherweise gerade an ihnen besonders gut zugleich größte Nähe und Ferne zwischen den Konzeptionen Rombachs und Patočkas zur Erscheinung kommt. Dabei ergibt sich das oben schon allgemein angedeutete Problem, dass jeder der beiden hier konkret zu betrachtenden philosophischen Ansätze als kompletter, komplexer Welt-Entwurf gelten darf und deshalb den Anspruch hätte, sehr sorgfältig eigens aus sich selbst heraus entwickelt, statt in bloß bruchstückhaften Textzitaten vor-gestellt zu werden. Das Gleiche gilt natürlich auch für die drei Titel-Begriffe, deren genauere Bestimmung eigentlich nur jeweils im Kontext, innerhalb des gesamten Entwurfs, zu erhellen wäre. Um dem wenigstens ansatzweise Rechnung zu tragen, wurde für jeden der beiden Autoren schwerpunktmäßig ein Text[4] ausgewählt, aus dem entsprechend umfassender zu zitieren ist und der nur gelegentlich durch zusätzliche Querverweise auf andere thematisch relevante Texte ergänzt wird. So dürften die drei Begriffe doch in ihrer Bedeutung für den Grundduktus des jeweils ganzen Werkes erhellt werden im gleichwohl gewagten Versuch vergleichender „Hochinterpretation" und „Differentialinterpretation".

Genau diese Aufgabe stellen sich in Bezug auf Husserl und Heidegger Rombach und Patočka gleichermaßen, allerdings bedenkt und benennt sie nur Rombach expressis verbis als solche: „Hochinterpretation" besagt für ihn, dass kein Text, sofern er hermetisch genommen wird, einen Autor im üblichen Wortsinn hat: „Der ‚Autor' entsteht neu aus dem Gedanken, sieht sich durch diesen verwandelt. Es ist der Gedanke, der sich seinen Autor macht, nicht der Autor, der sich seine Gedanken macht." (Rombach 1983, 143) Demnach geht der Autor zusammen mit seinem Text je und jäh erst aus einem quasi unvordenklichen Gedanken hervor, verdankt diesen im glücklichen Fall momentanen Gelingens einer konkreativen Findung. Gegen die Gefahr, sich wieder zu verlieren, ist diese indessen ebenso wenig gesichert wie gegen einen weiteren Fort-Schritt der entsprechenden Gedankenbewegung (in unserem Falle der der Phänomenologie), in dem die frühere Findung durchaus im dreifachen Hegelschen Wortsinn aufgehoben werden könnte, denn „so ‚bricht' sich der Gedanke ‚Bahn' in wieder neuen Aspekten, die ihn neu, ja befremdlich und bestürzend zeigen. [...] Nicht selten verlieren auch die großen philosophischen Texte den Gedanken soweit, daß ihnen nur die ‚Sache' und ihr ‚Verständnis' übrigbleibt. Damit ist auch die Sache verloren. Der Text bleibt unter seinem Gedanken und verfehlt ihn" (ebd. 144 f.). Daher verpflichtet laut Rombach jede Textinterpretation zu dem Bemühen, den aus dem Gedanken selbst allererst zu rekonstruierenden Weltzusammenhang auf

---

[4] Für Rombach handelt es sich dabei um die schon erwähnte Husserl- und Heidegger-Kritik (Rombach 1980, 27-169), für Patočka um einen umfangreichen Text aus den 70er Jahren des 20. Jahrhunderts, der erst kürzlich aus dem Nachlass herausgegeben wurde (Patočka 2000, Text V, 116-172) und der einen Schwerpunkt von Patočkas kritischer Auseinandersetzung mit Husserls *Idee der Phänomenologie*, den fünf Vorlesungen aus dem Jahr 1907, bildet. – Vgl. dazu auch Husserl 1950.

ein höheres Niveau hinauf zu heben, als es vom jeweiligen Autor hatte erreicht werden können – also zur „Hochinterpretation" in einem dynamischen Verständnis des Wortes. Dazu sei aber gleichzeitige „Differentialinterpretation" erforderlich, die „den Gedanken und das Denken des Autors auseinander" hält, um damit „die Stelle der Abweichung und die Falllinie des Autors" (ebd. 145) sichtbar zu machen. In diesem Sinne sind jetzt die Begriffe „Erscheinen – Welt – Struktur" auf ihre Implikate zu befragen, die vermutlich Hinweise geben können auf die jeweilige Position der beiden Entwürfe innerhalb des Gedankens der Phänomenologie, wobei es keine Rolle spielen darf, ob dies von den Autoren ausdrücklich gemacht wurde oder nicht.

Offensichtlich scheiden sich bei „Erscheinen" gleich die Geister: für Patočka steht besonders „Erscheinen als solches" im Mittelpunkt des Interesses, während solches für Rombach aus systematischen Gründen überhaupt nicht in Frage kommt. In der Konsequenz des phänomenologischen Gedankens nimmt allerdings auch für ihn „Erscheinen" eine Schlüsselstellung ein. Heideggers späte „seinsgeschickliche" Philosophie ist ihm geradezu dadurch ausgezeichnet, „daß sie nicht mehr auf das Erscheinende gerichtet ist, sondern auf den Grund des Erscheinenkönnens." Deshalb bedeute Sein nicht länger „Faktizität", sondern „Erscheinen", und zwar „in einem letzten radikalen Sinn", was ganz buchstäblich „Aufleuchten von Sinn" meint (Rombach 1980, 159). Damit ist nach Rombach vom späten Heidegger endlich der Ausweg gefunden auch aus seinem eigenen, für *Sein und Zeit* noch geltenden Befangensein innerhalb einer Transzendentalphänomenologie Husserlscher Prägung: der Weg in die Fundamentalontologie. Aber freilich verharrt der Gedanke der Phänomenologie auch hier nicht, sondern er treibt weiter über sich hinaus. Ursprünglich und vom Wortlaut her als Erscheinungslehre verstanden, geht deren innere Konsequenz verstärkt darauf, seinen ‚Forschungsgegenstand', das Phänomen, in seinem Erscheinen immer präziser zu erfassen. Aber statt dazu, wie für Patočka noch zu zeigen ist, dieses „Erscheinen" von jeglichem Erscheinenden zu separieren, um es „als solches" in den Blick zu bekommen, richtet sich Rombachs Interesse auf den komplexen Vor-Gang der Phänomen- oder Struktur-Genese in seiner je geschichtlichen Konkretion. Er bezeichnet dieses Geschehen im Ganzen, Strukturation samt konkret strukturiertem Gehalt, als „Hervorgang" und räumt ihm eine Schlüsselposition innerhalb der Phänomenologie ein: „Hervorgang" sei nun das „gemäße Wort für ‚Phänomen' und die Phänomenologie" werde „zur Ontologie des Hervorgangs" (ebd. 169). Damit nimmt wohl „Hervorgang" für Rombach den systematischen Ort von Patočkas „Erscheinen als solchem" ein und wird von ihm als die eigentliche Intention des phänomenologischen Gedankens angesehen, die Patočka eben dem „Erscheinen als solchem" zuspricht. Nun sind diese verschiedenen Bezeichnungen desselben phänomenologischen Phänomens freilich nicht irrelevant; vielmehr sprechen sich darin grundsätzlich verschiedene Deutungen des Entwicklungsganges der Phänomenologie aus, die wiederum selbst Konsequenzen für die Arbeit an ihrem Fort-Gang mit sich bringen.

So glaubt Patočka, mit seinem phänomenologischen Bemühen geradezu Husserls Vermächtnis zu erfüllen, nämlich eine „Katharsis des Phänomenalen wirklich durchzuführen und der Phänomenologie dadurch den Sinn einer Erforschung des Erscheinens als eines solchen zurückzugeben, wie er vielleicht die ursprüngliche Intention ihres Urhebers bildete." (Patočka 1991, 282) „Katharsis" nennt also Patočka die Aufgabe, zwischen der ursprünglichen Intention des Autors und dessen mehr oder minder gelungener Ausarbeitung zu unterscheiden, die für Rombach oben als „Hochinterpretation" skizziert wurde. Nur müsste man Patočkas „Katharsis des Phänomenalen" in Rombachs Sinn wiederum durch eine „Hochinterpretation" von Patočkas eigener Intention ergänzen, indem man sie als dezidierte, wenngleich nicht explizierte Absicht zur „Differentialinterpretation" deutet, die statt der Intention des Autors Husserl eigentlich die innere Selbsttranzendenz des phänomenologischen Gedankens anzielt und ihn über Husserl hinaus fortzuführen versucht. Jedenfalls grenzt sich Patočka durch seinen fokussierten Blick auf „Erscheinen als solches" auch ausdrücklich von Husserl ab:

„Nun ist aber auf eine Abweichung unserer Terminologie von der Husserlschen aufmerksam zu machen. Wir sprechen nicht vom Erforschen von Phänomenen, sondern von Erforschung des Erscheinens als solchen. Nicht das Phänomen, d. h. das sich zeigende Seiende, sondern die Weise, wie es erscheint, die notwendigen Voraussetzungen eines solchen Sich-Zeigens, die gesamte ‚Szene', die ein solches Erscheinen benötigt, steht im Brennpunkt des Interesses. Das Phänomen hat kein Sein für sich außerhalb des in ihm Präsenten; aber das Erscheinen ist eine Sphäre von gesetzmäßigen Strukturen für sich. Unserer Ansicht nach zeigt die Reduktion und besonders die Epoché als ihr wichtigster Schritt nichts anderes als die vollständige Unabhängigkeit der gesetzmäßigen Struktur des Erscheinens von denen des Erscheinenden. [...] Aber worauf Epoché und Reduktion führen, ist diese Sphäre des Erscheinens als solchen, welche es gilt, möglichst realitätsunabhängig zu halten und also mit keinem erscheinenden Seienden wie auch verdünnter Art zu verwechseln." (Patočka 2000, 153 f.)

In diesem Textstück kommt nun keineswegs nur Terminologisches zur Sprache, sondern vielmehr die Grundstruktur von Patočkas Denken selbst. Für die vorliegende vergleichende Analyse ergeben sich daraus sehr konkret mancherlei bezüglich der phänomenologischen Praxis Patočkas relevante Implikate und Konsequenzen. Sie erweisen sich als Unterscheidungs-Kriterien nicht nur in Bezug auf Husserls, sondern vor allem auf Rombachs Konzeption, könnten sie doch entweder eher förderlich oder eher hinderlich sein für eine „Phäno-Praxie", wie sie Rombach eingefordert hatte als „Erscheinenlassen und Erscheinenmachen in einem" (Rombach 1980, 22). Eine solche Phänomenologie trennt Erscheinen und Erscheinendes gerade nicht länger, sondern nimmt es identisch; dasselbe gilt für Gegenstand und Horizont, Sein und Seiendes. Es geht der „Phäno-Praxie" demnach um den oben schon skizzierten „Hervorgang", der „die ontologische Differenz verflüssigt" (ebd. 146). Damit ist das Stichwort gegeben für einen weiteren wichtigen Unterschied zwischen Rombachs und Patočkas Position. In der zitierten Textpassage nennt zwar Patočka die Heideggersche ontologische Differenz nicht expressis verbis; er macht sie der Sache nach aber zur Grundlage jeder weiteren Erforschung von Erscheinen nicht nur in diesem Text. Man kann diese Haltung also als symptomatisch für Patočkas Position überhaupt ansehen und darf deshalb wohl vermuten, dass er sein pointiertes Beharren auf ontologischer Differenz systematisch zur Be-Reinigung von Husserls Ansatz ins Feld führt: sie ist für ihn der Weg zur „Katharsis des Phänomenalen".

Diesbezüglich ganz anders sieht Rombach die Möglichkeiten zum Fortschritt in der Phänomenologie. In seinem „Versuch einer ersten Heidegger-Kritik" (ebd. 106-113), die vor allem den Ansatz von *Sein und Zeit* betrifft, benennt er nämlich gerade die ontologische Differenz als die entscheidende ‚Falllinie', an der Heidegger aus seiner anfangs gelungenen Fortentwicklung des phänomenologischen Gedankens ebenso wie Husserl wieder herausgefallen sei. Heideggers strenge Unterscheidung zwischen ‚Sein überhaupt' und Seiendem in jeweiliger Seinsweise bedeutet für Rombach eine zwar modifizierte und verdecktere, aber doch immer noch unübersehbare Wiederholung des Husserlschen Subjektivismus. In diesem Hauptkritikpunkt an der Husserlschen Konzeption stimmt er übrigens mit Patočka völlig überein, wie noch zu zeigen sein wird. Heideggers ontologische Differenz impliziert jedoch nach Rombach das Ordnungsschema Genus-Spezies, das einer älteren, ja der ältesten Ontologie entstammt und damit in die Geschichte der Seinsvergessenheit gehört, die zu destruieren sich Heidegger doch zum Ziel gesetzt hatte. Seinsweisen wie Horizonte für Seiendes zu verstehen, bedeutet laut Rombach weiter, ‚Sein überhaupt' notwendig zum Horizont aller Horizonte geraten zu lassen. So setzt die ontologische Differenz, indem sie an dieser älteren, mit der Phänomenologie schon überwunden geglaubten Denktradition[5] festhält, unversehens den Fort-Schritt der Phänomenologie aufs Spiel. Wenn immer sich außerdem das Sein bzw. die Seiendheit in Heideggers Argumentationsgang mit Rombach als Sinn und Grund des Seienden bestimmen lässt und wenn dieser Sinngrund schließlich als das Geschehen des Seins im Dasein gründet, ist der Schluss unausweichlich, dass Dasein selbst letztendlich wieder als transzendentaler Leistungsgrund zum Vorschein kommt mit allen subjektivistischen Belastungen. Damit bliebe es fraglich, ob Heidegger seinem eigenen Anspruch, von der Transzendental-Phänomenologie im wahrsten Wortsinn fort geschritten zu sein zur Fundamentalontologie, wirklich gerecht wurde.

Betrachtet man unter diesem Blickwinkel nun noch einmal das oben angeführte Zitat Patočkas, sieht man dort deutlich eine Heideggers ontologische Differenz implizierende Argumentationsweise. Allerdings setzt Patočka an die Stelle von ‚Sein überhaupt' offenbar „Erscheinen als solches". Dieses wird nun entsprechend zum Ermöglichungsgrund für „erscheinendes Seiendes" und muss deshalb rein transzendental genommen werden, im buchstäblichen Sinne des Wortes ab-

---

[5] Zu der hier angesprochenen dreigliedrigen Geschichte des abendländischen Denkens vgl. man auch Rombach 1981.

strakt, d. h. von jedem Seienden peinlich getrennt, eben „realitätsunabhängig".
Diese Forderung wird mit dem gleichen Nachdruck erhoben, mit dem Heidegger
in *Sein und Zeit* die „sich eindrängende Interpretation des Daseins am Leitfaden
der Realität" abwehrt (Heidegger 1984, § 43, 212). Falls die Konsequenz für Patočkas „Katharsis des Phänomenalen", die sich aus solcher Analogie offenbar ergibt, stimmig ist, falls also Patočka den Ausweg aus Husserls Subjektivismus mit
Hilfe des frühen Heidegger in Richtung auf zugespitzte epistemologische Abstraktion sucht, verengt er allerdings aus Rombachs Perspektive gesehen den
Spiel-Raum phänomenaler Erscheinungsbewegung, den er damit öffnen wollte.
Damit verspielte er nun womöglich einen nach Rombach trotz all der oben angedeuteten Problematik doch schon gewonnenen Fort-Schritt für das phänomenologische Geschehen im Ganzen, der Heidegger in der „Vereinigung der beiden
Tendenzen von Philosophieren: des epistemologischen und des existenziellen
Aspekts" (Rombach 1980, 105) gleichwohl gelungen sei und der die Phänomenologie in Heideggers Spätphilosophie also schließlich doch noch aus der transzendentalen Horizontalität herausgeführt habe. Patočka geht indessen gerade diesen
Weg nicht mit. Das bestätigt nicht nur seine oben zitierte metaphorische Begrifflichkeit, in der er „Erscheinen als solches" eine unabhängige „Sphäre" nennt, die
das in diesem Horizont erscheinende Seiende ermögliche. Patočka betont auch
expressis verbis, dass das Erscheinungsproblem die „natürliche Konsequenz einer
Umformung der Husserlschen Lehre zu einem formalen Transzendentalismus
des Erscheinens als solchem" sei (Patočka 2000, 162 f.). In deutlicher Kritik an
Heideggers Auffassung von Existenz unterstreicht Patočka die entscheidende
Differenz zwischen existenzialer und transzendentaler Reflexion und warnt vor
einer Verwechslung des transzendentalen mit dem existierenden Subjekt, denn
Heidegger sei es „nicht gelungen, der Existenz *eine transzendentale Bedeutung* zu
geben, das Transzendentale = Welt *ist* nicht Existenz, sie existiert nicht". Zwar
weist für Patočka „die transzendentale Struktur auf reale Existenz hin, ist aber
nicht diese Existenz, weil die Existenz vereinzelt ist – real, das Transzendentale
ist durchweg Beziehung, Zusammenhang, Imaginarium, mit dessen Hilfe mein
reales Verstehen geschieht"[6]. Und gerade im Gegensatz zum oben Behaupteten,
dass nämlich epistemologische Abstraktion den Spiel-Raum phänomenaler Erscheinungsbewegung verenge, steht Patočkas Überzeugung: „Das transzendentale Ich ist *Bestandteil der Welt als Struktur*, Existenz ist der reale Inhalt dieser
Form. Trans[zendentales] ist öffnend, Verständnis, Existenz ist das, wodurch
verstanden wird, das Geöffnete." (Ebd. 286)

---

[6] Ebd., Text XXXIII, 285 (mit Anmerkung 393). – Leider liegt diese kritische Auseinandersetzung Patočkas mit Heideggers Existenz-Verständnis in *Sein und Zeit* nur als
knappes Textfragment vor und wirft deshalb mehr Fragen auf, als es beantworten kann: so
bezeichnet Patočka einerseits die ontologische Differenz hier als „unverständlich", legt sie
aber andererseits seiner eigenen Argumentation zu Grunde.

Unversehens sind damit diese Überlegungen schon übergegangen zu den beiden Titelbegriffen „Welt" und „Struktur", die für Rombach wie für Patočka in ganz engem Zusammenhang stehen, sich allerdings beide gemeinsam in den zwei unterschiedlichen Ansätzen auf je verschiedene Dimensionen der Wirklichkeit beziehen: bei Patočka, wie schon skizziert, auf eine formal-reflexive Bewusstseinsebene, bei Rombach auf konkret lebensweltlichen Vollzug. Deshalb sind beide Begriffe sinnvoller Weise nur je gemeinsam im Kontext des jeweiligen Ansatzes weiter zu betrachten. Dabei dürfte die eingangs für Patočkas und Rombachs Weg zur Erfüllung derselben Aufgabe, zur Förderung des phänomenologischen Geschehens vermutete, grundsätzlich differente Bedeutung der Titelbegriffe auch bei „Welt" und „Struktur" ganz ähnlich zu Tage treten, wie sie sich inzwischen schon bei „Erscheinen" gezeigt hat.

Jedenfalls weist Patočkas zuletzt zitierte „Welt als Struktur" gleichfalls auf die von ihm favorisierte transzendental-formale Dimension, die in ausdrücklichem Gegensatz zur oben schon als „real" bezeichneten „Existenz", dem „Inhalt dieser Form", gesehen wird. Dies verweist deutlich zurück auf die früher gezeigte strikte (ontologische) Differenz zwischen dem Sein als „Erscheinen als solchem" und dem darin „erscheinenden Seienden", das es ja „möglichst realitätsunabhängig" zu halten gelte. Dieselbe Tendenz bestätigt sich im Rückblick auf die Charakterisierung des Erscheinens als einer „Sphäre von gesetzmäßigen Strukturen für sich" (vgl. ebd., Text V, 153 f.), wenn Patočka seine eigene Frage: „Was gehört nun zum transzendentalen Inhalt der Welt?" mit folgenden Andeutungen beantwortet: „Verständnis für das Nichts – Endlichkeit – Welt als *das Ganze*, Imaginarium, Transzendenz den seienden Dingen gegenüber". Dass diese „Welt als *das Ganze*" sodann ausdrücklich auch noch als „Bühne" bezeichnet wird (ebd., Text XXXIII, 286), ergibt nicht nur eine direkte Analogie zur „Sphäre" für „erscheinendes Seiendes", sondern zeigt auch noch einmal Patočkas Verständnis von „Struktur" synonym zu dem von „Welt" eindeutig als transzendental. Jeden Zweifel daran räumt schließlich die im zuletzt zitierten Kontext gefundene Bemerkung aus: „Welt als das den Zugang zu den Sachen Eröffnende [...]. Die Welt ist gewiß ein Imaginarium, aber dieses Imaginarium ist selbst nicht eine Vorstellung eines Dinges, sondern bloß Struktur jenes 'ist', das unerläßlich dazu ist, daß sie [die Sachen/Dinge] sich kundgeben." (Ebd. 287) „Welt" versteht sich für Patočka demnach als formal-horizontale Struktur. Das lässt vermuten, dass für Patočkas Ansatz Epoché und Reduktion, die die reale Welt ja methodisch außer Geltung setzen, eine wichtige Rolle spielen müssen. Diese phänomenologische Methode par excellence führt laut Patočka wirklich geradewegs auf die „Sphäre des Erscheinens als solchem". Sie bleibt für ihn aber nur dann im Recht, wenn man Epoché und Reduktion säuberlich voneinander trennt und sich in buchstäblichem Fort-Schritt von der Reduktion zur Epoché wendet. Genau darin entdeckt er sogar die innere Logik schon der Husserlsschen Phänomenologie, was deutlicher als der früher zitierte Textabschnitt, der „Epoché" nur als den „wichtigsten Schritt" innerhalb der Reduktion bezeichnete, ein weiteres Textstück aus demselben Kontext zeigt:

„Daß die Epoché *später ist* als der Reduktions- als Immanenzgedanke im Sinne der Selbstgegebenheit (intentionale, noematische Immanenz), hat nicht nur eine historische, sondern vor allem eine systematische Bedeutung. Der Gedanke der Epoché ist von der Reduktion auf Immanenz in jedem Sinne *unabhängig.* Epoché bedeutet die absolute Freiheit der Gedankenreflexion von jedwedem bindenden und verbindenden Inhalt, die absolute Autonomie des Erscheinens als solchem gegenüber dem Erscheinenden und seiner Struktur, aber mit einer Immanenz hat sie nichts zu tun." (Ebd. 163)

Die Kritik Patočkas an der Husserlschen Reduktion entspricht zwar einerseits noch einmal derjenigen Rombachs bis in die ganz analoge Begründung aus der buchstäblichen Bedeutung des Wortes Reduktion. Doch andererseits scheidet auch hier die Konsequenz, die beide je unterschiedlich aus der Notwendigkeit eines Fort-Schritts weg von der Reduktion ziehen, die Geister, trennt zwei Spiel-Arten phänomenologischen Vor-Gehens geradezu dimensional voneinander. So sieht Patočka in der „Wendung zur Immanenz", die die Reduktion vollziehe, einen wesentlichen „Grund des Husserlschen Subjektivismus", denn „schon der Name Reduktion, Rückführung, deutet eine subjektive Wendung an" (ebd. 120 f.). Damit wird ihm Reduktion zu dem phänomenologischen Sündenfall schlechthin, in die menschliche Existenz hineinzuführen, statt aus ihr heraus, wie Husserl es wohl selbst mit der Epoché anstrebte. Dagegen könnte eine radikal verschärfte, konsequentere Epoché auch noch dem transzendentalen Ego gegenüber, die Husserl nicht mehr durchführte, die Patočka aber als dessen oben erwähntes „Vermächtnis" vermutlich in der asubjektiven Phänomenologie intendierte, hinführen zu der von Patočka geforderten "absoluten Freiheit der Gedankenreflexion".

Rombach dagegen versteht und kritisiert in seiner Analyse der „Selbsttranszendenz des Husserlschen Ansatzes" (Rombach 1980, 60-66), dem letzten Abschnitt seiner Husserlkritik, die zur o. e. Heidegger-Kritik überleitet, Husserls Reduktionsbegriff wie Patočka einerseits im ursprünglichen Wortsinn als Rück-Führung in den Subjektivismus. Andererseits entdeckt er Reduktion aber bei Heidegger positiv fort-geführt als buchstäbliche Zurück-Führung ins Dasein, in die Existenz, und zwar als Rück-Wendung, Umwendung, Wandlung und Verwandlung in existentieller Konversion von Uneigentlichkeit zu Eigentlichkeit: „Die wahre phänomenologische *Reduktion* ist also der existenzielle Vollzug der *Eigentlichkeit,* die Intensivierung des Lebens durch sich selbst." Und Rombach schätzt sie im schärfsten Gegensatz zu Patočka deshalb hoch, weil sie „nicht mehr theoretische Einstellung des Bewußtseins, sondern *praktische Vertiefung des Daseins in seine volle Konkretion*" (ebd. 70) sei. Genau diese Haltung ermöglicht für ihn den zuvor erwähnten Ausweg aus transzendentaler Horizontalität, befreit also auch laut Rombach - aber keineswegs, wie für Patočka, zu einer abstrakten „Freiheit der Gedankenreflexion", sondern zum „Hervorgang" konkreativer Wirklichkeit, zur Genese nicht weltenthobener, vielmehr konkret lebensmäßig welthafter Struktur.

Damit zeigt sich ein weiterer Punkt größter Nähe zwischen Patočkas und Rombachs Konzeption offensichtlich wieder zugleich als einer der größten Differenz: für Patočka führen Reduktion und Epoché die Phänomenologie stufenweise in den „formalen Transzendentalismus des Erscheinens als solchem", für Rombach über die Fundamentalontologie zur *Strukturontologie*, in der „Freiheit" konzeptionell eine entscheidende Rolle spielt.[7] Aber das Freiheitsgeschehen wird nicht transzendental verstanden, sondern als Aufgehen und Ausarbeiten phänomenaler Welt-Struktur: „Freiheit ist nur im Aufbruch. Der Aufbruch gibt in neue Dimensionen frei. Die Erfahrung der Dimension ist ihre konkrete Aufarbeitung. Freiheit gibt es nur in Aufgaben neuer Inhaltlichkeit, sie ist keine Verhaltensform, sondern ein Phänomen inhaltlicher Fülle, geschichtlicher Entdeckungen (ebd. 252 f.). Um solches „Erforschen von Phänomenen" geht es Rombach im Gegensatz zu Patočka durchaus; es bringt ihm allerdings keinesfalls nur das „sich zeigende Seiende" zur Erscheinung. Für Rombach zeigen sich Phänomene vielmehr als komplexer „Hervorgang" konkret lebensweltlicher Strukturen, sie weisen „Weltcharakter" auf und sind so von absolut anderer Art als die gesetzmäßigen Strukturen im Sinne Patočkas. Der „Weltcharakter des Phänomens" erschließt laut Rombach für die Phänomenologie einen „neuen Bereich, der erstmals von Heidegger entdeckt und durch ausführliche Analysen exemplifiziert worden ist".[8] Unter „Weltcharakter" ist die „Eigentümlichkeit" zu verstehen, dass sich ein jedes Phänomen, „das sich zuerst noch (wie bei Husserl) als eines unter anderen einführt, durch seine Entwicklung zu einer Einzigartigkeit bringt, innerhalb deren *alle* Vorkommnisse der Innen- und Außenwelt des Menschen ihre gemäße Erscheinung und Darstellung finden." (Rombach 1980, 292) Methodisches Außer-Geltung-Setzen von Weltinhalten verliert in dieser genetisch-hermetischen „Welt"-Interpretation ebenso seinen Sinn wie jegliche (ontologische) Differenzierung nach Inhalt und Form, Ermöglichungsgrund und Ermöglichtem, nach Sein und Seiendem, weil im welthaften „Phänomen zugleich bestimmte Objektivitäten und bestimmte Subjektivitäten struktural aufgehen und sich in einer Gesamtstruktur verbunden zeigen." (Ebd. 293) Derartige „Gesamtstruktur" bedeutet, traditionell gesprochen, inhaltliche und formale Bestimmung in Einem, vielfältiges Be-Wirken auseinander und aufeinander: Er-Wirken jeweiliger Wirklichkeit oder „Welt" in gemeinsamem „Hervorgang". „Welt" geht stets nur auf diese Weise aus Profilierungs- und Strukturierungsgeschehen hervor, was umgekehrt besagt, dass „jede Strukturation als ‚Welt' verstanden werden muss". Deshalb kann Rombach auch die Hoffnung zum Ausdruck bringen, dass der in der Konsequenz des phänomenologischen Weges gefundene „dynamische Struk-

---

[7] So lautet der Untertitel der *Strukturontologie. Eine Phänomenologie der Freiheit*; vgl. dazu Rombach 1971.

[8] Rombach 1980, 291. – Rombach bezieht sich hier auf ein Diktum sogar schon des frühen Heidegger, das die Aufklärung des Welt-Begriffs als eine der zentralen Aufgaben der Philosophie bezeichnet, was bisher überhaupt noch nicht erkannt worden sei. – Vgl. dazu auch Heidegger 1927, 234.

turgedanke vielleicht zum ersten Mal eine Weltformel an die Hand gibt", mit der „sich alles als Struktur fassen läßt und zwar nicht nur alle Formen und Gestalten des Seienden, sondern auch die Welt als Ganzes".[9]

Damit bestätigt sich die oben schon für Patočkas Verständnis aufgewiesene Analogie der beiden Begriffe „Struktur" und „Welt" auch für Rombach. Rombachs „Welt als Ganzes" bedeutet indessen im Gegensatz zu Patočkas „Welt als das Ganze" nichts Abstraktes, Formales oder Transzendentales, sondern vielfach gestuften phänomenalen und dimensionalen „Hervorgang" komplexer Wirklichkeit, die entweder als jeweilige „Welt" oder jeweilige „Struktur" erscheint, je nachdem, ob eher das hermetische „Wirklichkeitsprinzip" im Sinne von „Gestaltfindung" und „Geistgeburt" in „Einzigkeit", in „Idemität" und „unmittelbarer Einheit"[10] fokussiert wird oder eher strukturales Geschehen in den drei möglichen Perspektiven „Strukturverfassung – Strukturdynamik – Strukturgenese".[11] Und sogar der zuerst betrachtete Titelbegriff „Erscheinen" ließe sich schließlich gleichfalls in direkte Entsprechung zu diesen beiden analogen Titelbegriffen bringen: denn strukturales Geschehen, dynamische „Struktur", Welt-Genese oder Weltaufgang,[12] was alles hier als synonym zu verstehen ist, wäre ja traditionell gesprochen als ‚Form' von Welt-„Erscheinen" zu fassen, während „Welt" für ein „Erscheinen" im skizzierten Sinne von „Hervorgang", von Strukturation, noch einmal traditionell gesagt als ‚Inhalt' gelten könnte. Strukturontologisch gesehen sind freilich im „Phänomen inhaltlicher Fülle" sowohl ‚Form' als auch ‚Inhalt' aufgehoben, geht Welt-Erscheinen auf als lebendiger „Hervorgang" in Konkretion und Konkreation.[13]

Nun soll entsprechend bei Patočka geprüft werden, welche Beziehung in seinem Werk aufzuweisen wäre zwischen den oben als analog gedeuteten beiden Titelbegriffen „Struktur" und „Welt" und dem „Erscheinen als solchem". Tatsächlich spricht Patočka dezidiert nicht nur von „Weltstruktur", sondern auch von „Erscheinungsstruktur". Er betont dabei wieder deren formale Gesetzmäßigkeit: „Vielleicht ist die Hauptquelle des Missverständnisses des Erscheinungs-

---

[9] Siehe im vorliegenden Band, oben S. 17 ff.

[10] Zu diesen Termini vergleiche man Rombachs Erstentwurf der philosophischen Hermetik, besonders die Zusammenfassung ihrer Hauptaspekte im Nachwort zu Rombach 1983, 171-178 sowie die späteren Publikationen des Autors zum Thema: Rombach 1987, 127-131 und (besonders zu „Idemität") 379-385; weiter Rombach 1991 und 1994.

[11] Diese dreifache terminologische Unterscheidung ein und desselben Geschehens, des strukturalen Weltaufgangs, die als Ergebnis zunehmend radikalerer strukturontologischer Beschreibung gelten kann, wurde schon in der ersten umfassenden Darstellung von Rombachs *Strukturontologie* deutlich. – Vgl. dazu Rombach 1971, Kapitel I-III.

[12] Der innerhalb der Konzeption *Strukturgenese* freilich mit Weltaufgang notwendig implizierte jeweilige Welt-Untergang kann hier nicht mehr erörtert werden. Vgl. dazu z.B. Rombach 1971, Kapitel III, Abschnitt 3.

[13] Zur konsequenten Begriffsentwicklung von Konkretion zu Konkreation als Präzisierungs- und Steigerungsgeschehen innerhalb von Rombachs Gesamtwerk vergleiche man die Überlegungen der Autorin in Vetter (Hg.) 1999, 239 f.

problems als solchen gerade dies, dass man Erscheinungsstruktur mit der Struktur eines Erscheinenden verwechselt oder vermengt. ‚Es gibt eine Erscheinungsstruktur' bedeutet nicht, es gibt ein Seiendes, ein Dies-da, das man Erscheinung nennen kann." Gegen Husserl die Notwendigkeit ontologischer Differenzierung hervorhebend, benennt dann Patočka selbst „Erscheinungsstruktur" expressis verbis als „Weltstruktur": „Es gibt eine Gegebenheits- (und Nichtgegebenheits-) Struktur, die aber in sich selber *kein Seiendes* ist und trotzdem zum Seienden als solchem auf einer gewissen Stufe und von einer bestimmten Struktur, diese mitbedingend und mitbestimmend, gehört, aber es ist eine völlig autonome Struktur (wir werden später zu beweisen versuchen: Weltstruktur)." (Patočka 2000, Text V, 119) Eine spätere Stelle desselben Kontextes weist schließlich „Erscheinungsstruktur" noch deutlicher aus: sie erscheint als „Erscheinen der Welt und seine Struktur". Die weiteren Erläuterungen dazu schließen dann wirklich den Kreis analoger Bestimmung: „Und da dies Erscheinen von der Präsenz der Dinge und der Welt im Original nicht abzutrennen ist, ziehen wir es vor, das Erscheinen als eine Dinge und Subjekt umspannende und umfassende Struktur aufzufassen. Die einzige Dinge und Subjekte umfassende Struktur ist aber die Welt selbst, und deshalb möchten wir sie als Weltstruktur aufgefaßt wissen." (Ebd. 123) Mit dieser Textstelle bestätigt sich erwartungsgemäß, dass transzendentale Horizontalität, die offensichtlich konsequent Patočkas gesamte Konzeption fundiert, auch für „Weltstruktur" als „Erscheinungsstruktur" zum Tragen kommt. Dem ausdrücklich angestrebten „formalen Transzendentalismus des Erscheinens als solchen" wird damit wiederum Rechnung getragen. Wie das „Erscheinen als solches", die „Sphäre von gesetzmäßigen Strukturen", als „Szene" oder „Bühne" die Bedingung der Möglichkeit für „erscheinendes Seiendes" bedeutet, so die „Weltstruktur" für die „Welt als *das Ganze*". Striktester Gegensatz zu Rombachs strukturontologischem Konzept ist damit gegeben, denn dessen „Welt" oder „Struktur" kann keinesfalls als ermöglichender Horizont, als vorgängig ausgelegte Dimension aufgefasst werden. „Hervorgang" als konkreative Selbstentfaltung meint im Gegenteil gerade, dass sich die jeweilige Dimension einer jeden Welt-Struktur allererst und gleichursprünglich gemeinsam mit all ihren Momenten in inhaltlicher Fülle selbst ernötigt und ausspannt. Es gibt kein Anzeichen dafür, dass ein solches dimensionales Verständnis von „Welt" oder „Struktur" sich bei Patocka andeutet, wenn auch gerade sein Bemühen um asubjektive Phänomenologie – in allerdings merkwürdig unscharfer Diktion – dies nahelegen könnte: „Im Erscheinungsfeld lassen die Dinge genauso das Ichliche zum Vorschein kommen, wie das Ichliche seinerseits Dinge erscheinen läßt, aber das Ichliche ist nicht in sich selbst und auf eine ‚absolute Weise' zu erfassen." Zwar steht in diesem Text komplexes Erscheinungsgeschehen im Vordergrund, das wirklich von subjektivistischen Tendenzen befreit erscheint und somit Patočka eigenem Anspruch gerecht wird, aus Husserls Subjektivismus herauszuführen. Aber die Metapher „Erscheinungsfeld" verweist erneut auf horizontal-transzendentale „Struktur", wenn auch die anschließende Forderung nach einem „Studium des phänomenalen Feldes als der Erscheinung in ihrem Erscheinen" durch die überraschende Identifizierung von „phänomenalem Feld" und „Erscheinung in ihrem Erscheinen" eine „Hochinterpretation" in Richtung auf strukturdynamisches Verständnis des Erscheinungsgeschehens nahelegt. Unklar bleibt indessen, ob man „Erscheinung in ihrem Erscheinen" nun mit „Erscheinen als solchem" identifizieren darf, und vergeblich sucht man nach Anzeichen dafür, dass die ontologische Differenz aufgegeben wäre. Die Fortsetzung der Textstelle belegt genau das Gegenteil, indem sie das phänomenale Feld als Erscheinung in ihrem Erscheinen vielmehr analog setzt zum „phänomenalen Sein, das darin besteht, Seiendes zu zeigen, erscheinen zu lassen und in diesem Erscheinen des Seienden selbst, ohne Thema zu werden, dazusein – in diesem Sinne im Erscheinen der Dinge selbst sich zu verbergen".[14] Damit wären diese Überlegungen zu ihrem Ausgangspunkt fast wörtlich zurückgekehrt. Denn offensichtlich stand auch hier Heidegger Pate für Patočkas wiederholtes Bemühen, eine „Katharsis des Phänomenalen wirklich durchzuführen und der Phänomenologie dadurch den Sinn einer Erforschung des Erscheinens als eines solchen zurückzugeben, wie er vielleicht die ursprüngliche Intention ihres Urhebers bildete". Allerdings weist durch deutliche Assonanzen zum späten Heidegger „Erscheinen als solches" in die Richtung von dessen „Ereignis", von dessen „Schicken im Geschick des Seins", wobei „das Schickende selbst an sich hält und im Ansichhalten sich der Entbergung entzieht" (Heidegger 1976, 23). Damit verstärkt sich Patočkas Abstand zu Husserl: ein markanter Fort-Schritt hin zu Heideggers fundamentalontologischer Konzeption ist zu konstatieren. Diese selbst aber überschreitet er nicht.

Rombach indessen sieht genau darin die Leistung der Strukturontologie, in der Phänomene nicht mehr „von Stasis und Sein her, sondern aus ihrer Genese begriffen werden", denn „Phänomene sind nicht primär durch ‚Bau' und ‚Seinsverfassung' charakterisiert, sondern durch eine ununterbrochene Selbstentfaltung." Nur dürfe diese Entfaltung nicht „als eine solche in einem vorgegebenen Spielraum angesehen werden", in einem sie ermöglichenden Horizont, in vorgängig ausgelegter Dimension, wie oben schon angedeutet. Man müsse sie vielmehr verstehen als „eine, die auch noch den Raum für die Entfaltung in ihrer Entfaltung mitentfaltet. Wo dies erfasst und als ontologischer Grundcharakter erkannt ist, verwandelt sich die ontologische Phänomenologie in die *genetische* und d. h. in die *strukturale* Phänomenologie" (Rombach 1980, 295 f.). Trotz der bei Rombach öfter kritisierten, sehr missverständlichen Terminologie, die hier durch das Festhalten an „Ontologie" gerade solchen Fortschritt zu verdecken droht, kann freilich der Sache nach seine *Strukturontologie* tatsächlich als derartige strukturale

---

[14] Patočka 1991, 302. – Dieser zweite Aufsatz Patočkas zur Asubjektivität von 1971 zeigt schon im Titel durch seine „Forderung einer asubjektiven Phänomenologie" eine Zuspitzung der Position des Autors; demgegenüber war in dem ersten diesbezüglichen Beitrag noch viel zurückhaltender nur von der „Möglichkeit einer asubjektiven Phänomenologie" die Rede. – Vgl. dazu ebd., 267 und 286.

Phänomenologie angesehen werden, denn sie konzentriert sich auf das geschilderte Geschehen der Selbstentfaltung von Phänomenen, das zur gleichursprünglichen „Genesis einer bestimmten Dimension und eines bestimmten Grundphänomens führt". So entfalte sich eine „Struktur, in der jedes Moment durch die anderen Momente, also *alles durch alles* – und somit *das Ganze durch sich* selbst – zu verstehen ist" (ebd. 296). Struktur in diesem Verständnis entspricht dem hermetischen „Phänomen mit Weltcharakter", ist eine „Struktur, die nur durch sich selbst zu verstehen ist, d. h., die ihre Kategorien aus ihrer Genese bestimmt". Sie nimmt so ihren „(Verstehens-)Horizont *in sich zurück*, macht ihn zum inneren Helligkeitsraum". Solche „sich *zurücknehmende* Tendenz des Phänomens" (ebd.) zeigt für Rombach, dass die oben erwähnte wahre phänomenologische Reduktion (die er, wie der folgende längere Textabschnitt belegen soll, im Gegensatz zu Patočka weder terminologisch noch inhaltlich von der phänomenologischen Epoché unterscheidet), gar nicht, wie von Husserl postuliert, durch transzendentale Subjektivität zu leisten ist, sondern sich vielmehr als strukturales Geschehen im Phänomen selbst ereignet, was allerdings erst mit und in der Strukturontologie zum Vorschein komme:

„Diese sich *zurücknehmende* Tendenz des Phänomens (daher Epoché) wurde nicht immer mit derselben Deutlichkeit und Entschiedenheit berücksichtigt. Die Strukturontologie nimmt den Grundzug der so erst richtig verstandenen Reduktion mit in das Phänomen auf, bestätigt damit die ,Ausschließlichkeit' als einen unverzichtbaren ontologischen Grundcharakter (nicht erst als eine Erkenntnisschwierigkeit) und führt damit das Phänomen seinem eigenen Maß zu – bzw. es zeigt, dass das ,Seiende' so weit ,Phänomen' geworden ist, als es ein eigenes Maß entwickelte - und das heißt ontologisch, ,gelang' (in seine Helle fand). Dem ,Gelingen' eines Phänomens entspricht auch ein ,Misslingen', das nicht nur ständig möglich, sondern auch gewöhnlich das gegebene ist. Darum die Tendenz, alles als ,seiend' zu verstehen. ,Sein' ist die Verfasstheit *der misslungenen Phänomene.* Aber das Misslingen spricht nicht gegen das Gelingen, sondern hebt dieses erst hervor und schafft, – durch ,Korrektur' (eine Strukturkategorie) – eine Möglichkeit, es in sensiblerer Weise zu realisieren." (Ebd. 296 f.)

Unüberhörbar spricht freilich auch bei Rombach Heidegger noch kräftig mit. Es zeigt sich dabei, wie Heideggers Reduktionsbegriff für den Fort-Gang der Phänomenologie fruchtbar wird: Die oben diagnostizierte Funktion der Reduktion für die Fundamentalontologie, als existentieller Vollzug der Eigentlichkeit aus Uneigentlichkeit zu befreien und so maßgebliches Kriterium für existentiale Analytik zu sein, wird ganz analog in die strukturale Phänomenologie übernommen. Hier fungieren entsprechend „Gelingen" und „Misslingen" als Maßstab, an dem jedes „Phänomen mit Weltcharakter" sich fortan abarbeiten und in sein eigenes Maß bringen muss. Aber während Heidegger in der Polarität „Eigentlichkeit" versus „Uneigentlichkeit" verharrt, obwohl er selbst doch laut Rombach den „Weltcharakter" des Phänomens entdeckt habe, erschließt gerade diese strukturale Hermetik der Strukturontologie Multiverazität, Vieldimensionalität eines jeden Phänomens. „Gelingen" und „Misslingen" zeigen sich demnach auf je unterschiedlichem dimensionalen Niveau eines jeweiligen Phänomens unterschiedlich: die oben zitierte strukturale Korrekturmöglichkeit und Korrekturbedürftigkeit, die die Phänomengestalt in stets „sensiblerer Weise zu realisieren" vermag, bringt so jenseits ontologischer Differenz, über einfache Polarität hinaus, vielfältig differente „Welten", dimensionale Strukturen oder „ontologische Tableaus" hervor.[15] ‚Sein' und ‚Seiendes' sind dabei ebenso wie ‚Existenz' zu Strukturmomenten ‚hochinterpretiert' und in die Strukturdynamik integriert.

Abschließend wäre also zu konstatieren: Zwar ist Heideggers Verständnis von „Ereignis" maßgebend für den jeweiligen Hauptaspekt der beiden hier betrachteten, phänomenologischen Konzeptionen, für Rombachs Strukturgeschehen als „Hervorgang" ebenso wie für Patočkas „Erscheinen als solches". Aber gerade die unterschiedliche Deutung derselben ‚systematischen Stelle' im Entwicklungsgang der Phänomenologie ent-deckt für diesen eine je andere Intention.

Literatur

Blaschek-Hahn, H. (1999): „Phänomenale Sphäre und Strukturgeschehen. Jan Patočkas ‚asubjektive Phänomenologie' und Heinrich Rombachs Konzeption einer ‚Strukturgenese'", in: H. Vetter (Hg.): *Siebzig Jahre Sein und Zeit. Wiener Tagungen zur Phänomenologie 1997 (Reihe der Österreichischen Gesellschaft für Phänomenologie*, Bd. 3). Frankfurt/M. u. a., 223-240.

Heidegger, M. (1975): *Grundprobleme der Phänomenologie (Gesamtausgabe* Bd. 24), hg. v. F.-W. von Herrmann, Frankfurt/M.

- (1976): *Zeit und Sein*, in: Zur Sache des Denkens, Tübingen.

- (1984): *Sein und Zeit*, Tübingen 1984.

Husserl, E. (1950): *Die Idee der Phänomenologie. Fünf Vorlesungen (Husserliana*, Bd. II), hg. v. W. Biemel, Den Haag.

Patočka, J. (1991a): „Der Subjektivismus der Husserlschen und die Möglichkeit einer ‚a-subjektiven' Phänomenologie", in: ders.: *Die Bewegung der menschlichen Existenz. Phänomenologische Schriften II*, hg. v. K. Nellen, J. Němec u. I. Srubar, Stuttgart, 267-285.

- (1991b): „Der Subjektivismus der Husserlschen und die Forderung einer ‚asubjektiven' Phänomenologie", in: ders.: *Die Bewegung der menschlichen Existenz. Phänomenologische Schriften II*, hg. v. K. Nellen, J. Němec u. I. Srubar, Stuttgart, 286-309.

- (2000): *Vom Erscheinen als solchem. Texte aus dem Nachlass (Orbis Phaenomenologicus Quellen*, Bd. 3), hg. v. H. Blaschek-Hahn u. K. Novotný, Freiburg/München.

Rombach, H. (1965/1966): *Substanz, System, Struktur. Die Ontologie des Funktionalismus und der philosophische Hintergrund der modernen Wissenschaft*, 2 Bde., Freiburg/München; 2. Aufl. 1981.

---

[15] Auf den für Rombachs strukturontologisches Konzept eminent wichtigen Begriff „Dimension" kann hier nur am Rande verwiesen werden. – Vgl. dazu z. B. Rombach 1980, 212-238, 1994, 87 f. oder 1996, 19-30.

- (1971): *Strukturontologie. Eine Phänomenologie der Freiheit*, Freiburg/München.
- (1980): *Phänomenologie des gegenwärtigen Bewußtseins*, Freiburg/München.
- (1983): *Welt und Gegenwelt. Umdenken über die Wirklichkeit. Die philosophische Hermetik*, Basel.
- (1987): *Strukturanthropologie. „Der menschliche Mensch"*, Freiburg/München.
- (1991): *Der kommende Gott. Hermetik - eine neue Weltsicht*, Freiburg.
- (1994): *Der Ursprung. Philosophie der Konkreativität von Mensch und Natur*, Freiburg.
- (1994): *Drachenkampf. Der philosophische Hintergrund der blutigen Bürgerkriege und die brennenden Zeitfragen*, Freiburg.
- (1996a): *Drachenkampf. Der philosophische Hintergrund der blutigen Bürgerkriege und die brennenden Zeitfragen*, Freiburg i. Br.
- (1996b): „Die Geschichte als philosophisches Grundgeschehen. Was erzwang meinen Weg in die wirkliche Philosophie?", in: Chr. U. M. Auskeller (Hg.): *„…was die Welt im Innersten zusammenhält": 34 Wege zur Philosophie*, Hamburg, 32-35

Stenger, G. u. M. Röhrig (Hg.) (1995): *Philosophie der Struktur. „Fahrzeug" der Zukunft? Festschrift für Heinrich Rombach*, Freiburg/München.

Rombach und Nishida

Anhand ihrer Leibniz-Interpretationen

Kiyoshi Sakai

Einleitung

Bekanntlich in seinem ersten Grundwerk, *Substanz System Struktur. Die Ontologie des Funktionalismus und der philosophische Hintergrund der modernen Wissenschaft* (1965/1966), macht Rombach den Umbruch von der überlieferten Substanzontologie zur Funktionalontologie zum Thema und behandelt die „apokryphe" Denkgeschichte des Strukturgedankens. Dieser geschichtliche Wandel, in dem der herkömmliche Aristotelische Substanzbegriff aufgelöst und an seine Stelle der Systembegriff gesetzt wurde, erfolgte von der Spätscholastik bis zur Neuzeit, von Kopernikus, Bruno, Galilei bis hin zu Kant, nur allmählich. „System" ist derjenige Sachverhalt, in dem alle Momente eines Ganzen in einer Relation zueinander stehen, so dass das Sein der einzelnen Seienden auf das der Relation zurückgeführt wird. Das System soll jedoch noch von dem anderen Begriff der „Struktur" überholt werden. Ihr gemäß „ist" der Teil zugleich das Ganze, was besagt, dass der Teil nicht bloß das Ganze vorstellend ausdrückt („totizipatio" statt „participatio"). Die Struktur ist Rombach zufolge die Grundform der Wirklichkeit im gegenwärtigen und auch künftigen Denken, während das System der Grundbegriff der Neuzeit gewesen ist. Bereits im Gang von der Substanz zum System, nämlich bei Nicolaus Cusanus, taucht vorgreifend der Ansatz des Strukturbegriffs auf. Rombachs Cusanus-Interpretation, in welcher der Begriff „contractio" als das Zusammengezogene im Mittelpunkt steht, kann auch als ein großer Beitrag zur Cusanus-Forschung gelten. Im Zusammenhang mit Cusanus widmet Rombach unter den neuzeitlichen Denkern besonders Leibniz große Aufmerksamkeit. Die Monade und deren „expression" („représentation") wird im Zusammenhang mit der Cusanischen „contractio" erörtert. Innerhalb des eher philosophiegeschichtlich orientierten *Substanz System Struktur* ziehen neben den Cusanus-Abschnitten noch das Descartes- oder Pascal-Kapitel größere Aufmerksamkeit auf sich.[1]

---

[1] Rombach selber hat dem Verfasser einmal mitgeteilt, er verstehe sich mehr als Pascalianer denn als Leibnizianer, obgleich er in Leibniz' Gedankengut große Affinität zu seiner Strukturontologie findet.

Auch Rombachs Leibniz-Auslegung sollte nicht vernachlässigt werden, zumal Rombachs Strukturbegriff vom Leibnizschen Monadenbegriff starke Impulse erhielt. Die Bedeutung von Leibniz gilt auch für Rombachs spätere Werke: In *Der Ursprung. Philosophie der Konkreativität von Mensch und Natur* wird Leibniz' Denkmodell des „Spiegels" des Universums im Kontext von Themen wie „Alles in allem" oder „Idemität" als dasjenige erwähnt, „das durch diesen Cusanischen Gedanken aufs Höchste alarmiert worden ist" (Rombach 1994, 56).[2]

Ebenso ist für Kitaro Nishida (1870-1945) von seinem ersten Grundwerk, *Zen no kenkyu* („Über das Gute", Tokyo 1911) bis hin zu seinem letzten Sammelband des Jahres 1944 Leibniz stets einer der bedeutendsten Mitdenker geblieben. So stößt man in Nishidas posthum veröffentlichter, neunzehnbändiger Gesamtausgabe, *Nishida Kitaro zenshu* (Tokyo 1947-1953), häufiger auf Leibniz als auf alle anderen Philosophen, die für ihn von Bedeutung waren, wobei Kant die einzige Ausnahme bildet. Nishida war nicht nur ein origineller Systemdenker, sondern auch ein aufmerksamer Leser der Werke westlicher Philosophen. Er war wohl der erste, der in Japan die Bedeutung und Tiefe der Leibnizschen Monadologie vorgestellt hat. Seine Leibniz-Lektüre ist sehr umfangreich; als Textgrundlage stützt er sich hauptsächlich auf die C. J. Gerhardtsche Ausgabe (1875-1890). Leibniz ist für Nishidas Grundthese von „zettai mujunteki jikodoitsu" (absolut widerspüchliche Selbstidentität) sowohl Vorläufer wie auch Kontrahent. Nishida wendet sich hinsichtlich von Themen wie „Individuum und Welt", „Eines und Vieles", „Selbst und Andere" immer wieder der Leibnizschen Metaphysik zu, um dadurch für seine eigenen Denkansätze eine angemessene Form zu finden, aber auch um seine eigene Position stärker konturieren zu können.

So lässt sich vorgreifend sagen, dass Rombach wie auch Nishida in ihren Auseinandersetzungen mit Leibniz' monadologischer Metaphysik jeweilige Grundbegriffe konzipiert haben, nämlich „Struktur" (Rombach) und „absolut widersprüchliche Selbstidentität" (Nishida). Von daher stellt sich der vorliegende Aufsatz die Aufgabe, die wesentlichen Züge dessen, wie Leibniz' Monadologie bei beiden Denkern rezipiert worden ist, aufzuweisen. Mit dieser Untersuchung können wir einerseits die Tragweite der Leibnizschen Philosophie und andererseits die philosophischen Grundmotive von Rombach und Nishida herausstellen, wobei auch vergleichende philosophische Aspekte eine bedeutsame Rolle spielen.

Die Monade ist für Rombach wie für Nishida weder ein bloß logischer Begriff (notio completa) noch eine naiv vorgestellte, an sich bestehende Substanz. Gemeinsam ist ihrem Leibniz-Verständnis die Einsicht in die Wirklichkeit im Sinne von *wirken*. Die Monade wird von beiden primär als das „Wirken selbst" bzw. die „wirkende Wirklichkeit" aufgefasst. Darauf gestützt, interpretiert Rombach die Monade als „Struktur", Nishida als „absolut widersprüchliche Selbstidentität".

---

[2] Innerhalb des Strukturdenkens verweist Rombach Leibniz auf den zweiten Platz nach Cusanus. Je stärker in Rombachs Spätdenken wie etwa in seiner Hermetik die individualistische Seite in den Vordergrund tritt, desto größeres Gewicht wird Cusanus zugesprochen (vgl. z. B. Rombach 1994, 57).

1. Leibniz-Interpretation bei Rombach

1.1. Die Auslegung der Monade in *Substanz System Struktur*

Die Leibnizsche Monade weist prinzipiell zwei Seiten auf: einmal eine relationale, mit Rombach gesprochen, funktionale Seite, wobei jede Monade sich auf alle anderen bezieht, und dann eine substantialistische Seite, wonach sie von vornherein als einfache Substanz bestimmt ist (vgl. Monadologie, § 1-7). Im Zusammenhang mit dem im Substanzbegriff thematisierten Umbruch von der antiken Substanz zum neuzeitlichen System weist Rombach darauf hin, dass sich das, was in der Antike und im Mittelalter als Ding oder Substanz (*ousia, hypokeimenon*) galt, seit dem Beginn der Neuzeit einerseits in dessen Kern (Geist, Für-sich) und andererseits in dessen Relationalität aufspaltete. Bei Descartes entsprechen diesen zwei Seiten seine Grundbegriffe von „res cogitans" und „res extensa", und diese entsprechen der „Monade" und deren „Funktion" („Relation"). Noch interessanter ist, dass Rombach hier als die Vorwegnahme der Monaden und ihrer Funktionen die „quidditas" versteht, und zwar die „quidditas contracta" bei Nicolaus Cusanus. Während die Sprache bzw. Logik für die bisherige Dingontologie auf der Satzform „S est P" beruht, kann jetzt die Sprache des Funktionalismus, so Rombach, als „Rechnen" und diejenige der Monadologie als tautologische Ontologie (Ästhetik, Theologie etc.) bezeichnet werden.

Es wird aber nur die Körperwelt funktionalisiert. Dem Körper wird die Stelle des Phänomens zugewiesen. Dieses Phänomen bedeutet jedoch keineswegs phaenomenon imaginaria (imago), sondern „phaenomenon bene fundatum" bzw. „phaenomenon bene regulata".[3] Dieser Funktionswelt steht die Monadenwelt gegenüber, die nicht funktionalisiert werden kann. Die Monade, monas, das eine, ist nicht ein bloß im logischen Sinne gemeintes Unteilbares, sondern sie ist wesentlich „vis", Kraft, Selbsttätigkeit. Solche Spontaneität der Monade vollzieht sich jeweils als Ausdruck (expression), und zwar als Ausdruck der Vielheit in der monadischen Einheit. Diese Einheit ist also die einigende Einheit. Der Ausdruck der Vielheit in der Einheit, d. h. der Ausdruck der ganzen Welt in sich selbst, ist die Vorstellung (perceptio). Diese Vorstellung ist Selbstvorstellung oder Selbstreaktion. Gerade diese Einheit versteht Rombach als eine strukturierte Einheit.

Zum anderen besitzt die Monade bei Leibniz neben dem Strukturcharakter auch den Substanzcharakter. Leibniz unterscheidet also zwei verschiedene Dimensionen, einmal die Körperwelt als Phänomen, wobei das Einzelne durchgehend relational funktional bestimmt wird, dann den zugrundeliegenden Geist als Substanzmonade. Rombach meint, dass diese Unterscheidung wichtig ist und das letztere Moment nur noch als zur *Metaphysik der Person* oder zur *Über-Metaphysik* gehörig betrachtet werden kann.[4] Was die Erscheinungswelt angeht,

---

[3] Zu den Kriterien der Unterscheidung zwischen dem phaenomenon imaginariis und pahenomenon bene regulata vgl. Leibniz' Aufsatz „De mododistinguendi phaenomena realis ab imaginariis" (Leibniz 1875-1890, VII, 319–322).

[4] In einem frühen Aufsatz weist Rombach auf die Leibnizsche Unterscheidung von

wird alles funktionalisiert. Dieses lässt sich jedoch bei Leibniz noch im Sinne des „Systems" verstehen, d. h. desjenigen, in dem jeder Teil als solcher festgelegt ist, während jedes Teilmoment in der Struktur zugleich das Ganze „ist". Der neuzeitliche Mechanismus steht auf der geschichtlichen Stufe des Funktionalismus, aber er verbleibt noch auf der Stufe des Systems. Kurzum: Leibniz' Ansätze zum Strukturdenken als zu einer Phänomenologie der Freiheit werden noch durch die Voraussetzung der Substanz behindert.

Rombachs Verhältnis zur Metaphysik ist ein zweifaches: Einerseits äußert er sich gegenüber der seit der Antike überlieferten Metaphysik kritisch, weil sie im Grunde am griechischen Begriff des „on" (Seiendes) orientiert ist und somit auch als „Differenzontologie" bezeichnet werden kann. Andererseits deutet er auf eine „neue Metaphysik" hin, welche gerade die Parallelität oder das Verhältnis von Funktionalismus und Metaphysik der Person zum Thema macht.

1.2. Monade als Struktur – bezüglich der Fensterlosigkeit der Monade

Die Monaden stehen nicht nur zueinander, sondern jede Monade schließt in sich alle anderen Monaden, also die Welt, ein. Die Monaden haben demnach keine Fenster, durch die sie eine physische Wirkung von außen empfangen könnten (vgl. *Monadologie*, § 1-7). Die Monaden besitzen von vornherein einen Inhalt und in diesem Sinne kein Außen. Die reelle Differenz zwischen Außen und Innen setzt eine Substanzontologie voraus, wonach einzelne Seiende und der Unterschied zwischen ihnen bestehen sollen. Die Struktur dagegen besitzt Rombach zufolge weder Außen noch Andere. Es lässt sich also sagen, dass die fensterlose Monade zumindest ihrer inhaltlichen Möglichkeit (Tragweite) nach auf die Struktur verweist, die bei Rombach von der Substanz und sogar vom neuzeitlichen System unterschieden ist. Die Monade als Struktur bzw. die monadische Struktur ist Kraft, also eine dynamische Einheit, die selber weder Ausdehnung noch Größe besitzt. Sie ist Teil, insofern dieser kein (absoluter) Gott ist, aber sie ist, als fensterlose Monade, zugleich das Ganze, aber dies auf bestimmte Art und Weise. Dieses Verhältnis entspricht dem Leibnizschen Begriff des „miroir vivant perpetuel de l'univers" (ebd. § 56) in einer bestimmten „perspective" auf einem bestimmten „point de vue" (ebd. § 57).

Dennoch erblickt Rombach zwischen Leibniz' fensterloser Monade und seinem eigenen Strukturbegriff eine wesentliche Differenz. Denn die Struktur in Rombachs Sinn ist eigentlich das Ganze, das Einzige. Es gibt also für die Struktur keine anderen. Die Struktur verhält sich nur zu sich selbst. „,Viele' Strukturen, das ist schon ein Mißverständnis." (Rombach, 1971, 62) So gesehen ist Leibniz' Annahme, dass es viele individuelle Substanzen gebe, für Rombach nichts anderes als eine Beschränkung für die monadologische Metaphysik selbst („wie unglücklich der Ansatz der ‚Fensterlosigkeit' in der Monadologie Leibni-

---

Körperwelt (exakte neuzeitliche Wissenschaft) und Geistwelt (Über-Metaphysik) hin, die völlig verschieden bestimmt werden können; hierin erblickt Rombach die von Leibniz zu Kant verlaufende Entwicklung (Rombach 1962).

zens war" [ebd.]). Einzelne Monaden müssten eigentlich nur ein Einziges und somit das Ganze sein, was bereits Giordano Bruno betont hatte. Es sei denn, Brunos Auffassung ist ihrerseits noch durch räumliche Vorstellungen wie „groß", „weit", „ausgedehnt", d. h. durch das substantialistische Konzept, bestimmt. Die Struktur ist stets ein über den Vergleich Hinausgehendes. Rombach stellt fest: Wenn Leibniz Cusanisches Denken in seine monadische Struktur implantiert hat, hatte er schon diese Einzigkeit der Monade bestimmt, doch am Ende hat er sie in „System" und nicht in „Struktur" umgesetzt. Im System gibt es als Voraussetzung immer schon viele Elemente, viele Monaden. Gerade um diese vielen Monaden miteinander in Verbindung zu bringen, wird bei Leibniz jener künstliche Begriff der „harmonie préétablie" eingeführt. Kurz gesagt, insofern die Monade als ein das Ganze in sich ausdrückender Spiegel gedacht wird, kommt Leibniz dem Strukturdenken sehr nahe, womit er sich wiederum von Descartes oder Spinoza unterscheidet. Aber insofern die Vielzahl der Monaden vorausgesetzt wird, um das sie verbindende Prinzip, d. i. die prästabilierte Harmonie, sozusagen nachträglich in Anspruch zu nehmen, verbleibt sein monadologischer Ansatz immer noch innerhalb des Systemdenkens, worin die Seiendheit des Einzelnen festgesetzt ist und die Differenz zwischen den Elementen und dem Ganzen als solche immer noch bestehen bleibt (also der Übergangscharakter des Leibnizschen Denkens). Es sei hier vorgreifend bemerkt, dass die Struktur für Rombach das Ganze, und zwar das absolute Ganze, bedeutet, das absolut ist, weil es keine Anderen hat, und das somit nur auf sich selbst verweist, während dieser Einzigkeits- oder Ganzheitscharakter der Struktur, wenigstens der Sache nach, bei Nishida nicht so deutliche Entsprechungen findet.

Rombachs Auslegung der Fensterlosigkeit ist noch eigentümlicher, vergleicht man sie mit Husserls und Heideggers Auffassungen. Husserl versteht die Monade seinem transzendentalphänomenologischen Ansatz gemäß von Anfang an als das gegen einen möglichen Solipsismus-Vorwurf gefeite transzendentale Bewusstsein. Husserl meint: Würde man das Fenster der Monade als ein reelles auffassen, wäre die Monade ohne Fenster, aber wenn es „Selbsteinfühlung" bedeutet, besitzt die Monade doch Fenster. „Leibniz sagte, Monaden haben keine Fenster. Ich aber meine, jede Seelenmonade hat unendlich viele Fenster, nämlich jede verständnisvolle Wahrnehmung eines fremden Leibes ist solch ein Fenster [...]." (Husserl 1973, 473)

Für Heidegger hingegen bedeutet Monade nicht Bewusstsein wie bei Husserl, sondern Dasein als In-der-Welt-sein. In seiner letzten Marburger Vorlesung vom Sommersemester 1928 sagt Heidegger deutlich: „Unsere Auslegung war schon von der Interpretation des Daseins als Zeitlichkeit her geleitet, vor allem vom Einblick in das Wesen der Transzendenz." (Heidegger 1978, 270) Gleichwohl distanziert sich Heidegger von Leibniz, weil dessen metaphysische Konzeptionen letztlich vom Cartesianischen Ansatz des „ego cogito" als res cogitans in reeller Immanenz abhängig blieben. So könne Leibniz nur sagen, dass die Monaden keine Fenster brauchen, weil alles schon in der Monade enthalten sei. Heidegger schlägt vor, über Leibniz hinaus weiter zu denken. „Wir würden umgekehrt sagen: Sie [die Monaden] haben keine Fenster, nicht weil sie alles drinnen haben, sondern weil es weder ein Innen noch ein Außen gibt – weil die Zeitigung (der Drang) in sich das ekstatische Geschehen des Welteingangs besagt, sofern die Transzendenz schon in sich selbst der mögliche Übersprung ist über das mögliche Seiende, das in eine Welt eingehen kann [...]." (Ebd. 271)

Bemerkenswert ist noch Eugen Finks Interpretation der fensterlosen Monade. Fink, der mit der Monaden-Auslegung seiner beiden Vorgänger vertraut war, schenkte diesbezüglich weder der „Einfühlung" (Husserl) noch der „Transzendenz des Daseins" (Heidegger) Aufmerksamkeit. Fensterlosigkeit besagt für ihn, dass die Monade als unräumliche zwar von aller Ortsbewegung ausgeschlossen ist, sich aber zu jeder Zeit in einer im Sinne von Veränderung zu verstehenden Bewegung befindet (nicht aber so, dass sie sich einmal bewegte, dann wieder stehen bliebe). Wenn Rombach hinsichtlich der Fensterlosigkeit betont, die Monade impliziere alles, besitze daher weder ein Außerhalb noch Andere und jede einzelne Monade sei selbsttätige, in sich strukturierte Einheit, so wird schon die größere Affinität deutlich, die Rombach eher mit seinem Lehrer Fink als mit Heidegger verbindet.

Für Fink, dem es in seinem Philosophieren letztlich um die Welt geht, bedeutet die Fensterlosigkeit der Monade die Beseitigung der Bewegungsform von „auxesis" (Vermehrung, Vergrößerung, Wachstum) und „phitisis".[5] Das heißt: Die Monaden sind als nicht-raumhafte von aller Ortsbewegung ausgenommen, sie besitzen auch keine Eigenschaften, die akzidentell und veränderbar wären. Dennoch weist die Monade die Bewegungsform einer nicht im passiven Sinn zu verstehenden Veränderung auf. Die Beschaffenheiten der Monade müssen im Sinne einer Verabschiedung der Eigentümlichkeit einer jeweiligen Monade verstanden werden. Die Monaden erhalten nämlich nicht von woandersher so etwas wie ihre Akzidenz, sondern sie verändern sich immer schon. Diese Veränderung geschieht ganzheitlich und überall, weil sie nicht örtlich ist.

2. Leibniz-Auslegung in Rombachs Spätdenken

Von Rombachs späteren Werken zur Bildphilosophie und Hermetik können wir zwei nennen, in denen Leibniz erwähnt wird: *Keisho wa kataru. Genshogaku no atarashii dankai* („Die Bilder sprechen. Eine neue Stufe der Phänomenologie", 1982) und *Der Ursprung* (1994). Im erstgenannten Werk, das auf Vorträgen basiert, die Rombach 1980 in Japan gehalten hatte, und das nur in einer japanischen Ausgabe in der Übersetzung von R. Ohashi erschienen ist, findet man eine entscheidende Aussage zu Leibniz (Rombach 1982, 6 f.): Leibniz wird hier in zwei mit „Welt als Struktur" und „Struktur und Nichts" überschriebenen Abschnitten

---

[5] Vgl. die vorbereitenden Notizen zu der im WS 1961/1962 an der Universität Freiburg i. Br. unter dem Titel „Leibniz: Monadologie" veranstalteten Seminarübung. – Für die Möglichkeit der Einsichtnahme in diese Notizen gilt mein aufrichtiger Dank Frau Susanne Fink sowie dem verstorbenen Direktor des Eugen Fink-Archivs, Prof. Dr. Ferdinand Graf.

erwähnt, in denen die radikalisierte Relationalität der Relationen in und zwischen den Teilmomenten dargestellt wird. Rombach weist hier auf ein Denkexperiment Leibniz' hin: Wenn alles nur in wechselseitiger Beziehung aufeinander besteht, wissen wir nicht, wie weit die Welt selbst sich erstreckt; sie kann unendlich groß sein, mit gigantischem Ausmaß, oder aber klein wie eine Kugelnuss – welches zu entscheiden aber weder für die Welt noch für uns relevant sei.

Im *Ursprung* verweist Rombach an sechs Stellen auf die Bedeutung von Leibniz' Denken als die (neben Pascal zweitwichtigste) Hauptstation einer „apokryphen Denkgeschichte" des Strukturdenkens seit Cusanus. Leibniz liefere nämlich ein erstes Beispiel für den Terminus „structura" (Rombach 1994, 44). Mit dem Satz „alles in allem" (quodlibet in quolibet) bezieht Rombach Leibniz erneut auf Cusanus. Allerdings sei Leibniz von Cusanus insofern zu unterscheiden, als „wir in letzterem Fall von ‚Idemität' sprechen, während man im Anschluß an Leibniz im Falle bloß zwischenmonadischer Wiedergabe oder Widerspiegelung vielmehr von einer ‚Identität' sprechen kann" (ebd. 57 f.).

Von daher ist Rombachs kritische Haltung gegenüber Leibniz' Begriff der „harmonie préétablie" in *Welt und Gegenwelt* (1983) bemerkenswert. Hier heißt es nämlich, dass die von Leibniz behauptete „Harmonie" nicht-wirklich, somit metaphysisch sei – denn solch prästabilierte Harmonie finde sich in unserem alltäglichen Leben nicht – und hierfür das Pascalsche Modell eines Konflikts unter den Menschen besser passe. Bemerkenswerterweise steht, vorgreifend gesagt, der spätere Nishida hierin Rombach insofern noch näher, als auch er eine harmonie préétablie für unrealistisch hält.[6]

3. Nishidas Leibniz-Interpretation:
   Zettai mujunteki jikodoitsu – absolut widersprüchliche Selbstidentität

Die Frage, welche monadologischen Konzeptionen Nishida positiv aufgenommen hat, lässt sich mit den folgenden drei Punkten beantworten:

a. „Expressio zugleich Repraesentatio". – Bei Nishida findet diese Leibnizsche Aussage große Zustimmung. Wenn es um die „perceptio" als solche geht, trifft Leibniz' These „perceptio est expressio multorum in uno" nach Nishida auf die Wirklichkeit der geschichtlichen Welt zu und gilt als die beste Lösung.

---

[6] Rombach verweist auf Leibniz auch in einigen seiner späteren Arbeiten; so heißt es etwa in „Die Welt des Barock. Versuch einer Strukturanalyse" (1986): „Leibnizens Denken stellt die barocke Grundkonzeption in ihrer reinsten Form dar." (1986, 15). Es ist nach Rombach zugleich höchste Theologie wie äußerste Philosophie und universale Physik. Auch in dem Aufsatz „Was ist Religion? Religion-Kirche-Theologie" (1990) wird Leibniz zu den wichtigsten Stationen der Philosophiegeschichte gezählt. Im Kapitel „Neuzeitliche Physik", in dem Kontext, dass reiner Stoff und Relation bzw. Proportion auf die Erde erweitert worden seien, bemerkt Rombach: „Dies geschah, wie bereits bemerkt, unter dem Einfluß der hochentwickelten Theologie von Cusanus, Spinoza und Leibniz, die Gott und die Welt nicht mehr durch das Schöpfungsgeschehen, sondern durch das Explikationsmodell vermittelten." (1990, 33)

b. „Petites perceptions". – Nishida merkt an, dass die expressio nicht mit dem psychologischen Bewusstsein gleichzusetzen, sondern primär ontologisch zu verstehen sei. Im Kontrast zu Descartes, der die Perzeption mit dem Bewusstsein (cogitatio) identifiziert, unterstrich Leibniz, dass es unendlich viele kleine unbewusste Perzeptionen („perceptions sans apperception") gibt. Unter dem endlichen Bewusstsein liegt auch für Nishida eine sich bodenlos erstreckende Schicht des Unbewussten, also unter der Wirklichkeit eine bodenlose Dimension unendlicher Möglichkeiten, die ihrerseits immer schon nach ihrem Wirklichsein strebt. Kurzum, der Wille ist das konkret, kreativ sich entwickelnde Fundament des Bewusstseins.

c. Leibniz' These, das lebendige Reale sei durch den Willen ausgewählt worden. – Zur Leibnizschen Auffassung, der Wille (décret libre de Dieu) habe das lebendige Reale, d. h. die substances individuelles, aus unendlichen, möglichen Welten ausgewählt und gemäß dem Satz des zureichenden Grundes zu ihrem Wirklichsein gebracht, merkt Nishida an: „Ich möchte diesen Leibnizschen Gedanken noch vertiefen und verallgemeinern, so dass alle unendlichen Sinnverbindungen das selbst unabhängige Reale, d. i. der Wille, sind." (Nishida, III, 89). Nishida geht es nicht um eine abstrakte, tote Körperwelt, die ihrerseits weder einen Gegenstand des freien Willens noch einen solchen der Person bedeutet.

Was Nishidas Beitrag für die Leibniz-Forschung in Japan betrifft, sind vor allem diese Punkte relevant (vgl. Sakai 1995):

a. Herausstellung der Doppelstruktur der expressio, als „perceptio" und „repraesentatio". – Hätte man nur die Seite der perceptio (Wahrnehmung der Mannigfaltigkeit in der Einheit des Bewusstseins) im Blick ohne zugleich die Seite der repraesentatio, verfiele man einem schlichten Idealismus.

b. Hervorhebung des Individualismus. – Nishida macht auf den Leibnizschen Begriff des „Individuums" als Einheit der absolut widersprüchlichen Vielheit aufmerksam und meint (vgl. Nishida, III, 224-231), dass Leibniz wohl der erste in der neuzeitlichen Philosophie war, der auf die wesentlichen Aspekte des individuellen Begriffs hingewiesen hat. Das Individuum verhält sich immer zu allen anderen, also zur Ganzheit der Welt, es ist somit als ein Sich-selbst-Bestimmen der Welt zu verstehen.

c. Beachtung der noch tieferen Dimensionen der „ars characteristica" sowie der „mathesis universalis" als Logik (oder logische Form) der neuzeitlichen Wirklichkeit. – Solange dieser Aspekt nicht angemessen beachtet wird, lässt sich Nishida zufolge die wahre Bedeutung und Tragweite der „mathesis universalis" nicht einsehen.

Zugleich sind aber auch die Hinweise zu berücksichtigen, die Nishidas Distanzierung von Leibniz' Position verdeutlichen, denn Nishida war kein bloßer Rezipient Leibnizschen Gedankenguts. Wie angedeutet, denkt Nishida in seiner frühen Phase zwar mehr mit Leibniz und gebraucht monadologische Termini, um seinen Denkversuchen eine angemessene Form zu geben, aber seine Monadologie übersteigt wesentlich die Leibnizsche. Im Laufe seiner Denkentwicklung, in der sich sein eigenes System des „absolut widersprüchlichen Selbstidentischen" mehr und mehr ausprägt, äußert er sich zunehmend distanziert und sogar kritisch gegenüber Leibniz. Nishida folgte Leibniz also nur auf einer gewissen Strecke seines eigenen Denkweges. Die wichtigsten Punkte der Distanzierung Nishidas von Leibniz sind:

a. Ausschließung des Substanzbegriffs. – Während sich Nishida zum Begriff der „expressio" positiv äußert, ist er der Leibnizschen Annahme der Substanz gegenüber von Anfang an negativ eingestellt. Er sieht in diesem substantialistischen Moment eine unberechtigte Beschränkung der Leibnizschen Metaphysik und fragt dagegen nach der „geschichtlichen Welt", in der Widersprüche im Gegeneinander von Einheit-Vielheit sich einigen, also nach dem handelnd wirkenden, allgemeinen Selbst. Ihm zufolge darf nicht ‚dahinter' noch so etwas wie ein zugrundeliegendes unbekanntes X angenommen werden. Die Welt ist das Geschehen selbst, das sich jeweils auf bestimmte Weise repräsentiert, sie besitzt keinen Boden. Dementsprechend ist die Annahme der Substanz–Monade für Nishida nicht akzeptabel.

b. Kritik am Mangel der Negation in der Monadologie. – Bei Leibniz fehle durchgängig, so Nishida weiter, das Moment der Negation bzw. des Widerspruchs. Dieses Argument klingt an Hegels Leibniz-Kritik an (vgl. *Wissenschaft der Logik*, Bd. 1). Das Verhältnis des Einen zum Vielen ist nicht dasjenige eines logischen Einschließens oder eines bloßen Vorgestelltseins im erkennenden Subjekt. Die Monade wäre dann nur „ein gedachter Geist" anstatt ein „denkender". Leibniz übersieht im Grund unseres Selbst jenen absoluten, d. h. sich negierenden Willen, wodurch wir erst mit anderen Subjekten und Körpern verbunden sein können. Das gleiche hatte schon Descartes bei seinem Zweifelsversuch außer Acht gelassen. „In der Leibnizschen Monadologie ist bezüglich ihres Grundes nichts Dialektisches gedacht. Leibniz ging nicht über die Ansetzung einer Verstandeskraft hinaus. Das Verhältnis von Gott und Monade ist kein paradoxes. Seine Monade ist bloß eine sich vorstellende." (Nishida, X, 25) Für Nishida muss das Individuum in der wirklichen geschichtlichen Welt gerade aus der widersprüchlichen, zugleich selbstidentischen Welt der ganzheitlichen Einheit und der individuellen Vielheit verstanden werden; beide Momente verhalten sich zueinander als wechselseitige Negation.

c. Kritik oder Radikalisierung des Leib-Seele-Problems. – Auch bezüglich des Leib-Seele-Problems kritisiert Nishida das Leibnizsche Konzept, dem zufolge das Verhältnis zwischen geistiger Monade und Stoff auf einen Gradunterschied (klar oder dunkel) von beiden Perzeptionstätigkeiten zurückführt werden soll. Obwohl Leibniz den Stoff als zum Phänomen gehörig betrachtet, bestimmt er ihn zugleich als „phenomenon bene fundatum", also „phaenomeno realis". Nishida fordert dazu auf, das Verhältnis von Monade und Stoff noch tiefer zu denken, als dies bei den als einander sich widersprechend angesetzten „forma" und „materia" der Fall ist. Das Leib-Seele-Verhältnis wird bei Nishida radikalisiert, um als das sich selbst bestimmende „Anschauungsbild der Dinge" gedacht zu werden. Materie und Geist sind einander völlig gegensätzlich, sogar widersprechend; dennoch sind sie als beide Seiten des einen und selben Identischen zu verstehen.

4. Rombachs und Nishidas Leibniz-Interpretationen

4.1. Zum Begriff „Individuum"

Trotz seiner unveränderten Zustimmung zur „expressio" steigert Nishida in der späteren Phase seines Denkens seine Kritik an den substanzontologischen Auffassungen Leibniz'. Diesbezüglich ist insbesondere auf seine in dieser Zeit verfasste geschichtphilosophische Abhandlung „Rekishiteki sekai nioiteno kobutsu no tachiba" (Die Position des Einzelnen in der geschichtlichen Welt, 1938) hinzuweisen. Die Welt der „absolut widersprüchlichen Selbstidentität" ist demnach nicht als eine „Harmonie" der Substanzen zu fassen, sondern als eine wirkliche Tatsache, bei der sich alle Einzelnen einander widersprechend negieren und erst dadurch zum einzelnen Individuum („kobutsu") werden. Es geht Nishida primär um die einzig wirkliche, geschichtliche Tatsachenwelt, also keineswegs um eine bloß gedachte, idealistisch oder materialistisch gedeutete Systemwelt. Man könnte sagen, dass Nishidas Spätdenken gerade angesichts der Katastrophen des Zweiten Weltkrieges auf einer entschlossenen Akzeptanz geschichtlicher Wirklichkeit beharrt. Doch ursprünglicher ist seine Rezeption der Leibnizschen Monadologie von seinen eigenen, ostasiatisch-buddhistischen Denkmotiven bedingt.

Nishidas Grundansicht des Einzelnen („kobutsu") lautet: Das Einzelne besteht nur, wenn Einzelnes Einzelnem gegenüber steht. Das heißt: Das Einzelne gibt es nur da, wo die innere Freiheit (Selbstgenügsamkeit) durch ein anderes Einzelnes beschränkt oder verhindert wird. Eben diesen Sachverhalt bezeichnet Nishida als „absolut widersprüchliche Selbstidentität". Kurzum: Das Einzelne bzw. das Individuum kann als solches nur durch Negation bestehen.

Anders als bei Nishida sind negative Momente wie „gegen" oder „widersprüchlich" in der Individuum-Problematik Rombachs nicht so deutlich in den Vordergrund gerückt. Vielmehr wird das Individuum bei Rombach erst dadurch zu einem solchen, dass es in sich alle anderen, also alle innerweltlichen Seienden, einschließt. Wichtig ist es aber, dabei im Auge zu behalten, dass die zwischenmonadische Relation bei Leibniz weder einen Gegensatz noch eine Negation bedeutet, sondern primär auf die Analogia (ana-logos, gemäß einer Relation) hinweist. In dieser Sichtweise steht Kontinuität höher im Kurs als Diskrepanz. In diesem Sinne ist Rombachs Auslegung des Einzelnen der Leibnizschen Auffassung näher als Nishidas Interpretation.

Das Einzelne, Individuum, also die Monade kennzeichnet Rombach vor allem nach Gesichtspunkten wie Ausdruck, Vorstellung, Selbst, Selbstreaktion oder mit seinem Terminus in der Metaphysik der Person. Für Nishida kann das Einzelne durch solche Zugangsart, bei der es vom inneren Selbst betrachtet wird, nur ungenügend erfasst werden: „Nur durch die innere Reflexion das Selbst als das Wirkende zu denken, ist durchaus subjektiv. So kann der freie Wille auch eine Täuschung sein." (Nishida 1938, IX 69)

4.2. Zum Begriff der „expressio"

Nishida denkt mit der Leibnizschen „expressio": „Was das Eine und die Vielheit, das Selbst und die Welt angeht, ist der Begriff des Ausdrucks in theoretischer Spekulation bzw. für die intellektualistische Position wohl die beste Lösung". „Ich finde in diesem Begriff der ‚expressio' Leibnizschen Scharfsinn." (Nishida 1938, IX 80) Doch letztlich orientiere sich die expressio nur am Standpunkt der Entsprechung („taio"), d. i. der Vorstellung („hyosho"). Dagegen schlägt Nishida wiederholt vor, die expressio als „gegenseitige Bestimmung" (sogogentei) einschließlich der Negation zu verstehen. „Bestimmung" ist nach Nishidas Umdeutung keine bloß logisch-grammatikalische, sondern eine reale wirkende, also wirkliche Relationsform, die unsere einzige geschichtliche Welt ausmacht. Für Rombach bedeutet die Monade wie erwähnt die Struktur, d. h. „une multitude dans l'unite". Dies besagt: Jede Monade ist eine Ganzheit, die ganze Welt. Wenn man die einander gleichgesetzten Relationsglieder Monade-Struktur in den Blick nimmt, wird es auch deutlicher, dass funktionalistisch gedachte „Systeme" wie etwa das Cartesianische noch nicht die Stufe der Struktur erreichen.

Dagegen legt besonders der späte Nishida den Akzent nicht so sehr auf den Satz: „Das Einzelne drückt in sich *das Ganze* aus" oder „Das Einzelne ist das Ganze". Er betont jetzt, dass jedes Einzelne Teil, Moment, Glied, Konstituens des Ganzen, d. h. der *wirklichen Welt*, ist. Dass das Individuum (die fensterlose Monade) in sich das Universum einschließt, tritt zumindest in Nishidas später Geschichtsphilosophie nicht so deutlich in den Vordergrund. Vielmehr zeigt sich da, dass die Welt ihrerseits jeweils das Einzelne, Bestimmte ist und somit als das Sich-selbst-Bestimmen der Welt interpretiert werden kann.

4.3. Zum Begriff der „harmonie préétablie"

Auch in bezug auf die prästabilierte Harmonie, die wie die Monade einen der Zentralbegriffe der monadologischen Metaphysik bildet, unterscheiden sich Rombach und Nishida voneinander. Außer der einzigen Gemeinsamkeit, wobei die prästabilierte Harmonie als Folge der Repräsentation betrachtet wird, fällt Nishidas Urteil zur prästabilierten Harmonie negativ aus: Kann Harmonie nicht die gegenseitige Bestimmung bedeuten, so ist sie überflüssig und somit zurückzuweisen. Unsere Handlungen, durch die Vielheit und Einheit im Widerspruch geeint werden, sind zu jeder Zeit ausdruckshaft, also wirkend. Die gegenseitige Bestimmung zwischen den Einzelnen muss ausdruckshaft wirkend sein. Auch die monadische Expression bei Leibniz muss diesem Standpunkt entsprechen. Das gegenseitige Ausdrücken ist nicht ein nur idealistisch zu verstehendes Verhältnis, sondern ein gegenseitiges Wirken einschließlich des Kausalverhältnisses oder des Negierens zwischen den Einzelnen: „Wir müssen uns von dem Leibnizschen Gedanken einer durch Gott prästabilierten Harmonie verabschieden, und wenn wir Leibniz' Denken von dem erwähnten Standpunkt der ausdruckshaften Wirkung aus betrachten, gelingt es uns, in seinen Gedanken eine noch heute lebendige Bedeutung zu finden." (Nishida 1938, IX 82)

Im Vergleich mit Nishida ist für Rombach eine andere Seite der „harmonie préétablie" bedeutsam, und zwar vor allem hinsichtlich der geschichtlichen Entwicklung der abendländischen Philosophie. Rombach meint, dass der Harmoniebegriff ebenso zur Entstehung des neuzeitlichen Funktionalismus beigetragen hat. Insofern versteht er mit Ernst Cassirer den Leibnizschen Begriff der prästabilierten Harmonie als Entsprechung zwischen verschiedenen Problemfeldern, insbesondere zwischen dem Funktionalismus und dem Substantialismus, um somit dem Begriff der Harmonie einen positiven Wert beizulegen.

4.4. Der Begriff „Fensterlosigkeit"

Im Zusammenhang mit der „harmonie préétablie" besteht auch beim Begriff der Fensterlosigkeit ein deutlicher und bemerkenswerter Kontrast zwischen Rombach und Nishida. In Leibniz' *Monadologie* wird die Fensterlosigkeit in dem Kontext vorgestellt, dass die Monaden ohne Teile, also einfach sind und sich selbst bestimmen, somit „keine Fenster haben, durch die irgendetwas in sie hinein- oder aus ihnen hinaustreten könnte" (*Monadologie*, § 7). Die Fensterlosigkeit wird also bei Leibniz zugunsten der Spontaneität der einfachen Monade eingeführt. Diese Fensterlosigkeit versteht Rombach so, dass die Monade kein Außen hat. Also ist jede individuelle Monade für sich eine Ganzheit (wenngleich nicht eine absolute Ganzheit, sondern Ganzheit nur unter einer gewissen Perspektive), also die Struktur, in der das Ganze sich im Einzelnen repräsentiert. Die Struktur ist das wahre Kennzeichen der modernen Individualität, oder besser: Sie ist sowohl das Individuelle wie auch das Allgemeine.

Für Nishida bedeutet die Fensterlosigkeit hingegen, dass es keine Momente der „Andersheit" oder des „Außen" gibt, wodurch jedes Ding wirklich zum Einzelnen werden könnte. Solange die fensterlose Monade damit keine Anderen hat, ist sie noch kein wahres Einzelnes: „Die ‚harmonie préétablie' liegt darin, dass die fensterlose, nur sich selbst widerspiegelnde Monade zugleich die eine Welt widerspiegeln lässt. Dazu muss eine widersprüchliche Selbstidentität von innen und außen gedacht werden." (Nishida 1938, IX 71)

5. Rombach und Nishida
Ausblick auf eine vergleichende Betrachtung von Ost und West

Zum Abschluss seien die wesentlichen Unterschiede der Leibniz-Interpretation bei Rombach und Nishida erörtert.

5.1. Bekanntlich bezieht sich Rombach in seinen späteren Werken wie etwa der Bildphilosophie oder der Hermetik intensiv auf ostasiatisches Gedankengut bzw. ostasiatische Kunst. Aber bezüglich seiner Strukturontologie lässt sich sagen, dass er die Substanzontologie in der westlichen Denktradition kritisiert.

5.2. Wenn Rombach auf die gekennzeichnete Art und Weise den Umbruch von der antiken und mittelalterlichen Substanz hin zur neuzeitlichen Funktion sieht, auf welchem Standpunkt steht er dann? Solange Differentes wie Ding-Eigenschaften, Innen-Außen, Selbes und Anderes noch Geltung besitzt, verbleibt eine solche Ontologie innerhalb der von griechischer Tradition vorgezeichneten Bahnen. Wird anstelle des Unterschieds von Unendlichem und Einzelnem dies beides in Hinblick auf ein identisches Seinsprinzip relevant wie etwa bei Cusanus oder Meister Eckhart (Identitäts- nicht Differenzontologie), steht man auf dem Boden christlicher Denktradition und gibt den Anstoß für das Entstehen des Substanzdenkens; bezieht man Unendliches und Endliches, anstatt es different anzusetzen, auch wie Cusanus und Eckhart auf ein identisches Seinsprinzip, liefert man, ebenfalls auf dem Boden christlicher Überlieferung, den Anstoß zum Entstehen des Funktionalismus oder sogar des Strukturdenkens. Die Relation im Sinne der Funktion ist wesentlicher als die Seiendheit des Seienden selbst. Das Sein beruht primär nicht auf dem seienden Ding, sondern auf den festzustellenden Beziehungen zu den anderen Dingen, zu denen es sich jeweils verhält. Es ist nicht so, dass zunächst das Ding bestünde und es erst dann zu Beziehungen zwischen den Dingen käme. Denn gerade diese Denkungsart wirkt zugunsten der Entstehung der exakten Wissenschaft in der Neuzeit. Wenn dies so ist, lässt sich sagen: Die moderne Wissenschaft ist nicht eine Weiterentwicklung (wenigstens nicht in einem geradlinigen Sinn) der griechischen Überlieferung, sondern gerade durch christliche, insbesondere mystische Motive ermöglicht worden ist. Hierin erblickt Rombach von der Seite der christlichen Identitäts- oder Relationsontologie her den Verlauf abendländischer Philosophiegeschichte und den Beginn des modernen Funktionalismus, fernerhin den Wandel von der Substanz über das System hin zur Struktur im gegenwärtigen und künftigen Denken.

5.3. Gewiss konzipierte Leibniz selbst seinen Monadenbegriff zunächst als Ontologie, also als eine (wenngleich „emendierte") Metaphysik. Interessanterweise sind mit dieser Leibnizschen Absicht offenbar weder Rombach noch Nishida zufrieden. Rombach erblickt in der Monadologie vielmehr das Phänomen der Freiheit (als Selbstgenügsamkeit, als Selbstsetzung), wobei das Wesentliche der Monade vor allem in ihrem Für-sich-sein, d. h. in der Selbstreaktion, gesehen wird. Rombach ist der Ansicht, dass Leibniz' Monadologie prima facie der von griechischer Ontologie abstammenden Tradition, d. h. der Meta-Physik, angehört. Doch schon Leibniz' Monadologie geht über die Metaphysik als Ontologie, d. h. als Wissenschaft vom Sein, hinaus und verdiente daher eher den Titel „Über-metaphysik". Der Leibnizsche Gott, so Rombach weiter, übersteigt alle Vergleiche, er ist zugleich die ganze Wirklichkeit. Alles ist mithin Ausdruck von Gott. Der Leibnizsche Gott bezeichnet somit eher das Absolute als das Sein. Rombach gibt sich mit Leibniz' Definition des Gottes als „Monade der Monaden" nicht zufrieden. Sofern sich Leibniz' Denken nicht auf die Seins-, sondern die Vollkommenheitsidee stützt, gehört er einer anderen als der griechischen Tradition an, nämlich der christlichen.

Nishida würdigt, dass Leibniz das Einzelne als solches gegenüber dem Ganzen thematisiert, zugleich aber erblickt er in Leibniz' Individualismus einen idealistischen Grundzug. Nach Nishida benennt auch der Leibnizsche Ausdruck (expressio) nur das Vorstellen, also nicht das gegenseitige Bestimmen, so dass die species ein bloßes Kompositum bleibt und somit noch nicht ihre Eigentümlichkeit erlangt. Gerade die Form des gegenseitigen Bestimmens ist nichts anderes als „Species". Der Leibnizschen Monadenwelt gegenüber äußert Nishida kritisch, dass in ihr Einzelnes und Ganzes sich bloß unmittelbar aufeinander beziehen. Das Einzelne ist noch nicht zum wahren Einzelnen geworden, weil es am Moment der Species fehlt. Um das wahre Einzelne zu erreichen, muss es schon die Species vermittelt haben. Gerade in solcher Species findet Nishida den Grund für die geschichtliche Welt einschließlich Gesellschaft, Politik, Moral und Religion, durch welche die Ideenwelt produziert werden kann.

In diesem Zusammenhang ist Nishida auch der Ansicht, dass bei Leibniz der Körper nur den Status eines Aggregatum bzw. Kompositum gegen die Einheit behaupten kann. Doch gerade dieses Kompositum soll nach Nishida positiv uminterpretiert werden. Nishida stellt also letztlich fest, dass die Leibnizsche Monadenwelt nur eine intellektualistische, also idealisierte Welt und somit ein von einem göttlichen Standpunkt rein spekulativ Erdachtes ist.

5.4. Nishida fragt nach dem Nichts statt dem Sein als dem Grund der Wirklichkeit der Welt und versucht über Leibniz' Monadologie hinaus in dem Sinn weiterzudenken, dass hinter der wirklichen geschichtlichen Welt das Nichts gesehen werden soll. Weder Gott noch die geschichtliche Welt können betrachtet werden, als ob sie wie ein Ding bestünden. Nicht hat erst das Ding Bestand und ergibt sich dann die Welt als Ganzheit der dinghaften Seienden. Solange als Grund der Welt das Sein angesetzt wird, bleibt man dem vorstellenden Denken verhaftet und in den durch das griechische Denken vorgezeichneten Bahnen. Rombach versucht diese bei Leibniz bestehende wesentliche Enge innerhalb der christlichen Denkrichtung zu überwinden. Aber Nishida geht noch einen ganz anderen Weg, um so das absolute Nichts zu denken.

5.5. In Rombachs Deutung besteht grundsätzlich die Tendenz, Leibniz und seine Monadologie bezüglich der abendländischen Philosophiegeschichte zu betrachten und die Bedeutung und Tragweite seines Denkens in dieser Hinsicht einzuschätzen. Die Bedeutung der Leibnizschen Monadologie für die abendländische Philosophiegeschichte der Neuzeit kann nach Rombach in der Trennung von Physik (als sogenannter exakter Wissenschaft) und Metaphysik (als Übermetaphysik) lokalisiert werden. Diese Trennung nimmt bereits Kants Versuch vorweg, die Erscheinung vom Ding an sich zu unterscheiden und sodann zwei verschiedene Bereiche – Physik und Metaphysik – als solche aufrechtzuerhalten. In diesem Sinne hebt Rombach die Entwicklungslinie von Descartes über Leibniz bis hin zu Kant erneut hervor.

Dagegen geht es Nishida nicht so sehr darum, wie Leibniz' Position in der abendländischen Philosophiegeschichte bestimmt werden soll, sondern vielmehr darum, anhand der Leibnizschen Monadologie nach einer Möglichkeit zu suchen, die westliche intellektualistische Tradition zugunsten der Problemstellung der geschichtlichen Wirklichkeit zu überwinden.

5.6. Dichte und Leere. Für Rombachs besagt Struktur keineswegs so etwas wie eine Leerheit oder das Leere, sondern sie wird als Dichte entworfen. Eine

Struktur enthält in sich selbst andere Strukturen oder sie ist in einer oder in vielen anderen Strukturen. Die Struktur ist also dicht, während das System leer ist. In diesem Kontext zieht Rombach das im 67. Paragraphen der *Monadologie* angeführte Gleichnis vom Teich heran : „Chaque portion de la matière peut être conçue comme un jardin plein de plantes, et comme un étang plein de poissons. Mais chaque rameau de la plante, chaque membre de l'animal, chaque goute de ses humeurs est encor un tel jardin ou un tel étang." Dieses Gleichnis gebraucht Leibniz, um zu zeigen, wie im kleinsten Materieabschnitt eine Welt von Geschöpfen, Lebewesen, Tieren, Entelechien, Seelen besteht. Es gibt in der Natur nichts Unfruchtbares, nichts Totes, keine Lücken und keine Sprünge. Dies ist also die Sache, auf die Rombach mit dem Begriff der Struktur hingewiesen hat. Rombachs Struktur steht in enger Verbindung zu einer der wichtigsten Grundthesen der Leibnizschen Ontologie: zur Kontinuität („mon principe de la continuité"). Das Kontinuum ist hier bekanntlich zunächst als ein quantitatives, mathematisches gedacht angesichts des „labyrinthe de compositione continui", wobei die Lösung auf der Unterscheidung von monadischer Substanz (discreta quantitas) und der Erscheinung als phaenomenon bene fundatum (quantitas continua) beruht. Aber diese Problematik hat zugleich eine andere, d. h. qualitative Seite. Sie bedeutet den Sachverhalt, bei dem es vermittels einer „infinité de degrés" eine einzige, unendliche Kette ohne Interruptionen und somit immer eine Art von Zwischenformen gibt.[7] „Nullam transitionem fieri per saltem." (Leibniz 1875-1890, II, 168) Was die ganze Reihe von Einschließenden und dadurch Eingeschlossenen selbst noch einschließt, ist bei Leibniz letztlich das Seiende, also Gott als die Monade der Monaden. Nishida würde sagen, dies sei nichts, und zwar das absolute Nichts („zettai mu"); bzw. das in sich alles Umfangende und somit Bestimmende („gentei") sei der Ort („basho"). Alle innerweltlichen Seienden sind letztlich orthafte Bestimmungen des absoluten Nichts („zettaimu no bashoteki gentei").

In Nishidas Philosophie gibt es zwar einen Begriff wie das „compossible", das sich vor allem auf die materielle Natur bezieht. Aber dieses soll ihm zufolge nicht als Dichte aufgefasst werden. Für Rombach, der das in sich alles Seiende und alle Reihen von Seienden einschließende Sein als Struktur denkt, bedeutet die Welt weder Dichte der Substanz-Monaden (Leibniz) noch Ort von Nichts, sondern Struktur. Dies besagt, dass Rombach Welt mit einem anderen Prinzip betrachtet, obwohl es in seinem Strukturbegriff eine gewisse Nähe zu Leibniz gibt. Wieder vom Standort einer komparativen Philosophie aus gesehen kann solchem Strukturdenken eine Möglichkeit entnommen werden, das westliche Seinsdenken von der Antike bis zu Heidegger und das östliche Denken des absoluten Nichts zu einem fruchtbaren Dialog zu führen.

---

[7] Vgl. Leibniz, An Varignon (Leibniz 1966, Bd. II, 559).

Literatur

Heidegger, M. (1978): *Metaphysische Anfangsgründe der Logik im Ausgang von Leibniz* (*Gesamtausgabe*, Bd. 26), hg. v. K. Held, Frankfurt/M.; 2. Aufl. 1990.

Husserl, E. (1973): *Zur Phänomenologie der Intersubjektivität* (*Husserliana*, Bd. XIII), hg. v. I. Kern, Den Haag.

Leibniz, G. W. (1875-1890): *Die Philosophischen Schriften*, 7 Bde., hg. v. C. Gerhardt, Berlin.
- (1966): *Hauptschriften zur Grundlegung der Philosophie*, übs. v. A. Buchenau, durchges. u. m. e. Einl. u. Erläut. hg. v. E. Cassirer, 2 Bde. [Leipzig 1904], 3., erg. Aufl. Hamburg.

Nishida, K. (1947-1953): *Nishida Kitaro zenshu* [Gesammelte Werke], 19 Bde., Tokyo.
- (1999): *Logik des Ortes. Der Anfang der modernen Philosophie in Japan*, übs. u. hg. v. R. Elberfeld, Darmstadt.

Rombach, H. (1962): *Die Gegenwart der Philosophie. Die Grundprobleme der abendländischen Philosophie und der gegenwärtige Stand des philosophischen Fragens*, Freiburg/München, 2. Aufl. 1964, 3., grundlegend neu bearb. Aufl. 1988.
- (1962): „Die Bedeutung von Descartes und Leibniz für die Metaphysik der Gegenwart", in: *Philosophisches Jahrbuch* 70, 67-97.
- (1965/1966): *Substanz System Struktur. Die Ontologie des Funktionalismus und der philosophische Hintergrund der modernen Wissenschaft*, 2 Bde., Freiburg/München, 2. Aufl. 1981.
- (1971): *Strukturontologie. Eine Phänomenologie der Freiheit*, Freiburg/München, 2. Auf. 1981.
- (1982): *Keisho wa kataru. Genshogaku no atarasihi dannkai* [Die Bilder sprechen. Eine neue Stufe der Phänomenologie], Tokyo.
- (1986): „Die Welt des Barock. Versuch einer Strukturanalyse", in: R. Feuchtmüller u. E. Kovacs (Hg.): *Welt des Barock*, Freiburg/Basel/Wien, 9-23.
- (1990): „Was ist Religion? Religion – Kirche – Theologie", in: A. Stoecklein u. M. Rassem (Hg.): *Technik und Religion* (*Technik und Kultur*, Bd. 2), 17-35.
- (1994): *Der Ursprung. Philosophie der Konkreativität von Mensch und Natur*, Freiburg.

Sakai, K. (1994): „Der Subjektbegriff in Ost und West. Eine Reflexion im Ausgang von Leibniz", in: *Leibniz und die Frage nach der Subjektivität* (*Studia Leibnitiana Sonderheft*, Bd. 22), Stuttgart, 63-82.
- (2000): Lexikonartikel „Heinrich Rombach" u. „Kitaro Nishida", in: R. Cristin u. K. Sakai (Hg.): *Phänomenologie und Leibniz* (*Orbis Phaenomenologicus Perspektiven*, Bd. 2), Freiburg/München, 333-337 u. 325-330.

Weinmayr, E. (1987): Nishida tetsugaku no konponshogainen. Doitsugo eno juyo [Grundbegriffe der Philosophie Nishidas. Ihre Rezeption in deutscher Sprache], in: Y. Kayano u. R. Ohashi (Hg.): *Nishida tetsugaku. Shinshiryo to kenkyu heno Tebiki* [Neu entdeckte Quellen und Leitfäden für die Studien], Kyoto.

„Kommunikative Vernunft"
Zur Aktualität der Strukturphilosophie Heinrich Rombachs im interkulturellen Polylog

Niels Weidtmann

Einleitung

Erstens: Verständigung durch vernünftige Kommunikation

Der „Polylog der Kulturen",[1] der die Globalisierung wie ein Subtext zu begleiten scheint, der sie dort, wo er nicht zur Verständigung führt, aber auch empfindlich stören, bisweilen gar unmöglich machen kann und folglich vielleicht doch eher Grundlage denn Subtext der Globalisierung ist, stellt die Philosophie vor die Frage nach der Übersetzbarkeit sozialer Weltgestaltungen. Es ist unstrittig, dass sich Lebenswelten voneinander unterscheiden, dass sie eine je spezifische Ausprägung besitzen, spiegeln sich in ihnen doch ganz konkrete Erfahrungen wider. In Frage steht daher nur, ob solch spezifische Erfahrungen in andere Lebenswelten übertragbar sind oder dort doch wenigstens verständlich gemacht werden können.

Dies wäre im einfachsten Fall dann gewährleistet, wenn sich Lebenswelten gegenseitig ergänzen würden. Eine solche Ergänzung scheint Edmund Husserls Phänomenologie der Lebenswelt nahezulegen. Für Husserl ist die Lebenswelt, um es an dieser Stelle pointiert darzustellen, die vernunftgeleitete Erschließung der Welt durch den Menschen. Im Unterschied zu Kant geht Husserl dabei nicht von einer einzigen Vernunftfolie aus, die sich ordnend über die Sinneseindrücke legt, sondern erkennt eine Vielfalt unterschiedlicher Vernunftstrukturen, die dem menschlichen Zugang zur Welt zugrunde liegen. Die Lebenswelt baut sich auf als eine Schichtung solch unterschiedlicher Zugänge. Und sie besitzt ein Telos: die Erschließung aller möglichen Zugänge, d. i. die Verwirklichung der Vernunft in der gesamten Vielfalt ihrer Strukturen (Husserl 1954, 269-276). Da Lebenswelten historisch wachsen und dementsprechend interkulturell differieren, müssten sie sich gegenseitig ergänzen können. Die Übersetzung lebensweltlicher

---

[1] Den Begriff des Polylogs hat Franz Martin Wimmer in die Diskussion um eine interkulturelle Philosophie eingebracht (Wimmer 1996).

Erfahrungen würde in diesem Fall als Verschmelzung der verschiedenen Lebenswelten geschehen.

Auch die Hermeneutik Hans-Georg Gadamers spricht von solcher Verschmelzung. Allerdings ist hier nicht die Verschmelzung ganzer Lebenswelten gemeint, sondern nur diejenige von Horizonten. Gerade weil die Lebenswelten historisch gewachsen sind, können sie nicht verschmelzen. Sie eröffnen *verschiedene* Zugänge zur Welt, nicht partielle und sich folglich gegenseitig ergänzende Zugänge. Die Vernunft verleiht dem Menschen die Fähigkeit zur sinnvollen Weltwahrnehmung und -gestaltung, sie entfaltet sich aber nicht selbst in der Abfolge solcher unterschiedlichen Wahrnehmungen. Welches Gemeinsame erlaubt es dann den Lebenswelten, dass sie in einander übersetzbar sind? Die unterschiedlichsten Lebenswelten teilen, dass sie *Zugänge* zur Welt eröffnen, dass sie gestaltet werden in Folge des Fraglichseins der Welt. Gadamer spricht davon, dass im Letzten alle Horizonte auf einige wenige Fragehorizonte rückführbar sind, über die sie vermittelt werden können. Mit jedem Horizont ist etwas *gemeint*, und das Gemeinte muss zuvor in Frage stehen. (Gadamer 1986, 375-384) Die Vielfalt der Horizonte und Lebenswelten spiegelt die Vielzahl möglicher Antworten auf dieselbe Frage wider.

Stehen am Beginn menschlicher Welterschließung also immer und in allen Kulturen die gleichen Fragen? Jürgen Habermas' Kritik an Gadamer lautet sinngemäß, dass sich in der Annahme gemeinsamer, nicht mehr selbst einer kritischen Prüfung zu unterziehender Fragehorizonte eine prinzipielle Gebundenheit an die Tradition ausdrückt (Habermas 1980, besonders 156). Hermeneutisches Verstehen, gar „besser Verstehen" ist nur möglich auf der Grundlage des positiven Vorurteils, dass das zu Verstehende Antwort zu geben versucht auf eine auch für den um Verständnis bemühten Interpreten sinnvolle Frage. Verstehen erfordert die Existenz eines Traditionszusammenhangs. Habermas dagegen möchte im Prozess intersubjektiver wie interkultureller Verständigung nur gelten lassen, was einer kritischen Prüfung standhält. Verständigung erfordert keinen Traditionszusammenhang und setzt auch nicht die Idee einer vollständig entfalteten Vernunft voraus. Eine solche Verständigung gibt damit allerdings auch den Anspruch preis, jede lebensweltliche Erfahrung vermitteln zu können. Vielmehr beschränkt sich Habermas' kritische Theorie des Verstehens darauf, Verständigung nur über Argumente zu suchen, die von allen Beteiligten kritisch reflektiert und bestätigt werden können. Nur dort übertragen die kritischen Subjekte Souveränität an lebensweltliche Institutionen, wo diese Institutionen zuvor von jedem einzelnen Subjekt geprüft worden sind. Institutionen bzw. Traditionen dürfen das Kritikvermögen des Einzelnen nicht beschränken, sondern müssen im Gegenteil das Kritikvermögen aller repräsentieren. Auf dieser Grundlage funktioniert unsere Demokratie. Und deshalb steht die westliche Form der Demokratie auch prinzipiell allen anderen Kulturen offen, ja wird überall auf der Welt als die einzige Staatsform angemahnt, die die Bürger nicht entmündigt. Einzige Voraussetzung für eine Beteiligung an der Verständigung über gemeinsame Institutionen ist die Bereitschaft, jedes Argument einer kritischen Prüfung zu unterziehen und unterziehen zu lassen. Ein solcher „herrschaftsfreier Diskurs" ist vernunftgeleitet (vgl. dazu Habermas 1987). Er hat seinen Halt in der Fähigkeit eines jeden Menschen, Argumente kritisch zu reflektieren. Der „herrschaftsfreie Diskurs" ist eine vernünftige Kommunikation.

Zweitens: Gegenbild

In afrikanischen Kulturen werden Probleme und Streitfragen in einem Palaver behandelt. In einem solchen Palaver wird jeder angehört, der etwas sagen möchte, und es wird solange miteinander gesprochen, bis ein Konsensus gefunden ist. Der Konsensus ist dabei nicht eigentlich ein Kompromiss, der allen Beteiligten abverlangen würde, Abstriche von der eigenen Position zu machen. Er stellt vielmehr eine Lösung dar, die alle Beteiligten als die richtige erkennen, ohne dass einer von ihnen diese Lösung gleich zu Beginn hätte vorbringen können. Für den Erfolg eines Palavers ist der tatsächlich stattfindende Prozess des Miteinander-Redens von entscheidender Bedeutung, und zwar deswegen, weil die einzelnen Argumente im Palaver nicht von normativen Vernunftstrukturen gefiltert werden. Im Palaver ist jeder Beitrag erlaubt; es besteht nicht die Möglichkeit, mit Hilfe einer a priori bestehenden Struktur herauszufinden, ob ein Argument das Palaver weiterbringt oder nicht. Vielmehr muss sich eine ordnende, d. h. für alle Beteiligten verbindliche Struktur im Verlauf des Palavers erst konstituieren. Dies geschieht, indem sich die Gesellschaft im Palaver ihres Selbstverständnisses versichert, dieses erneuert, möglicherweise auch korrigiert oder erweitert. Deshalb ist es für das Palaver förderlich, wenn die gesamte Gesellschaft in ihm repräsentiert ist,[2] und deshalb auch berufen sich die Sprecher immer wieder auf die Ahnen. Die Ahnen gehören konstitutiv zur Gemeinschaft hinzu; wenn sich ein Argument durch den Verweis auf Aussagen von Ahnen stützen lässt, gewinnt es an Gewicht. Nun muss man aber berücksichtigen, dass ein Verweis auf die Ahnen nicht gleichbedeutend ist mit dem hermeneutischen Verweis auf die Tradition. Der hermeneutische Blick fällt auf die Tradition in der Hoffnung, dort eine Vermittlung von in der Gegenwart gegeneinanderstehenden Konzeptionen zu finden. Im Palaver beziehen sich die Redner aber auf die Ahnen, um ihre eignen Argumente zu stützen und anderen Argumenten gegenüber überlegen erscheinen zu lassen. Die Tradition muss sich hier ganz dem aktuellen Selbstverständnis der Gesellschaft unterordnen.

Das Palaver führt folglich zum Konsensus, weil sich die Gesellschaft in ihm ihres eigenen Selbstverständnisses versichert und damit die zur Lösung offener Fragen verbindlichen Strukturen erst schafft. Benézet Bujo, der ansonsten viele Übereinstimmungen zwischen dem Palaver und Habermas' Theorie des kommu-

---

[2] Benézet Bujo schreibt, dass die am Palaver beteiligten Weisen diejenigen sind, „die im Alltag mit und unter dem Volk leben, so daß ihr Argumentieren das Interesse dieses Volkes existentiell und oft ins Detail betrifft". (Bujo 1993, 32)

nikativen Handelns sieht, spricht davon, dass das Palaver einen „existentiellen" Charakter hat. (Bujo 1993, 33)

Und tatsächlich zeigt die Empirie, wie schwierig es sein kann, ‚die Vernunft' zum Schiedsrichter eines jeden Diskurses machen zu wollen. Was geschieht denn dort, wo vernünftige Kommunikation nicht möglich ist, weil sich einzelne verweigern und in Fundamentalismen flüchten? Wird dort eingestanden, dass eine Verständigung unmöglich ist, oder wird an der Überzeugung festgehalten, dass eine Verständigung prinzipiell möglich wäre, würde der Gesprächspartner sie nicht bewusst hintergehen? Ist es in diesem Fall dann gestattet, ja möglicherweise gar verpflichtend, den Verweigerer zur Räson zu bringen? Wie herrschaftsfrei ist ein solcher Diskurs tatsächlich? Lebt er nicht seinerseits vom Vorurteil, die vernünftige Prüfung eines Arguments tauge – wenigstens im Falle eines negativen Ergebnisses – zur universal gültigen Qualitätskontrolle? Das Konzept der Lebenswelt ist doch gerade aus der Einsicht heraus entwickelt worden, dass sich die Vernunft nur in konkreten Vernunftbezügen konstituiert. Vernunft taugt zum kritischen Korrektiv erst auf der Grundlage solcher Vernunftbezüge, da der Mensch überhaupt erst durch sie selbstbewusster Mensch in einer Welt wird, in der ihm andere Menschen argumentativ begegnen können.

Drittens: Die Konstitution einer interkulturellen Vernunft im Gespräch der Kulturen

Heinrich Rombach versucht daher, einen ganz anderen Weg zu gehen. Er entwickelt das Lebenswelt-Konzept weiter, indem er zeigt, dass es bei der Gestaltung der Lebenswelt nicht allein darum geht, dem Menschen Zugänge zur Welt zu eröffnen. Zugleich kommt der Mensch erst im Umgang mit den Dingen der Lebenswelt und seinen Mitmenschen zu sich selbst. Beispielsweise wird der Mensch *human* in einem ethischen Sinne erst dadurch, dass er entsprechend mit seinen Mitmenschen umgeht. Einen humanen Umgang mit den Mitmenschen aber gebietet nicht die Vernunft, sondern der Anblick des anderen Menschen. Der Mensch muss im anderen den Mitmenschen sehen. Darin erst macht er die Erfahrung, selbst als Mensch gesehen zu werden, und damit die Erfahrung der eigenen menschlichen Würde. Auch die Dinge formen den Menschen; so haben beispielsweise erst die modernen Kommunikationsmöglichkeiten den Menschen dazu gebracht, global zu denken und sich für Ereignisse fernab der Heimat zu interessieren und auch verantwortlich zu fühlen. Die Lebenswelt erfindet den Menschen ebenso wie umgekehrt der Mensch die Lebenswelt gestaltet. Rombach spricht daher von der „Konkreativität" von Mensch und Natur, die weit über eine kreative Lebensweltgestaltung des Menschen hinausgeht. (Rombach 1994, 13-34) Mensch, Mitmensch und Natur entwickeln sich erst im Umgang miteinander zu dem, was sie eigentlich sind, und schaffen so eine Welt, die sie selber *sind*, nicht nur *interpretieren* – wie im Lebenswelt-Konzept Husserls und Gadamers.

Die Vernunft, die es dem selbstbewussten Menschen ermöglicht, sich kritisch mit seiner Umwelt, mit Argumenten und Ereignissen, aber auch mit sich selbst, auseinander zu setzen, konstituiert sich im Prozess der „konkreativen" Weltgestaltung als eine Form der Selbstreflexivität der Welt. Gerade weil die Welt nicht einfach *da* ist und lebensweltlich interpretiert wird, sondern im Zusammenspiel von Mensch, Mitmensch und Natur erst geschaffen wird, steht sie immer wieder in Frage. Sie steht dabei zunächst nicht im Sinne möglicher Erkenntnis in Frage, sondern sie stellt sich selbst in Frage. Die Welt steht in jedem Ereignis, jeder Handlung und jeder Kommunikation auf dem Spiel. Die Veränderungen, die sich dabei ergeben (herausgespielt werden), sind das eine Mal tiefgreifend, das andere Mal kaum spürbar – eine bloße Bestätigung bestehender Substanz gibt es aber nie. Jede Bestätigung ist vielmehr eine Erneuerung des Gleichen. So rekurriert die Welt immer wieder auf sich selbst und korrigiert sich ihren eigenen Strukturen entsprechend. Diese kritische, zugleich aber konstitutive Selbstreflexivität, die im Menschen ihre höchste Ausprägung gewinnt, nennen wir Vernunft.

Eine Welt hat folglich ihre eigene Vernunft. Die Verständigung zwischen Kulturwelten kann sich demnach nicht auf gemeinsame Vernunftstrukturen stützen. Ebenso wenig kann sie sich auf einen Sachverhalt stützen, über den eine Verständigung zu erzielen wäre. Es gibt im Polylog der Kulturen keinen anderen Sachverhalt als den der Begegnung von Kulturwelten. Und es gibt keine gemeinsame Vernunft, wohl aber die Erfahrung einer Vernunft-Vielfalt. Und genau darin drückt sich die Entstehung und Bewusstwerdung einer interkulturellen Welt aus: Die Begegnung der Kulturen öffnet diesen überhaupt erst den Blick auf die eigene Weltlichkeit und die eigene Vernunfttradition. Im „Gespräch der Welten" (Rombach 1996, 117-149) wird also keine Übersetzungsarbeit geleistet, und das Ziel ist nicht die Uniformität einer globalen Weltkultur. Die unterschiedlichen Kulturen werden vielmehr als Ausdruck der „konkreativen" Weltgestaltung von Mensch und Natur erkannt und *anerkannt*. Darin liegt zugleich die Chance, eigene Verhärtungen und Missverständnisse aufzudecken und zur „konkreativen" Gestaltung zurückzukehren.

Im Folgenden möchte ich zeigen, wie sich dieser Ansatz Rombachs an die philosophische Tradition – insbesondere an die Husserlsche Konzeption der Lebenswelt und an Heideggers Entdeckung der Welt als eines Phänomens – anbindet und welche Konsequenzen er für die interkulturelle Philosophie hat.

1. Der Grundgedanke der Transzendentalphilosophie

Ausgehend von der neuzeitlichen Entdeckung, die Welt methodisch untersuchen zu können, rückt die Vernunft in den Mittelpunkt des philosophischen Interesses. Der transzendentalphilosophische Gedanke entspringt einem erkenntnistheoretischen Interesse.

Die Dinge so, wie sie sind, erfassen zu wollen und nicht heteronom zu bestimmen, erfordert, ihnen auf den Grund zu gehen. Die Frage nach dem Grund der Dinge muss das äußere Erscheinungsbild an das, was da zur Erscheinung kommt, zurückbinden und darf sich nicht von ihm blenden lassen. Wenn ich einen Stein auf seine Selbstaussage hin befrage, kann ich diese nicht daran festmachen, dass der Stein zufällig gerade nass geworden ist, weil er im Regen lag. Auch bleibt der Stein im Grunde davon unberührt, wenn ihm beim Fall auf den Boden ein Splitter abgeschlagen wird. Das, was den Stein zum Stein macht, ist etwas anderes. Dieses Andere, das das Eigenste des Steins ausmacht, bezeichnet man klassischerweise als das *Wesen* des Steins. Das Wesen ist das, was sich am Stein dem Zugriff von außen immer wieder entzieht, was an keinem Teil des Steins festgemacht werden kann und doch das Entscheidende an ihm ist. Das Wesen ist gleichsam dasjenige am Ding, das nicht dingfest gemacht werden kann. Es überschreitet das Ding hin auf einen Bereich absoluter Geltung.

Trotzdem enthebt das Wesen das Ding keinesfalls seiner dinglichen Umwelt. Im Gegenteil sind es gerade die Wesensmomente, die das einzelne Ding in seine Umwelt einbinden. So gehört es wesentlich zum Stein, hart, unbeweglich und schwer zu sein – alles Eigenschaften, die sich nur in Relation zu anderen Dingen beschreiben lassen. Das Wesen des Steins überschreitet diesen hin auf die Bedingungen, die ihn in seiner Umwelt als das erscheinen lassen, was er ist: ein Stein. Die Frage nach dem Grund der Dinge zielt damit eigentlich auf die Ordnung, in der die Dinge stehen. Das ist der Ansatz der Transzendentalphilosophie.

Für Immanuel Kant ist die Ordnung der Dinge eine Leistung des Verstandes, die als solche Voraussetzung jeder menschlichen Ding-Wahrnehmung ist. Unter Transzendentalphilosophie versteht er daher die Aufdeckung jener reinen Verstandesbegriffe oder Kategorien, die eine auf Gegenstände gerichtete Erkenntnis erst möglich machen: „Ich nenne alle Erkenntnis *transzendental*, die sich nicht sowohl mit Gegenständen, sondern mit unserer Erkenntnisart von Gegenständen, sofern diese a priori möglich sein soll, überhaupt beschäftigt." (Kant 1988, 63) Das System der reinen Verstandesbegriffe oder Kategorien, das die Transzendentalphilosophie derart beschreibt, ist dabei nicht etwa mit einem platonischen Reich der Ideen gleichzusetzen, das losgelöst von der faktischen Welt Bestand hat. Kant geht es vielmehr um die Begriffe, insofern sie auf Gegenstände gehen, die durch Erfahrung belegt werden können. Es geht ihm also um die Begriffe, die ein Korrelat in der empirischen Wahrnehmung haben. Diese Begriffe sind keine theoretischen Konstrukte, sondern schlagen gleichsam eine Brücke hin zu den Dingen der empirischen Welt. Andererseits sind sie keineswegs von den empirischen Gegebenheiten abstrahiert, zeigt Kant doch gerade, dass jede Erkenntnis, jede Wahrnehmung eine zusammengesetzte ist. Die Sinneseindrücke treffen gleichsam auf ein a priori aufgespanntes Netz von reinen Verstandesbegriffen, durch das sie bestimmt und in einen Zusammenhang zueinander gesetzt werden. Dadurch werden sich wiederholende Sinneseindrücke als solche erkennbar und können einzelnen Gegenständen der Erfahrungswelt zugeordnet werden. Das System der reinen Verstandesbegriffe oder Kategorien stellt folglich die Verstandesleistung dar, welche bloße Sinneseindrücke zu Erkenntnissen macht. Die Dinge der empirischen Welt sind nicht ‚als solche' fassbar, wohl aber in der Weise, wie sie zusammengehören, sich aufeinander beziehen, dieselben bleiben oder sich verändern. Das einzelne Seiende entzieht sich, aber es wird greifbar durch seine Stellung im Ganzen des vom Verstand aufgespannten Netzes.

Dieses Ganze ist nichts anderes als die *Ordnung* der Dinge, es ist also nicht selbst ein Ding mit einem eigenen Sein. Auf der anderen Seite wird das einzelne *Seiende* erst durch seinen Platz in dieser Ordnung ein bestimmter Gegenstand der Erfahrungswelt. Die Ordnung der Dinge schafft eine sinnvolle Erfahrungswelt, sie bildet eine Klammer, die auf der einen Seite die reinen, aber sozusagen blutleeren Ideen und auf der anderen Seite das sich unendlich entziehende „Ding-an-sich" zusammenhält. Damit gelingt Kant ein entscheidender Durchbruch im Denken der Neuzeit. Er überwindet die Dichotomie von Welt als Welt des Denkens auf der einen und Welt der Dinge auf der anderen Seite. Das System der Kategorien ordnet die Flut von Sinneseindrücken, es ist das ‚innere Gefüge' der empirischen Erkenntnis, das heißt unserer Erfahrungswelt. Es gibt nur noch die zwei Seiten der einen Erfahrungswelt – auf der einen Seite die kategoriale Ordnung, auf der anderen Seite die faktischen Sinneseindrücke. Zugleich sind diese beiden Seiten aufeinander bezogen, die eine ist der *Sinnzusammenhang* der anderen und diese ist die *Faktizität* jener.

2. Die Konstitution von Vernunft

Transzendentalphilosophie kann gleichsam als die Entdeckung der *Ordnung* alles Seienden verstanden werden. Diese Ordnung gewährleistet den inneren Zusammenhalt der Erfahrungswelt und bestimmt daher ihre eigentliche Qualität. Das wird am Beispiel der Wahrnehmung als eines prominenten Erfahrungsfeldes deutlich: Der bloße Blick, der irgendwohin fällt, führt zwar zu einem entsprechenden Sinnesreiz, aber keineswegs in jedem Fall auch zur Wahrnehmung des Gegenstandes, auf den der Blick fiel. Unser Blick schweift beständig über eine große Anzahl von Dingen, ohne dass wir diese in irgendeiner Weise registrieren. Und das nicht nur, weil sie uns geläufig sind oder uninteressant erscheinen und wir ihre Wahrnehmung daher gleich wieder vergessen. Viel häufiger führen die äußeren Sinnesreize gar nicht erst zu einer bewussten Wahrnehmung, die dann ins Vergessen abgedrängt werden kann. Wenn mich etwa mein Gesprächspartner beim spätwinterlichen Gang über eine Wiese darauf aufmerksam macht, dass die Bäume bereits Knospen treiben, dann habe ich das nicht zuvor selbst schon wahrgenommen und wieder vergessen; ich hätte diese Wahrnehmung sicherlich meinerseits mitgeteilt. Und doch ist mein Blick schon viele Dutzend Male auf die knospenden Bäume gefallen. Ich habe den beginnenden Frühling aber nicht wahrgenommen, weil ich auf anderes, etwa die Schlitten fahrenden Kinder und ihren Streit darüber, wer denn nun als nächster an der Reihe sei, konzentriert war. Mein Wahrnehmungsfeld war durch diese Beobachtung in bestimmter Weise selektiv vorstrukturiert, so dass der Sinnesreiz, der durch den Blick auf die knospenden Bäume ausgelöst wurde, nicht eingeordnet werden konnte. Da sich die Knospen an den Bäumen nicht schlüssig mit meinen aktuellen Wahrnehmungsmomenten von den Schlitten fahrenden Kindern in Verbindung bringen ließen, konnten sie auch nicht als Standortbestimmung dieses Wahrnehmungszusammenhangs dienen. Sie konnten meine augenblickliche Wahrnehmung weder weiter differenzieren noch erhielten sie von dieser Wahrnehmung her einen eigenen Sinn. Ohne diese Einordnung in das aktuelle Wahrnehmungsfeld bleibt der Blick auf die knospenden Bäume aber folgenlos.

Gerade am Beispiel der Wahrnehmung wird damit noch etwas anderes deutlich. Es gibt nämlich nicht nur eine einzelne Ordnung, durch die die Dinge qualitativ bestimmt sind und begrifflich fassbar werden. Es gibt vielmehr unzählig viele solche Ordnungen, die jedoch alle selektiv sind, das heißt dass jede einzelne von ihnen nur einen Teil der Dinge zu Wort kommen lässt. Diese Selektivität ist eine wichtige Voraussetzung dafür, dass die Dinge, die in einer Ordnung zu Wort kommen, dieser Ordnung ein eigenes Profil geben können. Wäre die Ordnung nicht selektiv, dann könnte sich ihre ordnende Tätigkeit einzig nach allgemeinen, formalen Kriterien richten und also nicht auf die Besonderheiten der Dinge eingehen. Genau das ist die Kritik an Kant: Die begrifflich fassbare Erfahrungswelt lehrt uns viel über die Verstandesleistung, die im Aufspannen eines kategorialen Netzes liegt, sie lehrt uns dagegen wenig über die Dinge, die in dieser Erfahrungswelt zur Erscheinung gelangen. Die Dinge können in einer ihnen auferlegten Ordnung nicht in ihrer Eigenheit zu Wort kommen. Solche Selbstaussage ist nur möglich, wenn es eine Vielzahl selektiver Ordnungen gibt und diese ganz klar die Handschrift der einzelnen Dinge tragen. Die Selektivität der Ordnungen ist die Voraussetzung dafür, dass die Dinge in ihnen tatsächlich so wie sie sind begrifflich fassbar werden. Zugleich weist die Selektivität der Ordnungen darauf hin, dass die Ordnungen nicht wie das Kantische kategoriale Netz durch äußere Sinnesreize lediglich aktualisiert werden, sondern von den zur Erscheinung gelangenden Dingen selbst mitgestaltet werden. Die Selektivität des Wahrnehmungsfeldes ist positiv dadurch bestimmt, dass die einzelnen Wahrnehmungsmomente Einfluss auf die Art des Wahrnehmungsfeldes haben. Das Wahrnehmungsfeld gewinnt seine eigene Gestalt also selbst erst im Laufe des Wahrnehmungsaktes, es durchläuft einen *Konstitutionsprozess*. Diese Konstitution geschieht als das Zusammenspiel der Ordnung, die die Dinge fassbar und damit zu Wahrnehmungsgegenständen macht, und den derart wahrgenommenen Dingen, die dieser Ordnung ein eigenes Profil verleihen. Erst als Folge dieses Konstitutionsprozesses bedeutet die Selektivität des Wahrnehmungsfeldes auch eine Exklusion derjenigen Dinge, die in diesem Feld nicht zur Erscheinung gelangen (vgl. dazu Waldenfels 1987, 51-83).

Paul Klee hat den Konstitutionscharakter der Wahrnehmung gesehen. In seinem Bild *Die Erwachende* (1920) erkennt man eine liegende Frau, die offenbar gerade aufwacht – ein Auge ist bereits geöffnet, das andere noch geschlossen. Sie blickt bereits auf die sie umgebenden Dinge, aber erkennt diese noch nicht. Die Dinge erscheinen daher zunächst aufdringlich, sind nicht einzuordnen, stehen in keinem Zusammenhang. Klee stellt sie als schwarze geometrische Körper dar, das heißt, sie sind auf ihre elementare Dinglichkeit reduziert. Um diese Dinge als die bekannte Umgebung wahrzunehmen, in der sich die Frau schlafen legte, muss sie erst wieder das entsprechende Wahrnehmungsfeld konstituieren. Jeder kennt dieses Phänomen, das deutlicher dann auftritt, wenn man in ungewohnter Umgebung aufwacht. Dann dauert es einen Moment, bis man sich zurechtfindet, bis die Dinge Sinn ergeben. Klee sieht aber noch etwas anderes: Nicht nur bedarf es der Horizontkonstitution, um die Dinge verstehen und als bestimmte Dinge wahrnehmen zu können, auch der Mensch selber muss im Prozess des Aufwachens erst zu sich kommen. Er benötigt das Wahrnehmungsfeld, das seine Außenwelt in einen sinnvollen Zusammenhang rückt, dazu, selbst Konturen zu gewinnen, das heißt sich selbst als Mensch in einer Umwelt zu erfassen. Deshalb malt Klee die Frau im Aufwachprozess eigenartig konturlos, die Ränder der Figur zerfließen farblich mit der Umgebung. Auch scheint das Herz noch nicht am rechten Fleck zu sein, die Frau ist im wahrsten Sinne des Wortes noch nicht ganz ‚bei sich'. Klee zeigt in diesem Bild m. E., dass die Konstitution eines Wahrnehmungsfeldes zugleich die Konstitution des Ich-Bewusstseins ist. Die *Konstitution* einer selektiven Ordnung darf also nicht als *Konstruktion* dieser Ordnung durch ein Subjekt missverstanden werden. Vielmehr ist die Konstitution der Ordnung immer zugleich eine Ich-Konstitution, wahrnehmendes Subjekt und wahrgenommenes Objekt sind die zwei Seiten ein und desselben Konstitutionsprozesses. Der Begriff der Konstitution meint genau dies, dass nämlich der Aufbau eines bestimmten Wahrnehmungsfeldes nur möglich ist, wenn zugleich mit ihm eine entsprechende Konkretion der wahrnehmenden Subjektivität einhergeht. Das bedeutet, um auf die eben beschriebene Erkenntnisstruktur bei Kant zurückzukommen, dass im Prozess der Konstitution einer selektiven Ordnung das gesamte a priori aufgespannte Netz, auf das die Sinneseindrücke treffen, neu geflochten wird.

Philosophisch zeigt Edmund Husserl das, was Klee im Bild ins Sehen bringt. Husserl selbst ist die Tatsache, dass Wahrnehmungsfelder – bzw. allgemeiner: Ordnungen –, die bestimmte Erkenntnisse ermöglichen, konstituiert werden müssen, wohl an der Mathematik aufgegangen. Er ist in die Welt des mathematischen Denkens förmlich eingebrochen und konnte sich so mühelos auf diesem Feld bewegen, dass er zunächst eine akademische Laufbahn in der Mathematik einschlug. Das entscheidende Erlebnis dabei ist, nicht einfach eine einzelne Sache zu verstehen, sondern das Prinzip eines ganzen Denkfeldes zu erfassen. Diesem Phänomen ist Husserl mit der Erforschung der Horizontverfasstheit der Wahrnehmung und der intentionalen Struktur des Bewusstseins nachgegangen.

Bekanntlich greift Husserl den Satz seines Lehrers Brentano auf, „Bewusstsein ist immer Bewusstsein von etwas". Allerdings meint Husserl damit etwas anderes als Brentano. Hatte dieser auszudrücken versucht, dass sich das Bewusstsein immer auf etwas richtet und nicht gleichsam leerläuft, so meint Husserl, dass das Bewusstsein seiner inneren Struktur nach Horizontbewusstsein ist und dass Gegenstände der äußeren Welt nur bewusst werden können, weil sie immer in einem bestimmten Horizont erscheinen. (Husserl 1976, 71-75) Einfachstes Beispiel ist die Ergänzung des perspektivischen Blicks, die notwendig ist, um die eingeschränkte Wahrnehmung als Perspektive des entsprechenden Gegenstandes erkennen zu können. Der Blick auf die Vorderseite eines Hauses kann nur deshalb auch zur Wahrnehmung einer Hausvorderseite führen, weil im Wahrnehmungsprozess immer schon Rück- und Seitenansichten ergänzend hinzugedacht werden, d. h. die Wahrnehmung vor dem Hintergrund des Sinnganzen ‚Haus' stattfindet.

Die Wahrnehmung richtet sich nicht völlig unbeteiligt auf die äußere Welt, vielmehr ist im Wahrnehmungsprozess immer schon etwas gemeint, nämlich der Zusammenhang, in den die jeweiligen Wahrnehmungsgegenstände gehören. Ein solcher Zusammenhang muss in jedem Wahrnehmungsprozess gleichsam als Leinwand aufgespannt sein, damit die einzelnen Dinge vor diesem Hintergrund als Konkretionen des Zusammenhangs wahrnehmbar werden. Die Pluralität und damit verbunden die Selektivität der Ordnungen ist also in der *Intentionalität* des Bewusstseins begründet, die das Wahrnehmungsfeld je neu konstituiert. Mit der Gründung des Konstitutionsprozesses der Wahrnehmung in der Intentionalität des Bewusstseins wird deutlicher, wieso die Konstitution einer Ordnung immer auch den Aufbau einer bestimmten wahrnehmenden Subjektivität einschließt. Das Bewusstsein selbst strukturiert sich immer wieder neu. Subjektivität und Objektivität hängen zusammen, verbunden durch die Intentionalitätsstruktur des Bewusstseins. Husserl ist in diesem Punkt konsequent. Er erkennt, dass die Dynamisierung des Kantischen Apriori zum Korrelationsapriori auch eine Dynamisierung des Subjekts mit einschließen muss, soll sie nicht hinter Kant zurückfallen und die Klammer, die die Transzendentalphilosophie um „Ding-an-sich" und Idee gelegt hat, wieder aufbrechen.

Mit der Entdeckung der Intentionalität wird es deshalb möglich, Ordnungen als *Sinnfelder* zu beschreiben, das heißt, dass die selektiven Ordnungen einen inhaltlichen Vorentwurf leisten, der nur das zur Erscheinung bringt, was diesen Vorentwurf konkretisiert. Im Wahrnehmungsprozess, so zeigt Husserl, ist immer etwas *gemeint*, Wahrnehmung ist die Verortung eines einzelnen Wahrnehmungsmoments im Sinnganzen des Horizonts. Wahrnehmung ist immer sinnvolle Wahrnehmung, ja ist im Grunde *reine Sinnwahrnehmung*, denn das, was am wahrgenommenen Gegenstand nicht durch seinen Ort im Horizont beschrieben werden kann, das heißt das, was an diesem Gegenstand nicht durch seine Beziehung zu anderen Gegenständen bestimmt ist, entzieht sich auch der Wahrnehmung. Dieses letzte Sichentziehen des wahrgenommenen Gegenstandes ist jedoch gerade verantwortlich für den Seinsglauben. Denn die Differenz, die der wahrgenommene Gegenstand zum Horizont des Bewusstseins behält, macht ihn zu einem Ding, das das Bewusstsein transzendiert, ein eigenes Sein hat. Umgekehrt ist es deshalb so, dass vom Seinsglauben abgesehen werden muss, um die intentionale Struktur des Bewusstseins beschreiben zu können. Husserl nennt diese Übung die „transzendentale" bzw. die „phänomenologische Epoché" (Husserl 1976, 65-66). Vollzieht man die Epoché, so wird deutlich, dass sich am Wahrnehmungsprozess selbst nichts ändert, der wahrgenommene Gegenstand nach wie vor als so und so gemeinter erscheint. Er bleibt *sinnvoller* Gegenstand, das heißt, er erscheint vor dem Hintergrund eines Sinnganzen und wird von Husserl deshalb Phänomen genannt. Diesen Wahrnehmungsprozess untersucht die Phänomenologie, es geht ihr nicht in erster Linie um die Beschaffenheit eines einzelnen Wahrnehmungsgegenstandes, sondern um die Art und Weise, wie dieser Gegenstand in der Wahrnehmung gegeben ist. Die Phänomenologie beschreibt also die *Gegebenheitsweisen*, das heißt die Konstitution von Horizonten, die die Einordnung und damit die Wahrnehmung von Gegenständen überhaupt erst ermöglichen.

3. Das Konzept der Lebenswelt

Die verschiedenen Gegebenheitsweisen – das sind also die intentionalen Bewusstseinsakte, in denen sich Vernunft konstituiert – bauen aufeinander auf. Eine einmal konstituierte Gegebenheitsweise, die einen bestimmten Bereich von Objektivität eröffnet und dem Menschen damit ein weiteres Stück der Welt zugänglich macht, geht nicht wieder verloren, sobald sich die menschliche Aufmerksamkeit auf einen anderen Gegenstandsbereich richtet, dem eine neue Gegebenheitsweise zugrunde liegt. Vielmehr findet ein Gewöhnungsprozess statt, der Mensch lernt gleichsam, mit dem eröffneten Gegenstandsbereich umzugehen. Tatsächlich entspricht dem Gegenstandsbereich ja auch eine bestimmte Form von Subjektivität, die der Mensch im Zuge dieses Kennenlernens ausbildet und die er nicht im nächsten Augenblick wieder verliert. Die Gegebenheitsweisen „habitualisieren" und rutschen in einen Dämmerbereich des Bewusstseins ab, in dem sie die Wahrnehmung des Menschen nicht mehr aktuell bestimmen, aus dem sie jedoch jederzeit wieder ans Licht gezogen und aktualisiert werden können.

Husserl zeigt nun, dass die einmal konstituierten Gegebenheitsweisen nicht allein den jeweiligen Menschen formen und gleichsam ein biographisches Zeugnis ablegen, sondern die menschliche Welt in einer für alle anderen Subjekte ebenso nachvollziehbaren Weise erweitern. Es wird ein Bereich von Objektivität eröffnet, der fortan allen Subjekten offen steht. Das ist wichtig, könnten sich die Menschen andernfalls doch gar nicht über ihre gemeinsame Welt verständigen. Gewährleistet ist diese Intersubjektivität letztlich dadurch, dass die Konstitution von Gegebenheitsweisen keine Leistung des menschlichen Subjekts ist – das ja seinerseits durch jede neue Gegebenheitsweise bereichert wird –, sondern eine Leistung des „transzendentalen Ego" (Husserl 1954, 187-193). Das Residuum des transzendentalen Ego, auf das sich der Mensch zurückbesinnen kann, indem er Epoché übt und vom empirisch gegebenen Subjekt absieht, ist zunächst noch je-individuell geprägt, weil es das transzendentale Ego in jener Gestalt beherbergt, in der es den dieses Subjekt betreffenden Konstitutionsleistungen zugrunde liegt. Von diesem Residuum aus führt jedoch eine weitere Reduktion zum reinen und einzigen transzendentalen Ego, „hinter [das] zurückfragen zu wollen ein Unsinn ist" (ebd. 192). Dieses transzendentale Ego ist der Urgrund aller Konstitution, es ist folglich über-individuell. Der gemeinsame ‚Ursprung' aller Konstitution ermöglicht es den Menschen, sich in ihre Mitsubjekte „einzufühlen" und deren Bewusstseinsakte nachzuvollziehen. Deshalb also vermag eine einmal eröffnete Gegebenheitsweise die menschliche Welt für alle Subjekte gleichermaßen verbindlich zu gestalten. Auch in dieser gemeinsamen Welt findet ein Gewöhnungsprozess statt, Husserl spricht davon, dass die Intentionalitäten „sedimentieren". So begründet sich der geschichtliche Aufbau einer gemeinsamen menschlichen Lebenswelt. Die Lebenswelt ist eine Schichtung von Intentionalitäten und damit eine Explikation der Vernunft.

Hans-Georg Gadamer greift in seiner Analyse der Wirkungsgeschichte und des Traditionszusammenhangs den Grundgedanken des Husserlschen Lebensweltkonzepts auf, ohne dies jedoch selbst explizit herauszuarbeiten (Gadamer 1986). Er zeigt, dass eine Traditions- oder Kulturgemeinschaft eine gemeinsame Lebenswelt gestaltet, die fortan selbstverständlich prägend für die Mitglieder dieser Traditionsgemeinschaft ist. Folgegenerationen arbeiten sich an den Traditionen ab, interpretieren sie neu und verändern dadurch auch die Lebenswelt. Sie gewinnen auf diese Weise ihr eigenes Selbstverständnis. Allerdings handelt es sich eben um eine Neuinterpretation vorgegebener *Traditionen*, die Konstitution des Selbstverständnisses geschieht deshalb nicht willkürlich, sondern als Erneuerung dessen, was bereits vorgefunden wird. Im Unterschied zu Husserl, der im Aufbau der Lebenswelt die Selbstverwirklichung der Vernunft sieht (Husserl 1954, 269-276), geht Gadamer jedoch davon aus, dass lebensweltliche Explikationen immer nur eine Annäherung an die Vernunft sein können. Die Gestaltung von Lebenswelten ist also immer auch ein Kampf um die Vernunft.

4. Die Frage nach dem Sinn von Sein

Mit der Frage nach dem Sinn von Sein (Heidegger 1986) hat Martin Heidegger die abendländische Philosophietradition auf ihre Kernfrage hin enggeführt und das Denken dadurch in einer Weise radikalisiert, dass sich die Philosophie seitdem entweder selbst beschränkt hat und ins Glied der Einzelwissenschaften getreten ist oder aber an der Destruktion ihrer eigenen Tradition arbeitet und versucht, gänzlich neue Wege zu beschreiten. Die Frage nach dem Sinn von Sein führt das Denken in jenen Bereich, in dem auch das Denken selbst gründet. Solcher Grund wird dem Denken zum Abgrund.

Der Sinn von Sein ist mittels der Vernunft nicht zu fassen. Die neuzeitliche Wendung von der Frage nach dem *Wesen* zur Frage nach dem *Sinn* einer Sache ist in der Einsicht begründet, dass das Wesen nicht selbst dinglich und mithin kein Objekt der menschlichen Erfahrungswelt sein kann. Dennoch erscheint die Erfahrungswelt dem Menschen wohl geordnet und keineswegs bloß als eine beliebige Ansammlung losgelöster Akzidenzen. Wenn diese – für den Menschen erkennbare – Ordnung ihren Halt nun nicht in einer Wesensstruktur haben kann, dann muss sie vernunftbegründet sein. Sinn ist eine *Vernunftfolie*. Heideggers Frage nach dem Sinn von Sein stellt diese Erkenntnis der Transzendentalphilosophie gleichsam auf den Kopf. Die Transzendentalphilosophie fragt nach den Bedingungen der Möglichkeit, dass Seiendes erscheint, und stößt dabei auf die Vernunft. Heidegger fragt dagegen nach den Bedingungen der Möglichkeit, dass Sein in Form von Seiendem zur Erscheinung gelangt. Er macht damit darauf aufmerksam, dass die Frage nach der Erkenntnis von Seiendem einer Klärung des Verhältnisses zwischen Sein und Seiendem nachgeordnet ist. Die Transzendentalphilosophie entgeht nur dann dem Cartesischen Dilemma zweier Welten, wenn die jeweiligen Vernunftfolien dem Verhältnis von Sein und Seiendem tatsächlich entsprechen. Die Vernunft muss dieses Verhältnis repräsentieren können.

Wenn daher die Phänomenologie Husserlscher Prägung tatsächlich „strenge Wissenschaft" (Husserl 1965) sein soll, ohne ihrerseits dem naiven Realitätsglauben aufzusitzen, den Husserl an den Naturwissenschaften kritisiert, dann muss der Bewusstseinshorizont, in dem die Gegenstände als so und so gemeinte erscheinen, auf einem entsprechenden, ebenso „konstituierten" – das heißt nicht einfach vorhandenen – Sinnzusammenhang in der faktischen Welt aufruhen. Kurz gesagt: Wenn die Dinge als so und so gemeinte erscheinen sollen, dann müssen sie zuvor so und so gemeint *sein*. Sie können nicht nur in einen Sinnzusammenhang eingeordnet werden, sondern sie müssen tatsächlich in einem sinnvollen Zusammenhang stehen. Andernfalls geht die Entdeckung der Transzendentalphilosophie wieder verloren, der Sinn wird wieder die Sache des Bewusstseins und steht der faktischen Realität gegenüber. Die Frage nach der Konstitution des Sinnzusammenhangs, in dem die Dinge stehen, muss folglich immer zugleich die Frage nach dem Sein dieser Dinge und dem Sein des Wahrnehmenden beinhalten. Husserls Schritt über Kant hinaus ist nur dann wirklich ein Fortschritt, wenn konsequent mit der Frage nach dem Sinn auch die Frage nach dem Sein gestellt wird. Die *Seinsweisen*, nicht die Gegebenheitsweisen stehen im Mittelpunkt des phänomenologischen Interesses.

Heidegger zeigt, dass der Konstitutionszusammenhang von wahrnehmender Subjektivität und Wahrnehmungshorizont, den Husserl für das Bewusstsein beschreibt, in einem vergleichbaren Strukturzusammenhang auf ontologischer Ebene gründet. In der Begrifflichkeit Husserls ausgedrückt heißt das, dass nicht nur das Bewusstsein, sondern zuvor das Dasein eine intentionale Struktur hat. Das Dasein ist seiner inneren Struktur nach immer schon „sich vorweg bei den Dingen", weil es sich selbst vom Verständnis der Bewandtnisganzheit her gewinnt, von der die Dinge ihre je eigene Bedeutung erhalten (Heidegger 1986, 83-88). Das Dasein selbst entwirft sich auf ein Sinnganzes hin und nur deshalb kann ihm Seiendes begegnen. Das Seiende begegnet, weil es einen Ort im Sinnganzen hat – ebenso wie es bewusstseinsmäßig nur vor dem Hintergrund eines Horizonts erscheint –, und die Entdeckung dieses Sinnganzen ist das Sein des Daseins. Das Dasein selbst ist also gleichsam als ein Strukturzusammenhang aufzufassen und keinesfalls als ein Subjekt im klassischen Sinn.[3] Das menschliche Subjekt gewinnt sich aus der Art und Weise, wie ihm die Dinge begegnen. Dass sie ihm überhaupt begegnen können, setzt jedoch voraus, dass zuvor ihre Bewandtnisganzheit entdeckt ist. Die Entdeckung der Bewandtnisganzheit ist deshalb grundlegend sowohl für die Subjektivität des Menschen als auch die Bedeutung des Seienden. Dass dem Handwerker der Hammer in der Werkstatt „zuhanden", das heißt vertraut und ihm zugehörig ist, offenbart nicht das Wesen dieses Menschen als eines Handwerkers, sondern zeigt, dass Mensch und Umwelt in einer gemeinsamen Sinnstruktur miteinander verwoben sind (Heidegger 1986, 66-72). Heidegger kann deshalb sagen, dass sich das Dasein in der Begegnung mit dem Seienden selbst verwirklicht. Das „Ich" des Subjekts gründet im „Selbst" des Daseins (Rombach 1988a, 124-134).

Das Sein alles Seienden (sei dies daseinsmäßiges oder nicht-daseinsmäßiges Seiendes) entzieht sich letztlich aller Entdeckung. Es ist abgründig, unfassbar und bleibt im Dunkeln. Offenbar werden kann es nur, indem es als das Sein eines bestimmten Seienden gleichsam partikularisiert wird und in Beziehung zum Sein eines anderen Seienden tritt. Das Sein wird also dadurch entdeckt, dass es ausei-

---

[3] „Das In-der-Welt-sein [als Seinsverfassung des Daseins] ist eine ursprünglich und ständig *ganze* Struktur." (Heidegger 1986, 180)

nandergehalten und gleichsam gelichtet wird. Heidegger erkennt deshalb in der Zeit die Bedingung der Möglichkeit, dass Sein in Form von Seiendem zur Erscheinung gelangt. Die Zeit ist der Sinn von Sein. In der „Lichtung", wie Heidegger später sagt, wird das Sein gerade *wegen* seines Entzogenseins offenbar, weil so seine innere Bezüglichkeit aufgedeckt wird. Das Dasein kann als das „da" dieser Lichtung verstanden werden, in der das Sein in seinem Entzogensein offenbar wird. Das Dasein ‚hält' das Sein auseinander, es ist Sein, das über sich hinaussteht, *existiert* – und in diesem ‚Über-sich-Hinaussteh en' tut sich der innere Zug, der innere Sinnverhalt des Seins auf.

Die Klammer zwischen dem Erkennen und der faktischen Welt, die die Transzendentalphilosophie durch die Beschreibung einer kategorialen Ordnung als dem ‚inneren Gefüge' der Erfahrungswelt leistet, gründet folglich auf ontologischer Ebene im Dasein, das die Differenz zwischen Sein und Seiendem überhaupt erst aufreißt und damit die Möglichkeit bewusster Erkenntnis schafft.

5. Welt als Phänomen

Im Unterschied sowohl zu Husserl als auch zu Gadamer versteht Heidegger Welt von der spezifischen Struktur des Daseins her und nicht umgekehrt die jeweilige Struktur des Daseins als Ausdruck der Gestaltung von Welt. Lebenswelt, wie sie in der Hermeneutik Gadamers vorgestellt wird, ist interpretierte, gestaltete und intersubjektiv verständlich gemachte Welt. Die Lebenswelt wird als Korrelat intentionaler Akte beschrieben, hinter der die Welt an sich jedoch verborgen bleibt. Heidegger dagegen versucht, die Welt von der Struktur des „In-der-Welt-seins", das ist die Seinsverfassung des Daseins, ausgehend zu fassen. Das Dasein entdeckt Welt in der Weise, dass es sich auf eine Bewandtnisganzheit hin entwirft, von der her das Seiende seine Bedeutung erhält. Innerweltliches Geschehen wie etwa das Begegnen von Seiendem ist deshalb nur möglich auf der Grundlage dieser Entwurfsstruktur des Daseins. Das Dasein ist also nicht selbst in der Welt, sondern es ermöglicht überhaupt erst, dass Seiendes in der Welt ist. Welt gründet in der Konstitution des Daseins als „In-der-Welt-sein".

Damit analysiert Heidegger Welt erstmals als Phänomen. Die Welt durchläuft einen Konstitutionsprozess, der wesentlich als Entwurf des Daseins auf einen spezifischen Bewandtniszusammenhang hin beschrieben wird. Heidegger spricht deshalb davon, dass „die Struktur dessen, woraufhin das Dasein sich verweist," das ist, „was die *Weltlichkeit* der Welt ausmacht" (Heidegger 1986, 86). Die Welt ist, wenn sie als Phänomen analysiert wird, nicht mehr einfach Sammelbegriff für alles Seiende. Sie hat vielmehr einen eigenen Charakter, eine spezifische „Weltlichkeit", die Ausdruck des besonderen, jeweiligen Konstitutionsprozesses ist. Welt in diesem Sinne ist für das Dasein „jemeinige" Welt. Sie bleibt deswegen dennoch unendlich und umfassend, aber sie bekommt einen eigenen Grundton, der alles Seiende und jedes Ereignis, das in dieser Welt stattfindet, färbt.

6. Kommunikative Vernunft

Die Phänomenologie geht auf die Grundeinsicht zurück, dass die Dinge nicht einfach gegeben sind, sondern immer erst die Konstitution eines entsprechenden Gegenstandsbereichs erfolgen muss, vor dessen Hintergrund ein Ding sinnvoll erscheinen kann. Die Phänomenologie ist im Wortsinne die Lehre vom ‚Zur-Erscheinung-kommen' der Dinge. Heidegger arbeitet ebenso phänomenologisch, allerdings radikalisiert er den Husserlschen Ansatz, indem er das ‚Zur-Erscheinung-kommen' der Dinge nicht allein auf die Wahrnehmung, sondern zuvor bereits auf das Sein der Dinge bezieht. Die Dinge sind nicht einfach *da*, sondern ihr *da sein* muss geleistet werden. Der Leistung eines Gegenstandsbereichs entspricht sowohl in der Bewusstseinsphänomenologie als auch in der phänomenologischen Ontologie die Konstitution einer bestimmten Form von Subjektivität. Der Umgang mit wissenschaftlichen Texten beispielsweise verlangt von einem Menschen nicht nur besondere Fähigkeiten und ein bestimmtes Vorwissen, sondern erfordert auch ein gänzlich anderes Selbstverständnis dieses Menschen als etwa das Lesen von Romanen. Wissenschaftliche Texte verlangen, dass der Leser distanziert bleibt, das Gelesene zunächst immer unter Vorbehalt aufnimmt, um es im Verlauf der weiteren Lektüre gegebenenfalls noch korrigieren oder auch grundsätzlich kritisieren zu können. Der Leser misst die Aussagen des Textes immer auch an anderen, ihm bereits durch weitere Texte bekannten Aussagen – dadurch erzielt er Objektivität; und er muss sich eigener, subjektiver Stellungnahmen enthalten. Sein Selbstverständnis ist das eines Außenseiters, eines interessiert beobachtenden und kritisch abwägenden Zuschauers. Der Romanleser dagegen identifiziert sich mit einer der Romanfiguren und lässt sich ganz ins Geschehen hineinziehen. Der Roman gewinnt seine Spannung dadurch, dass jedes Ereignis den Leser unmittelbar betrifft, weil dieser an der Handlung teilnimmt.

Heinrich Rombach greift diesen Grundgedanken in seiner Strukturphänomenologie auf. Am Beispiel der Wahrnehmung betrachtet er die Zusammengehörigkeit eines Bereichs von Objektivität und einer bestimmten Form von Subjektivität genauer (Rombach 1980, 171-281). Dabei zeigt er, dass dies Verhältnis nicht statisch ist. Weder der Gegenstandsbereich noch die Subjektivität werden einmalig konstituiert, um in der Folge gleichsam als funktionales Paar einen Teil der Wirklichkeit zu repräsentieren. Es ist dagegen so, dass sich ein Gegenstandsbereich erst nach und nach aufbaut und sich die korrespondierende Subjektivität fortlaufend weiter entwickelt. Auf das oben angeführte Beispiel übertragen, heißt das, dass ein Wissenschaftsfeld nicht einfach aufgeblendet werden kann. Solch ein Feld unterliegt ständiger Veränderung durch weitere Forschungen. Es erweitert sich nicht nur, sondern kann im Ganzen eine neue Orientierung gewinnen, so etwa die Biologie durch Darwins Lehre von der Entstehung der Arten. Ebenso ist die Subjektivität des Wissenschaftlers nicht einfach das Ergebnis eines einmalig hergestellten intentionalen Bezugs zu einem Wissenschaftsfeld. Der Wissenschaftler muss sich den Bezug zu seinem Arbeitsfeld erst erarbeiten, er muss Fakten und Texte kennen lernen, er muss Zusammenhänge verstehen lernen und er muss eine wissenschaftlich distanzierte Haltung erst erlernen. All dies aber kann er sich nur aneignen, indem er sich selber wissenschaftlich betätigt, das heißt in direkter Auseinandersetzung mit dem Wissenschaftsfeld. Der Wissenschaftler wird zum Wissenschaftler, indem er Wissenschaft betreibt – und damit auch seinerseits bereits das Gegenstandsfeld der Wissenschaft mitverändert. Dieser Prozess wechselseitiger Konstitution kommt niemals zum Erliegen, er ist zu keinem Zeitpunkt abgeschlossen. Der Wissenschaftler, der sich auf seinen Erfolgen ausruht, stellt keine Fragen mehr und verliert damit sogleich seine genuin wissenschaftliche Haltung. Das Wissenschaftsfeld, das sich nicht mehr weiter entwickelt, wird auch nicht weiter erforscht und ist damit kein wissenschaftlicher Gegenstandsbereich, mithin kein Wissenschaftsfeld mehr. Selbst die Möglichkeit, überhaupt Wissenschaftsfelder zu konstituieren, musste in der Neuzeit erst gefunden werden. Das ging wiederum zusammen mit der Erneuerung des menschlichen Selbstverständnisses als eines autonomen Wesens.[4]

Subjektivität und Objektivität bilden einen Strukturzusammenhang, der nicht einmalig entworfen wird, sondern sich selbst formt und fortlaufend weiter gestaltet. Jedes noch so kleine und unbedeutend scheinende Strukturmoment entscheidet dabei über die Gesamtverfassung des Strukturganzen mit, ist diese Verfassung doch gerade durch die Art und Weise bestimmt, wie die verschiedenen Strukturmomente zusammengehören. Eine kleine Neuerung kann den ganzen Strukturzusammenhang dahingehend verändern, dass Subjektivität und Objektivität in ihm eine völlig neue Bedeutung erhalten. Eine solche Neuerung kann dabei sowohl vom Menschen ausgehen, der gestaltend in die Welt eingreift, als auch von den Dingen angeregt werden, die dem Menschen u. U. bislang ungeahnte Möglichkeiten eröffnen. So hat den Menschen beispielsweise das Feuer, nachdem er gelernt hatte, mit ihm umzugehen, in seinem ganzen Sein erneuert. Das Feuer als lebendige Kraft, um die es sich zu kümmern gilt, die aber zugleich zum Kochen dient, die Jagd unterstützt und Wärme spendet, ist zum Lebensmittelpunkt des Menschen geworden. Mit dem Feuer hat der Mensch ein Heim, ein Zentrum, von dem aus er seine Umwelt kultivieren kann. Mit dem Feuer beginnt der Mensch, sich von der Natur abzusetzen, und wird Kulturmensch.[5] Mensch und Natur gestalten „konkreativ" eine gemeinsame Welt (Rombach 1994). Man kann aber auch viel alltäglichere Beispiele wählen. So wie der Mensch sich seine Räume in einer Weise gestaltet, dass sie ihm entsprechen und ihm über das bloße Gefallen hinaus das Gefühl geben, sich unbeschwert bewegen und frei atmen zu können, so kann umgekehrt die falsche Raumgestaltung auch auf die Stimmung schlagen. Möglicherweise kann ein Mensch in einem Raum keinen klaren Gedanken fassen, nur weil ihm die Decke zu tief hängt.

---

[4] Zur Revolution des antiken Wissenschaftsverständnisses in ein methodisches vgl. Rombach 1988a, 73-86.

[5] Vgl. dazu Rombach 1977, 48-51. Rombach zeigt hier, dass das Feuer gar ein „Urphänomen" ist, da es das menschliche Leben in einer fundamentalen Dimension erfindet.

Auf der Ebene des Bewusstseins ist der beschriebene Strukturzusammenhang durch die Vernunft gekennzeichnet. Die Vernunft ist eine Dimension der bestimmte Formen von Subjektivität und Objektivität verbindenden Struktur. In dieser Dimension geht es um Denk- und Wahrnehmungsakte, um Handlungsentscheidungen und zwischenmenschliche Kommunikation. Auch die jeweilige Vernunft eines Strukturzusammenhangs wird von jedem einzelnen Strukturmoment mitgestaltet. Die Logik, die einem Wahrnehmungsakt zugrunde liegt, wird durch das in diesem Akt Wahrgenommene wesentlich korrigiert und weiterentwickelt. Für den Wissenschaftler etwa ist das von größter Bedeutung. Würde die Wahrnehmungslogik einseitig die Art der wahrnehmbaren Gegenstandsbereiche bestimmen und nicht ihrerseits von diesen her korrigiert, dann müsste sich die wissenschaftliche Tätigkeit auf das Ausbuchstabieren dieser Gegenstandsbereiche beschränken. Die Entdeckung neuer Bereiche, die gegebenenfalls zu einer Revolution der jeweiligen Wissenschaft führen kann, auf jeden Fall aber für die grundlegende Weiterentwicklung dieser Wissenschaft verantwortlich zeichnet, erfordert, dass sich die der Wissenschaft zugrunde liegende Logik wandeln kann. In der Logik spiegeln sich der aktuelle Stand und das aktuelle Selbstverständnis der jeweiligen Wissenschaft wider. Mit der Weiterentwicklung der Wissenschaft verändert sich daher auch die ihr zugrunde liegende Logik. Vernunft ist niemals einfach gegeben, sondern gewinnt ihre Gestalt selbst erst *in actu*. Auch die Frage, wie eine Handlung vernünftig auszuführen ist, kann nicht einmalig geklärt werden, sondern die Antwort muss sich in dieser Handlung selber zeigen. Wenn man davon spricht, dass es ‚situationsabhängig' sei, wie eine Handlung auszuführen ist, dann liegt das nicht an offenen, weil für jede Situation spezifischen Variablen, sondern daran, dass jede Situation ihre eigene Vernunft erst gebiert. Die Menschen müssen den Dingen erst begegnen, bevor sich zwischen ihnen eine Vernunftbeziehung ausbilden kann, die dann ihrerseits sowohl die Dinge spezifisch profiliert als auch das menschliche Selbstverständnis entsprechend formt. Diese Begegnung geschieht immer wieder neu und verläuft immer wieder ein wenig anders. Vor allem aber verändert eine Handlung die Beziehung zu den Dingen, so dass zum Abschluss einer Handlung ganz andere Kriterien als zu ihrem Beginn darüber entscheiden, wie die Handlung vernünftig auszuführen ist. An der Konstitution von Vernunft sind deshalb immer alle Wahrnehmungs- und Handlungsmomente beteiligt, wiewohl sie selbst durch die Vernunft geprägt werden. Vernunft entsteht im Prozess der Kommunikation zwischen den verschiedenen Momenten; zugleich wird in diesem Prozess entschieden, wie sich die verschiedenen Momente füreinander darstellen bzw. gegenseitig profilieren. *Communicare* meint zunächst nicht die einseitige Mitteilung, sondern bedeutet ursprünglich *gemeinschaftlich tun*. Vernunft entsteht in einem Kommunikationsprozess.

Der Titel der Vernunft muss dabei keineswegs auf die Dimension des Bewusstseins beschränkt werden. Auch in anderen Dimensionen eines Strukturzusammenhangs ließe sich die entstehende Struktur als Vernunft bezeichnen. So drückt sich in der durch den Umgang mit dem Feuer motivierten Wandlung des

Menschen zum Kulturmenschen ebenso eine eigene Vernunft aus, auch wenn diese Wandlung vom Menschen nicht bewusst reflektiert ist.

Der Prozess, in dessen Verlauf sich in einem Strukturzusammenhang bestimmte Formen von Subjektivität und Objektivität, mithin eine eigene Vernunft, ausbilden, hat keinen eindeutigen Anfangspunkt. Die einzelnen Strukturmomente arbeiten sich möglicherweise lange vergebens aneinander ab, ohne dass eine verbindende Struktur gefunden würde. Dann aber, mit einem Mal, gelingt es, diese Struktur zu finden, und die weitere Gestaltung nimmt in rasantem Tempo ihren Lauf. Das ließe sich für die oben angesprochene Geburtsstunde methodischer Wissenschaft zeigen; es wird aber auch an einem ganz einfachen Beispiel deutlich. Ein Spiel, etwa ein Fußballspiel, kann lange vor sich hindümpeln, ohne dass es eine eigene Struktur und Dynamik entwickelt. Obwohl alle Spieler technisch hoch versiert sind und sich redlich abmühen, entsteht nicht eigentlich ein Fußball*spiel*. Und dann mit einem einzigen Pass, durch ein Tor oder eine Auswechslung finden die Mannschaften ihren Rhythmus und spielen auf höchstem Niveau. Rombach spricht vom „Durchbruch", mit dem eine jede Selbstgestaltung eines Strukturzusammenhangs anhebt.[6] Dem Durchbruch folgt eine Steigerung der Kräfte, da die neu entdeckte Struktur, die die einzelnen Momente des Strukturzusammenhangs verbindet, diese in einer bislang unbekannten Weise profiliert. Die einzelnen Momente wachsen über sich selbst hinaus, so etwa die Spieler auf dem Rasen. Die Steigerung mündet sodann in eine Phase der Konsolidierung, das heißt, die neu gefundene Struktur muss sich bewähren. Ihre Konturen werden fester, damit wird die Struktur allerdings auch weniger tolerant gegen weitere Veränderungen. Der Aufbau- und Konsolidierungsphase folgt deshalb zwangsläufig eine Phase der Verhärtung; die gefundene Struktur ist nun zwar so überzeugend, dass sie alle weiteren Veränderungen an den Rand des Strukturzusammenhangs drängt, diese beginnen aber bereits die Struktur zu unterhöhlen, und irgendwann wird dieser Prozess zu einem Umbruch und zum Durchbruch einer unterschwellig wachsenden neuen Struktur führen.

Die Bewegung vom Durchbruch über eine Steigerung und eine Phase der Konsolidierung bis hin zum Umbruch fasst Rombach unter dem Titel der „Genese" zusammen. Jeder Strukturzusammenhang, in dem sich eigene Formen von Subjektivität und Objektivität gestalten, ist genetisch.

Rombach erforscht also nicht einfach die Struktur bestimmter Gegebenheits- und Seinsweisen, sondern fragt, wie diese Strukturen entstehen. Von der Entdeckung der Strukturgenese ausgehend, ergibt sich daher Kritik an wesentlichen Punkten von Heideggers Daseinsanalytik. Das Dasein muss die Differenz von Sein und Seiendem erst aufreißen. Zwar gründet Heidegger den Sinn des Seienden in dessen Differenz zum Sein, aber in der Entdeckung dieses Sinns bleibt das Seiende an das Dasein gebunden. Die Notwendigkeit einer derartigen Entdeckung durch das Dasein stellt den Sinn seinerseits in eine Differenz zum Seien-

---

[6] Zum Phänomen des Durchbruchs und der Genese vgl. Rombach 1988b, 221-298.

den und stellt ihn damit *fest*. Tatsächlich erhält das Seiende nach Heidegger seine je eigene Bedeutung vom Bewandtniszusammenhang her, der Bewandtniszusammenhang selbst aber wird keinesfalls umgekehrt vom Seienden her korrigiert. Bedeutungsveränderungen von einzelnem Seienden innerhalb des Bedeutungsganzen muss Heidegger deshalb als ein Abfallen von der „eigentlichen" Bedeutung verstehen. Die Verborgenheit des Seins, das sich als solches niemals wirklich fassen lässt, deutet dagegen gar nicht wirklich auf die Notwendigkeit hin, es zu entbergen. In der Annahme einer solchen Notwendigkeit liegt bereits ein verdinglichendes Missverständnis von Sein. Das Sein des einzelnen Seienden bleibt im letzten immer verborgen. Je konsequenter das einzelne Seiende auf seine Seinsweise hin befragt wird, desto weiter weist es über sich hinaus auf das Ganze des Sinnzusammenhangs, in dem es steht. Gerade weil die Seinsweise des Seienden nichts anderes als der Sinn der gesamten Erfahrungswelt ist, lässt sich das Sein dieses Seienden nicht festhalten, sondern entzieht sich letztlich immer.

Mit dem Gedanken der Genese ist die ontologische Differenz zwischen Strukturzusammenhang (Sinnganzem) und Strukturmoment (einzelnem Seienden) auf die zugrunde liegende lebendige Struktur- und Vernunftfindung zurückgeführt. Die ontologische Differenz muss deshalb nicht mehr von einem ‚Dritten' aufgerissen werden, sondern ist Ausdruck dieses Findungsprozesses, das heißt sie geschieht „von selbst".

7. Gespräch der Welten

Auf der Ebene von Kulturen zeigt sich die Wirklichkeit der gemeinsamen Gestaltungsarbeit von Mensch und Natur darin, dass die verschiedenen Struktur- und Vernunftfindungen, die das menschliche Dasein kennzeichnen, nicht zufällig – also historisch kontingent – zusammenkommen und dann in der Summe eine Kultur ausmachen. Kulturen sind vielmehr durch „Grundüberzeugungen" geprägt, die die Menschen der jeweiligen Kulturgemeinschaft teilen (Rombach 1985, 23-24). Diese „Grundüberzeugungen" bedingen einen spezifischen Charakter der Kultur, der sich in den unterschiedlichsten Bereichen durchhält. In der alltäglichen Wirklichkeit der Kultur ist ihr Charakter etwa in der Architektur, am Essen, an der Kleidung, aber auch am Umgang der Menschen miteinander erkennbar. In tieferen Schichten wird der spezifische Charakter einer Kultur an der Entsprechung zwischen verschiedenen Ordnungen menschlicher Lebenswelten wie etwa dem Recht und dem Verkehr deutlich. In einer Kultur, in der sich die Rechtsordnung grundsätzlich am Schutz des Einzelnen orientiert, werden gemeinschaftliche Bedrohungen wie beispielsweise ökologische Krisen nicht dazu führen, das Recht des Einzelnen auf seine individuelle Lebensgestaltung einzuschränken. In einer solchen Gesellschaft wird nun nicht deswegen viel Auto gefahren, weil der Zwang zum Energiesparen fehlt, sondern weil jeder Einzelne unabhängig sein will und dafür ein Auto (und vieles andere mehr) braucht. Es ist das besondere Verständnis von der Bedeutung des Individuums, das in einer solchen Gesellschaft die Ausgestaltung der Rechts- und der Verkehrsordnung auf gleiche Weise beeinflusst. Die Unterordnung gemeinschaftlicher Forderungen unter die Ansprüche des Individuums passt mit der Einstellung des *anything goes* überein. Nur in den USA ist es tatsächlich vorstellbar, dass ein Tellerwäscher Millionär oder gar Präsident wird. Diese Einstellung geht ihrerseits mit der unendlichen Weite des Raumes zusammen, die die Einwanderer seinerzeit vorfanden und die noch heute das Selbstverständnis vieler Amerikaner prägt. Die „Grundüberzeugungen" spiegeln diese Entsprechungen zwischen den verschiedenen Ordnungen einer Kultur wider und bedingen so den spezifischen Charakter der Kultur.

Die Entsprechung zwischen den verschiedenen Ordnungen einer Kultur spielt sich in einem schöpferischen, die Wirklichkeit dieser Kultur bestimmenden Prozess heraus. Dieser Prozess betrifft nicht lediglich einen Teil der Wirklichkeit, sondern die Wirklichkeit artikuliert sich in ihm im Ganzen, wenngleich auf bestimmte Weise. In einer Kulturwelt hat nicht nur das Verhältnis von Individuum und Gesellschaft eine eigene Bedeutung, auch Arbeit, Glaube, Hoffnung, Leid und alle anderen *Grundphänomene* menschlichen Daseins sind auf besondere Weise in dieser Kulturwelt aufgenommen. Darin liegt die spezifische *Weltlichkeit* der Kultur begründet. Die Konstellation der Grundphänomene wandelt sich, wenn die Menschen eine neue Daseinsstruktur finden. Dann ändert sich, möglicherweise für die meisten zunächst kaum spürbar, die Bedeutung der ganzen Welt. Andere Grundphänomene rücken in den Vordergrund und gewinnen an Gewicht; dadurch erscheinen die übrigen Grundphänomene in neuem Licht. Mit dem Umbruch vom Mittelalter zur Neuzeit verliert beispielsweise die Religion ihre zentrale Stellung und die Vernunftfähigkeit des Menschen rückt in den Blickpunkt. Damit wird Religion nicht einfach zweitrangig, sondern sie gewinnt eine andere Bedeutung. Ja, es entsteht gar eine neue Religion. Der Wandel in der Konstellation der Grundphänomene schreibt sich als die „Grundphilosophie" einer Kulturgemeinschaft fort (Rombach 1988a, 217-226). Jede Kulturwelt basiert auf einer solchen Grundphilosophie. Alle Kulturwelten kennen Umbrüche und Neuanfänge, sind gekennzeichnet durch das fortwährende Ringen um die eigene Gestalt, um eine humane Gestalt von Mensch und Welt. Dieses Ringen geschieht kommunikativ, im Austausch zwischen Mensch, Mitmensch und Natur.

Wenn schon die einzelnen Kulturwelten durch Kommunikationsprozesse gekennzeichnet sind, worin liegt dann die Erwartung an den interkulturellen Polylog, an das Gespräch der Kulturwelten? Es kann nicht um Verständigung im Sinne einer Übersetzungsleistung gehen. Einzelne Momente oder Aspekte einer Kulturwelt lassen sich nicht als solche in eine andere übertragen, sind sie dort doch einem ganz anderen Kommunikationsprozess ausgesetzt, werden ganz anders angesprochen und müssen dementsprechend auch anders antworten. Vielmehr wird im Gespräch der Kulturwelten miteinander eine neue, eine interkulturelle Welt gestaltet. Diese interkulturelle Welt ist freilich keine die einzelnen Kulturwelten relativierende Globalität. Sie findet ihre Gestalt dagegen gerade darin, dass sie die verschiedenen Kulturwelten als *Welten* miteinander ins Gespräch bringt. Ihre verbindende Struktur liegt in der *Weltlichkeit* der Kulturen; diese Weltlichkeit kann überhaupt erst in der Begegnung der Kulturen bewusst werden. Das Gespräch der Kulturwelten führt also nicht zur Gestaltung einer für alle Menschen verbindlichen Lebenswelt, sondern zum Bewusstsein von der Weltlichkeit jeder einzelnen Kultur. Darin liegt die Chance zur Anerkennung fremder Kulturen, werden diese nun doch als Selbstgestaltungen der Wirklichkeit erkannt; damit ist zugleich aber die Anforderung an jede einzelne Kultur gestellt, der eigenen Weltlichkeit gerecht zu werden. Die Kulturen erkennen in der Begegnung mit anderen Kulturen, dass sie selbst eine „konkreative" Gestaltung von Wirklichkeit sind. Das stellt sie vor die Aufgabe, eigene Verhärtungen, die dieser „konkreativen" Gestaltung entgegenstehen, aufzuspüren und zu beseitigen. „Das ‚Gespräch der Welten' ist also nicht nur befriedigend für das Zusammenleben, sondern auch befreiend für die jeweilige Selbstgestaltung. Es führt zu höheren Gemeinsamkeiten und zugleich zu bewussteren Sondergestalten zurück." (Rombach 1996, 144)

Literatur

Bujo, B. (1993): *Die ethische Dimension der Gemeinschaft. Das afrikanische Modell im Nord-Süd-Dialog*, Freiburg/Schweiz.

Gadamer, H.-G. (1986): *Wahrheit und Methode. Grundzüge einer philosophischen Hermeneutik (Gesammelte Werke*, Bd. 1), Tübingen.

Habermas, J. (1980): „Der Universalitätsanspruch der Hermeneutik", in: J. Habermas, D. Henrich und N. Luhmann (Hg.): *Hermeneutik und Ideologiekritik*, Frankfurt/M., 120-159.
- (1987): *Theorie des kommunikativen Handelns*, Frankfurt/M., 4. Aufl.

Heidegger, M. (1986): *Sein und Zeit*, Tübingen, 16. Aufl.

Husserl, E. (1954): *Die Krisis der europäischen Wissenschaften und die transzendentale Phänomenologie (Husserliana*, Bd. VI), hg. v. W. Biemel, Den Haag.
- (1965): *Philosophie als strenge Wissenschaft*, Frankfurt/M.
- (1976): *Ideen zu einer reinen Phänomenologie und phänomenologischen Philosophie (Husserliana*, Bd. III/1), hg. v. K. Schuhmann, Den Haag.

Kant, I. (1980): *Kritik der reinen Vernunft* B (*Werkausgabe*, Bd. 3), Frankfurt/M., 10. Aufl.

Rombach, H. (1977): *Leben des Geistes. Ein Buch der Bilder zur Fundamentalgeschichte der Menschheit*, Freiburg.
- (1980): *Phänomenologie des gegenwärtigen Bewußtseins*, Freiburg.
- (1985): „Völkerbegegnung im Zeichen der Philosophie", in: Stadt Meßkirch (Hg.): *Heimat der Philosophie. Symposion 1985 anlässlich der Städtepartnerschaftsbesiegelung zwischen Meßkirch und Unoke*, Meßkirch, 23-48.
- (1988a): *Die Gegenwart der Philosophie. Die Grundprobleme der abendländischen Philosophie und der gegenwärtige Stand des philosophischen Fragens*, Freiburg.

- (1988b): *Strukturontologie. Eine Phänomenologie der Freiheit*, Freiburg.
- (1994): *Der Ursprung. Philosophie der Konkreativität von Mensch und Natur*, Freiburg.
- (1996): *Drachenkampf. Der philosophische Hintergrund der blutigen Bürgerkriege und die brennenden Zeitfragen*, Freiburg.

Waldenfels, B. (1987): *Ordnung im Zwielicht*, Frankfurt/M.

Wimmer, F. M. (1996): „Polylog der Traditionen im philosophischen Denken", in: R. A. Mall u. N. Schneider (Hg.): *Ethik und Politik aus interkultureller Sicht*, Amsterdam, 39-54.

Abbildungsnachweis

Paul Klee: *Erwachende* (1920), Sammlung Berggruen in den Staatlichen Museen zu Berlin.

Das Halbe als Überschuss[1]

Japanische Hermetik in ihrer Nähe und Ferne zu Rombach

Ryosuke Ohashi

I.

Ob für die Auseinandersetzung mit dem phänomenologischen Denken Heinrich Rombachs die bloß hermeneutische „Interpretation" der geeignetste Weg sei oder ob durch diese Interpretation, sei es in kritischer, sei es in getreuer Absicht, das Wesentliche seines Denkens eher beiseitegeschoben und verfehlt wird – diese Frage sollte zu allererst bedacht werden. Denn Rombachs Denken ist schon in seiner *Strukturontologie* (1971) mit dem Zug der philosophischen „Hermetik" ausgestattet, der in den nachfolgenden Schriften wie *Leben des Geistes* (1979), *Welt und Gegenwelt* (1983), *Der Ursprung* (1996), *Drachenkampf* (1996) usw. sich immer ausdrücklicher und beweglicher entfaltete. Hermes, die symbolische Gottesfigur der Hermetik, ist, wie Rombach immer wieder darlegt, der Gott des Verschlossenen, der nie wie Apollon als Gott der Erscheinung und Hermeneutik das Licht der „Interpretation" mit sich bringt. Interpretation spendet Licht, das erhellen will. Es beleuchtet alles Andere, aber sich selbst kann es nicht erhellen. Das Selbst des Lichts *ist* das Dunkel, das sich jeder apollinisch erhellenden Interpretation entzieht. Gerade dieses nicht erhellbare Selbst des Lichts ist aber das, was das Licht Licht sein lässt. Der hermetische Geist erscheint als ein Gegenzug gegen die hermeneutische Interpretation. Um sich mit dieser hermetischen Philosophie Rombachs auseinander zu setzen, ist anstelle einer Interpretation der „Mitgang mit ihr" gefordert.

Wie aber ist dieser Mitgang am besten zu vollziehen? Die Antwort wird nur im Mitgang selbst zu geben sein. Im folgenden soll ein solcher Mitgang mit der philosophischen Hermetik Heinrich Rombachs am Beispiel des II. Kapitels seines *Drachenkampfs*, „Versuch über die japanische Kultur" (Rombach 1996, 37-89), unternommen werden. Dabei zieht der Verfasser des vorliegenden Artikels auch seine eigene Schrift *Kire. Das ,Schöne' in Japan* (Ohashi 1994) in Betracht. Rombach schrieb dazu, der Autor ziele auf die Grundverfassung des Japanischen und halte sich im selben Themenkreis auf, „in dem sich unsere Analyse bewegt" (Rombach 1996, 85). Rombachs eigene Analyse weise auf „die Nähe, aber auch den Unterschied" (ebd. 87) zu den Ansichten des Verfassers hin. Daran anknüpfend möchte der Verfasser eine, um einen Ausdruck von Rombach zu verwenden, Grundverfassung des Japanischen als „das Halbe als Überschuss" aufzeigen, wobei er Rombachs Analyse zum gleichen Thema als Vergleich heranzieht.

Das Halbe wurde im abendländischen Denken prinzipiell als Mangel angesehen. Ein bekanntes Beispiel ist der platonische Mythos vom *androgynos*. Dieser, der als allzu mächtiges Kugelwesen mit vier Händen und vier Beinen den Göttern Furcht erregte, wurde von Zeus in zwei Halbleiber zerschnitten, von denen der eine männlich, der andere weiblich war. Zwei Halbleiber suchen seitdem einander, was das Wesen der Liebe zwischen Mann und Frau erklärt (vgl. Platon, *Symposion*, 189 c 2-193 d 5). Der in diesem Mythos erzählte „Halbleib" ist kein Überschuss, sondern das Halbe im Sinne eines Mangels. Der eine Halbleib „sucht" daher seine andere Hälfte außerhalb seiner selbst. Die Suche verwandelt sich zur Sucht, wenn sie das Gesuchte nicht erreicht, und sie wird zum Hass, wenn sie vom Gesuchten verlassen wird. Dies geschieht nicht in einem Halbleib, der in sich überschüssig ist. Mann und Frau sind in Wahrheit die überschüssigen Halbleiber in diesem Sinne. Denn die Weiblichkeit ist in einem Mann enthalten ebenso wie die Männlichkeit in einer Frau. Sie haben je *das fremde Andere in sich* und sind somit je schon über sich selbst hinausgegangen. Erst aufgrund dieser überschüssigen Halbheit können Mann und Frau einander begegnen.

Das Halbe kann ein Mangel sein, muss es aber nicht. Es kann auch solches sein, was das Vollendete, somit zu Ende gekommene Abgeschlossene durchbricht und erneut in Bewegung bringt. Ein Kreatives enthält immer das Moment dieses Halben in sich. In Rombachs philosophischer Hermetik wird zwar die Grunderfahrung des Halben als des Überschusses nicht ausdrücklich erwähnt, was er jedoch findet, ist oft das, was dieses Halbe bedeutet. Seine Erörterung zum kleinen David, der den gigantischen Goliath besiegt (Rombach 1983, 55 ff.), ist nur ein exemplarisches Beispiel dafür. Die Präsenzform dessen, was Rombach das „schöpferische Nichts" nennt, ist das Halbe als Überschuss. Die folgende Erörterung dieses Halben wird sich also in dem Sinn als ein Mitgehen mit der philosophischen Hermetik Rombachs vollziehen, als diese Hermetik, anstatt in einer Interpretation einfach zu einem Forschungsgegenstand deklariert zu werden, „mitgegangen" wird. Wenn dadurch nicht nur die Nähe, sondern auch der Unterschied zum Vorschein kommt, so wäre das ein Zeichen des Gelingens des Mitgangs. Denn ein Mitgang ist immer der Gang mit einem „Anderen", dessen Andersheit sich erst in vertrautester Nähe als Unterschied zeigt.

II.

Rombach legt eine ausführliche und ausgezeichnete „Strukturanalyse des japanischen Wohnhauses" (Rombach 1996, 61-84) vor, die hier zu einem gemeinsamen Ausgangspunkt gemacht werden kann. Was Rombach dort aufzeigt, wird, wie die Grundphilosophie vom Nichts bzw. von der Leere, nicht bloß als hochgegriffene Höhenstruktur, sondern ebenfalls als Tiefenstruktur im Alltag nachgewiesen. Er findet vor allem im japanischen Wohnhaus, dass gleichsam „Nichts" verbaut ist, und dies in fundamentalen Strukturelementen des Hauses. So macht er darauf aufmerksam, dass jeder Raum nach der Anzahl der Tatami, der gepressten Strohmatten, bestimmt wird, und dass alles als Bett gilt, so dass das Schlafen im Sinne von Ruhe und Stille maßgebend ist. Die eigentliche Ausdrucksform in dem von ihm gemeinten Schlafen ist die Meditation als Präsenzform des Nichts.

Ich möchte hier zunächst eine ergänzende Beobachtung darüber hinzufügen, dass und wie im Tatami-Raum das Moment des Halben wirkt. Dazu bietet ein *haiku*-Gedicht des japanischen Dichters Bashô (1644-1694) einen Ansatzpunkt:

Aki chikaki kokoro no yoru ya yojôhan

Das Gedicht hat das Schema 5, 7, 5. Eine mögliche Übersetzung wie unten hat das Schema 7, 10, 7.[1] Sie ist damit zwar etwas länger als das Original, aber das ist vielleicht bei der Übersetzung der vielstimmigen, japanischen Sprache notwendig. Sie lautet:

Der Herbst ist nah die Freunde
sitzen innig versammelt im Zimmer
mit viereinhalb Strohmatten

Bashô schrieb dieses Gedicht, als er zusammen mit seinen drei Schülern in einer Hütte in Ôtsu (Shiga Präfektur) einen Abend der sog. „Ketten-Dichtung" veranstaltete. Die dort entstandenen Gedichte sind voneinander unabhängig, aber dennoch nicht in sich abgeschlossen, sondern bilden mit dem jeweils vorangegangenen und nachfolgenden Gedicht wie in einer Kette einen neuen Sinnzusammenhang.[2] Jedes Gedicht ist, so würde Rombach sagen, „eine lebendige Bereitschaft zu lebendiger Begegnung, in der etwas *Neues* herausspringt" (Rombach 1996, 82). Ein Gedicht als ein Knoten dieser Kette hat das Schema 5, 7, 5, 7, 7. Das zitierte Gedicht Bashôs mit dem Schema 5, 7, 5 war die erste Hälfte des ersten Knotengedichts. Diese anfangende, erste Hälfte wird „hokku" genannt, was wörtlich „das anfangende Gedicht" heißt. Dieses kann als selbständiges Gedicht gelesen werden. Das so entstandene, selbständige „hokku" ist der etymologische Ursprung des Namens „haiku".

Der Sinn dieses *hokku* ist klar. Es geht um eine Art des Beieinanderseins. Nur eines ist für Nicht-Japaner möglicherweise nicht ganz verständlich: Die Größe des Zimmers mit viereinhalb Strohmatten. Man möchte sicher fragen, was für eine Zimmergröße das sei.

Die Zahl der Strohmatten wird auf Japanisch mit einem Maß namens *jô* ge-

---

[1] Der Verfasser dankt Frau Daniela Danz für die Übertragung dieses sowie der folgenden *haiku*-Gedichte.

[2] Diese Form wird *kasen* genannt. Das Wort bedeutet ursprünglich die „zauberhaften Gedichtmeister". Da man von alters her gewöhnlich 36 solche Meister zählt, werden in dieser Form normalerweise 36 Gedichte gemacht.

zählt. Das chinesisch-japanische Schriftzeichen für *jô* bezeichnete im alten China die Größe eines Mannes. Eine Tatami-Strohmatte, d. h. 1 *jô*, bezeichnet daher die Mindestgröße einer Bodenfläche, auf der ein Mensch sich hinlegen kann (Abb. 1). Rombach hat Recht, wenn er sagt, dass hierbei das Schlafen maßgebend ist. So wird einem Mönch in der Meditationshalle des Zen-Klosters immer die Fläche einer 1 *jô* großen Strohmatte zugewiesen, auf der er beim Schlafen seine Schlafdecke ausfaltet und während des Tages seine intensive Sitzübung namens *zazen* macht. In diesem mit einer 1 *jô* großen Strohmatte bestimmten Raum ist die Übung bzw. die Meditation, wie Rombach sagt, die eigentliche Form des Schlafens.

Abb. 1: Ein jô große tatami-*Strohmatte als Menschengröße.*

Das *jo* als das Maß für die Größe des Wohnzimmers hat eine andere Bedeutung als Maßeinheiten wie „foot" oder „mile", wie sie im angelsächsischen Kulturraum Verwendung finden, oder wie der „Meter", welcher heute als internationaler Standard gilt. „Foot" bedeutet ursprünglich die Weite eines menschlichen Schritts, und „mile" ist die Verkürzung des lateinischen Wortes milia passuum, tausend Schritte. Das mit dem „foot" gemessene und gebaute Haus ist der Raum von Menschen, die nicht auf dem Boden sitzen wie im Osten. Das Eintreten in den Wohnraum mit Schuhen ist im Westen selbstverständlich, aber verhält man sich in einem mit Strohmatten ausgelegten japanischen Haus so, wird dies als verbrecherische Unhöflichkeit empfunden werden. Der Unterschied zwischen *jô* und *feet* ist ein solcher zwischen einer Kultur des Sitzens und einer des Schreitens. Das Maß namens „Meter" verweist auf eine wiederum andere Zivilisation. Es bedeutet ursprünglich die in zehn Millionen Abschnitte geteilte Kreislinie zwischen dem Äquator und dem Nordpol. Dieses Maß hat also nichts zu tun mit der Leiblichkeit des Menschen. Der mit dem Maß des Meters gebaute Raum ist ein solcher, in den die menschliche Leiblichkeit hineingezwungen wird.

Das ursprüngliche japanische Wort für die Strohmatte, *tatami*, kommt vom Verbum *tatamu*, „zusammenfalten". Ein japanisches Haus kann auf die Größe einer *tatami*-Strohmatte zusammengefaltet werden. Wenn man umgekehrt die 1 *jô* große *tatami*-Fläche ausfaltet und verdoppelt bzw. vermannigfaltigt, entsteht ein Zimmer mit zwei, drei, vier, sechs, acht usw. *tatami*-Strohmatten, das für zwei, drei, vier, sechs, acht usw. Menschen als ihr mindest notwendiger Lebensraum genügt. Die Zahl der *tatami*-Strohmatten in einer Übungshalle des Zen-Klosters benennt daher auch die maximale Zahl der zuzulassenden Mönche. Im Wohnraum des japanischen Hauses liegen allerdings die Strohmatten nicht in einer Reihe wie in der Übungshalle des Zen-Klosters, sondern so, dass die Form eines Rechtecks als Zimmerform beibehalten wird.

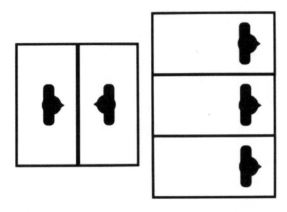

Abb. 2: Zwei jô große tatami-Strohmatten *mit zwei sitzenden Figuren.*
Abb. 3: Drei jô große tatami-Strohmatten *mit drei sitzenden Figuren.*

In einem Zimmer mit parallel nebeneinander befindlichen Strohmatten sitzen nun die Menschen, wenn sie innerhalb ihrer eigenen Strohmattenfläche bleiben wollen, entweder parallel nebeneinander oder zu eng einander gegenüber (Abb. 2 und 3). In einem alten Text des Teewegs, *Senrin*, steht: „Sogar in der Teezeremonie wird es nicht gut geheißen, daß die Gäste Knie-an-Knie einander zu nah sitzen. Sie sollen einen kleinen Zwischenraum haben, indem sie in einer entspannt-höflichen Atmosphäre ihren Platz einnehmen." (*Sadô koten zenshû*, 365) Es kommt im Teeweg immer auf eine Art des Beieinanderseins an, welche die „direkte Kommunikation von Herzen zu Herzen" (jap: *jikishin no majiwari*) genannt wird. Aber für diese direkte Kommunikation ist nach dem oben zitierten Text ein „kleiner Zwischenraum" nötig. Die im Beieinandersein befindlichen Menschen sind füreinander die Anderen. Die Andersheit der Anderen drückt sich innerlich wie auch äußerlich immer als Zwischenraum aus. Gerade in der direkten Kommunikation von Herz zu Herz ist dieser Zwischenraum wesentlich. Wie wird dieser Raum im Teezimmer repräsentiert?

Gerade dadurch, dass eine *halbe* Strohmatte eingeführt wird. Wenn die ganze Zahl der *tatami*-Strohmatten das Gesamtmaß des Raums bestimmt, ist der Raum zwar immer regelmäßig, zwingt aber gerade dadurch den Menschen in eine der Raumstruktur entsprechende anorganische Ordnung. Die Menschen werden unter Umständen gefühlsmäßig ersticken. Man stelle sich einen restlos funktionalisierten Büroraum vor, in dem jede Ecke eine rationale Funktion besitzt und es keinen Spielraum gibt. Die in den vergangenen zwanzig Jahren vorherrschende Strömung der sog. „Postmoderne" war, vor allem in der Architektur, ein Widerstand gegen solchen Modernismus. Allerdings blieb sie letzten Endes eine Strömung innerhalb des Modernismus, gegen den sie sich wenden wollte (vgl. dazu Welsch [Hg.] 1988).

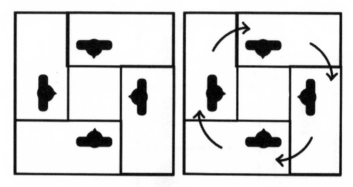

Abb. 4: vier ½ jô große tatami-*Strohmatten mit vier sitzenden Figuren.*

Abb. 5: vier ½ jô große tatami-*Strohmatten mit vier sitzenden Figuren, die den Wirbelstrom der Raumstruktur mitkonstituieren.*

Wenn nun in ein Zimmer mit ganzen *tatami*-Strohmatten eine halbe Strohmatte auf bestimmte Weise eingeführt wird, so entsteht ein Raum, in dem die langweilige Regelmäßigkeit durchbrochen wird. Der kleinstmögliche Raum dieser Art ist das Zimmer mit viereinhalb Strohmatten (Abb. 4). Vier Menschen, die dort je eine Strohmatte als ihren eigenen Ort einnehmen, sitzen zwar vis-à-vis zueinander, aber mit dem kleinen Zwischenraum der halben *tatami*- Strohmatte. Sie sitzen nicht Knie-an-Knie, aber auch nicht zu weit voneinander entfernt. Im oben zitierten Tee-Text *Senrin* heißt es weiter: „Gewöhnlich ist viereinhalb gut."[3] In einem Zimmer mit viereinhalb Strohmatten entsteht im Muster des Bodens ein dynamischer Wirbel (Abb. 5). Dieser Wirbel ist zugleich der Wirbelstrom im Prozess der Kettendichtung, die vier Menschen dichten.[4] Die Kommunikation

---

[3] Der Autor des Buches *Iki no Kôzô* (Struktur des ‚iki'), Shûzô Kuki, erwähnt, dass das Zimmer mit viereinhalb Strohmatten für das sog. „Teehaus" (chaya), im Unterschied zum „Teezeremonienhaus" (chashitsu), gut geeignet sei (Kuki 1929, 63).

[4] Kuki sieht auch, dass das Zimmer mit viereinhalb Strohmatten „eine ausschließende Abgeschiedenheit" und „eine zentrifugale Gespanntheit" aufweist (Kuki 1929, 63).

des Beieinanderseins ist der wirbelnde Strom menschlicher Verhältnisse in einem Zimmer mit viereinhalb Strohmatten. Man sieht leicht, dass eine halbe *tatami*-Strohmatte hier als ein unentbehrliches Strukturmoment dieses Wirbelstroms kein bloßes Halbes im Sinne des Mangelhaften, sondern ein Überschuss ist, durch den das, was zu einer Vollkommenheit gelangt ist, auf eine unendliche Dynamik hin erneut aufgeschlossen wird.

III.

Eine der typischen Charakteristika japanischer Gestaltungskunst überhaupt besteht darin, dass das Element des Halben als des Überschusses die statische Vollkommenheit durchbricht und das Ganze der Gestaltung ändert. Den frühesten optischen Beleg hierfür bietet die Anlage des Hôryû-Tempels bei Nara, der im Jahre 607 gegründet und nach einem Brand zwischen 670 und 714 im ursprünglichen Stil der Asuka-Periode wiedererrichtet wurde. Er gilt als das älteste erhaltene Bauwerk aus Holz. Die Anlage der Tempelgebäude zeigt keine Symmetrie (Abb. 6).

Abb. 6: Der Hôryû-Tempel aus der Vogelschau.

In China hat man bis jetzt keinen Vorgänger solch asymmetrischer Komposition von Tempelgebäuden entdeckt. Die Vorliebe für die asymetrisch-irreguläre Gestaltung mit dem Element des Halben ist innerhalb der japanischen Gestaltungskunst vor allem seit der Kamakura-Zeit (1192-1336) offensichtlich unter dem Einfluss des Zen-Buddhismus bewusst weiterentwickelt worden. Kenner werden sogleich Beispiele wie Teehaus, Teeschale, Blumenstecken, Gartenkunst usw. vor Augen haben (vgl. Hisamatsu 1976).

Beiläufig gesagt, ist die Vorliebe für eine irreguläre Gestaltung kein Phänomen, das nur in Japan zu finden ist. Es ist in gewisser Weise auch in Europa zu finden. Der Barockstil kann als Beleg hierfür gelten. Seine schiefrunde, schweifende Form scheint in Europa, meinem Eindruck nach, weitaus beliebter zu sein als der durch reguläre Proportionen bestimmte Renaissancestil. In Japan jedoch geht es mit diesem Phänomen viel tiefgreifender und anders zu. Es gibt z. B. eine japanische Begriffsgruppe, die aus üblicherweise mit einer negativen Nuance besetzten Wörtern besteht: Das „Ungerade", die „Linke", die „Verrücktheit" usw. bedeuten hier wie das Wort „Halbe" einen Überschuss und nicht einen Mangel. So meint das japanische Wort für das „Ungerade" *(ki)* so etwas wie „wundersam". Die „ungerade Landschaft" *(kikei)* meint die wundersame Landschaft. Der „linke Minister", wie er in altjapanischen Dynastien hieß, war dem Rang nach höher als der „rechte Minister". Ich will damit nicht sagen, dass es in Japan mehr Linkshänder als in Europa gibt, sondern nur andeuten, dass hinter diesen Wendungen ein anderes Kulturbewusstsein steht als das europäische, wonach z. B. das Wort „die Rechte" etymologisch untrennbar mit Wörtern wie „das Recht", „die Berechtigung", „die Rechtsordnung", „aufrecht", „gerecht" usw. verbunden ist.[5] Das sonst schiefrunde und nicht geradlinige Barockschloss ist, wie z. B. Schloss Nymphenburg in München und sein Garten, im Ganzen symmetrisch.

In Japan reicht die Vorliebe für das irreguläre Halbe nicht nur viel weiter, sondern es verhält sich damit auch anders. Die Andersheit ist vor allem darin zu sehen, dass die gestaltende Bewegtheit und die Ruhe der Vollkommenheit nicht einander entgegengesetzt werden. Man erinnere sich daran, dass im Zimmer mit viereinhalb Strohmatten ein wirbelnder Strom des Bodenmusters entsteht, dem der Wirbelstrom der Dichtungsordnung entspricht; aber die halbe Strohmatte in der Mitte gehört keinem der vier im Wirbelstrom befindlichen Sitzplätze zu. Sie bildet die in sich ruhende Mitte inmitten der Bewegtheit des Stroms.

Noch auf ein weiteres Beispiel der Wortwendung möchte ich hinweisen, in der das Irreguläre, wie das Halbe, positiv umgedeutet wird: nämlich die Verrücktheit. Dieses Wort kann je nach dem Kontext oder der Wendung sowohl in Europa wie auch in Japan etwas Positives bedeuten. Das griechische Wort für den Verrückten, den *existamenon*, wird in Platons *Phaidros* (249 c 8) für die Bezeichnung eines Menschen mit philosophischer Seele verwendet. Ein *existamenos*, ein Verrückter, ist, an der Norm des gesunden Menschenverstands gemessen, ver-rückt und außer-sich-selbst, d. h. „ekstatisch". Aber gerade dadurch ist er

---

[5] Im *Etymologischen Wörterbuch des Deutschen* Q – Z (1989) steht zum Wort „recht" zuerst: „dem Recht, den Gesetzen entsprechend", dann „auf der Seite befindlich, die beim Menschen der Herzseite gegenüber liegt". Bollnow weist im ersten Kap. seines Buchs *Mensch und Raum* (1963) auf diese Konnotationen der deutschen Wörter hin. Ein weiteres, allerdings etwas schwächeres Beispiel ist der deutsche Ausdruck „zwei linke Hände haben", der auf Ungeschicklichkeit verweist, während der japanische Ausdruck „sich mit der linken Hand fächeln" *(hidari uchiwa)* ein bequemes Leben meint, in dem man nicht zu arbeiten braucht, somit die rechte Hand nicht benötigt.

imstande, in die *anamnésis* zu versinken und in der seelischen Erinnerung die Idee als das wahre Sein zu erblicken. Die Platonische Wortwendung *existamenos* ist meines Wissens ein allererstes Beispiel für das Wort „Existenz" als menschliche Seinsweise. Ähnliche Bedeutung hat das japanische Wort „Verrücktheit", *kyô*, für den Dichter Bashô und für den Zen-Buddhismus (vgl. Nishitani 1949). Die Verrücktheit meint hierbei nicht eine Unfähigkeit zum normalen Leben, sondern der Überschuss an einer Fähigkeit zum Leben, das sich der ihm ursprünglich gehörenden, einzigartigen Individualität als seines eigenen Selbst bewusst ist und über die durchschnittliche Normalität des Alltags hinausgehen will. Dieser Überschuss ist ein äußerster Ausdruck für das Halbe, wie es räumlich in japanischen Häusern als deren Strukturelement zu sehen ist.

Die Verrücktheit wird in der Gesellschaft zugunsten der Vernünftigkeit und des Rechts nur selten voll anerkannt. In dieser Hinsicht hatte die traditionelle japanische Gesellschaft vielleicht wegen ihrer Tradition des Halben etwas mehr Sympathie als die Gesellschaft, für die das „Rechte" und das „Gerechte" vorrangig sind. Ein dichterischer Ausdruck für die „Verrücktheit" ist in einem anderen *haiku*-Gedicht Bashôs zu finden. Es lautet:

Byôgan no yosamu ni ochite tabine kana

Die deutsche Übersetzung mit dem Schema 5, 8, 5:

Durch die Nachtkälte
Sturzflug des kranken Zugvogels –
Schlaf auf der Reise

Bashô dichtete dieses *haiku* am Biwa-See in der Shiga-Präfektur an einem Ufer namens *Katada*. Er war erkältet und konnte nicht weiter reisen. *Katada* war bekannt als Ort für die Zugvögel, die in einer Linie hoch am Himmel fliegen, oft aber im Sturzflug auf das Wasser niederstürzen, um Fische zu fangen. „Der Sturzflug der Zugvögel in Katada" wird eine der „acht schönsten Szenen in Ohmi" genannt – *Ohmi* ist ein alter Name für die Shiga-Präfektur. Im zitierten *haiku* aber ist der Zugvogel, der durch die Nachtkälte stürzt, nicht ein Vogel, der gesund weiterfliegt, sondern ein kranker Vogel. Eine Parallele ließe sich vielleicht zum Autor ziehen. Auch er wurde zurückgelassen von Leuten, die im Alltag mit gesundem Menschenverstand weiterleben. Und Bashô selbst hatte dieses Alltagsleben ganz verlassen. Er wurde Bashô selbst, als er sich entschloss, als Reisender zu leben. Auf der Reise befindlich musste man damals ständig der Todesgefahr bewusst sein. Als Reisender zu leben, hieß, ein Verrückter zu sein. Bashô lebte aber bewusst das Paradox, die gemeinhin erregend-unruhige „Reise" zu seinem alltäglichen Wohnort zu machen.[6] Die Erkrankung auf der Reise war für ihn eine äußerste Weise der nicht-alltäglichen Alltäglichkeit. Der vom Alltag zurückgelassene, verrückte Zugvogel Bashô schläft in der Nachtkälte. Dieser Schlaf ist die Ruhe inmitten der Reise.

---

[6] Vgl. den Beginn von Bashôs Essay „Oku no hosomichi".

IV.

Mit der bisherigen Erörterung des Halben als eines Hauptelements der japanischen Gestaltungskunst möchte ich dazu übergehen, das heutige „Japanische" in Betracht zu ziehen, und zwar im Zusammenhang mit dem „Europäischen". Japan präsentiert sich heute als ein Land, das auf einigen industriellen Sektoren fortschrittlicher geworden ist als fortschrittlichste europäische Länder. In einer Hinsicht ist Japan europäischer als Europa geworden. Japan ist heute aber „halb" europäisch. Es kommt auf die Art und Weise dieses „halb" an. Wird das Halbe in diesem Sinn vom Halben im Sinn jenes Überschusses geprägt, und falls ja, inwieweit? Anders gefragt: Auf welche Weise und in welchem Ausmaß ließ sich die japanische Kultur modernisieren, somit europäisieren? Rombach erwähnt dieses Thema kurz, indem er darauf aufmerksam macht, dass die moderne europäische Architektur entscheidend von der altjapanischen inspiriert ist (vgl. Rombach 1996, 67). Hier möchte ich wieder das Wohnhaus zum Ausgangspunkt nehmen, da seine Form und Struktur den Geist und die Seinsweise der Menschen, die in ihm wohnen, ausdrücken.

7. Sommerzimmer im Museum Yamadera Bashô kinenkan (Bashô-Museum in Yamadera / Yamagata-Präfektur). Das Museum steht ungefähr in der Gegend, wo Bashô das Haiku über das Sommerzimmer dichtete.

Zuerst zitiere ich nochmals ein *haiku*-Gedicht Bashôs.

Yama mo niwa mo ugokiiruru ya natsu-zashiki

Eine mögliche Übersetzung mit dem Schema 5, 7, 5 lautet:

Berge und Garten
beweglich, kommen herein –
das Sommerzimmer

Das Sommerzimmer *(natsu-zashiki)* ist ein Raum, der dadurch entsteht, dass die ein Zimmer abschließenden Schiebetüren und Schiebewände weggenommen werden, so dass die Luft von außen hereinwehen kann (Abb. 7). Vom Innenraum aus kann man also nach außen blicken. Dies könnte aber auch bedeuten, dass sich die Landschaft ins Blickfeld des im Zimmer Sitzenden hereindrängt. Bashô saß und bemerkte, dass mit der Luft auch die Berge in der Ferne und der Garten draußen in den Innenraum „hereinkommen".

Die Raumstruktur des Sommerzimmers weist einige Charakteristika japanischer Häuser auf. Das erste ist, dass Schiebetüren und -wände je nach dem Klima „halb offen" gelassen werden können (Abb. 8). Rombach erblickt mit Recht das Wesentliche solcher Schiebeelemente darin, dass jede Wand zur Tür und jede Tür zu einer Wand werden kann und damit die Ununterschiedenheit von Drinnen und Draußen, überhaupt die Ununterschiedenheit als das Frühere zu allem Unterscheiden, zum Ausdruck kommt (Rombach 1996, 74). Ich möchte nur hinzufügen, dass es das Unterscheiden im Element der Ununterschiedenheit geben kann und gibt. Dies ist der Zustand des „halb offen", der nicht eine vorübergehende Halbheit wie bei der europäischen Drehtür darstellt. Dieser Zustand ist ganz natürlich, wenn es schwül ist und man die Luft von außen ins Zimmer lassen will.

Abb. 8: Engawa zum Kiosk Rin-un-tei (Kiosk neben den Wolken) in der Shûgakuin-Villa.

Die von Rombach an den Schiebetüren beobachtete Ununterschiedenheit von Draußen und Drinnen zeigt sich am besten an der Terrasse namens *engawa*, wörtlich „Saumseite", die immer an das Erdgeschoss des Hauses, unter das Dach, gebaut wird, während der Balkon in Europa meist einem höheren Stockwerk angefügt ist (Abb. 8). *Engawa* ist ein Teil sowohl des Hauses wie auch des Gartens, während der Balkon ausschließlich einen Teil des ersteren bildet. Das Haus mit einem solchen *engawa* ist im Ganzen ein Gebiet, das halb das Drinnen, halb das Draußen ist. Wenn Bashô sieht, dass Berge und Garten in den Sommerraum hereinkommen, so geht es weder um eine optische bzw. psychologische Illusion noch um eine psychologische Wirkung, sondern um die genuine Erfahrung, dass dieser Sommerraum leiblich zum „Drinnen" Bashôs wird, in den hinein das „Draußen" kommt. Bashô wurde angesichts der schönen Landschaft draußen „ek-statisch", d. h., er stand außerhalb seines Ich-Bewusstseins. Die Außennatur wird nicht mehr bloß als etwas Gegenständliches gesehen. Bashô erfährt sie als seine innerliche Wesensnatur.

Um es noch einmal zu sagen: Die Raumstruktur eines Wohnhauses drückt den Geist der in ihm wohnenden Menschen aus. Die oben an den halb offenen Schiebetüren und am *engawa* aufgezeigte Raumkonstitution deutet an, wie die europäische Kultur in dieses Wohnhaus eingelassen wird: Die europäische Kultur draußen wurde sozusagen in den Sommerraum des japanischen Wohnhauses eingeführt, wobei der Bewohner ihr gegenüber von Natur ek-statisch und halb offen war.

Dies kann heißen, dass das modernisierte Japan nur halbwegs europäisch bleibt und seine Identität in Frage stellt. So äußerte einst Karl Löwith, der zeitweise in Japan lebte, eine scharfe Kritik an den Japanern. Er schrieb ausdrücklich, er möchte die „Selbstkritik" als Einstellung der Europäer rechtfertigen und die „Selbstliebe" der Japaner kritisieren. Die japanischen Studenten z. B., so führte er aus, lebten wie in zwei Stockwerken: einem unteren, fundamentalen, in dem sie japanisch fühlen und denken, und einem oberen, in dem die europäischen Wissenschaften von Platon bis zu Heidegger aufgereiht stünden.[7] Er fügte hinzu: „[...] und der europäische Lehrer fragt sich: wo ist die Treppe, auf der sie von einem zum andern gehen?" Löwith fand keine solche Treppe, so dass er meinte, die Bewohner „unten" hätten trotz ihrer Hingabe an das Studium der europäischen Wissenschaft „oben" die Frucht der Weisheit niemals genossen. Löwith hatte in manchen Punkten Recht, wenn er als „europäischer Lehrer" die oft zu passive Einstellung der japanischen Studenten kritisierte.

Ob Löwith als ein vorübergehender Bewohner auch in seiner Beobachtung des japanischen Hauses Recht hatte, ist allerdings fraglich. Er übersah, dass im modernen japanischen Kulturhaus das europäische und das japanische Zimmer nicht zwei Stockwerke bilden, sondern nebeneinander liegen,[8] und ihre Zwi-

---

[7] Löwith 1983, 537. Löwith hat von 1936-1941 in Sendai / Japan als Gastprofessor gelebt.

[8] Vielleicht ist dies ein Beispiel für Elmar Weinmayrs Feststellung, dass der Japaner seine Identität in einer „horizontalen" Achse, im Zwischenmenschlichen, finde, so dass er eine „weichere Identität" habe, während der Europäer seine Identität in einer „vertikalen Achse", im Hinblick auf ein Höheres, Absolutes, besitze und folglich seine Identität „härter" sei (Weinmayr 1993). Rombach schätzt die „sorgfältige" Interpretation Weinmayrs, kritisiert aber, dass hier eine *Grundphilosophie* der japanischen sowie der europäi-

schentüre auf- und zugemacht, aber auch oft „halb offen" gelassen werden kann. In europäischen Wohnhäusern müssen Tür und Fenster als Grenzen zwischen dem individuellen Drinnen und dem öffentlichen Draußen prinzipiell zugemacht werden können, und gewöhnlich sind sie geschlossen, es sei denn, jemand kommt herein oder geht hinaus. Der Zustand des „halb offen" ist dort, wie schon erwähnt, unnatürlich. Aber im japanischen Wohnhaus ist dieser Zustand vollkommen natürlich. Wenn in einem traditionellen japanischen Wohnhaus zwei Zimmer, das japanische und das europäische, auf demselben Stockwerk durch eine Schiebetüre ohne Treppe miteinander verbunden sind, so sieht man dort, wie die europäische Kultur halb von der europäischen Norm ver-rückt, halb von den Bewohnern angeeignet wird. Löwith hat diesen Zustand nur für eine mangelhafte Halbheit gehalten und war offensichtlich von ihr irritiert. Er beobachtete am Ende das Ganze aus seiner europäischen Sichtweise, an der er keine Selbstkritik übte. Seine Rechtfertigung der „Selbstkritik" als Einstellung der Europäer wurde eher mit der „Selbstliebe" durchgeführt, die er als tendenzielle Einstellung den Japanern vorgehalten hatte.

Ganz anders betrachtet es Rombach, der sieht, dass eine Kulturwelt „auch nicht von den Bewohnern selbst überall mit gleicher Klarheit und Entschiedenheit gelebt" (Rombach 1996, 61) wird. Mit seiner „Hermetik der Welten" will er zeigen, dass auch in der Struktur des japanischen Wohnhauses die Tiefendimensionen verborgen liegen, die eine Kulturwelt ausmachen. Er vergisst dabei nicht zu fragen, „wie ein jeweiliger Eigenweg trotz der Geltung einer universalen wissenschaftlich-technischen Welt-Zivilisation möglich sein soll" (ebd. 38). Diese Frage scheint bei seiner Betrachtung sogar zentral zu sein.

Die Frage fordert nicht nur die Einschätzung des Japanischen heute, sondern auch die des „Europäischen", das sich als Name für das verstehen lässt, was in Europa entstand und in der griechischen Antike die Gestalt des philosophischen Geistes annahm, der sich dann durch das christliche Mittelalter und die Neuzeit hindurch als Geist von Wissenschaft und Technik weiterentwickelte und die Moderne herbeiführte. Die Auseinandersetzung mit dem Europäischen heißt, das Wesen der modernen Technologie in die Frage zu stellen. Es war Heidegger, Rombachs phänomenologischer Wegbereiter, der vor einem halben Jahrhundert diese Frage stellte. Er sah, dass die Macht des Europäischen in der Gestalt der modernen Technologie so weit dominiert, dass sie dem Menschen seinen Boden rauben kann. Deshalb spitzte er seine Frage wie folgt zu:

> Stehen wir gar im Vorabend der ungeheuersten Veränderung der ganzen Erde und der Zeit des Geschichtsraumes, darin sie hängt? Stehen wir vor dem Abend für eine Nacht zu einer anderen Frühe? Brechen wir gerade auf, um in das Geschichtsland dieses Abends der Erde einzuwandern? Kommt das Land des A-

---

schen Kultur fehle (Rombach 1996, 83). Der weicheren und härteren Identität liegt in der Tat je eine Grundphilosophie zugrunde, auf die der Verfasser schon früh im Zusammenhang mit diesen beiden Arten der Identität hingewiesen hatte (Ohashi 1989, 76 f.).

bends erst heute herauf? Wird dieses Abend-Land über Occident und Orient hinweg und durch das Europäische hindurch erst die Ortschaft der kommenden, anfänglicher geschickten Geschichte? (Heidegger 1977, 325 f.)

Wohl im Anschluss an diese Frage Heideggers sagt Rombach:

> Der Zeiger der Geschichte geht vom Morgen- zum Abendland – und sicher nicht zurück. Aber er geht durch die Nacht hindurch zu einem neuen Morgen. Könnte dies heißen, dass nach einer Zeit der ‚Nacht', die man vielleicht auch ‚Seinsvergessenheit' oder ‚Nihilismus' oder ‚Gottesverlassenheit' nennen könnte, – dass also nach einer solchen Dunkelheit (und durch sie hindurch) ein neuer Morgen anbricht? Ist dieser Morgen vielleicht der Tag des ‚kommenden Gottes', wie Hölderlin ihn nannte, und könnte dies neue ‚Morgenland' der Äon der befriedeten und geeinten *Menscheit* sein? ‚Geeint', nicht ‚vereinigt' – geeint in einem ‚Gespräch der Welten'? (Rombach 1996, 61)

Um den hier unternommenen, in einem Gespräch geeinten Mitgang mit der Hermetik Rombachs einen Schritt weiterzuführen, statt ihn abzuschließen, ist am Ende diese Frage zu stellen: Muss auf ein „neues Morgenland" unabweislich als den Tag nach einer Zeit der ‚Nacht' gewartet werden, oder ist diese Eschatologie des Wartens nicht selbst ein letztes Überbleibsel der hermeneutisch-appollinischen Haltung, die den Tag des neuen Morgenlandes auf ewig erwarten lässt? Kann die Technologie nicht selber als das „Riesenhalbe" im Sinn eines Riesenüberschusses angesehen werden, so dass die Hermetik je und je immer inmitten ihrer das Halbe als Überschuss herausfindet?

Literatur

Bollnow, O. F. (1963): *Mensch und Raum*, Stuttgart.

Etymologisches Wörterbuch des Deutschen Q – Z (1989): Berlin.

Heidegger, M. (1977): „Der Spruch des Anaximander", in: *Holzwege* (Gesamtausgabe, Bd. 5), hg. von F.-W. von Herrmann, Frankfurt/M., 321-373.

Hisamatsu, Sh. (1976): *Zen and Fine Arts*, Kyoto.

Kuki, Sh. (1929): *Iki no Kôzô* [Struktur des ‚iki'], in: *Kuki Shûzô zenshû* [Shûzô Kuki-Gesamtausgabe], Tokyo, Bd. 1.

Löwith, K. (1983): „Nachwort an den japanischen Leser" (Anhang zur Abhandlung „Der europäische Nihilismus"), in: *Sämtliche Schriften*, Bd. 2, Stuttgart.

Nishitani, K. (1949): *Bashô ni okeru kyô* [Verrücktheit bei Bashô], in: *Nishitani Keiji chosakushû* [Keiji Nishitani Gesamtausgabe], Bd. 20, Tokyo, 135-150.

Ohashi, R. (1989): „Philosophical reflections on Japan's Cultural Context", in: *Japan Echo*, 16/1, 71-78.
- (1994): *Kire. Das ‚Schöne' in Japan. Philosophisch-ästhetische Reflexionen zu Geschichte und Moderne*, Köln.

Rombach, H. (1996): *Drachenkampf. Der philosophische Hintergrund der blutigen Bürgerkriege und die brennenden Zeitfragen*, Freiburg i. Br.

– (1983): *Welt und Gegenwelt. Umdenken über die Wirklichkeit: Die philosophische Hermetik*, Basel.

Sadô koten zenshû (1961): Bd. 11, Kyoto.

Weinmayr, E. (1993): „Europäische Interkulturalität und japanische Zwischenkultur", in: *Philosophisches Jahrbuch*, 100, 1-27.

Welsch, W. (Hg.): *Wege aus der Moderne. Schlüsseltexte der Postmoderne-Diskussion*, Weinheim 1988.

Abbildungsnachweise

Abb. 1-5: Zeichnungen des Verfassers.

Abb. 6: *Hôryûji* (*Genshoku nihon no bijutsu* [Die schöne Kunst Japans in originalen Farben], Bd. 2), hg. v. Ken Suzuki u. Kakichi Suzuki, Shôgakukan Verlag, Tokyo 1966, 9.

Abb. 7. Shôsei Nakamura: *Kôkyô chashitsu* [Populäres Tee-Haus], Tokyo 1994, 38.

Abb. 8. *Katsura rikyû to chashitu* [Katsura-Villa und Tee-Haus] (*Genshoku nihon no bijutsu*, Bd. 15), hg. v. Mitsugu Kawakami u. Shôsei Nakamaura, Shôgakukan Verlag, Tokyo 1967, 82.

Dokumentation

Überblick über das Werk Heinrich Rombachs

Helga Blaschek-Hahn

1. Allgemeine Bemerkungen

Es hat sich eingebürgert, Heinrich Rombachs Werk seiner eigenen Selbsteinschätzung entsprechend „in einer Dreizahl" zu sehen als „Strukturontologie, Philosophische Hermetik und Bildphilosophie".[1] Hier wird indessen versucht, Rombachs philosophischen Weg mit Hilfe einer tabellarischen Werk-Übersicht alternativ als zwei in sich noch einmal gedoppelte Hauptrichtungen vorzustellen und ihnen seine Publikationen zuzuordnen.[2] Dabei ist leider nicht zu vermeiden, dass eine solche Zuordnung stark vereinfacht und den Blick auf nur je eine Perspektive der stets mehrdimensional angelegten Studien einengt. Außerdem kann diese Schematisierung freilich nur unzureichend veranschaulichen, wie der anfangs deutlicher zu unterscheidende, gedoppelte Doppelweg in den späteren Publikationen, etwa seit Beginn der neunziger Jahre, zunehmend einer wechselseitigen Durchdringung der beiden hier als A und B bezeichneten Hauptintentionen Raum gibt. Dies geschieht zweifellos aus der Eigendynamik dieser ‚Sache des Denkens' und nicht aufgrund ‚auktorialer' Eingriffe. So sollten die sogenannten Intentionen auch nicht als Intentionen des Autors Rombach verstanden werden, sondern als Ausdruck je bestimmter Gestaltung innerhalb des Entwicklungs- und Auslegungs-Ganges der Phänomenologie selbst, der einer eigenen inneren Konsequenz folgt, sich jedoch nicht einfach als Fort-Schritt im strengen Wortsinn vollzieht, sondern ständige Selbstkorrektur in stetiger Selbsttranzendenz[3] sucht.

---

[1] Vgl. dazu Rombachs Bemerkungen zu seinen vier „Philosophien" (Stenger u. Röhrig [Hg.] 1995, 271 f.) sowie seinen erstmals im vorliegenden Band publizierten Text „Der dynamische Strukturgedanke als Weltformel" (siehe oben, S. 19 ff.).

[2] Die genauen bibliographischen Angaben dazu entnehme man dem Literaturverzeichnis.

[3] Vgl. dazu auch den Beitrag der Verf.in, „Erscheinen – Welt – Struktur", im vorliegenden Band.

Tabellarische Übersicht

A 1	**B 1**
Strukturphänomenologie	Bildphilosophie
Phänomenologie der Tiefenstrukturen	Fundamentalgeschichte
	Grundphilosophie
	der Epochen und Völker
mit den Publikationen:	
Rombach 1988a – 1962 und 1988b –	Rombach 1977 – 1981b
1981a – 1980a	
A 2	**B 2**
Strukturontologie	Philosophische Hermetik
mit den Publikationen:	
Rombach 1971 und 1988c – 1987 – 1994a	Rombach 1983

In den Publikationen 1991 – 1994b – 1996a durchdringen sich die vier unten als A1/A2 und B1/B2 kurz skizzierten Aspekte von Rombachs philosophischem Denk-Weg so sehr, dass es nicht sinnvoll erscheint, sie nur je einem zuzuordnen.

Erläuterung zur tabellarischen Übersicht

Intention A1/A2 könnte man als Nach-*Denken* auf traditionellem phänomenologischem Weg im Medium Wort und Text, als Strukturphänomenologie und Phänomenologie der Tiefenstrukturen einerseits sowie als Strukturontologie andererseits bezeichnen.

A1 wird repräsentiert in den Publikationen *Über Ursprung und Wesen der Frage* (1988a), *Die Gegenwart der Philosophie* (1962 u. 1988b), *Substanz, System, Struktur* (1981a), *Phänomenologie des gegenwärtigen Bewußtseins* (1980a), A2 in den Publikationen *Strukturontologie* (1971 u. 1988c), *Strukturanthropologie* (1987), *Phänomenologie des sozialen Lebens* (1994a).

Der Unterschied zwischen A1 und A2 könnte so angedeutet werden, dass A1 eher den philosophiehistorischen Aspekt im Blick hat, A2 dagegen eher den systematischen.

Die Intention B1/B2 wäre demgegenüber eher einem Nach-*Spüren* oder Nach-*Dichten* zu vergleichen. Damit sei ein mehr intuitiver Versuch im Medium Bild und Gestalt angesprochen. B1 präsentiert sich zuerst vor allem in den Publikationen *Leben des Geistes* (1977) sowie *Sein und Nichts* (1981b) als Bildphilosophie, Fundamentalgeschichte, Grundphilosophie der Epochen und Völker, B2 als Philosophische Hermetik in *Welt und Gegenwelt* (1983).

Der Unterschied zwischen B1 und B2 wäre bei allem grundsätzlichen Vorbehalt gegen diese schematisierende Skizze etwa so zu fassen, dass einerseits B1 strenger im bildnerischen Medium mit Formen, Figuren, Gestalten und Gestaltungen arbeitet, wobei das Wort nur noch das Bild begleitet, während andererseits in B2 das besondere, vielfältige und vieldeutige Wort vor allem der Mythen, Sagen, Dichtungen durch Ab-Bildungen anschaulich wird.

Die späteren Publikationen *Der Kommende Gott* (1991), *Der Ursprung* (1994b) und schließlich *Der Drachenkampf* (1996a) zeigen eine zunehmende Tendenz zum bildphilosophisch-hermetischen Philosophieren, das sich damit, ganz vor-sichtig, aber womöglich doch noch allzu vor-schnell gesagt, als Grundintention des Rombachschen Werkes abzeichnet.

2. Kurze Werkcharakteristik im Einzelnen[4]

A. Strukturphänomenologie – Phänomenologie der Tiefenstrukturen – Strukturontologie

Über Ursprung und Wesen der Frage. – Einem der raren autobiographischen Zeugnisse zufolge (Rombach 1988a, 108; auch Stenger u. Röhrig [Hg.] 1995, 627 f.) entwarf Heinrich Rombach seine philosophische Dissertation *Über Ursprung und Wesen der Frage*, mit der er sein damaliges Nebenfach Philosophie zum Hauptfach aufwertete, seinen bisherigen naturwissenschaftlich-technischen Hauptinterese- und Studiengebieten dagegen den Rücken kehrte und sich auf seinen lebenslangen Weg in die „wirkliche Philosophie" begab (vgl. Rombach 1996, 32), 1945 in einem Lazarett. Dies brachte es mit sich, dass er ohne Zugriffsmöglichkeiten auf die üblichen Hilfsmittel der von ihm nach Heidegger sogenannten „Philosophiewissenschaft" einen ersten Zugang zum „philosophischen Grundgeschehen" versuchte (ebd.). Rombachs Selbsteinschätzung nach stellt dieser Versuch aber bereits den „Entwurf einer selbständigen Philosophie" dar (Rombach 1988a, 107). Damit beschritt der Autor in der Tat nicht nur inhaltlich, sondern auch methodisch einen eigen-artigen Weg, den er unter normalisierten Lebens- und Arbeitsbedingungen von der Publikation dieser ersten Schrift im Jahr 1952 an bis heute unbeirrt beibehielt und von dem alle weiteren Schriften Rombachs gleichfalls zeugen: Unter weitest möglichem Verzicht auf die zunftgemäße ‚Pflichtübung', durch sogenannte Kritik der „sekundären Lite-

---

[4] Es gilt hier, Rombachs Publikationen entsprechend den beiden oben skizzierten Haupt-Richtungen A und B möglichst knapp zu charakterisieren, wobei die Arbeiten der neunziger Jahre an der Stelle ins bisherige Gesamtwerk eingeordnet werden, die thematisch jeweils am besten geeignet zu sein schein, entweder unter A oder B. Rombachs philosophischer Erstling, seine Dissertation (Rombach 1952/1988a) nimmt als ‚Keimzelle' der gesamten Werkentwicklung eine gewisse Sonderstellung ein und verdient deshalb mehr Raum in der Betrachtung.

ratur" an den „Positionskämpfen" (dazu erneut Rombach 1996b, 32) der „Philosophiewissenschaft" teilzunehmen, sollen sie vielmehr Beiträge zur Erhellung und Klärung der „Grundphilosophie" leisten und die „Grundstrukturen" aufweisen, „in denen sich das menschliche Dasein fundamental auslegt" (ebd. 33). Zu diesen menschlichen Grundstrukturen oder Grundphänomenen gehört freilich auch das für Rombachs Verständnis von Anfang an dimensional strukturierte Phänomen der Frage. Entsprechend untersucht er in seiner Dissertation, von Husserl und Heidegger ausgehend, das dreidimensional angesetzte Frage-Phänomen in den Dimensionen Alltäglichkeit oder Lebenswelt („Die Anfrage im Miteinandersein"), forschender Umgang mit dem Seienden oder Wissenschaftstheorie („Die Forschungsfrage an das Seiende selbst") und existentielle Entscheidung („Die Entscheidungsfrage über das Ganze des Daseins"; Rombach 1988a, 13) Da er indessen eine „phänomenologische Untersuchung der Situation" (ebd. 20) als Vorbedingung derartiger Strukturanalyse ansieht, bettet er diese in jene ein. Zwar erwähnt er dabei Heideggers „Struktur des In-Seins" expressis verbis, nimmt davon aber insofern Abstand, als er das „im In" unterstellte „festgelegte ‚Verhältnis' von Ich und Welt noch gar nicht in die Seinsverfassung des Menschen" (ebd. 25 f.)[5] hinein nehmen möchte.

Wie ein Blick auf Rombachs viel später, in seiner Publikation *Strukturanthropologie* (Rombach 1987, 133-318) dann quasi nachgetragene, ausführliche Analyse der Situation als Grundphänomen zeigt, sollte sich diese seine Distanzierung vom frühen Heidegger ebenso wie die von Husserl im Laufe seiner philosophischen ‚Mühe um den Begriff' immer mehr verstärken und ihn schließlich von der transzendentalen Phänomenologie überhaupt wegführen zur Ausarbeitung seines eigenen strukturontologischen Ansatzes. Gleichwohl bleibt Rombachs Loyalität seinen beiden ersten Lehrmeistern Husserl und Heidegger gegenüber auch weiterhin unbestritten, befördert doch gerade sie in stets achtungsvoll positiver Kritik den eigenen, immer stärker sich als strukturphänomenologisch erweisenden Weg, was auch Rombach selbst freilich nicht seinem Eigen-Sinn zuschreibt, sondern was sich ihm, wie schon oben erwähnt, vielmehr als Weg der inneren Selbsttranszendenz der Phänomenologie ernötigte. Gerade die Perspektive „Situation", die vorausweist auf die von Rombach später vor allem dank seiner Entdeckung von Blaise Pascals „Ordnung der Ordnungen" dezidiert ausgearbeitete Dimensionalität aller Phänomenalität[6], ist darin von höchster Wichtigkeit. Von Anfang an in Rombachs philosophischem Konzept präsent, dynamisiert sie sich zunehmend, d. h. fokussiert die jeweilige Strukturgenese in je eigentypischem „Hervorgang", der nun, zweifellos wieder in Auseinandersetzung mit dem späten Heidegger und dessen „Ereignis", aber auch mit M. Merlau-Pontys und J. P. Sartres Konzeptionen, als Dreh- und Angelpunkt

---

[5] Rombach bezieht sich dabei ausdrücklich auf Martin Heideggers *Sein und Zeit*.

[6] Vgl. dazu Rombachs eigene Stellungnahme zu seiner frühen Arbeit im Nachwort zur Neuausgabe (Rombach 1988a, 107 f.), aber auch den konkreten Aufweis am Phänomen, u. a. in Rombach 1980a, 212-238, 1994b, 87 f. oder 1996a, 19-30.

strukturalen Geschehens erkannt wird. So erweist sich Rombachs erste Untersuchung des Phänomens Situation tatsächlich bereits als Keimzelle des oben behaupteten selbständigen philosophischen Entwurfs. Im Rahmen seiner Dissertation indessen steht sie noch ganz im Dienst einer Klärung von Ursprung und Wesen der Frage. Diese ent-deckt schließlich als die erste und damit als die Grund-Frage, als die Frage aller Fragen, den eingangs an dritter Stelle ausgewiesenen Fragemodus: die „Entscheidungsfrage über das Ganze des Daseins" in ihrer buchstäblichen Frag-Würdigkeit im doppelten Wortsinn. Nur aus solcher „ursprünglichen Fragwürdigkeit" heraus könne jede weitere Frage-Möglichkeit erst geboren werden (Rombach 1988a, 101) und ihr ent-spreche, quasi als einzige Ant-Wort, unabschließbar vieldimensionales Fragen-Können und Fragen-Müssen.

Die Gegenwart der Philosophie. – Diese „philosophiegeschichtliche und geschichtsphilosophische" Studie von 1962 über die „Grundprobleme der abendländischen Philosophie" und zum „gegenwärtigen Stand des philosophischen Fragens",[7] die Rombach freilich nicht zufällig im unmittelbaren, auch zeitlichen Zusammenhang mit der Überarbeitung und erneuten Publikation seines Dissertationsproblems, des Phänomens der Frage, 1988 gleichfalls überarbeitet und ebenfalls erneut publiziert hatte, nimmt konsequent einen der drei früher exponierten Fragemodi, die philosophische Frage nach dem Fragen in der Philosophie, wieder auf. In vierundzwanzig Kapiteln, deren Überschriften teilweise einen heutzutage ungewöhnlichen, geradezu barocken Umfang erreichen und die damit allmählich einen prägnanten Extrakt des gesamten Textinhaltes geben,[8] soll nichts Geringeres expliziert werden als der Weg der inneren Selbsttranszendenz der Philosophie von ihren griechischen Anfängen über ihre mittelalterliche Gestalt und die der Philosophien der Neuzeit bis hin zur modernen Phänomenologie der Gegenwart im 20. Jahrhundert. Rombachs eigene Konzeption zeigt sich, aus diesem Weg des Denkens konsequent erwachsen, auch in ihrer Entwicklung am deutlichen Unterschied zwischen der ersten und der dritten Version dieses Textes selbst: Anfang der sechziger Jahre prägt Heideggers Fundamentalontologie noch stark Geist und Diktion von Rombachs Arbeit, nicht zuletzt dokumentiert im Schlusskapitel der Fassung von 1962, wenn es sich auch mit nachträglichen (wörtlich: ideologie-) kritischen Überlegungen zu Heideggers gerade bekannt gewordenem Vortrag „Zeit und Sein" schon davon distanzieren will. Mehr als fünfundzwanzig Jahre später tritt in der Überarbeitung der von Rombach vollzogene Durchbruch zur eigenen Strukturphänomenologie u. a. im ausdrückli-

---

[7] Siehe Untertitel und Vorwort zur 3. Auflage des Buches (Rombach 1988b, 5).

[8] Bezeichnenderweise stellt die Neuausgabe von 1988 diese Inhaltsübersicht wirklich an den Anfang des Buches (Rombach 1988b, 11-17), während sie in der ersten Fassung von 1962 quasi als Resümee des schon Gesagten erst am Ende des Textes zu finden ist (Rombach 1962, 117-120).

chen Hinweis auf die Dimensionalität menschlichen Daseins ganz evident zu Tage.

Substanz, System, Struktur. Der philosophische Hintergrund des Funktionalismus. – Das aus der Habilitationsschrift von 1955 „Wahrheit und Endlichkeit. Versuch einer Deutung des Grundproblems der Philosophie des 17. und 18. Jahrhunderts"[9] erwachsene, dann aber wesentlich erweiterte philosophiegeschichtliche Hauptwerk Rombachs entstand in Konsequenz und in engstem sowohl thematischen als auch zeitlichen Zusammenhang mit der ersten Ausarbeitung der Schrift *Die Gegenwart der Philosophie*. Nun wird aber der Weg von Philosophie und Wissenschaft besonders als apokryphe Geschichte des Strukturgedankens, ausgehend von der mittelalterlichen Philosophie für einen enger begrenzten Zeitraum nachgezeichnet: Dieser wird markiert zuerst durch die Autoren Nikolaus von Autrecourt und Nikolaus von Cues, sodann durch Kopernikus, Kepler und Galileo Galilei, schließlich durch Descartes, Spinoza und Pascal. Eine Betrachtung des Übergangs von Leibniz zu Kant beschließt diesen nach-denklichen Gang Rombachs mit der Behauptung, dass zwar die „Missverständnisse Kants über Leibniz" zu offensichtlich seien, als dass man von einer bewussten Anknüpfung Kants an die „unüberwindlichen Endstellen" des Leibnizschen Denkens sprechen könnte, dass aber gleichwohl „verborgene Anfänge einer Strukturlehre", die Rombach ja in der gesamten Untersuchung aufzuweisen trachtet, auch in Kants Hauptwerk, im Rahmen der „Analytik der Grundsätze", ganz evident seien (vgl. Rombach 1981a, 407 f.).

Strukturontologie. Eine Phänomenologie der Freiheit. – Diese systematische Darstellung, konsequente Summe und Höhepunkt eines damals schon mehr als zwei Jahrzehnte dauernden genuin philosophischen Bemühens, gibt Rombachs laut Titel gleichermaßen ontologischer wie phänomenologischer Konzeption erstmals[10] konkrete Gestalt. Allerdings zeigt sich schon der Titel „Strukturontologie" als problematisch, möglicherweise gar als Widerspruch in sich, soll doch mit dem Entwurf „Struktur" gerade die herkömmliche Ontologie im positiven Sinne ‚liquidiert', die früher angenommene Seins-Verfassung letztendlich zu reiner Strukturdynamik ‚verflüssigt' werden.[11] Diese Problematik entgeht freilich dem

---

[9] Publiziert wurde die Habilitationsschrift in erweiterter Form erst 1965/1966 unter dem Titel *Substanz, System, Struktur*.

[10] Rombach 1971. – Mehr als 20 Jahre später wird ein Versuch, diese Konzeption erneut und in knappster Form darzustellen, den Titel tragen: *Der Ursprung. Philosophie der Kreativität von Mensch und Natur*. Dass damit nicht eine einfache Wiederholung des ersten systematischen Entwurfs gegeben, sondern eine revidierte Wieder-Holung unter neuem Blick-Winkel geleistet wurde, wird schon im Titel evident. Vgl. dazu Rombach 1994b sowie die weiter unten folgende Kurzbeschreibung des Werkes.

[11] Vgl. dazu Rombachs „Nachwort zur zweiten Auflage" der *Strukturontologie* (Rombach 1988c, 360-373).

Autor selbst keineswegs, und so bedenkt er eingangs eigens die unvermeidlichen Schwierigkeiten, die eine „noch unbekannte Sache" mit sich bringe, beim Schreiben in Form von Widersprüchen, beim Lesen als ständige Gefahr von Missverständnissen. Lediglich „Modelle" könnten nämlich dort gezeigt werden, wo das Gemeinte nur „im Fluchtpunkt verschiedener Perspektiven ihrer Selbstdarstellung" erscheine. Als so verstandenes Modell bahnt ihm das im Sinne des Tao vorgestellte Weg-Phänomen denn auch den Weg zur ausführlichen, detaillierten Strukturanalyse. Sie versteht sich aber ausdrücklich nicht als „endgültige Theorie der Struktur". Vielmehr soll damit „eine überholbare Phase im Entwicklungsgang dieses Denkansatzes" detailliert beschrieben und ihr, wiederum im philosophiegeschichtlichen Blick auf den Weg des „ontologischen Denkens der letzten fünfhundert Jahre", ein systematischer Ort darin zugewiesen werden. Ziel der Untersuchung ist die Entfaltung der inneren Eigendynamik dessen, was hier in einem ganz bestimmten, besonderen Sinne „Struktur" genannt wird. Rombach grenzt sie gegen dasselbe, damals allerorten grassierende unspezifische „Modewort" ebenso ab wie seine „Strukturontologie" gegen den Strukturalismus (vgl. Rombach 1971, 9, 16 und 19 f.). Der Aufbau des Werkes entspricht genau der Bewegung der ‚Sache' dieses Denken: In den drei großen Abschnitten *Strukturverfassung*, *Strukturdynamik* und *Strukturgenese* zeigt sich der dreimalige, sich je selbst übersteigende Hin-Blick auf die hermetische, die selbsttranszendente und die genetische Dimension von „Struktur", als welche alles Sich-Zeigende, also jedes Phänomen, verstanden werden muss. So verwundert es nicht, wenn Rombach dieses sein Verständnis von Phänomen später sogar zum „Phänomen Phänomen" (Rombach 1980b, u. a. 21) derart zuspitzt, dass „Phänomen" oder „Struktur" als weitgehend gleichbedeutend zum Zentralbegriff einer Phänomenologie werden, die für ihn weder transzendental noch fundamenalontologisch, sondern nur noch strukturell zu denken ist.

Der Ursprung. Philosophie der Konkreativität von Mensch und Natur. – Diese ursprünglich als komprimierte Wieder-Holung von Genese und Grundkonzeption (Rombach 1994b, Teil VII, 1.-7. [168-184]) der *Strukturontologie* nach mehr als zwanzig Jahren gedachte Publikation geriet dem Autor fast selbstverständlich unter der Hand und (im Kontext einer zweiten, zeitgleichen Ausarbeitung der soziologischen Dimension seines strukturphänomenologischen Ansatzes; vgl. Rombach 1994a) in Eigen-Bewegung. So wird zwar unter Hinweis auf die *Strukturontologie* eine durchaus nicht zu ihrem Nachteil im buchstäblichen Wortsinne radikal, nämlich von Grund auf, eben ursprünglich, erneuerte und modifizierte Strukturanalyse gegeben, die viele Einzelzüge von „Grundverfassung der Struktur – Strukturgenese – Aufgang und Untergang" eigens erläutert (Rombach 1994b, Teil II, 1.-8. [35-64], Teil III, 1.-10. [65-85] sowie Teil VI, 1.-8. [138-167]). Aber an Stelle ihrer Er-Klärung durch früher wohl schon graphisch als Modelle abgehobene Sprach-Bilder und vereinzelte abstrakt-graphische Darstellungen sollen nun konkrete Ab-Bildungen ganz eindringlich veranschaulichen, dass die Strukturontologie „nicht einfach nur eine Deutungsfolie der Wirklichkeit" sein, sondern expressis verbis zur „Lebensweise" werden will, weil sie sich nicht in „Struktur-Gedanke" einerseits und dessen „Anwendung" andererseits auseinanderdividieren lässt. Mit der Bemerkung, jede Struktur habe aufgrund ihrer „Selbstfindung und Selbsterfindung" eine eigene „Ontologie", obwohl es „eigentlich keine Onta" gebe, die im Rahmen allgemeiner „Ontologien" feststellbar wären (ebd. 83-85), holt Rombach nun selbst die oben angedeutete Kritik am Titel des ganzen Ansatzes implizit nach mit Hilfe der inzwischen zu dominierender Wichtigkeit erwachsenen neuen Strukturkategorie „Konkreativität". Sie zeigt sich als der Quellpunkt, als der wahre Ur-Sprung jeder genetisch aufgehenden Struktur, wo auch immer sie sich ereignet: innerhalb des Naturgeschehens seit unvordenklichen Zeiten oder zwischen Mensch und Natur seit Menschengedenken, innerhalb menschlicher Gemeinschaft oder zwischen Gemeinschaften als Konstitution von Völkern und Nationen (ebd., Teil I, 1.-7. [13-34]). Entsprechend werden Beispiele aus verschiedenen Lebensbereichen und Dimensionen angeführt, die die jeweilige Dimension selbst als Beispiel je neuartiger, gelungener Strukturgenese zeigen und Dimensionalität als die Verwobenheit von „Strukturen in Strukturen" (ebd., Teil IV, 1.-3. [87-109] sowie Teil V, 1.-10. [110-137]). Schließlich kommt hiermit ein weiterer, bisher nicht eigens bedachter, aber notwendiger Aspekt ins Gespräch. Eine derart dimensional-strukturale Phänomenologie erweist sich für Rombach als einziger Weg zu fundiertem interkulturellen Philosophieren. Kulturelle Unterschiede ganz unterschiedlichen Niveaus können dabei im Spiel sein, je nachdem, ob man sie eher weiter oder enger gefasst verstanden wissen will: als Differenzen zwischen den Geschlechtern, zwischen jeweiligen Leit- und Subkulturen entweder im Hinblick auf alternative Bewegungen oder auf kulturelle Minoritäten sowie schließlich zwischen einzelnen Völkern innerhalb eines Kulturkreises bzw. darüber noch hinaus zwischen den verschiedenen Kulturkreisen. Rombach hat, ganz den Erfordernissen zunehmender Globalisierung entsprechend, bei Letzterem die „Menschheit als Gespräch" im Auge, wobei ihm „Gespräch" als die „Sozialgestalt der Konkreativität" gilt. Es findet ebenso im buchstäblichen Sinne „als Sprache" statt wie auch im übertragenen Sinne „als Zusammenleben und Zusammenarbeiten".[12]

Phänomenologie des gegenwärtigen Bewußtseins. – Der Autor bezeichnet diese Studie rückblickend als eine „Methodologie der ‚Strukturanalyse', die zugleich eine Methodologie der weiterentwickelten Phänomenologie" sei (Rombach 1987, 138). Tatsächlich fällt ihre stark systematische Anlage ins Auge, die nach Bemerkungen „Zur Bewußtseinsgeschichte" mit den Hauptexponenten der Phänomenologie, Husserl und Heidegger, und mit Rombachs eigener Konzeption, diesmal als „Phänopraxie" ins Gespräch gebracht, dann seine erste umfassende und systematische, konstruktive Auseinandersetzung mit der „transzendentalen"

---

[12] Ebd. Teil VIII, 1.-5. (185-205), hier besonders 1.1.: „Das Erwachen der Völker", 1.2: „Die Kulturwelten", 2.: „Die Menschheit als Gespräch", 3.1: Alternative Bewegungen, 3.2.: „Die Frauenbewegung".

bzw. der „ontologischen" Phänomenologie vorlegt (Rombach 1980a, 27-169). Die anschließende „Modellanalyse der Wahrnehmung" präsentiert die erste ausführliche Analyse der Struktur eines wichtigen menschlichen Grundphänomens und konkretisiert damit früher an einzelnen „Modellen" nur angedeutete Aspekte phänomenalen Geschehens (ebd. 171-281). Schließlich wird deutlich gemacht, dass eine solche ‚Strukturanalyse' konsequent aus ‚Intentional- bzw. und Existenzanalyse' erwachsen musste (ebd. 283-332) und dass sich so wie das konkrete Phänomen Wahrnehmung ein jedes Phänomen als die mit Hilfe strukturphänomenologischer Methode entdeckte, früher schon genau analysierte „Struktur" ausweist.[13]

Strukturanthropologie. „Der menschliche Mensch". – Hatte Rombach mit der *Strukturontologie* (Rombach 1971) zum ersten Mal systematisch seinen strukturphänomenologischen Ansatz im Ganzen vorgestellt, entfaltet er nun einige der dabei eingeführten Strukturkategorien als besonders relevante Aspekte für den Weg des europäischen Menschenbildes von den Anfängen bis zur strukturalen Konzeption. Der demgemäß erst von da ab wirklich „menschlich" zu nennende Mensch gewinnt sodann im Rahmen einer Modellanalyse des Grundphänomens „Situation" konkrete Gestalt (Rombach 1987, Teil III A-E = 1.-20. [133-345]). Freilich gehört dazu wieder eine konstruktive Auseinandersetzung mit Heidegger, jetzt aber außerdem mit Jaspers und noch einmal mit Sartre. Ausdrücklich spricht dabei freilich Nietzsche mit, der u. a. durch seinen Entwurf „Zarathustra" wesentliche Impulse für Rombachs strukturale Weiterentwicklung der transzendentalphänomenologischen und der fundamentalontologischen Egologie gegeben hatte.[14] Dementsprechend muss für Rombach ein Verstehen von „Idemität" an die Stelle der „Irrtümer über Identität" treten, in denen die abendländische Geistesgeschichte bis heute weitgehend befangen ist. Denn nur die Einsicht in „Vielfalt der Ich-Konstitutionen" sowie multidimensionale „Ich- Wir- Konstitution"[15] kann demnach den je Einzelnen in und mit der jeweiligen Gemeinschaft, aus der er sich und die sich in ihm je konstituiert und begreift, aus dem neuzeitlich unlösbar erscheinenden Konflikt zwischen Individuum und Gesellschaft befreien. Eine weitere Modellanalyse, diesmal zum „Grundphänomen des Handelns", die in einen „Ansatz zu einer Strukturethik" (ebd., Teil V, 1.-8. [347-375]) mündet, weist schließlich sowohl systematisch wie philosophiegeschichtlich weiter auf die entscheidend neuartige Perspektive „Die Stufen der Egoität".

---

[13] Vgl. dazu noch einmal die Ausführungen dieser Werkübersicht zur *Strukturontologie*.

[14] Nietzsches *Also sprach Zarathustra* hatte Rombach in Interpretations-Vorlesungen und Seminaren der 80er Jahre an der Universität Würzburg als wichtige Anregung für seine eigene anthropologische Konzeption vorgestellt.

[15] Rombach 1987, III D, 14.d und 15.b (241ff und 257ff). – Im Abschnitt 14d verweist Rombach ausdrücklich auf Nietzsche und dessen „*Pluralismus der Iche*" (242, Anmerkung 21).

In neuerlichem Rekurs auf Heidegger und zusätzlich noch weiter, auch auf Hegel und Feuerbach, zurückgreifend stehen in diesem Kontext konsequent „Der größere Mensch und die Geschichte" sowie „Der gesellschaftliche Mensch" im Mittelpunkt des Interesses (ebd., Teil VI, 1.-4. [377-426]).

Phänomenologie des sozialen Lebens. Grundzüge einer Phänomenologischen Soziologie. – Diese vorerst letzte systematisch strukturphänomenologische Studie schließt sich in einer „Einführung" expressis verbis an die *Strukturanthropologie* an. Die Stichworte „menschlicher Mensch" und „menschliche Gesellschaft" werden auch als Zielvorgabe dieser phänomenologischen Soziologie wieder aufgenommen (Rombach 1994a, 11-30). In der systematisch entwickelten Betrachtung „Das Grundphänomen der sozialen Ordnungen" legt sie die im Werküberblick nun schon vierte ausführliche Modellanalyse von Grundphänomenen (nach Wahrnehmung, Situation und Handeln) vor. Damit wird die schon längst entdeckte, wiederholt betonte Multiverazität und Dimensionalität jeglicher Struktur noch einmal ausdrücklich gemacht und die Grundfrage nach der Struktur dieser Strukturimplikationen als einem entscheidenden Kriterium in Bezug auf Struktur- oder Systemontologie überhaupt verschärft (ebd., Teil I, 1.-11. [31-145], bes. 6. und 7. [79-105]).

Auch der bereits in der *Strukturanthropologie* hervorgehobene Aspekt „Sozialgenese" erfährt erneuerte Berücksichtigung, wobei die Polarität „Gemeinschaft oder Gesellschaft" nun endgültig mehr als fraglich und sogar durch Aspekte wie „Konkreativität" – „Geist, Beseelung, Gemeinsinn" – „Einheit, Solidarität, Fraternität" im positiven Wortsinn gänzlich aufgehoben wird (ebd., Teil II, 1.-9. [146-198]). Wie Rombachs Ansatz seiner „Strukturanthropologie" stellt sich nun auch der seiner „Sozialphänomenologie" einer kritischen und philosophiegeschichtlichen Auseinandersetzung, diesmal mit den Konzeptionen von Weber und Husserl, Schütz, Berger und Luckmann, Franz v. Baader, Popper und Luhmann (ebd., Teil III, 1.-8. [199-279]). Eine grundsätzliche phänomenologische Meta-Reflexion, die die „historische und strukturale Phänomenologie" als Entwicklungsgang in Richtung auf eine im besten Wortsinn „kritische Phänomenologie" darstellt, schlägt als „Rückblick und Ausblick" einen großen Bogen von Hegel zu Beuys, öffnet hoffnungsvolle Perspektiven auf ein Europa nach nur sogenanntem Sozialismus, warnt aber auch vor Gefahren, die in einem möglicherweise dadurch entstandenen „geistigen Vakuum" heraufziehen könnten (ebd., Teil IV, 1.-8. [280-324]).

Drachenkampf. Der philosophische Hintergrund der blutigen Bürgerkriege und die brennenden Zeitfragen. – Dieser zweite ausdrückliche Beitrag zur interkulturellen Philosophie nimmt Rombachs früheren Vorschlag, die „Menschheit als Gespräch" zu verstehen, wieder auf und knüpft so an seine Überlegungen zur Rolle der „Konkreativität" im Selbstfindungs- und Auseinandersetzungs-Geschehen der Völker und Kulturen an (vgl. Rombach 1994b). Anlass zu diesem wie schon zum ersten Versuch interkulturellen Philosophierens gaben die politischen Umwälzungen in Europa seit Beginn der neunziger Jahre. Sie werden nicht nur in ihrer historisch-faktischen Gestalt und in ihrer mehrdimensionalen Genese phänomenologisch betrachtet, sondern Rombach zeigt an diesen konkreten Beispielen noch einmal sein systematisches Konzept in Hinblick auf diachrone und synchrone Dimensionalität sowie die unterschiedlichen Arten von Übergängen zwischen den verschiedensten Dimensionen.[16] Diesmal steht im Mittelpunkt der Studie eine weitere modellhafte konkrete Strukturanalyse, die als „Versuch über die japanische Kultur" eine spezielle „Strukturanalyse des japanischen Wohnhauses" unternimmt und damit statt „Wohnen" als Grundphänomen überhaupt im besonderen Wohnstil den Geist einer bestimmten Kulturform in den Blick rückt (ebd., Teil II, 1.-10. (37-89), bes. Abschn. 8 [61-78]). Das titelgebende Bild des Drachen, das konkret-anschaulich und in seinem kulturell ganz unterschiedlichen Darstellungsgehalt vor Augen geführt wird, erweist sich nicht nur (auf ‚westlicher' Folie tiefenpsychologisch gesehen) als Grundbild der innersten Triebkräfte des Menschen, sondern auch (vom 'östlichen' Horizont her) als „Fahrzeug", als Vehikel, Medium oder Weg zum notwendigen „Gespräch der Welten",[17] womit das viel beschworene Bild des Tao ein weiteres mal evoziert wäre.

B. Bildphilosophie – Fundamentalgeschichte – Grundphilosophie der Epochen und Völker – Philosophische Hermetik

Leben des Geistes. Ein Buch der Bilder zur Fundamentalgeschichte der Menschheit. – Richteten sich die bisher betrachteten Publikationen Rombachs als systematische oder auch als philosophiegeschichtliche Studien vor allem an ein Fachpublikum, möchte *Leben des Geistes* expressis verbis „keine speziellen Kenntnisse" voraussetzen, sondern „stellt sich die alten und neuen Fragen der Philosophie" in Form einer „Bildphilosophie als Weltbildforschung" quasi für jedermann, in der das „lebendige Geschehen der unterschiedlichen Geistfindungen des Menschen" zur Erscheinung kommen soll. Das wohl gerade deshalb ebenso gefragte wie umstrittene Buch zeigt, im bisher überschaubaren Kontext von Rombachs vieldimensionalem Schaffen betrachtet, eine umfassende Zusammenschau der Grundstruktur, also der wichtigsten Grundphänomene menschlichen Daseins.[18]

---

[16] Rombach 1996a, Teil I, 1.-6 (7-36), hier besonders 4.: „Die Tiefendimensionen des menschlichen Daseins" und 5.: „Die Revolutionen" sowie Teil III „Ereignisse – Revolutionen – Umbrüche", 1.-6. (91-115).

[17] Vgl. dazu noch einmal ebd., Teil I: „Die Drachen" und Teil IV: „Das Gespräch der Welten" (117-149), hier besonders 3.: „Was ist ein Fahrzeug" (122-127) mit eindrucksvollen Abbildungen.

[18] Zu den Zitaten vergleiche man Rombach 1977, 7 sowie 301. – Ausdrücklich rückt Rombach hier die Bildphilosophie in einen inneren Zusammenhang mit seiner *Strukturontologie* (Rombach 1971), aber auch mit der *Strukturanthropologie* (Rombach 1987). – Lei-

Zugleich scheint sich in *Leben des Geistes* eine Zusammenführung verschiedener Methoden zu versuchen oder umgekehrt Methodenvielfalt zu begründen: Fundamentalgeschichtliche wie anthropologische Strukturanalysen stehen neben archäologischen und ethnologischen, zeit- wissenschafts- und kunstgeschichtlichen Zeugnissen. Die oben heuristisch angesetzten vier unterschiedlichen Intentionen von Rombachs Werk kommen darin je unterschiedlich zum Tragen und machen *Leben des Geistes* zu einem Kreuzungspunkt der vier ‚Richtungen' seines philosophischen Bemühens. Viele der dabei oft nur kurz angedeuteten Aspekte wurden bereits in früheren Arbeiten genauer betrachtet oder sie werden an späterer Stelle wieder aufgenommen und weiter ausgearbeitet.[19] Besondere Erwähnung verdient diesbezüglich der durch *Leben des Geistes* ausdrücklich angeregte, als eigenständige Publikation leider vereinzelt gebliebene Versuch eines west-östlichen bildphilosophischen ‚Gesprächs', das Rombach zusammen mit seinen japanischen Kollegen Tsujimura und Ohashi vorlegte und das als ein Entsprechungsgeschehen von *Sein und Nichts* an Hand zweier berühmter Bilder der abendländischen bzw. fernöstlichen Kulturgeschichte konkrete Gestalt gewann (Rombach 1981b). Allerdings erfahren auch manche im *Leben des Geistes* erstmals buchstäblich veranschaulichte Phänomene im Laufe ihrer detaillierteren Ausarbeitung weitere Präzisierung oder sogar andere Gewichtung wie zum Beispiel das Verständnis des Geist-Phänomens selbst. Zwar wird schon anfangs betont, der Mensch müsse lernen, sich als „Exponent *höherer und weitergreifender Zusammenhänge* zu sehen" (Rombach 1977, 301). Aber *Leben des Geistes* betrachtet „Geist" noch mehr als „dramatisches Geschehen der Selbstfindung der

der ist *Leben des Geistes* schon seit Jahren vergriffen und so einerseits zum ‚Geheimtipp' einiger weniger ‚Insider' geworden; andererseits sind Konzeption und Duktus des Buches weiterhin umstritten, wie die Diskussion des Prager Rombach-Symposions erneut zeigte. Freilich hatte der Autor dies vorausgesehen und sich deshalb genötigt gefühlt, in einigen für die Fachwelt nachgetragenen „Anmerkungen" zu den „wissenschaftstheoretischen und methodologischen Voraussetzungen" des Buches auf die durchaus zu Recht assoziierten Reminiszensen an Hegels *Phänomenologie des Geistes* zu rekurrieren und die „*Wissenschaftlichkeit* dieses Werkes" zu betonen (Rombach 1977, 301-303).

[19] So findet man z. B. tatsächlich vieles in der *Strukturontologie* (Rombach 1971) bereits theoretisch Erörterte hier konkret veranschaulicht. Rückblickend zeigt sich sogar, dass die oben der Kategorie ‚Systematische Darstellungen' zugewiesene Studie *Strukturontologie* nicht nur durch Sprachbilder und poetische Modelle, sondern auch schon durch eine Reihe von graphischen Darstellungen buchstäblich ins Bild setzen will, statt nur einfach zu illustrieren, dass sie also bereits genuin bildphilosophisch arbeitet. Andererseits deutet *Leben des Geistes* konkret voraus auf die zweite, gleichfalls vergriffene, ausdrückliche Bildphilosophie Rombachs, die aber gleichzeitig als *Die philosophische Hermetik* (Rombach 1983) eine neue Werkintention ausdrücklich macht, und man findet Rombachs Hinweis auf sein anthropologisches Grundkonzept (Rombach 1987), das *Leben des Geistes* fundiere, inhaltlich unübersehbar bestätigt. Fachspezifischen Niederschlag findet schließlich außerdem der Sinnabschnitt „Die Welt der Wissenschaft" (Rombach 1977, 259-278) eigens in Rombachs Arbeiten zur Wissenschaftstheorie (Rombach 1974).

Menschheit", also doch eher vom Menschen her, während im bisher letzten diesbezüglichen Aufsatz Rombachs der „menschliche Geist" als „nur ein Abkömmling des kosmischen Geistphänomens" gilt, wodurch „der Geist in den unterschiedlichsten Gestalten erscheinen kann, also auch so, dass er im Erfahrungsbereich des Menschen nicht mehr aufscheint".[20]

Welt und Gegenwelt. Umdenken über die Wirklichkeit. Die philosophische Hermetik. – Auch diese zweite bildphilosophische Arbeit Rombachs zeigt sich als Zusammenführung verschiedener gesondert entfalteter und publizierter „Spiegelungen" derselben Sache des Denkens, worauf diesmal der Autor selbst, aber erst nachträglich hinweist. Denn wieder ist es sein Anliegen, zuerst und vor allem konkrete Beispiele zu zeigen, um seine hermetische Konzeption anschaulich zu machen. Einige dann eigentlich überflüssige systematische Überlegungen werden schließlich am Ende doch noch buchstäblich nachgetragen (Rombach 1983, 171-179) – vielleicht für jene unverbesserlichen Theoretiker, die glauben, darauf gar nicht verzichten zu können.

Einen neuen Ton schlägt dagegen die schon im Titel *Welt und Gegenwelt* zu Tage tretende polarisierende Darstellung an, die in späteren Publikationen eher noch verschärft wird.[21] Sie findet erstmals ihren Ausdruck in einer ausführlichen Nachzeichnung der mythologischen Traditionen um *Hermes* (Rombach 1983, Teil II, 21-52) und dessen Gegenbild *Apollon* (ebd., Teil IV, 83-105), die das Zentrum des Buches bilden. Denn Rombach sieht gerade in ihrer, seines Erachtens bis dato weitgehend unerkannten Doppeldeutigkeit den deshalb nicht unproblematischen Weg der abendländischen Geistesgeschichte begründet. Das *hermetische Prinzip* (ebd., Teil I, 12-20) das poetische Sprachbilder ebenso wie künstlerische Ab-Bildungen zur Erscheinung bringen sollen, in denen Licht- und Schattenmetaphorik dominiert, führt im kürzesten von fünf Sinnabschnitten in die Thematik ein. Deren End- und Zielpunkt, *Die hermetische Grunderfahrung* (ebd., Teil V, 108-169) wird an dreizehn Aspekten umfangreich und differenziert exemplifiziert. Sie beschreiben im doppelten Wortsinn den ganzen Erdkreis, vom fernöstlichen „Teeweg" bis zum „Zauberberg", vom alttestamentarisch-

---

[20] Vgl. dazu den Aufsatz der Verf.in, „Der dynamische Strukturgedanke als Weltformel", im vorliegenden Band. – Zu dem später für Rombach immer wichtiger werdenden Phänomen der Konkreativität lässt sich ganz Ähnliches bemerken, wenn auch womöglich nur dem Sprachgebrauch nach: So wird freilich in *Leben des Geistes* betont, dass der „Aufgang des Menschen" immer auch „Mitaufgang von Welt, Natur und Schöpfung" sei und dieses Gesamtgeschehen als „Konkreativität benannt (Rombach 1977, 301). Konkreativität als Kennwort einer ganz neuartigen Ontologie, als einziger Weg zu multidimensionaler Autogenese, wird indessen, wenn auch der Sache nach bereits die *Strukturontologie* fundierend, erst in *Der Ursprung* (Rombach 1994b) in seiner ganzen Tragweite ausdrücklich gemacht.

[21] So greift *Der kommende Gott* (Rombach 1991) vor allem die Hermetik der Religionen wieder auf; die persönliche hermetisch-hermeneutische Kontroverse, die freilich im Dienste der Sache stehen soll, nimmt dabei aber allzu viel Raum ein.

antiken Zeitalter des Widders über die abendländisch-christliche Epoche der Fische bis zur gerade überschrittenen neuen Jahrtausend-Schwelle, der Eröffnung der Ära des Wassermanns – um nur wenige der hier aufgerufenen Beispiele anzusprechen. Dazwischen – ganz konkret als Mittelachse des Bandes quasi – entfaltet *Der Gott der Verbergung* (ebd., Teil III, 53-81) Zwischenbereiche, bevölkert von Engeln, Teufeln, Hexen und Dämonen; sie alle nehmen dort unter strukturphänomenologischen Analysen, in Text- und Bilddokumenten vielfältige Gestalt an. Das schon in *Leben des Geistes* eigens betrachtete Phänomen des Feuers (Rombach 1977, 48-50 sowie 1983, 79 f.) wird dabei wieder aufgenommen; es schlägt den Bogen zurück zur eingangs vorgestellten ambivalenten Lichtmetaphorik, die gleichzeitig hinweist auf autogenetische, ekstatische Bewegungs-Phänomene, wie sie etwa, um ein weiteres konkretes Beispiel der Studie zu nennen, im Bild des Fluges evoziert werden, das bereits als eine Facette des multidimensionalen Mythos um Hermes erschienen war.[22] Das Hermetische ist also nicht nur dem traditionell allem Göttlichen zugesprochenen Bereich vorbehalten, wenn es auch dort besonders ausdrücklich wird, wie eine spätere Betrachtung des Autors zum Thema noch einmal deutlich macht (ebd. 81 sowie Rombach 1991). Hermetisches lässt sich vielmehr in den unterschiedlichsten Gestalten und Dimensionen entdecken; es erweist sich sogar, dass in der hermetischen Perspektive als einer neuen „Weltsicht" Dimensionalität allererst profiliert hervortreten kann als Schauplatz konkreativen Auseinandersetzungs-Geschehens, das je eigene Autogenese ebenso freigibt, wie es je und jäh ganz eigentypisch entsprechende Gemeinschaftsgenesen kreiert. Um genau dieses Thema kreisen denn auch alle Publikationen der neunziger Jahre (vgl. neben Rombach 1991 erneut 1994a und 1994b sowie 1996a).

Der kommende Gott. Hermetik – eine neue Weltsicht. – Unter den Publikationen, die wie erwähnt vom Eindruck der gravierenden Veränderungen in ganz Europa nach 1989 geprägt sind, nimmt das zweite ausdrückliche Plädoyer für Hermetik nicht nur formal eine Sonderstellung ein.[23] Nun ausdrücklich gegen die im Traditionsgang der Phänomenologie aus Heideggers existentialer Hermeneutik entwickelte vorherrschende hermeneutische Konzeption setzt Rombach in einem seit *Welt und Gegenwelt* wesentlich verschärften Ton seine philosophische Hermetik. Wenn auch von weit her kommend, bedeute sie doch „eine neue Weltsicht",

---

[22] Rombach 1983, 124-126 (V, 3: „Ganymed") sowie 44 f. (II, 11: „Der Gott des Fluges").

[23] Das in 22 kurze Abschnitte gegliederte Bändchen (Rombach 1991, 7-145) weist in einem Anhang (148-163) „Bruchstücke einer Auseinandersetzung" (158-160) auf, die sich zwischen Rombach und Hans-Georg Gadamer kurz nach Erscheinen von Rombachs erster Hermetik *Welt und Gegenwelt* schon in den achtziger Jahren an der Interpretation einer Hölderlin-Ode entzündete.

der vor allem die Dichtungen Hölderlins den Weg bereitete.[24] Als weitere Zeugnisse werden vor allem Werke der bildenden Kunst von Michelangelo über Giorgione und Van Gogh bis zu William Turner und Paul Klee benannt (um durch nur einige Namen die dargestellte Bandbreite anzudeuten). Wiederaufgenommen werden aus *Welt und Gegenwelt* einige Aspekte der mythologischen Tradition um Apoll und Hermes samt zugehöriger griechischer Ab-Bildung und einige, allerdings erheblich variierte, ergänzte Überlegungen zu hermetisch wichtigen Zwischenbereichen neben den traditionell von Engeln, Teufeln und Dämonen bevölkerten.[25] Weitere phänomenologische Bemerkungen zur hermetischen Erfahrung werden hier zum einen gegen eine „Theorie der hermeneutischen Erfahrung" abgesetzt, zum anderen beschließt eine „Kleine Schule der Hermetik" das gesamte Bändchen, nicht ohne ebenso knapp wie treffend eigens die „Hermetik der Religionen" zu bedenken sowie „Die Hermetik jenseits von Religion, Kunst und Philosophie".[26]

Literatur

Rombach, H. (1952 u. 1988a): „Über Ursprung und Wesen der Frage", in: *Symposion. Jahrbuch für Philosophie* 3 (1952) 135-236; 2., unveränderte Auflage mit einem Nachwort zur Neuausgabe, Freiburg/München 1988.

- (1962 u. 1988b): *Die Gegenwart der Philosophie*, Freiburg/München 1962, 2. unveränderte Aufl. 1964, 3. grundlegend neu bearbeitete Auflage 1988.

- (1965/1966 u. 1981a): *Substanz, System, Struktur. Der philosophische Hintergrund des Funktionalismus*, 2 Bde., Freiburg/München, 2. Aufl. 1981.

- (1971 u. 1988c): *Strukturontologie. Eine Phänomenologie der Freiheit*, Freiburg/München 1971, 2., unveränd. Aufl. mit einem Nachwort zur Neuausgabe 1988.

- (1974): *Wissenschaftstheorie*, 2 Bde., Freiburg/Basel/Wien.

- (1977): *Leben des Geistes. Ein Buch der Bilder zur Fundamentalgeschichte der Menschheit*, Freiburg/Basel/Wien.

- (1980a): *Phänomenologie des gegenwärtigen Bewußtseins*, Freiburg/München 1980.

- (1980b): „Das Phänomen Phänomen", in: *Neuere Entwicklungen des Phänomenbegriffs* (*Phänomenologische Forschungen*, Bd. 9) Freiburg/München, 7-32.

- (1981b): *Sein und Nichts. Grundbilder westlichen und östlichen Denkens*, zusammen mit Koichi Tsujimura und Ryosuke Ohashi, Basel/Freiburg/Wien.

---

[24] Rombach 1991, hier besonders der Untertitel, Abschnitt 1 und 5 (7-14 sowie 26-32). – Hölderlins Ode „Brod und Wein" entlieh Rombach auch den Haupttitel der Studie.

[25] Ebd., Abschnitt 2: „Apollon und Hermes" (15 f.) sowie Abschnitt 4: „Im Zwischen" (21-25). – Vgl. dazu auch Rombach 1983, Teil III, 53-81.

[26] Rombach 1991, besonders die Abschnitte 6: „Das hermetische Phänomen" und 7: „Kleine Phänomenologie der hermetischen Erfahrung" (33-53), dazu im Anhang Abschnitt 5 (161 f.); des weiteren Abschnitt 11 mit Abschnitt 12: „Gadamers Rückfall" (67-82) sowie Abschnitt 10 (63-66) und schließlich Abschnitt 18 (120-123).

- (1983): *Welt und Gegenwelt. Umdenken über die Wirklichkeit. Die philosophische Hermetik*, Basel.
- (1987): *Strukturanthropologie. „Der menschliche Mensch"*, Freiburg/München.
- (1991): *Der kommende Gott. Hermetik - eine neue Weltsicht*, Freiburg i. Br.
- (1994a): *Phänomenologie des sozialen Lebens. Grundzüge einer Phänomenologischen Soziologie*, Freiburg/München.
- (1994b): *Der Ursprung. Philosophie der Konkreativität von Mensch und Natur*, Freiburg i. Br.
- (1996a): *Drachenkampf. Der philosophische Hintergrund der blutigen Bürgerkriege und die brennenden Zeitfragen*, Freiburg i. Br.
- (1996b): „Die Geschichte als philosophisches Grundgeschehen. Was erzwang meinen Weg in die wirkliche Philosophie?" in: Christine und Michael Hauskeller (Hg.): „... was die Welt im Innersten zusammenhält": 34 Wege zur Philosophie, Hamburg, 32-35.

Stenger, G. u. M. Röhrig (Hg.) (1995): *Philosophie der Struktur. „Fahrzeug" der Zukunft? Festschrift für Heinrich Rombach*, Freiburg/München.

Die Autorinnen und Autoren

HELGA BLASCHEK-HAHN studierte Philosophie und Germanistik in Würzburg und Wien und promovierte bei Heinrich Rombach in Würzburg. Lehraufträge für Philosophie an der Universität Würzburg und der Karls-Universität Prag. Lektorin für Deutsch am Goethe-Institut Prag und im Rahmen der tschechischen Jan Patočka-Ausgabe Mitarbeiterin der Tschechischen Akademie der Wissenschaften. – *F:* Phänomenologie (bes. Heidegger, Patočka, Rombach); Literaturanalyse; Sprachphilosophie. – *P: Übergänge und Abgründe. Phänomenologische Betrachtungen zu Heimito von Doderers Roman „Die Wasserfälle von Slunj",* Würzburg 1988; *György Sebesten. Leben und Werk. Biographische und phänomenologische Studien,* Graz/Wien/Köln 1990. Als Hg.in: (mit Karel Novotný) *Jan Patočka: Vom Erscheinen als solchem. Texte aus dem Nachlaß (Orbis Phaenomenologicus Quellen,* Bd. 3), Freiburg/München 2000; (mit Věra Schifferová): Jan Patočka, Klaus Schaller, Dmitrij Tschižewskij: Philosophische Korrespondenz 1936-1977 *(Orbis Phaenomenologicus Quellen N. F.,* Bd. 5), Würzburg 2010.

IVAN BLECHA (geb. 1957) wurde 1991 Assistent, 1997 Dozent und 2004 Professor für Geschichte der Philosophie am Lehrstuhl für Philosophie an der Philosophischen Fakultät der Palacky-Universität in Olomouc, Tschechien, und ist seit 1998 Leiter des Lehrstuhls. – *F:* Philosophie der Neuzeit, insbesondere Phänomenologie und ihre Beziehungen zur philosophischen Tradition. Wissenschaftlicher Beirat der Zeitschrift *Filosoficky casopis* (Prag) und Mitglied des Editionsgremiums der Reihe *Orbis Phaenomenologicus.* – *P: Filosofie* [tschech.] 1994, 4. Aufl. 2002; „Kritik der pluralen Vernunft. Phänomenologie versus Postmoderne", in: E. G. Valdés u. R. Zimmerling (Hg.): *Facetten der Wahrheit. Festschrift für Meinolf Wewel,* Freiburg/München 1995, 379-397; *Husserl* [tschech.], 1996; *Jan Patočka* [tschech.], 1998; *Edmund Husserl und die tschechische Philosophie* [tschech.], 2003; *Verwandlungen der Phänomenologie* [tschech.], 2007; „Nietzsche in der tschechischen Phänomenologie. Patocka und die Frage nach dem Sinn", in: *Studia Phaenomenologica* VII, 2007.

THOMAS FRANZ (geb. 1962) ist seit 2009 stv. Direktor der Katholischen Akademie Domschule Würzburg und Leiter von „Theologie im Fernkurs" – *F:* Philosophie des 20. Jahrhunderts: Phänomenologie, Semiotik, Pragmatismus; Philosophische Anthropologie, Ästhetik, Religions- und Kulturphilosophie, Fundamentaltheologie, Verhältnis Phänomenologie und Theologie, Theologie der Religionen und interkulturelle Philosophie. – *P: Der Mensch und seine Grundphänomene. Eugen Finks Existentialanthropologie aus der Perspektive der Strukturanthropologie Heinrich Rombachs,* Freibug i. Br. 1999; „Eugen Fink", in: *Biographisch-Bibliographisches Kirchenlexikon,* Bd. 23, 189-193; „Mensch und Technik bei Eugen Fink. Eine kritische Interpretation", in: *Phänomenologische Forschungen* 2004, 207-218; „Heinrich Rombach", in: *Biographisch-Bibliographisches Kirchenlexikon,* Bd. 25, 1185-1192; „Die Pluralität des Menschen. Die Anthropologien Eugen Finks und Heinrich Rombachs im Vergleich", in: H. R. Sepp u. I. Copoeru (Hg.): *Phenomeno-*

logy 2005, vol. IV: *Selected Essays from the Northern Europe*, Bucharest 2007, 221-250; „„Der Leib ist eine große Vernunft.' Eugen Finks kosmologisch-anthropologische Interpretation von Eros und Thanatos, in: A. Böhmer u. A. Hilt (Hg.): *Das Elementale. An der Schwelle zur Phänomenalität (Orbis Phaenomenologicus Perspektiven*, Bd. 20), Würzburg 2008, 91-105.

ÁNGEL ENRIQUE GARRIDO-MATURANO (geb. 1964) ist seit 2000 Forscher des Staatlichen Rates für Wissenschaftliche und Technische Forschungen in Argentinien (CONICET) und seit 2004 Professor für Philosophie an der Katholischen Universität Santa Fe. – *F:* Phänomenologie, Existenzphilosophie, dialogisches Denken. – *P: La Estrella de la Esperanza. Introducción a La Estrella de la Redención de Franz Rosenzweig desde una perspectiva fenomenológica*, Buenos Aires, 2000; *Sobre el abismo. La angustia en la filosofía contemporánea*, Buenos Aires 2006; *Los tiempos del tiempo. El sentido cosmológico, filosófico y religioso del tiempo en el pensamiento contemporáneo*, Buenos Aires 2010. Als Hg.: Franz Rosenzweig: *El nuevo pensamiento*, Buenos Aires 2005. Artikel auf Deutsch: „Illeität im Denken von E. Lévinas. Vom Vorbeigehen der Illeität bis zum Zeugnis der Liebe Gottes" in: *Philosophisches Jahrbuch*, 103/1, 1996; „Die unendliche Frucht. Fruchtbarkeit und Diachronie in der Philosophie von E. Lévinas", in: *Intersubjectivité et théologie philosophique (Biblioteca dell'Archivio di Filosofia*, Bd. 26), Padova 2001; „Die Erfüllung der Kunst im Schweigen. Bemerkungen zu Franz Rosenzweigs Theorie der Kunst", in: *Théologie negative (Biblioteca dell'Archivio di Filosofia*, Bd. 27), Padova 2002.

AXEL HORN (geb. 1954) studierte in Würzburg Theologie, Sport, Germanistik, Geographie und Philosophie. 1980 Promotion im Fach Theologie zum Thema „Verantwortung heute" bei Heidegger, Sartre und Paul Tillich, 1987 im Fach Philosophie zum Thema „Spielen lernen"; beide Arbeiten wurden von Heinrich Rombach begleitet. Habilitation an der Universität Augsburg. Derzeit Professur für Sportwissenschaft mit Schwerpunkt Sportpädagogik an der Pädagogischen Hochschule in Schwäbisch Gmünd. – *F:* Eine auf Rombachs Strukturphilosophie fußende Sportdidaktik und Aspekte der Sportsoziologie. – *P: Spielen lernen. Spielen als ek-sistenziales Grundphänomen und Möglichkeiten einer Spielerziehung im Sportunterricht* [m. einem Vorwort v. H. Rombach], Weinheim 1987; *Leibes- und Bewegungs-Erziehung*, Bad Heinbrunn 2002; *Bewegung und Sport. Eine Didaktik*, Bad Heilbrunn 2009. Als Hg.: *Körperkultur*, 2 Bde. Schorndorf 2007 u. 2009.

KARL LUDWIG KEMEN (geb. 1948) ist Studiendirektor am Wilhelm von Humboldt-Gymnasium in Ludwigshafen. Studium der Kunsterziehung, Kunstgeschichte, Philosophie und Pädagogik in Mainz. Gründer der WHG-Medien-AG am Wilhelm-von-Humboldt-Gymnasium in Ludwigshafen (1984). 1987 Organisator der 1. Schulmedientage von Rheinland-Pfalz; seit 1994 Leiter der Fachdidaktischen Kommission Bildende Kunst, Sekundarstufe II, Rheinland-Pfalz, 1998 Mitverfasser des *Lehrplans Bildende Kunst* der gymnasialen Oberstufe in Rheinland-Pfalz. – *F:* Medienpädagogik. – *P:* (m. G. Laubscher) „Zur politischen Tragweite der Medienpädagogik", in: U. Kamp (Hg.): *Handbuch Medien: Offene Kanäle*, Bonn 1997, 133-144; „Live aus dem Ernst-Bloch-Zentrum", in: *Medienkompetenz. Modelle und Projekte*, Bonn 2004; „ExperienceChange oder die Frage nach einer Differenz der nationalen Identitäten in den USA und in Deutschland", in: K.-L. Kemen u. G. Laubscher (Hg.): *ExperienceChange. TV: the univeral language for youths*, Ludwigshafen 2007; *Bilddenken als Problem der Philosophie. Zur Bildphilosophie Heinrich Rombachs* (in Vorbereitung).

GUDRUN MORASCH studierte Pädagogik, Katholische Theologie, Philosophie und promovierte mit einer Arbeit zu Rombach und Gadamer. Seit Februar 2006 Privatdozentin an der Universität Augsburg (Erziehungswissenschaft), Habilitationsschrift zum Thema „Aspekte einer erziehungswissenschaftlichen Konzeption des menschlichen Selbst unter Berücksichtigung der neurowissenschaftlichen Erkenntnisse Antonio R. Damasios". – F: Strukturontologie und -anthropologie; Neurobiologie und philosophische Anthropologie; Hochbegabung; Familienerziehung; Erziehung in der (frühen) Kindheit. – P: Hermetik und Hermeneutik. Verstehen bei Heinrich Rombach und Hans-Georg Gadamer, Heidelberg 1996; „Der Mensch als Struktur. Die Strukturontologie Heinrich Rombachs am Beispiel der menschlichen Identität", in: Philosophie und Theologie 73, 1998; Hirnforschung und menschliches Selbst. Aspekte einer erziehungswissenschaftlichen Konzeption des Selbst unter Berücksichtigung neurobiologischer Erkenntnisse, Heidelberg 2007; „Zur Bedeutung frühkindlicher Erfahrungen für die Entwicklung von Gehirn und Selbst am Beispiel der Liebe. Befunde aus der Neurobiologie", in: J. Bilstein u. R. Uhle (Hg.): Liebe. Zur Anthropologie einer Grundbedingung pädagogischen Handelns, Oberhausen 2007.

RYOSUKE OHASHI (geb. 1944) studierte bis 1969 an der Universität Kyoto, promovierte 1973 in München und habilitierte sich 1983 an der Universität Würzburg. 1990 wurde ihm vom Bundespräsidenten Richard von Weizsäcker der „Franz-Phillip von Siebold Preis" verliehen. 1997/1998 war er Fellow am Wissenschaftskolleg in Berlin. Seit 2002 lehrte er Philosophie und Ästhetik an der Osaka University und hat heute den Lehrstuhl für Philosophie an der buddhistischen Ryukoku Universität in Kyoto inne. Er ist Mit-Herausgeber der japanischen Heidegger-Gesamtausgabe. – F: Phänomenologie; deutscher Idealismus; japanische Ästhetik; Geschichtsphilosophie. – P: Zu seinen auf Deutsch erschienenen Werken zählen vor allem: Ekstase und Gelassenheit. Zu Schelling und Heidegger, 1975; Die Zeitlichkeitsanalyse der Hegelschen Logik, 1984; Die Philosophie der Kyoto-Schule, 1. Aufl. 1990; Kire. Das „Schöne" in Japan, 1994; Japan im interkulturellen Dialog, 1999; Die „Phänomenologie des Geistes" als Sinneslehre. Hegel und die Phänomenoetik der Compassion, 2009.

HEINRICH ROMBACH (1923-2004), in Freiburg geboren, studierte an der Freiburger Universität Mathematik, Physik und Philosophie, später auch Geschichte und Kunstgeschichte; er promovierte 1949 und habilitierte sich 1955. Von 1964 bis zu seiner Emeritierung 1990 lehrte er an der Universität Würzburg. Aus der Erweiterung der Habilitationsschrift entstand das erste Hauptwerk Substanz, System, Struktur (1965), welches das strukturontologische Denken seines Autors begründete; diesem Werk folgten die Bände Strukturontologie (1971), Strukturanthropologie (1987) und Phänomenologie des sozialen Lebens (1994). Die Strukturontologie wurde im späteren Denken Rombachs um die Hermetik (Welt und Gegenwelt, 1983; Der kommende Gott, 1991) und die Bildphilosophie (Leben des Geistes, 1977) ergänzt. Eine Zusammenschau seines denkerischen Ansatzes bilden die Spätwerke Der Ursprung (1994), Drachenkampf (1996) und Die Welt als lebendige Struktur. Probleme und Lösungen der Strukturontologie (2003). In der Phänomenologie des gegenwärtigen Bewußtseins (1980) setzt sich Rombach in erster Linie mit der phänomenologischen Tradition auseinander. Er zählt im deutschen Sprachraum auch zu den ersten, die ein Interkulturelles Philosophieren vorantrieben (vgl. Sein und Nichts, 1981). - Lit.: G. Stenger u. M. Röhrig (Hg.): Philosophie der Struktur – ,Fahrzeug' der Zukunft? Für Heinrich Rombach, Freiburg/München 1995 (darin auch Bibliographie der Schriften Rombachs von Elena Riha, 629-635); G. Stenger: „Heinrich Rombach. Ein Porträt", in: Information Philosophie, 2/2001, 36-43.

KIYOSHI SAKAI (geb. 1950) ist Professor für Philosophie an der Gaku-shuin Universität in Tokyo und Vorsitzender der japanischen Leibniz-Gesellschaft. – *F:* Philosophiegeschichte von der Neuzeit bis zum 20. Jahrhundert, insbesondere Leibniz und Kant; Phänomenologie (Heidegger); Philosophischer Ost-West-Dialog. – *P:* Auf Deutsch u. a.: „Zum Wandel der Leibniz-Rezeption im Denken Heideggers", in: *Heidegger Studies* 9, 1993; „Der Subjektbegriff in Ost und West. Eine Reflexion im Ausgang von Leibniz", in: *Studia Leibnitiana*, Sonderheft 22, 1994; „Die Fensterlosigkeit der Monade. Ein Aspekt der Frage nach dem Anderen", in: H. Hüni u. P. Trawny (Hg.): *Die Erscheinende Welt. Festschrift für Klaus Held*, Berlin 2002. Als Hg.: (mit R. Cristin) *Phänomenologie und Leibniz* (*Orbis Phaenomenologicus Perspektiven*, Bd. 2) Freiburg/München 2000.

HANS RAINER SEPP (geb. 1954) lehrt Philosophie an der Humanwissenschaftlichen Fakultät der Karls-Universität Prag. Er ist Direktor des dortigen Mitteleuropäischen Instituts für Philosophie (*Středoevropský institut pro filosofii* – SIF) sowie Direktor des Eugen Fink-Archivs Freiburg und fungiert im Executive Committee von O.P.O. (*Organization of Phenomenological Organizations*). Er gibt die Buchreihe *libri nigri* (2010 ff.) heraus und ist Mitherausgeber der Reihen *Orbis Phaenomenologicus* (1993 ff.) und *Philosophische Anthropologie – Themen und Positionen* (2008 ff.) sowie der *Eugen Fink Gesamtausgabe* (2006 ff.). – *F:* Phänomenologie; Ethik; Ästhetik und Philosophie der Kunst; Interkulturelle Philosophie; Philosophische Anthropologie; Philosophie des 19. und 20. Jahrhunderts. – *P: Neueste Buchpublikationen: Über die Grenze. Prolegomena zu einer Theorie der Transkulturalität*, 2010; *Bild. Phänomenologie der Epoché I*, 2010. Als Hg.: m. L. Embree: *Handbook of Phenomenological Aesthetics*, 2010; m. A. Wildermuth: *Konzepte des Phänomenalen. Heinrich Barth – Eugen Fink – Jan Patočka*, 2010; m. C. Nielsen: *Welt denken. Annäherungen an die Kosmologie Eugen Finks*, 2010; *Bildung und Politik im Spiegel der Phänomenologie*, 2010; *Nietzsche und die Phänomenologie*, 2010; m. H.-B. Gerl-Falkovitz u. R. Kaufmann: *Europa und seine Anderen. Edith Stein – Emmanuel Levinas – Józef Tischner*, 2010.

GEORG STENGER (geb. 1957) lehrt Philosophie an der Universität Würzburg. Mitherausgeber der Japanischen Heidegger-Gesamtausgabe (JHGA). Fellow am Kulturwissenschaftlichen Institut Nordrhein-Westfalen in Essen (2001), Fellow am Forum Scientiarum der Universität Tübingen (2008). – *F:* Phänomenologie und Nachbardisziplinen, Interkulturelle Philosophie, Kulturphilosophie, Hermeneutik, Strukturphilosophie, Poststrukturalismus, Sprachphilosophie, Ästhetik, Geschichtsphilosophie, Philosophische Anthropologie, Ethik und Sozialphilosophie; Kant und Deutscher Idealismus, Nietzsche, Philosophie des 20. Jahrhunderts und der Gegenwart. – *P:* (Hg.): *Philosophie der Struktur – ‚Fahrzeug' der Zukunft? Für Heinrich Rombach*, 1995; *Philosophie der Interkulturalität – Erfahrung und Welten. Eine phänomenologische Studie*, 2006. Neuere Artikel: „Dynamik der Zeit. Zur phänomenologischen Kritik an der Systemtheorie", in: J. Brejdak et al. (Hg.): *Phänomenologie und Systemtheorie* (*Orbis Phaenomenologicus Perspektiven N. F.*, Bd. 8), 2006, 127-146; „Wenn Welten grüßen ... Zur Phänomenologie des Grußes zwischen Ost und West", in: H. R. Sepp u. I. Yamaguchi (Hg.): *Leben als Phänomen. Freiburger Phänomenologie im Ost-West-Dialog* (*Orbis Phaenomenologicus Perspektiven N. F.*, Bd. 13), 2006, 309-322; „‚Erfahrung' als Leitmotiv diesseits der Dichotomie von Universalismus und Relativismus", in: C. Bickmann et al. (Hg.): *Tradition und Traditionsbruch zwischen Skepsis und Dogmatik. Interkulturelle philosophische Perspektiven*, 2006, 307-324; „Kultur der Leiblichkeit in strukturphilosophischer Betrachtung", in: A. Horn (Hg.): *Körperkultur*, 2007, 39-54; „Genealogie und Generativität des Weltbegriffs – Von der

‚Methode' zum ‚Weg'", in: G. Pöltner et al. (Hg.): „Welten" – Zur Welt als Phänomen, 2008, 35-50.

NIELS WEIDTMANN (geb. 1967) studierte Philosophie, Politik und Biologie in Würzburg und in den USA; im Zusammenhang einer bei Heinrich Rombach absolvierten Promotion Studienreisen nach Schwarzafrika. Nach Tätigkeiten als wissenschaftlicher Referent bei der Studienstiftung des deutschen Volkes und im Bundespräsidialamt ist er heute wissenschaftlicher Leiter des Forum Scientiarum der Universität Tübingen. – F: Strukturphilosophie, Phänomenologie und Hermeneutik; Interkulturelle Philosophie und Afrikanische Philosophie. – P: „Der gemeinsame Weg der Kulturen zu größerer Wahrheit. Eine Einführung in das Denken von Kwasi Wiredu", in: Polylog, 2, 1998, 6-11; „Postkoloniale Identitätssuche. Die innerkulturellen Krisen und der interkulturelle Dialog", in: C. Hamann u. C. Sieber (Hg.): Zur Aktualität des Postkolonialen, Hildesheim 2002, 109-124; „Interkulturalität als ‚A-Topos' der Philosophie: Jenseits der Alternative von Universalismus und Relativismus", in: F. G. Wallner, F. Schmidsberger u. F. M. Wimmer (Hg.): Intercultural Philosophy, Frankfurt/M. 2010, 81-103. Als Hg.: (mit D. Evers) Kognition und Verhalten (Interdisziplinäre Forschungsarbeiten am FORUM SCIENTIARUM, Bd. 1), Münster 2008; Wahrnehmung und Identität (Interdisziplinäre Forschungsarbeiten am FORUM SCIENTIARUM, Bd. 2), Münster 2009).

ECKARD WOLZ-GOTTWALD ist nach Lehr- und Forschungstätigkeit an den Universitäten Würzburg und Münster Dozent für Philosophie und Religionswissenschaft an der Philosophisch-Theologischen Hochschule Münster. – F: Interkulturelle Philosophie / interreligiöser Dialog, philosophische Mystik, indische Philosophie. – P: Transformation der Phänomenologie. Zur Mystik bei Husserl und Heidegger, 1999; Yoga-Philosophie-Atlas, 2006.

F = Forschungsschwerpunkte. P = Wichtigste Publikationen.

Orbis Phaenomenologicus
Perspektiven - Quellen - Studien

Herausgegeben von
Kah Kyung Cho (Buffalo), Yoshihiro Nitta (Tokyo) und Hans Rainer Sepp (Prag)

Die Reihe präsentiert Denkansätze und Erträge der Phänomenologie und bestimmt ihre Positionen im Kontext anderer philosophischer Strömungen. Sie diskutiert Aporien des phänomenologischen Denkens und fördert die weiterführende phänomenologische Sachforschung. Die **Perspektiven** widmen sich phänomenologischen Sachthemen, behandeln das Werk wichtiger Autoren und zeichnen ein lebendiges Bild bedeutender Forschungszentren der Phänomenologie. Die **Quellen** versammeln Primärtexte und erschließen dokumentarisches Material zur internationalen Phänomenologischen Bewegung. Die **Studien** legen aktuelle Forschungsergebnisse vor.

Beate Beckmann
Phänomenologie des religiösen Erlebnisses .
Studien 1, 332 Seiten. ISBN 3-8260-2504-0

Michael Staudigl
Grenzen der Intentionalität
Studien 4, 207 Seiten. ISBN 3-8260-2590-3

Rolf Kühn / Michael Staudigl (Hrsg.)
Epoché und Reduktion
Perspektiven, Neue Folge 3, 309 Seiten. ISBN 3-8260-2589-X

Cathrin Nielsen
Die entzogene Mitte
Studien 3, 198 Seiten. ISBN 3-8260-2593-8

Beate Beckmann / Hanna-Barbara Gerl-Falkovitz (Hrsg.)
Edith Stein
Perspektiven, Neue Folge 1, 318 Seiten. ISBN 3-8260-2476-1

Guy van Kerckhoven
Mundanisierung und Individuation bei Edmund Husserl und Eugen Fink
Studien 2, 510 Seiten. ISBN 3-8260-2551-2

Takako Shikaya
Logos und Zeit
Studien 6, 154 Seiten. ISBN 3-8260-2661-7

Dean Komel (Hrsg.)
Kunst und Sein

Perspektiven, Neue Folge 4, 250 Seiten. ISBN 3-8260-2852-X
Karl-Heinz Lembeck (Hrsg.)

Studien zur Geschichtenphänomenologie Wilhelm Schapps
Perspektiven, Neue Folge 7, 139 Seiten. ISBN 3-8260-2861-9

Sandra Lehmann
Der Horizont der Freiheit
Studien 9, 114 Seiten. ISBN 3-8260-2961-5

Silvia Stoller / Veronica Vasterling / Linda Fisher (Hrsg.)
Feministische Phänomenologie und Hermeneutik
Perspektiven, Neue Folge 9, 306 Seiten. ISBN 3-8260-3032-X

Rolf Kühn
Innere Gewissheit und lebendiges Selbst
Studien 11, 132 Seiten. ISBN 3-8260-2960-7

Pavel Kouba
Sinn der Endlichkeit
Studien 7, 240 Seiten. ISBN 3-8260-3121-0

Alexandra Pfeiffer
Hedwig Conrad-Martius
Studien 5, 232 Seiten. ISBN 3-8260-2762-0

Dean Komel
Tradition und Vermittlung
Studien 10, 138 Seiten. ISBN 3-8260-2973-9

Madalina Diaconu
Tasten, Riechen, Schmecken
Studien 12, 500 Seiten. ISBN 3-8260-3068-0

Harun Maye / Hans Rainer Sepp (Hrsg.)
Phänomenologie und Gewalt
Perspektiven, Neue Folge 6, 284 Seiten. ISBN 3-8260-2850-3

Javier San Martín (Hrsg.)
Phänomenologie in Spanien
Perspektiven, Neue Folge 10, 340 Seiten. ISBN 3-8260-3132-6

Daniel Tyradellis
Untiefen
Studien 14, 196 Seiten. ISBN 3-8260-3276-4

Anselm Böhmer (Hrsg.)
Eugen Fink
Perspektiven, Neue Folge 12, 356 Seiten. ISBN 3-8260-3216-0

Urbano Ferrer
Welt und Praxis
Studien 13, 196 Seiten. ISBN 3-8260-3131-8

Ludger Hagedorn (Hrsg.)
Jan Patočka – Andere Wege in die Moderne
Quellen. Neue Folge 1,1, 484 Seiten. ISBN 3-8260-2846-5

Julia Jonas / Karl-Heinz Lembeck (Hrsg.)
Mensch – Leben – Technik
Perspektiven, Neue Folge 11, 388 Seiten. ISBN 3-8260-2902-X

Hans Rainer Sepp / Ichiro Yamaguchi (Hrsg.)
Leben als Phänomen
Perspektiven, Neue Folge 13, 332 Seiten. ISBN 3-8260-3213-6

Jaromir Brejdak / Reinhold Esterbauer / Sonja Rinofner-Kreidl / Hans Rainer Sepp (Hrsg.)
Phänomenologie und Systemtheorie
Perspektiven, Neue Folge 8, 172 Seiten. ISBN 3-8260-3143-1

Ludger Hagedorn / Hans Rainer Sepp (Hrsg.)
Andere Wege in die Moderne
Quellen. Neue Folge 1,2, 228 Seiten. ISBN 3-8260-2847-3

Heribert Boeder
Die Installationen der Submoderne
Studien 15, 449 Seiten. ISBN 3-8260-3356-6

Pierfrancesco Stagi
Der faktische Gott
Studien 16, 324 Seiten. ISBN 978-3-8260-3446-6

Giovanni Leghissa / Michael Staudigl (Hrsg.)
Lebenswelt und Politik
Perspektiven 17, 294 Seiten. ISBN 978-3-8260-3586-9

Cathrin Nielsen / Michael Steinmann / Frank Töpfer (Hrsg.)
Das Leib-Seele-Problem und die Phänomenologie
Perspektiven, Neue Folge 15, 332 Seiten. ISBN 978-3-8260-3708-5

Dietrich Gottstein / Hans Rainer Sepp (Hrsg.)
Polis und Kosmos
Perspektiven, Neue Folge 16, 356 Seiten. ISBN 978-3-8260-3498-8

Dimitri Ginev (Hrsg.)
Aspekte der phänomenologischen Theorie der Wissenschaft
Perspektiven, Neue Folge 21, 228 Seiten. ISBN 978-3-8260-3721-4

Anselm Böhmer / Annette Hilt (Hrsg.)
Das Elementale
Perspektiven, Neue Folge 20, 180 Seiten. ISBN 978-3-8260-3631-6

Ludger Hagedorn / Michael Staudigl (Hrsg.)
Über Zivilisation und Differenz
Perspektiven, Neue Folge 18, 312 Seiten. ISBN 978-3-8260-3585-2

Radomír Rozbroj
Gespräch
Studien 20, 320 Seiten. ISBN 978-3-8260-3794-8

Filip Karfík
Unendlichwerden durch die Endlichkeit
Studien 8, 216 Seiten. ISBN 978-3-8260-2866-3

Dimitri Ginev
Transformationen der Hermeneutik
Studien 17, 144 Seiten. ISBN 978-3-8260-3959-1

Mette Lebech
On the Problem of Human Dignity
Studien 18, 336 Seiten. ISBN 978-3-8260-3815-0

Dean Komel
Intermundus
Studien 19, 112 Seiten. ISBN 978-3-8260-4015-3

Edmundo Johnson
Der Weg zum Leib
Studien 21, 208 Seiten. ISBN 978-3-8260-4126-6

Matthias Flatscher / Sophie Loidolt (Hg.)
Das Fremde im Selbst – Das Andere im Selben
Perspektiven, Neue Folge 19, 320 Seiten. ISBN 978-3-8260-4312-3

Pol Vandevelde (Ed.)
Phenomenology and Literature
Perspektiven, Neue Folge 24, 284 Seiten. ISBN 978-3-8260-4284-3

Karel Novotný (Hg.)
Ludwig Landgrebe: Der Begriff des Erlebens

Helga Blaschek-Hahn / Věra Schifferová (Hg.)
Jan Patočka – Klaus Schaller – Dmitrij Tschižewskij.
Philosophische Korrespondenz 1936-1977
Quellen. Neue Folge 5, 188 Seiten. ISBN 978-3-8260-4317-8

Helga Blaschek-Hahn / Hans Rainer Sepp (Hg.)
Heinrich Rombach. Strukturontologie – Bildphilosophie – Hermetik
Perspektiven, Neue Folge 2, 264 Seiten. ISBN 978-3-8260-4055-9